dtv

Dieser berühmte russische Roman von 1842 über unmoralisches Gewinnstreben und Korruption ist von geradezu verblüffender Aktualität – allenfalls die Methoden haben sich geändert: Bei Gogol reist ein wegen Bestechung entlassener Zolleinnehmer durch die Provinz, um den Gutsbesitzern verstorbene Leibeigene abzukaufen, weil diese in der Steuerbürokratie noch als Lebende gelten und ihm als fiktives Pfandobjekt bei Kreditinstituten Gewinn bringen sollen. Doch dabei werden die adeligen Verkäufer als die eigentlich seelisch und moralisch Toten entlarvt.
›Die toten Seelen‹, der einzige Roman des an der Schwelle zwischen Romantik und Realismus stehenden Erzählers und Dramatikers Nikolaj Gogol, gehört zu den Werken der russischen Literatur, die seit mehr als hundert Jahren ungebrochene Wertschätzung genießen.

Nikolaj Gogol wurde am 1. 4. 1809 in Soročincy (im ehemaligen Gouvernement Poltava, Ukraine) geboren und starb am 4. 3. 1852 in Moskau. Er war kurze Zeit im Staatsdienst und danach Lehrer an einer höheren Mädchenschule. 1831 Bekanntschaft mit Puschkin. Zwischen 1836 und 1848 verschiedene Auslandsaufenthalte, besonders in Rom. Weitere Werke: ›Aufzeichnungen eines Wahnsinnigen‹ (1835), ›Der Revisor‹ (1836), ›Die Nase‹ (1836), ›Die Heirat‹ (1842), ›Der Mantel‹ (1842).

Nikolaj Gogol

Die toten Seelen

Roman

Aus dem Russischen übertragen
von Fred Ottow

Mit einem Nachwort, Anmerkungen,
einer Zeittafel und Literaturhinweisen
von Barbara Conrad

Deutscher Taschenbuch Verlag

Titel der Originalausgabe:
›Pochoždenija Čičkova ili Mertvye duši. Poėma‹
(Moskau 1842)

Vollständige Ausgabe
Januar 1982
5. Auflage November 1998
Deutscher Taschenbuch Verlag GmbH & Co. KG,
München

Umschlagkonzept: Balk & Brumshagen
Umschlagbild: ›Spassmacher‹ (1865) von Illarion Michajlowitsch
Prjanischkow
Gesamtherstellung: C. H. Beck'sche Buchdruckerei,
Nördlingen
Gedruckt auf säurefreiem, chlorfrei gebleichtem Papier
Printed in Germany · ISBN 3-423-12607-8

ERSTER TEIL

1

Ins Hoftor einer Gastwirtschaft der Gouvernementsstadt N. rollte eine dieser kleinen hübschen und gut gefederten Kutschen, wie sie besonders von Junggesellen bevorzugt wurden, nämlich von Oberstleutnants, Stabskapitänen und Gutsbesitzern, die über ungefähr hundert Seelen geboten – kurz, von jener Sorte Menschen, welche zur sogenannten Mittelklasse gerechnet wurden. Im Wagen saß ein Herr, der zwar kein Adonis war, aber trotzdem nicht übel aussah und weder besonders dick noch übermäßig dünn war. Auch konnte man ihn ebensowenig für alt wie für besonders jugendlich halten. Seine Ankunft machte in der Stadt nicht das geringste Aufsehen und war von keinerlei bemerkenswerten Vorgängen begleitet. Lediglich zwei russische Bauern, die vor dem Ausgang der gegenüberliegenden Kneipe standen, machten einige Bemerkungen, die sich aber mehr auf die Kutsche als auf den Herrn darin bezogen. »Schau dir mal dieses Rad an«, sagte der eine zum anderen. »Meinst du, daß es notfalls bis Moskau halten würde oder nicht?« – »Das würde es wohl«, erwiderte der andere. »Aber bis Kasan, glaube ich, wohl kaum?« – »Nein, bis Kasan wohl kaum«, antwortete der andere. Und damit war das Zwiegespräch zu Ende. – Ja, und dann: als die Kutsche beim Gasthof angelangt war, kam ein junger Mann vorbei, der sehr enge weiße Leinenhosen und einen Frack anhatte, welcher der Mode geradezu Hohn sprach. Aus dem Frack schaute ein Vorhemd hervor. Es war mit einer Nadel aus Tulasilber geschlossen, die mit einer bronzenen Miniaturpistole verziert war. Der junge Mann blieb stehen, sah sich nach der Kutsche um, wobei er seine Mütze, die in Gefahr war, vom Winde entführt zu werden, mit der Hand festhielt, und ging seiner Wege.

Als der Wagen in den Hof hineinfuhr, wurde der Herr von einem Kellner oder, wie man damals sagte, Zimmerburschen begrüßt, welcher, eine Serviette unterm Arm, hurtig herbeigerannt kam und dermaßen lebhaft und quecksilbrig hin und her lief, daß man sage und schreibe sein Gesicht überhaupt nicht erkennen konnte. Dieser Mensch, der so groß war, daß die Taille seines baumwollenen Rockes ihm hoch auf dem Rücken saß, schüttelte seine Mähne und führte den Reisenden eilfertig durch einen hölzernen Laufgang, ihm im oberen Stockwerk sein ihm von Gott bestimmtes Hotelzimmer zu zeigen. Dieses war von der üblichen Art, denn auch der ganze Gasthof war von der üblichen Art, nämlich so, wie die Hotels in den Gouvernementsstädten nun einmal waren, wo die Durchreisenden für zwei Rubel täglich ein Zimmer mit Schaben erhielten, die, so groß wie Dörrpflaumen, aus allen Ecken hervorlugten. Eine Tür, die durch eine Kommode verstellt war, führte ins Nebenzimmer, wo ein Nachbar sich eingerichtet hatte, ein schweigsamer und ruhiger, aber äußerst neugieriger Mensch, der sich bis ins kleinste für alles interessierte, was mit dem Ankömmling zusammenhing. Die Fassade des Gasthofs entsprach vollkommen dem Inneren: sie war sehr lang und bestand aus zwei Stockwerken. Das untere war aus dunkelroten, unverputzten Backsteinen, die, ohnehin schon ziemlich schmutzig, durch die heftigen Wetterumschläge noch weiter nachgedunkelt waren. Das obere Stockwerk war mit der üblichen gelben Farbe gestrichen. Unten waren Läden, in denen es Pferdegeschirr, Spagat und Brezeln zu kaufen gab. Im Eckladen hatte sich ein Händler niedergelassen, der einen Tee-Ersatz aus Wasser, Honig und Salbei feilbot. Der Händler saß im Schaufenster vor einem kupferroten Samowar und hatte ein ebenso kupferrotes Gesicht, was von weitem so aussah, als ständen auf dem Fensterbrett zwei Samoware. Man hätte in der Tat dieser Meinung sein können, wenn nicht einer der beiden einen pechschwarzen Bart gehabt hätte.

Während der neuangekommene Herr sein Zimmer in Augenschein nahm, wurde sein Gepäck gebracht: zuerst ein Koffer aus weißem Leder, dessen schon abgenutztes Aussehen verriet, daß er nicht zum erstenmal auf der Reise war. Der

Koffer wurde vom Kutscher Selifan, einem kleinen Mann in kurzem Pelz, und dem etwa dreißigjährigen Bedienten Petruschka herbeigeschleppt. Petruschka, der sehr wulstige Lippen und eine ebensolche Nase hatte, trug einen schäbigen Rock, der ihm viel zu weit war und früher offensichtlich seinem Herrn gehört hatte. Nach dem Koffer wurde eine kleine Kassette aus Mahagoni mit zierlichen Intarsien von karelischer Birke, ein Paar Schuhleisten und ein gebratenes, in blaues Papier gewickeltes Huhn hereingetragen. Als dies alles erledigt war, begab sich der Kutscher Selifan in den Stall, um die Pferde zu versorgen, und der Diener Petruschka fing an, sich im Vorzimmer einzurichten. Es war dies eine winzige, ganz dunkle Kammer, in welche mit Petruschkas Mantel eine muffige, höchst persönliche Atmosphäre einzog, die auch einen Sack mit allerhand Zubehör seiner Bedientenausstattung umwitterte. In der Kammer schob er ein schmales, dreibeiniges Bett an die Wand und bedeckte es mit einem Gegenstand, der eine entfernte Ähnlichkeit mit einer Matratze hatte. Es war ihm gelungen, das Ding vom Gastwirt zu erhalten, das so flach und zusammengedrückt wie ein Pflaumenkuchen war und wahrscheinlich auch ebenso fettig.

Während auf diese Weise der Kutscher und der Diener beschäftigt waren, begab sich der Herr in den Speisesaal des Gasthofs. Wie es in diesen Sälen aussieht, weiß jeder Reisende nur allzu genau: überall dieselben mit Ölfarbe gestrichenen Wände, die oben rauchgeschwärzt sind und unten wie poliert von den Rücken der Reisenden und der einheimischen Kaufleute, die nur an den Markttagen in Gruppen von sechs oder sieben Mann zu erscheinen pflegen, um eine bestimmte Anzahl Tassen Tee zu trinken. Immer die gleiche verräucherte Zimmerdecke, der gleiche rußige Kronleuchter mit einer Unmenge hängender Glasprismen, die jedesmal tanzen und klirren, wenn der Kellner den abgetretenen Wachstuchläufer entlangläuft, wobei er geschickt mit dem Tablett manövriert, auf welchem eine unübersehbare Menge von Teegläsern wie Vögel am Meeresufer aufgereiht ist. Dieselben Ölgemälde, jedes so groß wie eine ganze Wand – mit einem Wort, alles war auch hier wie überall, nur mit dem

Unterschied, daß auf einem dieser Gemälde eine Nymphe mit so ungeheuren Brüsten abgebildet war, wie sie der Leser vermutlich noch niemals gesehen hat. Derartige Naturwunder kommen übrigens auch auf manchen historischen Gemälden vor, von denen man nicht weiß, wann, woher und durch wen sie zu uns nach Rußland gekommen sind. Manchmal sind es wohl unsere eigenen Würdenträger und Kunstenthusiasten gewesen, welche sie in Italien auf Empfehlung der Fremdenführer erworben haben, die sie ständig begleiteten.

Unser Reisender warf seine Mütze auf den Tisch und entledigte sich seines wollenen, regenbogenfarbenen Schals, wie sie die Frauen eigenhändig ihren Männern zu stricken und ihnen nicht ohne allerhand nützliche Gebrauchsanweisungen zu schenken pflegen. Von wem aber die Hagestolze solche Halstücher erhalten, kann ich nicht mit Sicherheit sagen, denn, weiß Gott, ich habe selbst nie ein solches getragen.

Nachdem nun der Herr sich von seinem Schal befreit hatte, ließ er sich das Mittagessen bringen. Während die verschiedenen in den Gastwirtschaften üblichen Gerichte aufgetragen wurden, wie zum Beispiel: Kohlsuppe mit Blätterteigpasteten, die wochenlang für die Reisenden aufgehoben werden, Hirn mit Erbsen, Würstchen mit Kraut, gebratene Poularde, Salzgurken und schließlich das unvermeidliche, immer vorrätige süße Gebäck – während ihm also dies alles, aufgewärmt oder einfach kalt, vorgesetzt wurde, veranlaßte er den Kellner, ihm allerhand unnützes Zeug zu erzählen: wem der Gasthof früher gehört habe und wer gegenwärtig der Inhaber sei, ob das Geschäft floriere und ob der Wirt wohl ein großer Gauner sei, worauf der Kellner gewohnheitsgemäß zur Antwort gab: »Oh, und was für einer, gnädiger Herr!«

Wie im aufgeklärten Europa, so gibt es jetzt auch im fortschrittlichen Rußland eine Menge ehrenwerter Leute, die es einfach nicht fertigbringen, im Gasthaus zu essen, ohne sich mit dem Kellner anzubiedern oder manchmal sogar Späße mit ihm zu machen. Übrigens waren es durchaus nicht nur müßige Fragen, die der Reisende an den Kellner richtete. Er erkundigte sich vielmehr höchst eingehend, wer hier in der Stadt Gouverneur, wer Gerichtspräsident und wer Oberstaatsanwalt sei – kurz, er vergaß auch nicht einen einzigen der hervorragendsten Honoratioren; aber noch viel genauer, wenn nicht sogar mit persönlicher Anteilnahme, fragte er den Kellner über alle bedeutenden Großgrundbesitzer der Umgebung aus: wieviel Seelen jeder einzelne von ihnen besitze, wie weit er von der Stadt wohne, ja sogar, was für einen Charakter er habe und wie oft er zur Stadt komme. Er erkundigte sich ausführlich nach den Verhältnissen im Kreise, wollte wissen, ob nicht irgendwelche Krankheiten im Gouvernement geherrscht hätten, wie beispielsweise fieberhafte Epidemien, tödlich verlaufende Seuchen, Pocken und dergleichen, und stellte alle diese Fragen mit einer Gründlichkeit, die auf weit mehr als einfach landläufige Neugier schließen ließ.

Im ganzen Benehmen des Herrn lag etwas entschieden Zuverlässiges und Gediegenes, auch schneuzte er sich ungewöhnlich geräuschvoll, ohne daß man dahinterkam, wie er es zuwege brachte, daß seine Nase wie eine Trompete schmetterte. Aber gerade diese augenscheinlich vollkommen natürliche Fertigkeit trug ihm die besondere Hochachtung des Kellners ein, der jedesmal, wenn diese Posaune ertönte, seine Mähne schüttelte, den ganzen Körper straffte, seinen Kopf vorbeugte und fragte: »Haben der Herr einen Wunsch?«

Nach dem Mittagessen trank der Reisende eine Tasse Kaffee, lehnte sich auf dem Diwan zurück und schob sich ein Kissen, dessen Füllung, wie bei allen Kissen in russischen Gasthöfen, nicht aus schmiegsamer Wolle, sondern vermutlich aus Ziegeln oder Feldsteinen bestand, in den Rücken. Aber er fing dennoch an zu gähnen und ließ sich in sein Zimmer bringen, wo er sich hinlegte und zwei Stunden lang schlief. Als er wieder munter geworden war, schrieb er auf Verlangen des Kellners seinen Rang, Vornamen und Familiennamen auf einen Papierfetzen, damit diese Angaben, wie das vorgeschrieben war, der Polizei zur Kenntnis gebracht werden konnten. Als der Kellner die Treppe hinunterging, buchstabierte er, was auf dem Zettel stand: Kollegienrat Pawel Iwanowitsch Tschitschikow, Gutsbesitzer, in privaten Angelegenheiten unterwegs. Während der Kellner noch mit der

Entzifferung des Wisches beschäftigt war, verließ Pawel Iwanowitsch Tschitschikow das Gasthaus, um eine Besichtigung der Stadt vorzunehmen, die offenbar durchaus befriedigend ausfiel, denn er fand, daß sie anderen Gouvernementsstädten in nichts nachstand: die gelbe Farbe der steinernen und das bescheidene Dunkelgrau der hölzernen Gebäude fielen besonders auf. Die Häuser hatten ein, zwei oder auch anderthalb Stockwerke und fast durchweg Zwischengeschosse, die anscheinend den Provinzarchitekten ausnehmend gefielen. Stellenweise standen die Häuser wie verloren an den Straßen, die so breit wie Felder waren, und zwischen den endlos sich hinziehenden Bretterzäunen. An anderen Stellen wiederum drängten sie sich eng zusammen, und hier herrschte dann auch mehr Bewegung und Leben. Gelegentlich kam man an regenverwaschenen Firmenschildern vorüber, auf denen zum Beispiel Brezeln oder Stiefel zu sehen waren, oder man begegnete einem, auf das eine blaue Hose und darunter der Name eines gewissen Schneiders Arschawskij gemalt war, oder einem Hutladen, dessen Schild die Aufschrift »Der Ausländer Wasilij Fjodorow« trug. Auf einem anderen Schilde waren ein Billard und zwei Spieler in Fräcken abgebildet, wie sie die Gäste zu tragen pflegen, die in unseren Theatern im Schlußakt auftreten. Die Billardspieler holten mit ihren Queues gerade zum Stoße aus und standen mit etwas zurückgebogenen Armen und gebeugten Knien da, als hätten sie soeben einen Luftsprung gemacht. Dieses Kunstwerk war mit der Aufschrift versehen: »Hier ist ein Ausschank«. Da und dort waren einfach auf der Straße Verkaufsstände aufgestellt mit Nüssen, Seife und Pfefferkuchen, die ebenfalls wie Seife aussahen. Gleich dabei befand sich eine Volksküche, die sich durch einen gemalten fetten Fisch, in dem eine Gabel steckte, auswies. Aber am häufigsten begegnete man noch den nachgedunkelten kaiserlichen Doppeladlern, welche heute allerdings schon vielfach von der lakonischen Inschrift »Kneipe« verdrängt sind. Das Straßenpflaster war durchweg in ziemlich miserablem Zustande. Tschitschikow warf auch einen Blick in den Stadtpark, der aus einigen schmächtigen Bäumchen bestand, die nur kümmerlich gediehen, wenngleich ein jedes von drei Pfählen gestützt wurde, die mit grüner Farbe wunderhübsch gestrichen waren. Obschon diese Stämmchen noch nicht einmal die Höhe eines Spazierstocks erreicht hatten, stand in den Zeitungen anläßlich der Beschreibung einer Illumination, daß »unsere Stadt infolge der dankenswerten Rührigkeit unseres Stadtoberhaupts durch Anlagen mit schattigen, breitausladenden Bäumen verschönt wurde, die an schwülen Sommertagen angenehme Kühle zu spenden versprechen«. Auch sei es »rührend anzusehen, wie die Herzen aller Mitbürger in überquellender Dankbarkeit schneller schlagen und in warmer Anerkennung der Verdienste des Herrn Stadthauptmanns Ströme von Tränen vergießen«.

Nachdem Tschitschikow einen städtischen Aufseher eingehend ausgefragt hatte, wie man auf dem kürzesten Wege zur Kathedrale, zu den amtlichen Stellen und zum Gouverneur gelange, machte er sich zum Fluß auf, der mitten durch die Stadt zog. Unterwegs riß er ein Plakat ab, das an einer Anschlagsäule klebte, um es zu Hause in Ruhe zu studieren, und faßte eine Dame von angenehmem Äußeren scharf ins Auge, die, gefolgt von einem livrierten Knaben, mit einer Einkaufstasche in der Hand, auf dem bretterbelegten Bürgersteig an ihm vorüberging. Dann musterte er das Ganze noch einmal, wie um sich alles zu merken, und kehrte ins Gasthaus zurück. Hier stieg er, vom Kellner leicht gestützt, die Treppe hinauf und begab sich geradewegs in sein Zimmer. Nachdem er Tee getrunken hatte, setzte er sich an den Tisch, ließ sich eine Kerze bringen, zog das Plakat aus der Tasche, schob das Licht näher heran und begann mit der Lektüre, wobei er sein rechtes Auge ein wenig zukniff. Übrigens war es ein nicht sehr bemerkenswerter Theaterzettel: es wurde ein Stück von Kotzebue gegeben, in welchem ein gewisser Popljowin den »Rolla« und ein Fräulein Sjablowa die »Kora« spielten, während die übrigen Personen noch uninteressanter waren. Nichtsdestoweniger las er alles durch, einschließlich der Preise der Parterreplätze, und nahm schließlich sogar zur Kenntnis, daß das Plakat in der Druckerei der Gouvernementsregierung gedruckt worden war. Dann sah er noch die Rückseite des Zettels an, um festzustellen, ob dort nicht auch noch etwas stände. Als er jedoch nichts fand, rieb er sich die Augen, faltete das Blatt sorgfältig zusammen und legte es in seine Kassette, in welcher er alles aufbewahrte, was ihm in die Hände kam. Dieser Tag fand, wenn ich nicht irre, seinen Abschluß mit einer Portion kaltem Kalbsbraten, einer Flasche Kwaß und einem wahren Bärenschlaf, wie man sich in manchen Gegenden unseres weiträumigen russischen Vaterlandes auszudrücken pflegt.

Der ganze nächste Tag war mit Visiten bei allen Würdenträgern der Stadt ausgefüllt. Sein erster Höflichkeitsbesuch galt dem Gouverneur, der, wie sich zeigte, ebenso wie Tschitschikow selbst, weder dick noch dünn war. Er trug den Annenorden um den Hals und war, so flüsterte man sich zu, bereits für den Stern des Annenordens vorgeschlagen. Dann begab sich Tschitschikow zum Vizegouverneur, zum Staatsanwalt, zum Gerichtspräsidenten, zum Polizeimeister, zum Aufkäufer für das Branntweinmonopol, zum Direktor der Staatsbetriebe ... schade, daß es nicht ganz einfach ist, alle Mächtigen dieser Welt zu behalten und einzeln aufzuführen; aber auch ohne dies genügt wohl die Versicherung, daß der Reisende eine unwahrscheinliche Geschäftigkeit im Visitemachen entwickelte, ja er sprach sogar beim Inspektor des Gesundheitsamtes und beim Stadtarchitekten vor, um ihnen seine Aufwartung zu machen. Und dann blieb er noch eine ganze Weile in seiner Kutsche sitzen und überlegte, bei wem er ferner Besuch machen könnte, aber ihm fiel kein Beamter mehr ein, bei dem er noch nicht gewesen wäre. In den Gesprächen mit den Spitzen der Behörden verstand er es ausgezeichnet, jedem einzelnen gerade das zu sagen, was er hören wollte. Dem Gouverneur deutete er nur so ganz nebenbei an, daß man sich in seinem Befehlsbereich wie im Paradiese fühle, auf den Straßen fahre man wie auf Samt, und überhaupt verdiene eine Regierung, die so fähige Beamte ernenne, das höchste Lob. Dem Polizeimeister sagte er etwas sehr Schmeichelhaftes über die städtischen Polizisten; und den Vizegouverneur und den Gerichtspräsidenten, die erst Staatsräte waren, redete er versehentlich mit »Exzellenz« an, was ihnen außerordentlich gefiel. Die Folge war, daß der Gouverneur ihn auf der Stelle zu einer kleinen Abendgesellschaft einlud. Auch die übrigen Beamten schickten ihm Einladungen zu Mittag, zu einer Tasse Tee oder zu einer Kartenpartie.

Von sich selbst sprach der Ankömmling offenbar nicht viel, und wenn er überhaupt etwas sagte, so waren es nur allgemeine Redensarten, die auffallend bescheiden und in beinahe literarischen Wendungen wie etwa den folgenden vorgebracht wurden: er sei nur ein unbedeutender Wurm auf dieser Welt und nicht würdig, daß man sich um ihn kümmere. Er habe in seinem Leben manches durchgemacht, im Dienst um der Wahrheit willen schwer leiden müssen und sich viele Feinde gemacht, die ihm sogar nach dem Leben getrachtet hätten. Jetzt wünsche er sich nichts mehr als Ruhe und hoffe, endlich ein stilles Plätzchen zu finden, um ungestört leben zu können. Er habe es bei seiner Ankunft in der Stadt für seine vornehmste Schuldigkeit angesehen, ihren hervorragendsten Honoratioren seine Hochachtung persönlich zu Füßen zu legen. Das war alles, was man in der Stadt über den Neuling erfuhr, der sich beeilte, auf der Abendgesellschaft des Gouverneurs zu erscheinen.

Die Vorbereitungen für diesen Abend nahmen etwa zwei Stunden in Anspruch, wobei der Fremde mit einer Sorgfalt Toilette machte, wie man das keineswegs überall zu sehen bekommen hätte. Nach einem kurzen Nachmittagsschläfchen ließ er sich ein Waschbecken bringen und frottierte lange Zeit beide Backen mit Seife, wobei er von innen her die Zunge gegen die Wange preßte. Dann nahm er von der Schulter des vor ihm stehenden Zimmerburschen das Handtuch und wischte, bei den Ohren beginnend, sein volles Gesicht sorgfältig ab, nachdem er zunächst dem Diener zweimal direkt ins Gesicht geprustet hatte. Jetzt legte er sich vor dem Spiegel das Vorhemd an, zupfte sich zwei kleine Härchen aus, die aus der Nase hervorschauten, und stand dann auf einmal in einem preißelbeerfarbenen Frack da, der wie Seide glänzte. Nachdem er sich auf diese Weise schön gemacht hatte, fuhr er im eigenen Wagen durch die unabsehbar breiten Straßen, die nur vom spärlichen Licht beleuchtet waren, das aus einigen Fenstern fiel. Das Haus des Gouverneurs dagegen war so strahlend erleuchtet wie bei einem Ball. Kutschen standen davor mit brennenden Laternen und am Eingang zwei Gendarmen. Schon von weitem hörte man die Rufe der Vorreiter – kurz, es war alles so, wie es in der guten Gesellschaft üblich war.

Beim Eintritt in den Festsaal mußte Tschitschikow die Augen eine Weile schließen, so sehr war er durch den Glanz der Kerzen, Lampen und Damentoiletten geblendet. Alles war wie mit Licht überflutet. Schwarze Fräcke schwirrten einzeln und in Schwärmen hin und her, wie Fliegen im heißen Hochsommer um den weißen Zuckerhut, wenn die alte Wirtschafterin ihn vor dem offenen Fenster in schimmernde Stücke zerschlägt: Kinder umringen sie und beobachten neugierig die Bewegungen ihrer derben Hände, die den Hammer schwingen, während die beflügelten Luftgeschwader der Fliegen, von einem leichten Windstoß emporgetragen, kühn wie die Herren des Hauses, durchs Fenster einfliegen und, sich die schwachen Augen der Alten und die Sonnenstrahlen, die sie blenden, zunutze machend, über die süßen Leckerbissen einzeln oder in ganzen Schwärmen herfallen. Übersättigt vom sommerlichen Überfluß, der ohnehin auf Schritt und Tritt die schmackhaftesten Süßigkeiten verschwendet, kamen sie durchaus nicht, um nur zu schlecken, sondern vor allem, um sich zu zeigen, auf dem Zuckerhut herumzuspazieren, die Vorder- oder Hinterfüßchen aneinander oder an ihren kleinen Flügeln zu wetzen, sich mit den vorgestreckten Vorderpfötchen die Köpfe zu kratzen und mit einer unvermuteten Wendung das Weite zu suchen, um gleich darauf mit unbeirrbarer Zähigkeit in neuen Geschwadern wiederzukommen.

Tschitschikow hatte kaum Zeit gehabt, sich umzusehen, als der Gouverneur ihn schon untergefaßt hatte, um ihn zur Gouverneurin zu führen und ihn vorzustellen. Der zugereiste Gast zeigte sich auch dieser Situation vollkommen gewachsen: er sagte ihr ein Kompliment, wie es einem achtbaren Herrn in mittleren Jahren und von ebenfalls mittlerem Range anstand. Als die zum Tanz antretenden Paare die Zuschauer veranlaßten, an die Wände zurückzutreten, musterte er sie, die Hände auf dem Rücken, einige Minuten lang aufmerksam. Viele Damen waren gut und nach der Mode angezogen, andere freilich begnügten sich einfach mit dem, was so der liebe Gott einer Provinzstadt beschert. Die Herren waren hier, wie auch sonst überall, von zweierlei Art: die einen waren ziemlich schlank und schwänzelten dauernd um die Damen herum. Unter diesen gab es manche, die nicht leicht von Petersburger Herren zu unterscheiden waren. Sie trugen ebenso planvoll durchdachte und kunstvoll gekräuselte Bakkenbärte oder hatten glattrasierte ovale Gesichter, setzten sich ebenso unbefangen und selbstverständlich zu den Damen, sprachen genauso gut Französisch und brachten die Damen mit derselben Leichtigkeit in heitere Stimmung wie in Petersburg. Zur anderen Sorte der Männer gehörten die Dicken oder diejenigen, die, wie Tschitschikow, weder allzu dick noch allzu dünn waren. Diese benahmen sich ganz anders: sie drückten sich vor den Damen und blickten sich nur immerfort heimlich um, ob der Diener des Gouverneurs die grünen Whisttische noch nicht bereitgestellt habe. Ihre Gesichter waren fett und rund, manche sogar pockennarbig oder mit Warzen verunziert. Sie trugen ihre Haare weder gelockt noch à la hol mich der Teufel! wie die Franzosen sagen, sondern kurz geschoren und glatt an den Kopf geklebt und ihre Gesichter waren derb und wohlgenährt. Das waren die Beamten, die sich in der Stadt eines besonderen Ansehens erfreuten, denn – o weh! – auf dieser Welt sind es ja gerade die Dicken, die ihre privaten geschäftlichen Angelegenheiten weit besser zu ordnen verstehen als die Dünnen. Die Dünnen sind meistenteils nur Beamte für besondere Aufträge oder werden sogar überhaupt nur pro forma in den Listen geführt und bald hierhin, bald dorthin versetzt. Ihre ganze Existenz ist zu leicht, zu windig und immer unsicher. Die Dicken dagegen haben stets fette und vollkommen gesicherte Pfründen inne, und wenn sie einmal irgendwo sitzen, dann sitzen sie so fest, daß weit eher der Stuhl unter ihnen erbebt und zusammenkracht, als daß sie selber herunterfallen. Für äußeren Glanz haben sie nicht das geringste übrig. Der Frack sitzt ihnen allerdings nicht so angegossen wie den Dünnen, dafür aber sind ihre Schatullen mit Gottes

Segen gefüllt. So ein Dünner hat schon nach drei Jahren keine einzige Seele, die noch nicht verpfändet wäre. Der Dicke aber kann der Zukunft gelassen ins Auge sehen, denn – siehe da! – schon steht am Ende der Stadt ein auf den Namen der Frau gekauftes Haus, bald darauf am anderen Ende ein zweites, dann ein kleines Gut nicht weit von der Stadt und schließlich ein großes mit allem, was dazu gehört. Und zu guter Letzt quittiert der Dicke, nachdem er Gott und dem Kaiser gedient und sich die allgemeine Wertschätzung erworben hat, den Dienst, zieht sich ins Landleben zurück, wird ein vortrefflicher, gastfreier russischer Krautjunker und lebt herrlich und in Freuden. Aber dann kommen seine dünnen Erben und bringen nach altrussischem Brauch den ganzen väterlichen Besitz wieder im Blitztempo durch!

Es läßt sich nicht verschweigen, daß Tschitschikow fast die nämlichen Überlegungen beschäftigten, als er sich die Gesellschaft genauer ansah. Die Folge dieser Betrachtungen war, daß er sich schließlich den Dicken anschloß, wo er fast nur bekannten Gesichtern begegnete: dem Staatsanwalt mit den dichten, pechschwarzen Brauen und dem ein wenig zwinkernden linken Auge, als wollte er sagen: Komm, Bruder, gehen wir ins Nebenzimmer, ich möchte dir dort etwas sagen – übrigens ein ernster und wortkarger Mann. Dann dem kleinen, unscheinbaren Postmeister, der aber ein Spötter und Philosoph war, und dem Gerichtspräsidenten, einem sehr einsichtigen und liebenswürdigen Menschen. Sie alle begrüßten ihn schon als alten Bekannten, worauf sich Tschitschikow ein wenig unbeholfen, aber nicht ohne Anmut verbeugte. Hier machte er auch die Bekanntschaft des ungemein umgänglichen Gutsbesitzers Manilow und des auf den ersten Blick ziemlich plumpen Sobakewitsch, welcher ihm sogleich auf den Fuß trat und »Ich bitte um Entschuldigung« sagte. Gleichzeitig überreichte man ihm als Aufforderung, sich am Whistspiel zu beteiligen, eine Spielkarte, die er mit einer ebenso artigen Verbeugung entgegennahm. Man ließ sich am grünen Tisch nieder und blieb bis zum Abendessen sitzen, ohne aufzustehen. Alle Gespräche verstummten, wie immer, wenn man sich an eine ernste Beschäftigung macht. Obgleich der Postmeister sehr redselig war, nahm doch sein Gesicht einen nachdenklichen Ausdruck an. Er schob seine Unterlippe über die Oberlippe und verharrte so während des ganzen Spieles. Wenn er eine Karte ausspielte, schlug er heftig mit der Hand auf den Tisch. Handelte es sich um eine Dame, rief er: »Heraus, alte Popenfrau!« War's ein König: »Fort mit dir, Bauer aus Tambow!« Und der Gerichtspräsident entgegnete: »Dem geb ich schon eins aufs Maul!« oder: »Dem haue ich eins in die Zähne!« Ab und zu, wenn die Karten nur so auf den Tisch geknallt wurden, ließen die Spieler Ausrufe hören wie etwa: »Ach was, hin ist hin!« oder: »Wenn man im Zweifel ist, spielt man Pique!« und dergleichen Kernsprüche mehr. Oder auch allerhand sonderbare Spitznamen, die man in diesem Kreise den einzelnen Farben gegeben hatte. Wie üblich wurde nach Beendigung des Spiels ziemlich geräuschvoll gestritten. Auch unser zugereister Gast beteiligte sich an dieser Auseinandersetzung, aber er tat das in so geschickter Form, daß er eher noch liebenswürdiger wirkte als vorher. Er sagte niemals: »Sie spielten ...«, sondern immer: »Sie waren so gütig auszuspielen«, oder: »Ich nahm mir die Freiheit, Ihre Zwei zu stechen«, und so fort. Um sich seine Gegner im Spiel noch mehr geneigt zu machen, hielt er ihnen jedesmal seine emaillierte Schnupftabakdose hin, in welcher man zwei Veilchen liegen sah, die er um des Wohlgeruchs willen hineingetan hatte. Ein ganz besonderes Interesse zeigte er für die beiden Gutsbesitzer Manilow und Sobakewitsch, von denen oben schon die Rede war. Er zog sogleich Erkundigungen beim Präsidenten und beim Postmeister ein, die er zu diesem Zweck ein wenig beiseite nahm. Schon die wenigen Fragen, die er an sie richtete, zeigten, daß der neue Gast nicht nur neugierig, sondern auch sehr gründlich war, denn er wollte vor allem wissen, wieviel Seelen jeder von ihnen besäße und in welchem Zustande sich ihre Güter befänden, und dann erst fragte er nach ihren Vor- und Vatersnamen. In kürzester Zeit hatte er bereits alle bezaubert. Der Gutsbesitzer Manilow, ein Mann in den besten Jahren, der zuckersüße Augen hatte, die er, wenn er lachte, pfiffig zusammenkniff, war hingerissen von ihm. Manilow drückte ihm lange die Hand und bat ihn inständig um die Ehre seines Besuches auf dem Lande. Sein Gut sei nur fünfzehn Kilometer vom Stadtrande entfernt, worauf Tschitschikow mit höflichem Kopfnicken und einem aufrichtigen Händedruck entgegnete, daß er nicht nur mit dem größten Vergnügen dazu bereit sei, sondern die Annahme dieser Einladung sogar für seine heiligste Pflicht ansehe. Sobakewitsch aber sagte ziemlich lakonisch: »Ich bitte Sie gleichfalls um Ihren Besuch«, wobei er Kratzfüße machte. Er trug übrigens Stiefel von so riesenhaften Dimensionen, daß man schwerlich noch jemand hätte auftreiben können, dem diese Stiefel gepaßt hätten – besonders in unserer Zeit, da auch in Rußland die Helden und Recken aussterben.

Am nächsten Tage war Tschitschikow zu Mittag und zum Abend beim Polizeimeister eingeladen, wo man sich um drei Uhr nach dem Essen am Kartentisch niederließ und bis zwei Uhr nachts spielte. Dort lernte er unter anderem den Gutsbesitzer Nosdrew kennen, einen gewandten Burschen von etwa dreißig Jahren, der ihn schon nach den ersten drei, vier Worten duzte. Nosdrew war auch mit dem Polizeimeister und dem Staatsanwalt auf du und tat sehr intim mit ihnen, was sie aber durchaus nicht hinderte, später, als hoch gespielt wurde, ihm bei jedem Stich sehr genau auf die Finger zu sehen, und alle Karten, die er ausspielte, scharf ins Auge zu fassen. Den Abend des folgenden Tages verbrachte Tschitschikow beim Gerichtspräsidenten, der seine Gäste, zu denen auch zwei Damen gehörten, in einem ziemlich fettigen Schlafrock empfing. Dann nahm er an einer Abendgesellschaft beim Vizegouverneur, an einem großen Diner beim Monopol-Aufkäufer und an einem kleinen beim Staatsanwalt teil, das jedoch dem großen in nichts nachstand, und war schließlich beim Stadthauptmann zu einem Imbiß nach der Messe, der wiederum den beiden Diners durchaus ebenbürtig war. Mit einem Wort: er war keine Stunde mehr zu Hause und erschien nur noch im Gasthaus, um hier zu schlafen. Dabei war der Ankömmling allen Situationen vollkommen gewachsen und benahm sich überall wie ein Mann von Welt. Über welches Thema auch immer gesprochen wurde – Tschitschikow war stets auf dem laufenden: war von einem Gestüt die Rede – er war über die Pferdezucht vorzüglich unterrichtet; unterhielt man sich über brauchbare Hunde, so machte er auch hierzu höchst sachverständige Bemerkungen; wurden Untersuchungen erörtert, die der Kameralhof anstellte – schon ließ er durchblicken, daß ihm auch die gerichtliche Praxis nicht unbekannt sei; wurde das Billardspiel zur Sprache gebracht – er war auch auf diesem Gebiet kein Versager; ereiferte man sich über die Tugend, so fand er, sogar mit Tränen in den Augen, sehr schöne Worte über die Tugend; auch in der Herstellung von Schnaps kannte er sich aus, und über Zollbeamte und Zollwächter war er so vortrefflich unterrichtet, als wäre er selber Zollkontrolleur gewesen. Das Bemerkenswerteste aber war, daß er das alles mit einer gewissen Würde vorbrachte und sich immer einer taktvollen Zurückhaltung befleißigte. Er sprach weder zu laut noch zu leise, sondern gerade so, wie es schicklich war. Kurz, wie man ihn auch drehen und wenden mochte – er war ein in jeder Beziehung traitabler Mensch. Alle Beamten waren über diese Neuerscheinung erfreut. Der Gouverneur urteilte, daß er ein Mensch mit den besten Absichten sei; der Staatsanwalt hielt ihn für tüchtig, der Gendarmerieoberst für einen Gelehrten; der Gerichtspräsident nannte ihn einen kenntnisreichen und ehrenwerten, der Polizeimeister einen ehrenwerten und liebenswürdigen und die Frau des Polizeimeisters einen äußerst liebenswürdigen und umgänglichen Menschen. Ja, sogar Sobakewitsch, der sich nur ganz selten freundlich über jemand äußerte, sagte, als er, ziemlich spät aus der Stadt nach Hause zurückgekehrt, sich auszog und neben seine magere Frau ins Bett legte: »Herzchen, ich war gestern zum Abendessen beim Gouverneur und heute beim Polizeimeister zu Mittag und habe dort den Kollegienrat Pawel Iwanowitsch Tschitschikow kennengelernt: ein höchst angenehmer Mensch!« Worauf seine Gattin »hm« sagte und ihm einen leichten Fußtritt versetzte.

Diese für einen Gast gewiß äußerst schmeichelhafte Meinung bildete und hielt sich in der Stadt so lange, bis, wie man in der Provinz sagt, »etwas passierte«, das heißt, bis eine sonderbare

Eigenart und ein Unternehmen unsres Fremden, worüber der Leser bald Näheres erfahren wird, fast die ganze Stadt in einen Abgrund von Zweifeln stürzte.

2

Schon länger als eine Woche lebte der zugereiste Herr in der Stadt, fuhr von einem Essen zum andern und verbrachte auf diese Weise, wie man zu sagen pflegt, seine Zeit sehr angenehm. Endlich beschloß er, seine Besuche auch auf die Umgebung der Stadt auszudehnen und bei den Gutsbesitzern Manilow und Sobakewitsch vorzusprechen. Möglich, daß ihn dazu außer seinem Versprechen noch etwas Ernsthaftes veranlaßte, was ihm ganz besonders am Herzen lag ... Aber von alledem wird der Leser nur von Fall zu Fall und zur richtigen Zeit Kenntnis erhalten, vorausgesetzt, daß er Geduld genug hat, diese sehr umfangreiche Erzählung durchzulesen, die sich noch breiter entfalten wird, je mehr sie sich dem Ende nähert, welches das Ganze krönen soll. Der Kutscher Selifan wurde angewiesen, die Pferde frühmorgens vor die uns schon bekannte Kutsche zu spannen, während Petruschka den Befehl erhielt, zu Hause zu bleiben und Zimmer und Koffer im Auge zu behalten. Übrigens wird es für den Leser nicht ohne Bedeutung sein, diese beiden Leibeignen unseres Herrn ein wenig näher kennenzulernen, obgleich sie naturgemäß weniger wichtig und bemerkenswert, sondern eigentlich nur das sind, was man Nebenpersonen zweiten oder dritten Ranges nennt. Die führenden Gestalten dieser Dichtung stehen also mit ihnen in keinerlei innerem Zusammenhang, und sie werden von dem Hauptgeschehen der Erzählung nur eben ein wenig berührt. Aber der Verfasser hat es nun einmal gern, in allem und jedem möglichst genau und umständlich zu sein, und wünscht, ungeachtet dessen, daß er selber ein Russe ist, so peinlich und pedantisch wie ein Deutscher vorzugehen. Übrigens wird das in diesem Fall nicht viel Zeit und Raum beanspruchen, weil nur noch wenig zu dem hinzuzufügen bleibt, was der Leser schon weiß, wie beispielsweise, daß Petruschka einen braunen Rock trug, der ihm zu weit war und der früher seinem Herrn gehört, und daß er wie alle Leute seines Standes eine dicke Nase und ebenso dicke Lippen hatte. Von Charakter war er eher schweigsam als geschwätzig. Außerdem war er von einem edlen Drang zum Höheren erfüllt, das heißt, zu Bildung und Lektüre, wobei allerdings der Inhalt dessen, was ihm in die Hände fiel, nicht die geringste Rolle spielte: es war ihm vollkommen gleichgültig, ob es sich um die Liebesabenteuer eines Don Juan, um ein gewöhnliches Lexikon oder um ein Gebetbuch handelte – er verschlang alles mit der gleichen Aufmerksamkeit. Hätte man ihm ein Lehrbuch der Chemie in die Hand gedrückt, er hätte auch dieses nicht zurückgewiesen. Ihn interessierte nicht das, was er las, sondern vielmehr das Lesen an sich, oder genauer, der Prozeß des Lesens selbst, nämlich der Umstand, daß sich aus den einzelnen Buchstaben immer wieder irgendein Wort bildete, dessen Bedeutung allerdings mitunter nur der Teufel begreifen konnte. Diese Lektüre ging meistens in liegender Stellung auf dem Bett oder auf jener Matratze vor sich, die zusammengedrückt und platt wie ein Pfannkuchen war.

Außer dieser leidenschaftlichen Hingabe ans Lesen hatte Petruschka noch zwei Gewohnheiten, die ebenfalls zu den charakteristischen Zügen seines Wesens gehörten: in Kleidern, das heißt, in dem bekannten braunen Rock zu schlafen und immer, wo er ging und stand, den eigenartigen Mief, seine höchst persönliche Atmosphäre, zu verbreiten, die ein wenig an abgestandene Zimmerluft erinnerte. Er brauchte nur irgendwo – und wäre es auch in einem bisher unbenutzten Raum – sein Lager aufzuschlagen und seinen Mantel und seine sonstigen Habseligkeiten mitzubringen, und schon roch das Zimmer, als wäre es seit zehn Jahren bewohnt gewesen. Wenn Tschitschikow, der ein sehr empfindlicher Mensch war, den es leicht ekelte, diesen Geruch in der Morgenfrühe mit frisch ausgeschlafener Nase einzog, runzelte er die Stirn und sagte kopfschüttelnd: »Zum Teufel, Bruder, du schwitzt! Geh doch mal in die Badestube!« Worauf Petruschka die Antwort schuldig blieb und tat, als sei er beschäftigt: er griff nach der Kleiderbürste und wandte sich dem aufgehängten Frack seines Herrn zu oder machte sich ans Zimmerräumen. Welche Gedanken beschäftigten ihn wohl, wenn er so schweigend dastand? Vielleicht sagte er zu sich selbst: »So schaust du aus! Wann wird es dir endlich zu dumm werden, hundertmal das gleiche zu wiederholen?« Gott weiß, es ist nicht leicht zu erraten, was ein leibeigener Diener denkt, wenn sein Gebieter ihm eine Rüge erteilt. Das wäre ungefähr alles, was sich zunächst über Petruschka sagen ließe. Der Kutscher Selifan dagegen war ein ganz anderer Mensch ... Aber der Verfasser trägt ernste Bedenken, seine Leser noch länger mit Leuten der unteren Klassen aufzuhalten, denn er weiß ja aus Erfahrung, wie ungern sie sich mit den niederen Ständen befassen. So ist nun einmal der Russe: nichts scheint ihm erstrebenswerter, als enge persönliche Beziehungen mit Leuten anzuknüpfen, die auch nur um einen Rang höher stehen als er, und mit einem Grafen oder Fürsten auch nur auf dem Grüßfuß zu stehen bedeutet ihm mehr als die innigste Freundschaft mit einem weniger hohen Herrn. Der Verfasser fürchtet sogar schon für den Helden seiner Erzählung, weil dieser ja nur ein simpler Kollegienrat ist. Ein Hofrat würde vielleicht gerade noch bereit sein, ihn kennenzulernen, aber die, die es schon bis zum Generalsrang gebracht haben, werden, Gott sei's geklagt, mit der gleichen Geringschätzung auf ihn herabblicken, wie auf alles, was zu ihren Füßen herumkriecht, oder, was noch schlimmer wäre, mit einer Verachtung über ihn hinwegsehen, die für den Autor vernichtend wäre. Aber so schmerzhaft das eine wie das andre auch sein mag, wir müssen doch zu unserem Helden zurückkehren. Also, nachdem er noch am Abend alle notwendigen Befehle gegeben hatte, erwachte er in der ersten Morgenfrühe, wusch sich, rieb sich vom Kopf bis zu den Füßen mit einem feuchten Schwamm ab, was er nur an Sonntagen tat (zum Glück war es gerade ein Sonntag), und rasierte sich, mit dem Ergebnis, daß seine Wangen, was Glätte und Schliff anbelangt, von Atlas überhaupt nicht mehr zu unterscheiden waren. Dann zog er seinen preißelbeerfarbenen Frack mit Seidenglanz und seinen bärenfellgefütterten Pelz an, ging, vom Hoteldiener bald von der einen und bald von der anderen Seite gestützt, die Treppe hinunter und bestieg die Kutsche, die mit Donnergepolter durch das Tor des Gasthauses auf die Straße hinausrollte.

Ein vorübergehender Pope nahm den Hut ab, und mehrere Straßenjungen in schmutzigen Hemden streckten ihm die Hände entgegen: »Lieber Herr, ein Almosen für uns Waisen!« Als der Kutscher bemerkte, daß einer von ihnen damit liebäugelte, auf das Trittbrett des Wagens zu springen, zog er ihm eins mit der Peitsche über, und die Kutsche holperte weiter über das Pflaster. Tschitschikow war hoch erfreut, als er bald darauf den gestreiften Schlagbaum erblickte, was bedeutete, daß die Plage des höckerigen Pflasters und manches andere jetzt gleich überstanden sein werde. Und nachdem er noch mehrfach mit dem Kopfe gegen den Kutschbock geflogen war, bewegte sich der Wagen endlich auf weichem Boden. Kaum lag die Stadt hinter ihnen, begann, wie hierzulande meistens, zu beiden Seiten der Straße eine völlig verlassene Wüstenei: kleine vermooste Erdhügel, vereinzelte Tannen, niedriges Gestrüpp, angekohlte Baumstümpfe, Heidekraut und dergleichen. Man kam an langgestreckten, schnurgeraden Dörfern vorüber, die alten, aufgereihten Holzstapeln glichen. Die grauen Dächer waren mit herabhängenden hölzernen Zieraten geschmückt, welche an Kreuzstichmuster gestickter Handtücher erinnerten. Einige Bauern saßen in Schafspelzen auf Bänken vor ihren Hoftoren und gähnten. Bäuerinnen mit dicken Gesichtern und hochgeschnürtem Busen blickten aus den oberen Fenstern, während aus den unteren Kälber glotzten oder Schweine ihre Rüssel hervorstreckten. Mit einem Wort: das vertraute Bild! Nachdem die Kutsche fünfzehn Kilometer zurückgelegt hatte, erinnerte sich Tschitschikow, daß hier nach Manilows Angaben sein Gut liegen müßte; aber auch nach sechzehn Kilometern war keine Spur von dem Gutshof zu sehen, und wenn nicht zufällig zwei Bauern des Weges gekommen wären, hätte man es wohl niemals gefunden. Auf die Frage, ob es bis zum Gut Samanilowka noch weit sei, nahmen die Bauern ihre Mützen ab, und der eine von ihnen, der offenbar der gescheitere von beiden war und einen keilförmigen Bart hatte, erwiderte: »Manilowka vielleicht, Samanilowka nicht.«

»Nun ja, Manilowka.«

»Wenn's also Manilowka sein soll, dann fährst du noch einen Kilometer und dann nach rechts.«

»Nach rechts?« fragte der Kutscher.

»Nach rechts«, antwortete der Bauer. »Das ist der Weg nach Manilowka, aber Samanilowka gibt's überhaupt nicht. Es wird so genannt, das heißt, Manilowka ist sein Name, aber Samanilowka gibt es hier gar nicht. Dort oben auf dem Berge wirst du ein steinernes zweistöckiges Haus sehen, das ist das Herrenhaus, weil dort nämlich der Herr wohnt. Und das ist Manilowka, aber Samanilowka gibt es hier überhaupt nicht.«

So fuhren sie also weiter, um Manilowka zu suchen, und kamen nach weiteren zwei Kilometern zu einem Feldweg, in den sie einbogen, worauf sie noch zwei, drei oder sogar vier Kilometer fuhren, und noch immer war von einem steinernen Haus nichts zu sehen. Hier erinnerte sich Tschitschikow, daß, wenn man auf ein Landgut eingeladen wird, das fünfzehn Kilometer entfernt liegt, es in Wirklichkeit mindestens dreißig sind. Die Lage des Manilowschen Gutes war übrigens durchaus nicht verlockend. Zum Herrenhaus, das völlig vereinsamt auf einer Anhöhe lag, hatten sämtliche Winde, denen es nur irgendwie einfallen mochte zu blasen, freien Zutritt. Der Abhang, über dem es aufragte, war nach englischem Vorbild mit geschorenem Rasen und dieser wiederum stellenweise mit Flieder- und Akazienbüschen bedeckt, und fünf oder sechs kümmerliche Birken sandten ihre dünnbelaubten Kronen gen Himmel. Unter zweien von ihnen sah man eine Laube mit einer flachen, grün gestrichenen Kuppel, die auf hölzernen, blau angemalten Säulen ruhte und mit der Inschrift: »Tempel einsamer Betrachtung« versehen war. Weiter unten lag ein grün verunkrauteter Teich – übrigens in den englischen Parks russischer Gutsbesitzer eine recht häufige Erscheinung. Am Fuß des Hügels und hier und da auch am Abhang dunkelten kreuz und quer verstreut kleine graue, aus Balken gezimmerte Bauernhütten, welche unser Held aus unbekannten Gründen unverzüglich zu zählen begann, wobei er feststellte, daß es ungefähr zweihundert waren. Sie standen ganz kahl da, und nirgends war ein Baum oder sonst etwas Grünes zu sehen, nur Balken und nichts als Balken. Diese kärgliche Landschaft wurde lediglich durch zwei Bäuerinnen belebt, welche mit malerisch hochgeschürzten und gerafften Röcken bis zu den Knien im Teich herumwateten und an zwei Querhölzern ein zerrissenes Netz hinter sich herzogen, in welchem zwei Krebse und einige Plötze hängengeblieben waren. Die Weiber schienen in Streit geraten zu sein, denn sie warfen sich gegenseitig Schimpfworte zu. Abseits in der Ferne blaute ein trübseliger Fichtenwald. Auch das Wetter war entsprechend: der Himmel war weder klar noch bewölkt, sondern von jener hellgrauen Färbung, die man in den Garnisonen an den Uniformen unsrer friedfertigen und nüchternen, nur an Sonntagen angeheiterten Soldaten sieht. Zur Vervollständigung des Bildes sei noch der Hahn erwähnt, der als Wetterprophet nicht fehlen durfte. Wenn ihm auch der Kopf in seinen Liebeshändeln von den Schnäbeln andrer Hähne bis auf die Hirnschale zerhackt war, so krähte er dennoch aus vollem Halse und schlug mit den Flügeln, die wie alte Fußmatten zerfetzt und zerschlissen waren. Als die Kutsche sich dem Gutshaus näherte, bemerkte Tschitschikow den Hausherrn, der in einem grünwollenen Rock und die Augen mit den Händen abschirmend auf der Treppe stand und nach dem Wagen Ausschau hielt. In dem Maße, wie die Kutsche sich näherte, wurden seine Augen immer lustiger, und ein freundliches Lächeln breitete sich über sein ganzes Gesicht.

»Pawel Iwanowitsch!« rief er schließlich aus, als Tschitschikow ausstieg. »Haben Sie sich endlich meiner erinnert!«

Die Freunde küßten sich nachdrücklich, und Manilow führte den Gast in sein Zimmer. Obgleich natürlich die Zeit, welche die beiden brauchten, um durch den Korridor, das Vorzimmer und den Speisesaal zu gehen, nur kurz ist, so wollen wir doch versuchen, sie uns zunutze zu machen, um ein paar Worte über den Herrn des Hauses zu sagen, wenn der

Verfasser auch gestehen muß, daß cs ein schwieriges Unternehmen ist. Es ist gewiß leichter, einen Charakter von Format zu schildern: man wirft die Farben nur so auf die Leinwand – schwarze, funkelnde Augen, dichtbuschige Brauen, eine tiefe Stirnfalte, ein kühn über die Schulter geworfener schwarzer oder feuerroter Mantel – und fertig ist das Porträt. Aber alle diese Herrschaften, deren es so viele auf der Welt gibt und die einander so ähnlich sind, unterscheiden sich bei näherem Zusehen doch durch eine Menge unwägbarer Besonderheiten voneinander und sind daher unendlich schwer zu porträtieren. Da muß man schon seine ganze Aufmerksamkeit zusammennehmen, um alle Feinheiten und fast unsichtbaren Züge herauszuarbeiten, und es bleibt überhaupt nichts anderes übrig, als den psychologisch geschärften Blick tief in die menschliche Seele zu senken.

Nur Gott allein wußte, was Manilow eigentlich für einen Charakter hatte. Es gibt eine Sorte Menschen, von denen man zu sagen pflegt, daß sie nicht so und nicht so, nicht Fisch und nicht Fleisch oder, wie ein russisches Sprichwort lautet, in der Stadt nicht Bogdan und auf dem Lande nicht Selifan sind. Vielleicht könnte man auch Manilow zu diesen Leuten rechnen. Äußerlich machte er einen recht stattlichen Eindruck und seine Gesichtszüge waren durchaus liebenswürdig, wenn auch ein wenig süßlich. In seiner Ausdrucksweise und seiner ganzen Haltung machte sich das etwas zudringliche Bestreben geltend, sich anzubiedern. Er lächelte einnehmend, war blond und hatte Vergißmeinnichtaugen. Kam man mit ihm ins Gespräch, so war man im ersten Augenblick versucht zu denken: Was für ein angenehmer und ordentlicher Mensch! Aber schon sehr bald sagte man gar nichts mehr, und schließlich dachte man: Der Teufel mag aus ihm klug werden! und zog sich zurück. Tat man das aber nicht, so beschlich einen eine tödliche Langeweile, denn niemals hörte man aus seinem Munde ein temperamentvolles oder gar abfälliges Wort, wie es jedem mal entschlüpft, wenn ein Gegenstand berührt wird, der für ihn irgend etwas Erregendes hat. Ein jeder hat ja sein Steckenpferd: bei dem einen sind's seine Windhunde, der andere hält sich für einen großen Musikkenner und bildet sich ein, ein ungewöhnliches Verständnis für die besonders tiefen Stellen musikalischer Werke zu haben. Ein dritter schmeichelt sich, ein gewaltiger Gourmand zu sein, während ein vierter eine Rolle zu spielen versucht, die zumindest ein wenig über seine Kräfte und Fähigkeiten hinausgeht. Wieder ein anderer, dessen Ziele bedeutend bescheidener sind, begnügt sich damit zu träumen, daß er das Glück hat, auf einem Gartenfest Seite an Seite mit einem kaiserlichen Flügeladjutanten an seinen Bekannten oder auch nur an Leuten, die ihm ganz unbekannt sind, stolz vorbeischlendern zu dürfen. Dem sechsten juckt es in der Hand, einem x-beliebigen großen Herrn oder auch nur irgendeinem kleinen Pintscher eine herunterzuhauen, während die Hand eines siebenten der Versuchung nicht widerstehen kann, überall Ordnung zu schaffen und sich in die Angelegenheiten eines Stationsvorstehers oder Postkutschers einzumischen – mit einem Wort, jeder hat seinen Fimmel, nur Manilow hatte überhaupt nichts. Zu Hause sprach er sehr wenig, er grübelte und philosophierte, aber worüber er sich Gedanken machte, wußte gleichfalls bloß Gott allein. Man konnte auch keineswegs sagen, daß er sich etwa mit der Landwirtschaft beschäftigte, er fuhr niemals auf die Felder hinaus und die Wirtschaft mußte eben gehen, wie sie ging. Wenn zum Beispiel der Verwalter sagte: »Es wäre nicht übel, gnädiger Herr, wenn wir dies oder jenes täten«, so erwiderte er meistens: »Gewiß, nicht übel«, wobei er an seiner Pfeife sog – eine Gewohnheit, die er schon während seines Dienstes im Heer angenommen hatte, wo er als einer der bescheidensten, zartfühlendsten und gebildetsten Offiziere geschätzt worden war. Kam ein Bauer zu ihm, der sich für einen Tag beurlauben lassen wollte, um sich seine Abgaben zu verdienen, sagte er: »Geh nur«, und fuhr fort, seine Pfeife zu rauchen, ohne überhaupt auf den Gedanken zu kommen, daß der Bauer, der da stand und sich hinter den Ohren kratzte, sich in Wirklichkeit nur betrinken wollte. Gelegentlich, wenn Manilow von der Treppe aus seinen Hof und seinen Teich betrachtete, sprach er davon, wie schön es doch wäre, wenn man hier einen unterirdischen Gang anlegen oder über den

Teich eine steinerne Brücke mit zwei Reihen Kaufläden bauen würde, in denen alle Waren zu haben wären, die die Bauern benötigten. Dabei machte er ganz süße Augen und sein Gesicht nahm einen äußerst selbstzufriedenen Ausdruck an. Im übrigen wurden diese Pläne niemals verwirklicht, sondern es blieb bei den Worten. In seinem Arbeitszimmer lag ein und dasselbe Buch, das er seit zwei Jahren las, ohne daß sich das Lesezeichen, welches zwischen Seite 13 und 14 steckte, von der Stelle bewegte. Im Hause fehlte immer etwas: im Salon standen prachtvolle Möbel mit wunderbaren Seidenbezügen, die sicherlich eine Unmenge Geld gekostet hatten. Aber für zwei Lehnstühle hatte der Stoff nicht gereicht, weshalb sie nur mit gewöhnlicher Sackleinwand bespannt waren, und der Hausherr warnte schon seit Jahren seine Gäste vor diesen Sesseln. »Setzen Sie sich nicht darauf«, pflegte er zu sagen, »sie sind noch nicht fertig.« In einem anderen Zimmer fehlten die Möbel ganz, obwohl er einige Tage nach der Hochzeit zu seiner Frau gesagt hatte: »Herzchen, wir müssen morgen dafür sorgen, daß dieses Zimmer wenigstens vorläufig möbliert wird.« Am Abend wurde ein herrlicher Armleuchter aus dunkler Bronze mit drei antiken Grazien und einem entzückenden Perlmutterschirm auf den Tisch gestellt, und neben ihm stand ein ganz schäbiger, verbogener und von oben bis unten mit Talg betropfter Invalide aus gemeinem Messing, an dem jedoch weder der Hausherr noch die Hausfrau und die Dienerschaft Anstoß nahmen. Überhaupt Manilows Frau ... aber sie waren vollkommen zufrieden miteinander. Obgleich sie schon mehr als acht Jahre verheiratet waren, erfreuten sie sich gegenseitig noch immer mit kleinen Apfelschnitten, Süßigkeiten oder Nußkernen und sagten dazu mit einem rührend innigen Tonfall, der die zärtlichste Liebe zum Ausdruck brachte: »Herzchen, sperr doch dein Mündchen auf, damit ich dir dieses Stückchen hineinschieben kann.« Es versteht sich von selbst, daß sich das entsprechende Mündchen sogleich auf äußerst graziöse Weise öffnete. Zu den Geburtstagen wurden allerhand Überraschungen vorbereitet, wie beispielsweise ein kleines perlenbesätes Etui für die Zahnbürste. Und sehr häufig begab es sich, daß ganz unerwartet und ohne erkennbaren Grund, während sie nebeneinander auf dem Sofa saßen, er seine Pfeife und sie ihre Handarbeit beiseite legte, um sich einen schmachtenden Kuß auf die Lippen zu drücken, was so lange dauerte, daß man sich in dieser Zeit bequem, und ohne sich zu beeilen, eine kleine Virginia hätte anstecken und zu Ende rauchen können. Kurz, sie waren das, was man ein glückliches Ehepaar nennt. Natürlich ließe sich dazu sagen, daß im Hause noch vieles andere zu tun war, als sich Dauerküsse zu verabreichen und mit Geburtstagsgeschenken zu überraschen, auch gab es ohne Zweifel noch manches, was einer ordnenden Hand bedurft hätte. Warum zum Beispiel wurde in der Küche so ohne Vernunft drauflosgekocht? Warum war die Vorratskammer bar aller Vorräte? Warum stahl die Haushälterin? Warum waren die Dienstboten immer schmutzig und betrunken? Warum schlief das ganze Gesinde auch untertags oder trieb sich müßig herum? Aber dies alles waren untergeordnete Dinge, und die Manilowa hatte eine gute Kinderstube gehabt. Eine gute Erziehung aber erhält man bekanntlich in Pensionaten, und in diesen sind, wie jedermann weiß, drei Dinge das Fundament aller menschlichen Tugend: die französische Sprache als Grundlage jeglichen Familienglücks, das Klavierspiel als Mittel, dem Gatten angenehme Stunden zu bereiten, und endlich das eigentliche hauswirtschaftliche Betätigungsfeld, bestehend im Stricken von Geldbeuteln und anderen herzerfreuenden Geschenkartikeln. Im übrigen gibt es, besonders in neuerer Zeit, mancherlei verbesserte und vervollkommnete Methoden, die freilich mehr oder weniger von der Weisheit und Tüchtigkeit der jeweiligen Institutsvorsteherinnen abhängen. In manchen Pensionaten ist die Reihenfolge so, daß das Klavier an erster Stelle steht und dann die französische Sprache und schließlich das Hauswirtschaftliche folgt. In anderen wiederum wird der größte Wert auf die hauswirtschaftliche Erziehung, also auf das Herstellen von kleinen Strickarbeiten zu Geschenkzwecken gelegt, worauf das Französische und dann erst das Klavierspiel folgt. Die Methoden sind eben verschieden. Hier könnte es übrigens nichts schaden, noch zu erwähnen, daß die Manilowa ... aber ich gestehe, daß ich mich nicht recht traue, über Damen zu sprechen, auch ist es höchste Zeit, zu meinen Helden zurückzukehren, die schon seit einigen Minuten vor der Türe stehen und sich gegenseitig nötigen, als erster den Salon zu betreten.

»Haben Sie doch die Güte«, sagte Tschitschikow, »sich meinetwegen keine Umstände zu machen, bitte nach Ihnen.«

»Nein, nein, Pawel Iwanowitsch, Sie sind der Gast«, erwiderte Manilow mit einer höflichen Handbewegung nach der Tür hin.

»Aber ich bitte Sie, bemühen Sie sich doch nicht«, drängte Tschitschikow, »gehen Sie doch nur voran.«

»Aber nicht doch, entschuldigen Sie, ich werde es niemals zulassen, daß ein so angenehmer und gebildeter Gast nach mir eintritt«, versicherte Manilow.

»Warum denn gebildet? Ach bitte, treten Sie nur ein.«

»Haben Sie doch die Güte voranzugehen.«

»Ja warum denn?«

»Na, einfach darum!« entgegnete Manilow mit höflichem Lächeln.

Schließlich zwängten sich beide gleichzeitig Seite an Seite durch den Engpaß des Türrahmens.

»Gestatten Sie mir, Ihnen meine Frau vorzustellen«, sagte Manilow.

»Herzchen, Pawel Iwanowitsch!«

Jetzt erblickte Tschitschikow eine Dame, die er noch gar nicht bemerkt hatte, als er und Manilow sich durch die Tür hineinkomplimentierten. Sie sah nicht übel aus und hatte ein helles Seidenkleid an, das ihr gut stand. Ihr zartes Händchen ließ schnell irgend etwas auf den Tisch fallen und knüllte ein Batisttüchlein mit gestickten Ecken zusammen. Dann erhob sie sich vom Diwan, auf dem sie gesessen hatte. Tschitschikow beugte sich nicht ohne Entzücken über ihre Hand. Die Manilowa sagte etwas geziert, daß er ihnen mit seinem Besuch eine große Freude gemacht und daß kein Tag vergangen sei, ohne daß ihr Mann sich nicht seiner erinnert habe.

»Jawohl«, ergänzte Manilow, »meine Frau hat mich immer

wieder gefragt: ‚Warum kommt denn dein Freund nicht?' und ich habe jedesmal geantwortet: ‚Geduld, Herzchen, er wird schon kommen.' Und nun haben Sie uns tatsächlich mit Ihrem Besuch beehrt und uns auf diese Weise einen Genuß bereitet – es ist wie ein schöner Tag im Mai, wie eine Namenstagsfeier ...«

Als Tschitschikow hörte, daß man seinen Besuch mit einer Namenstagsfeier verglich, wurde er ein bißchen verlegen und erwiderte bescheiden, er trage doch weder einen großen Namen, noch habe er einen hohen Rang.

»Sie haben alles«, unterbrach ihn Manilow mit seinem gewinnenden Lächeln, »Sie haben alles und sogar noch mehr.«

»Wie hat Ihnen unsre Stadt gefallen?« erkundigte sich die Manilowa. »Haben Sie Ihre Zeit dort angenehm verbracht?«

»Eine sehr schöne, eine prächtige Stadt«, antwortete Tschitschikow, »ich habe dort wundervolle Stunden verlebt: die Gesellschaft ist ungemein liebenswürdig.«

»Und wie fanden Sie unsern Gouverneur?« fuhr die Manilowa fort.

»Nicht wahr, ein hochachtbarer und ungewöhnlich liebenswürdiger Mensch?« fügte Manilow hinzu.

»Sehr richtig«, sagte Tschitschikow, »ein äußerst ehrenwerter Mann. Und wie trefflich er sein Amt versieht und wie verständnisvoll! Man möchte wünschen, es gäbe mehr solcher Menschen.«

»Wie versteht er es doch, mit dem Publikum umzugehen, und wie taktvoll benimmt er sich bei allem, was er tut«, bestätigte Manilow lächelnd und kniff die Augen zu wie ein Kater, den man hinter den Ohren krault.

»In der Tat, ein höchst umgänglicher und angenehmer Mensch«, fuhr Tschitschikow fort, »und was für ein Künstler! Wer hätte auch nur ahnen können, daß er so entzückende Stickereien anfertigen kann! Er hat mir einen Geldbeutel gezeigt, den er selber gearbeitet hat: wo findet man Damen, die so kunstvolle Handarbeiten machen?«

»Aber auch der Vizegouverneur, ist er nicht ein reizender Mensch?« fragte Manilow, seine Augen wiederum ein wenig zukneifend.

»Auch er ein sehr, sehr würdiger Mensch«, erwiderte Tschitschikow.

»Gestatten Sie, und wie hat Ihnen der Polizeimeister gefallen? Nicht wahr, er ist sehr sympathisch?«

»Außerordentlich angenehm und wie klug und wie belesen! Wir haben mit ihm, dem Staatsanwalt und dem Gerichtspräsidenten bis zum frühen Morgen Whist gespielt. Ein ungemein würdiger Mensch!«

»Nun, und wie denken Sie über die Frau des Polizeimeisters?« fügte die Manilowa hinzu. »Nicht wahr, eine überaus liebenswürdige Dame?«

»Oh, es ist eine der würdigsten Damen, die mir je begegnet sind«, antwortete Tschitschikow.

Auch der Gerichtspräsident und der Postmeister wurden nicht vergessen und auf diese Weise fast alle Bekannten der Stadt durchgenommen, die sich allesamt als ungewöhnlich würdige Leute erwiesen.

»Sie leben immer auf dem Lande?« fragte nun seinerseits Tschitschikow.

»Hauptsächlich auf dem Lande«, erwiderte Manilow. »Zuweilen fahren wir auch in die Stadt, allerdings nur, um mit gebildeten Leuten zu verkehren. Man verwildert zu sehr, müssen Sie wissen, wenn man sich ganz von der Welt abschließt.«

»Sehr richtig«, meinte Tschitschikow.

»Natürlich«, fuhr Manilow fort, »wäre es etwas ganz anderes, wenn man sympathische Nachbarn, wenn man hier draußen auch nur einen einzigen Menschen hätte, mit dem man ein Wort reden, mit dem man über gute Umgangsformen plaudern oder sich mit einer Wissenschaft beschäftigen könnte, um sich auf diese Weise anzuregen und sich sozusagen in höhere Sphären zu erheben ...« Er wollte wohl noch deutlicher werden, aber als er bemerkte, daß er schon zu weit gegangen war, machte er nur eine unbestimmte Handbewegung und schloß mit der Bemerkung, daß unter solchen Umständen die ländliche Einsamkeit schon ihre Annehmlichkeiten haben könnte, aber es sei hier eben absolut niemand ... So müsse man sich eben damit begnügen, zuweilen den »Sohn des Vaterlandes« zu lesen.

Tschitschikow war ganz derselben Meinung, fügte aber hinzu, daß es doch nichts Schöneres geben könne, als für sich allein zu leben, sich an der Natur zu ergötzen und hie und da ein Buch zu lesen ...

»Aber wissen Sie«, sagte Manilow, »das alles ist, wenn man keinen Freund hat, mit dem man seine Eindrücke teilen kann ...«

»Oh, da haben Sie recht, da haben Sie vollkommen recht«, unterbrach ihn Tschitschikow, »was nützten uns da alle Schätze der Welt! ‚Gute Freunde sind mehr wert als alle Reichtümer der Erde!' hat einmal ein Weiser gesagt.«

»Und wissen Sie«, rief jetzt Manilow aus – und der Ausdruck seines Gesichtes wurde dabei so fade wie der süßliche Geschmack einer Arznei, der ein diensteifriger Arzt in der Absicht, seinem Patienten einen besonderen Gefallen zu erweisen, eine allzu große Portion Sirup beigemischt hat –, »wissen Sie, Pawel Iwanowitsch, dann empfindet man in gewissem Sinne eine geistige Befriedigung ... Wie zum Beispiel gerade jetzt, wo mir der Zufall das seltene Glück geschenkt hat, mit Ihnen plaudern und Ihre angenehme Gesellschaft genießen zu dürfen ...«

»Aber ich bitte Sie, was denn für eine angenehme Gesellschaft? Ich bin ja nur ein ganz belangloser Mensch und sonst gar nichts«, entgegnete Tschitschikow.

»Ach, Pawel Iwanowitsch! Gestatten Sie mir, ganz aufrichtig zu sein: ich würde mit Vergnügen die Hälfte meines Vermögens auch nur für einen Teil Ihrer Vorzüge hingeben!«

»Im Gegenteil, ich meinerseits würde es für das größte Glück halten ...«

Es ist nicht auszudenken, wohin diese gegenseitigen Komplimente der beiden Freunde noch geführt hätten, wenn nicht in diesem Augenblick der Diener eingetreten wäre mit der Meldung, daß das Essen aufgetischt sei.

»Ich bitte ergebenst«, sagte Manilow. »Sie müssen schon entschuldigen, wenn Sie bei uns kein Mittagessen vorgesetzt bekommen, wie es in feinen Häusern und Hauptstädten die Regel ist: bei uns wird nur ganz einfach nach russischer Sitte

Kohlsuppe gegessen, aber sie wird von Herzen gegeben. Darf ich bitten.«

Hierauf stritten sie sich noch eine Zeitlang herum, wem der Vortritt gebühre, bis schließlich Tschitschikow einen Anlauf nahm und sich seitwärts durch die Tür drückte.

Im Eßzimmer standen schon zwei Knaben, Manilows Söhne, die in jenem Alter waren, in welchem man die Kinder schon bei Tisch mitessen, aber sie noch auf hohen Stühlchen sitzen läßt. Neben ihnen stand der Hauslehrer, der sich höflich und lächelnd verbeugte. Die Hausfrau nahm vor der Suppenterrine Platz, der Gast wurde zwischen den Hausherrn und die Hausfrau gesetzt, und der Diener band den Kindern die Servietten um.

»Was für entzückende Kinder!« rief Tschitschikow aus. »Wie alt sind sie denn?«

»Der Ältere ist acht Jahre alt und der Jüngste gestern sechs geworden«, bemerkte die Manilowa.

»Femistokljus!« sagte Manilow, indem er sich an den Älteren wandte, der bemüht war, sein Kinn von der Serviette zu befreien, die ihm der Diener umgebunden hatte. Als Tschitschikow diesen teilweise griechischen Namen vernahm, dem Manilow aus unbekannten Gründen die Schlußsilbe »jus« gegeben hatte, hob er erstaunt die Brauen, beeilte sich aber, seinem Gesicht sogleich wieder den gewohnten Ausdruck zu geben. »Femistokljus, nenne mir mal die schönste Stadt Frankreichs.«

Jetzt richtete der Hauslehrer seine ganze Aufmerksamkeit auf Femistokljus, als hätte er nicht übel Lust, ihm in die Augen zu springen, aber dann beruhigte er sich wieder vollkommen und nickte befriedigt mit dem Kopf, als Femistokljus antwortete: »Paris.«

»Und welches ist unsre schönste Stadt?« fragte abermals Manilow.

Wieder richtete der Lehrer seinen Blick auf den Knaben.

»Petersburg«, antwortete Femistokljus.

»Und außerdem?«

»Moskau«, sagte Femistokljus.

»Ein braver und gescheiter Bursche!« rief Tschitschikow.

»Denken Sie nur ...« fuhr er fort, indem er sich überrascht an Manilow wandte, »so jung und schon solche Kenntnisse! Ich muß gestehen, dieses Kind ist ungewöhnlich begabt!«

»O, Sie kennen ihn noch zu wenig!« entgegnete Manilow, »er ist außerordentlich scharfsinnig. Alkid, der jüngere, ist lange nicht so behende, aber dieser hat seine Augen überall ... wenn er einen Maikäfer oder eine Raupe kriechen sieht, gleich ist er hinterher und interessiert sich dafür. Ich habe ihn für die diplomatische Laufbahn bestimmt – Femistokljus!« fuhr er zum Knaben gewandt fort, »willst du Botschafter werden?«

»Ich will«, antwortete Femistokljus, während er Brot kaute und mit dem Kopf hin und her wackelte.

Unterdessen wischte ihm der hinter ihm stehende Diener die Nase ab, und das war gut so, denn sonst wäre dem Botschafter ein höchst überflüssiger Tropfen in die Suppe gefallen. Das Tischgespräch wandte sich jetzt den Vorzügen des geruhsamen Landlebens zu, wurde aber durch Bemerkungen der Hausfrau über das Stadttheater und seine Schauspieler unterbrochen. Der Lehrer beobachtete die Sprechenden sehr aufmerksam, und sobald er bemerkte, daß sich ihre Gesichter zu einem Lächeln verzogen, riß er seinen Mund weit auf und brach in ein wieherndes Gelächter aus. Vermutlich war er ein dankbares Geschöpf und wollte sich auf diese Weise dem Hausherrn für die gute Behandlung erkenntlich zeigen, die er hier im Hause genoß. Einmal allerdings nahm er eine unwillige Miene an und klopfte streng auf den Tisch, indem er seinen Blick auf die ihm gegenübersitzenden Kinder richtete. Das war auch durchaus am Platz, weil Femistokljus Alkid ins Ohr gebissen hatte und dieser mit zusammengekniffenen Augen und weit geöffnetem Munde schon im Begriff war, kläglich loszuheulen. Aber er ahnte wohl, daß ihm dafür die Nachspeise vorenthalten werden würde, daher brachte er den Mund wieder in seine normale Stellung und begann an einem Knochen zu nagen, so daß ihm beide Backen vor Tränen und Hammelfett glänzten.

Die Hausfrau wandte sich wiederholt an Tschitschikow mit den Worten: »Sie essen ja nichts, Sie haben ja viel zu wenig auf den Teller genommen«, worauf Tschitschikow jedesmal erwiderte: »Ergebensten Dank, ich bin satt. Ein angenehmes Gespräch ist mehr wert als der schönste Leckerbissen.« Als man sich nach dem Essen sehr befriedigt erhob und Manilow gerade im Begriff war, seinem Gast die Hand auf die Schulter zu legen und ihn in den Salon zurück zu geleiten, erklärte Tschitschikow mit höchst bedeutungsvoller Miene, er müsse ihn in einer sehr wichtigen Angelegenheit unter vier Augen sprechen.

»In diesem Falle möchte ich Sie bitten, mir in mein Arbeitszimmer zu folgen«, erwiderte Manilow und führte den Gast in einen kleinen Raum, dessen Fenster auf den blauenden Wald hinausgingen. »Das ist mein privater Winkel«, erklärte Manilow.

»In der Tat, ein gemütliches Stübchen«, sagte Tschitschikow und musterte das Zimmer. Dieses hatte auch wirklich mancherlei Vorzüge: die Wände waren mit einer blaugrauen Farbe gestrichen, die Einrichtung bestand aus vier Stühlen, einem Lehnstuhl und einem Tisch, auf dem jenes schon einmal erwähnte Buch mit dem eingelegten Lesezeichen lag. Auch sah er dort einige Bogen beschriebenes Papier und sehr, sehr viel Tabak, sowohl in einer Dose wie in Packungen und in kleinen Häufchen auf der Tischplatte verstreut. Auf den Fensterbänken waren kleine Berge von ausgeklopfter Pfeifenasche in regelmäßigen Häufchen sorgfältig angeordnet – das wohlgelungene Ergebnis einer Beschäftigung, mit der sich der Hausherr offenbar die Zeit vertrieb.

»Darf ich Sie bitten, es sich auf diesem Lehnstuhl bequem zu machen«, sagte Manilow. »Hier sind Sie ungestört.«

»Gestatten Sie, daß ich mich auf diesen Stuhl setze.«

»Gestatten Sie, Ihnen das nicht zu gestatten«, sagte Manilow lächelnd. »Dieser Lehnstuhl ist ein für allemal für meine Gäste bestimmt. Ob Sie wollen oder nicht – Sie müssen auf ihm Platz nehmen.«

Tschitschikow gab nach und setzte sich.

»Gestatten Sie, Ihnen ein Pfeifchen anzubieten.«

»Besten Dank – ich bin Nichtraucher«, entgegnete Tschitschikow höflich und mit einem Ausdruck des Bedauerns.

»Warum?« fragte Manilow ebenfalls höflich und ebenfalls mit einem Ausdruck des Bedauerns.

»Ich bin ans Rauchen nicht gewöhnt und fürchte, mich daran zu gewöhnen – es soll der Gesundheit nicht zuträglich sein.«

»Gestatten Sie mir zu bemerken, daß dies ein Vorurteil ist. Ich glaube sogar, daß das Pfeifenrauchen bedeutend gesünder ist als das Schnupfen. In meinem Regiment war ein Leutnant, ein ausgezeichneter und sehr gebildeter Mensch, der die Pfeife immer und nicht nur bei Tisch, sondern sogar, mit Verlaub zu sagen, auf dem Örtchen im Munde behielt. Und jetzt ist er bereits vierzig Jahre alt und so gesund wie ein Jüngling.«

Tschitschikow bemerkte dazu, daß so etwas in der Tat vorkomme und daß es in der Natur Dinge gebe, die selbst großen Geistern unerklärlich blieben.

»Aber lassen Sie mich jetzt eine Frage an Sie richten«, fuhr er mit einer sonderbar veränderten Stimme fort, wobei er sich aus unbekannten Gründen vorsichtig nach der Tür umsah, was Manilow, Gott weiß warum, ebenfalls tat. »Wie lange ist es her, daß Sie Ihre Revisionsliste zum letztenmal eingereicht haben?«

»Das ist schon lange her oder, um die Wahrheit zu sagen – ich weiß es nicht mehr.«

»Sind seitdem viele Bauern bei Ihnen gestorben?«

»Das kann ich nicht sagen, darüber kann nur der Verwalter Auskunft geben. Hallo, Bursche, hol mal den Verwalter herbei, er muß ja wohl hier sein.«

Gleich darauf kam er, ein etwa vierzigjähriger, glattrasierter Mann im Gehrock, der offenbar ein sehr geruhsames Leben führte, denn sein Gesicht war voll und aufgeschwemmt, und seine winzigen Äuglein und die gelbe Hautfarbe zeigten deutlich genug, daß Plumeaus und Daunenkissen ihm nichts Ungewohntes waren. Man verstand sofort, daß sich seine Laufbahn von derjenigen aller herrschaftlichen Verwalter durch nichts unterschieden hatte: offenbar war er zuerst ein ganz gewöhnlicher Bauernbursche gewesen, der im Herrenhaus herangewachsen war und Lesen und Schreiben gelernt hatte. Er war mit irgendeiner Wirtschafterin Agaschka verheiratet worden, die bei der Frau des Hauses gut angeschrieben war, war dann Hausmeister und schließlich Verwalter geworden. Als solcher verfuhr er natürlich genauso wie alle Verwalter: er biederte sich mit den wohlhabenden Dorfleuten an, saugte die ärmeren noch mehr aus, erwachte morgens erst gegen neun Uhr, wartete auf den Samowar und trank gemächlich seinen Tee. »Paß mal auf, mein Lieber, wieviel Bauern sind seit der letzten Revisionsliste bei uns gestorben?«

»Was heißt – wieviel? Unzählige sind seitdem gestorben«, sagte der Verwalter, wobei er aufstieß und sich die Hand wie einen Schild vor den Mund hielt.

»Das habe ich mir auch schon gedacht«, unterbrach Manilow, »es werden nicht wenige inzwischen gestorben sein.« Dann wandte er sich an Tschitschikow und bekräftigte noch einmal: »In der Tat nicht wenige!«

»Und wie viele denn ungefähr?« fragte Tschitschikow.

»Wie viele denn ungefähr?« wiederholte Manilow.

»Wie kann man das wissen«, antwortete der Verwalter, »niemand hat sie gezählt.«

»Na eben«, sagte Manilow, indem er sich abermals an Tschitschikow wandte, »das habe ich mir gleich gedacht, die Sterblichkeit war groß, wer weiß denn, wie viele gestorben sind.«

»Sei bitte so gut und zähle sie mal«, sagte Tschitschikow, »und stelle mir ein genaues Verzeichnis aller Namen zusammen.«

»Jawohl, aller Namen«, wiederholte Manilow.

Der Verwalter sagte: »Zu Befehl!« und entfernte sich.

»Aber zu welchem Zweck brauchen Sie denn das?« fragte Manilow, als der Verwalter gegangen war.

Diese Frage schien dem Gast einige Verlegenheit zu bereiten: seine Gesichtszüge spannten sich und er errötete wie einer, der vergeblich nach Worten ringt. Und wirklich hörte Manilow schließlich so merkwürdige und ungewöhnliche Dinge, wie sie menschliche Ohren wohl noch niemals vernommen hatten.

»Sie fragen mich, zu welchem Zweck ich die Namen brauche? Nun, ich will es Ihnen sagen: ich möchte die Bauern kaufen ...« sagte Tschitschikow, verschluckte sich und brach plötzlich ab.

»Aber gestatten Sie mir die Frage«, erwiderte Manilow, »wie wollen Sie sie denn kaufen, mitsamt dem Lande oder einfach, um sie fortzubringen, das heißt also ohne Land?«

»Nein, nicht so ...« sagte Tschitschikow. »Ich will keine richtigen, sondern tote Bauern ...«

»Wie denn das? Entschuldigen Sie ... ich bin ein wenig taub, mir war doch, als hörte ich da ein ganz merkwürdiges Wort ...«

»Ich beabsichtige tote Bauern zu erwerben, die aber in der Revisionsliste noch als lebende Bauern geführt werden«, sagte Tschitschikow. Manilow riß vor Staunen den Mund weit auf, so daß ihm die Pfeife entglitt und auf den Fußboden fiel. Einige Minuten saß er mit offenem Munde da. Die beiden Freunde, die miteinander noch kurz vorher über die Freuden eines freundschaftlichen Zusammenlebens geplaudert hatten, starrten sich regungslos in die Augen wie jene Porträts, die man in der guten alten Zeit zu beiden Seiten des Spiegels aufzuhängen pflegte. Endlich hob Manilow seine Pfeife wieder auf und blickte dabei Tschitschikow von unten her ins Gesicht, wie um festzustellen, ob nicht ein Lächeln seine Lippen verziehe und ob er sich nicht überhaupt nur einen Scherz gestattet habe, aber es war nichts dergleichen zu bemerken, das Gesicht erschien ihm im Gegenteil noch ehrbarer als sonst. Dann kam er auf den Gedanken, ob der Gast nicht am Ende plötzlich seinen Verstand verloren hätte, und starrte ihn entsetzt an, aber Tschitschikows Augen waren vollkommen klar, und in seinem Blick war nichts von jenem wilden, unruhigen Feuer, das im Auge eines Wahnsinnigen flackert, alles war in bester Ordnung. Und wie sehr sich Manilow auch den Kopf darüber zerbrach, wie er sich verhalten und was er tun solle, ihm fiel nichts anderes ein, als den Pfeifenrauch in dünnen Strahlen in die Luft zu blasen.

»Ich möchte also wissen«, sagte Tschitschikow, »ob Sie bereit sind, mir diese in Wirklichkeit toten, aber formell und nach dem Gesetz noch lebendigen Seelen zu übergeben oder abzutreten, oder wie Sie es nennen wollen.«

Manilow geriet völlig außer Fassung und war so verwirrt, daß er ihn nur sprachlos anblickte.

»Mir scheint, daß Sie Bedenken haben«, bemerkte Tschitschikow.

»Ich? O nein, das nicht gerade ...« erwiderte Manilow, »aber entschuldigen Sie, ich begreife nicht recht ... ich habe natürlich bei weitem keine so glänzende Erziehung genossen, von der sozusagen jede Ihrer Bewegungen Zeugnis ablegt, auch geht mir die Fähigkeit ab, mich so stilvoll auszudrükken ... Möglicherweise steckt hinter dem, was Sie hier soeben dargelegt haben, noch etwas anderes ... vielleicht belieben Sie sich nur um der schönen blumenreichen Floskel willen so auszudrücken?«

»O nein«, unterbrach ihn Tschitschikow, »ich meine ganz wörtlich, was ich sage, es sind in der Tat die toten Seelen.« Manilow verlor vollkommen den Kopf. Er fühlte, daß er irgend etwas tun, irgendeine Frage stellen mußte, aber der Teufel mochte wissen, worin diese Frage bestehen sollte. Schließlich wußte er sich nicht anders zu helfen, als abermals eine Wolke Tabakrauch in die Luft zu blasen, aber diesmal nicht durch den Mund, sondern durch die Nasenlöcher.

»Wenn also keine Bedenken bestehen, so können wir uns mit Gottes Hilfe unverzüglich an die Abfassung des Kaufvertrages machen«, sagte Tschitschikow.

»Wie, ein Kaufvertrag über tote Seelen?«

»Bewahre!« rief Tschitschikow aus. »Wo denken Sie hin, wir schreiben natürlich, daß sie lebendig sind, wie das ja auch aus den Revisionslisten hervorgeht. Ich pflege unverbrüchlich am Bürgerlichen Gesetzbuch festzuhalten, obgleich ich wegen dieser Gewohnheit bereits viel im Dienste zu leiden hatte. Sie müssen schon entschuldigen: die Pflicht ist für mich etwas Heiliges, und das Gesetz – ich verstumme vor dem Gesetz.« Diese letzten Worte fanden Manilows volle Zustimmung, aber trotzdem vermochte er nicht in den eigentlichen Sinn der ganzen Sache einzudringen, und statt zu antworten, sog er so heftig an seiner Pfeife, daß sie Töne wie ein Fagott von sich gab. Es machte fast den Eindruck, als glaubte er, eine eigene Meinung über diese unerhörte Angelegenheit aus der Pfeife herausziehen zu können, aber das Fagott flötete nur und schwieg sich im übrigen aus.

»Vielleicht haben Sie noch irgendwelche Zweifel?«

»O keineswegs! Sie müssen nicht glauben, daß ich etwa ein kritisches Vorurteil Ihrer Person gegenüber hätte. Aber gestatten Sie mir die Frage, könnte nicht dieses Vorhaben oder – um sozusagen noch deutlicher zu werden – dieser Handel am Ende doch mit den bürgerlichen Gesetzen oder den weiteren Absichten Rußlands in Widerspruch geraten?«

Manilow begleitete diese Worte mit entsprechenden Kopfbewegungen und blickte Tschitschikow höchst bedeutungsvoll ins Gesicht, wobei in seinen Zügen und seinen zusammengepreßten Lippen ein so tiefer Ernst zum Ausdruck kam, wie man ihn sonst wohl noch niemals in einem menschlichen Antlitz gesehen hat, es sei denn bei einem ungewöhnlich klugen Minister, und auch bei einem solchen höchstens in einer Minute schärfsten Nachdenkens.

Aber Tschitschikow versicherte einfach, daß ein derartiges Unternehmen oder Geschäft den bürgerlichen Gesetzen und weiteren Plänen Rußlands niemals widersprechen könne, und fügte gleich darauf noch hinzu, daß sogar der Fiskus durch die gesetzlichen Gebühren bedeutenden Vorteil daraus ziehen werde.

»Sie sind also der Ansicht ...?«

»Ganz recht, ich bin der Ansicht, daß es sich machen läßt.«

»Nun, wenn es sich machen läßt, ist's allerdings eine andere Sache. Dann habe ich nichts dagegen einzuwenden«, sagte Manilow und beruhigte sich.

»Jetzt müssen wir uns nur noch über den Preis einigen ...«

»Wieso über den Preis?« fragte Manilow und fiel abermals aus den Wolken. »Sie werden doch nicht ernstlich glauben, daß ich für Seelen Geld fordern werde, die in gewissem Sinne schon aufgehört haben zu existieren? Wenn Sie schon einmal auf solchen sozusagen phantastischen Wünschen bestehen, so müssen Sie mir erlauben, Ihnen meinerseits die toten

Seelen umsonst zu überlassen, und der Kaufbrief bleibt meine Sorge!«

Der Chronist, der über die hier mitgeteilten Begebenheiten unterrichtet, würde sich ohne Zweifel den schärfsten Tadel zuziehen, wenn er an dieser Stelle zu bemerken unterließe, daß diese Worte Manilows den Gast in helles Entzücken versetzten. So besonnen und überlegt er sonst auch immer zu handeln pflegte, in diesem Augenblick hätte er am liebsten einen Bocksprung gemacht, was bekanntlich nur bei Ausbrüchen einer besonders heftigen Freude vorkommt. Er wandte sich mit einem so plötzlichen Ruck in seinem Lehnstuhl um, daß der wollene Überzug einen Riß bekam; Manilow blickte ihn sehr verwundert an. Überwältigt von Gefühlen der Erkenntlichkeit, konnte Tschitschikow sich nicht genug tun in Danksagungen, daß Manilow vor Verlegenheit errötete, mit dem Kopf eine abwehrende Bewegung machte und endlich versicherte, das alles sei ja nur eine Kleinigkeit. Er habe ihm lediglich den Zug seines Herzens zum Ausdruck bringen, die magnetische Anziehungskraft der Seelen beweisen wollen – die toten Seelen aber seien in gewissem Sinne doch nur Mist.

»Durchaus kein Mist«, sagte Tschitschikow, drückte ihm die Hand und seufzte tief auf. Es schien beinah, als hätte er Lust, sein Herz auszuschütten, denn nicht ohne Gefühl und Ausdruck brachte er schließlich folgende Worte hervor: »Ach, wenn Sie wüßten, welchen Dienst Sie mir mit diesem nur scheinbaren Mist erweisen, mir, einem Menschen ohne Namen und Rang! Wahrhaftig, wie ein verlorener Kahn auf dahinstürmenden Wogen – was habe ich nicht alles erduldet! Welchen Verfolgungen und Nachstellungen bin ich nicht ausgesetzt gewesen, wieviel Kränkungen habe ich nicht hinnehmen müssen! Und wofür das alles? Nur, weil ich an der Wahrheit festhielt, mir ein reines Gewissen bewahrte und hilflosen Witwen und Waisen die Hand entgegenstreckte!« Und hierbei wischte er sich sogar eine Träne aus dem Auge.

Manilow war sehr erschüttert. Lange drückten die Freunde einander die Hände und blickten sich stumm in die Augen, in denen Tränen der Rührung glitzerten. Manilow wollte die

Hand unsres Helden überhaupt nicht mehr freigeben und fuhr fort, sie so innig zu drücken, daß Tschitschikow alle Mühe hatte, loszukommen. Nachdem es ihm endlich gelungen war, seine Hand zurückzuziehen, sagte er, daß es nicht übel wäre, wenn Manilow möglichst bald selber in die Stadt käme, um den Kaufvertrag abzuschließen. Und damit griff er nach seinem Hut, um sich zu verabschieden.

»Wie, Sie wollen schon fahren?« fragte Manilow erschrokken und wie aus einem Traum erwachend.

In diesem Augenblick trat die Manilowa ins Arbeitszimmer.

»Lisanka«, sagte Manilow fast weinerlich, »Pawel Iwanowitsch will uns bereits verlassen!«

»Wahrscheinlich weil sich Pawel Iwanowitsch bei uns langweilt«, antwortete die Manilowa.

»Gnädigste, hier«, sagte Tschitschikow und legte die Hand aufs Herz, »hier wird die Erinnerung an die schöne mit Ihnen verbrachte Zeit fortleben! Und, glauben Sie mir, ich kann mir keine größere Seligkeit denken, als in Ihrem Hause oder wenigstens in Ihrer nächsten Nachbarschaft zu leben.«

»Ach, wissen Sie, Pawel Iwanowitsch«, sagte Manilow, dem dieser Gedanke ungemein gefiel, »es wäre in der Tat wunderbar, wenn wir unter einem Dach leben, im Schatten irgendeiner Ulme miteinander philosophieren und uns in dieses oder jenes vertiefen könnten ...«

»Oh, das wäre ein paradiesisches Dasein«, sagte Tschitschikow seufzend. »Leben Sie wohl, Gnädigste!« fuhr er fort und küßte der Manilowa die Hand. »Auf Wiedersehen, verehrter Freund, und vergessen Sie nicht meine Bitte.«

»Oh, seien Sie versichert«, erwiderte Manilow, »daß ich mich nicht auf länger als höchstens zwei Tage von Ihnen trenne.«

Sie gingen ins Eßzimmer hinüber.

»Lebt wohl, meine lieben Kleinen«, sagte Tschitschikow, als er hier Femistokljus und Alkid bemerkte, die mit einem hölzernen Husaren spielten, der keine Hände und keine Nase mehr hatte. »Lebt wohl, Bürschchen, und verzeiht mir, daß ich euch nichts mitgebracht habe, weil ich offen gestanden gar nicht gewußt habe, daß ihr auf der Welt seid. Aber wenn ich wiederkomme, bringe ich euch bestimmt etwas mit. Dir einen Säbel, willst du einen Säbel haben?«

»Ich will«, antwortete Femistokljus.

»Und dir eine Trommel. Nicht wahr, du magst eine Trommel?« fuhr Tschitschikow fort und beugte sich zu Alkid hinunter.

»Dommel«, flüsterte Alkid mit gesenktem Kopf.

»Schön, du sollst also eine Trommel haben, eine großartige Trommel, die fortwährend turrr ...ru ...ta-ta-ta, ta-ta-ta macht. Auf Wiedersehen, mein Herzchen, auf Wiedersehen!« Er küßte das Kind auf den Kopf und wandte sich Manilow und seiner Frau mit jenem sinnigen Lächeln zu, mit dem man Eltern zu verstehen geben will, wie unschuldig man die Wünsche ihrer Kinder findet.

»Nein wirklich, bleiben Sie doch noch ein bißchen, Pawel Iwanowitsch!« sagte Manilow, als alle schon auf die Treppe hinausgetreten waren. »Schauen Sie doch, welche Wolken heraufziehen.«

»Das sind ja nur Wölkchen«, erwiderte Tschitschikow.

»Kennen Sie denn überhaupt den Weg zu Sobakewitsch?«

»Danach wollte ich Sie gerade fragen.«

»Gestatten Sie, ich will gleich Ihrem Kutscher Bescheid sagen.« Und Manilow erklärte die Sache dem Kutscher so bereitwillig und liebenswürdig, daß er einmal sogar Sie zu ihm sagte.

Als der Kutscher hörte, daß er zwei Wegkreuzungen unbeachtet lassen und erst bei der dritten einbiegen müsse, sagte er: »Wir werden's schon schaffen, Euer Wohlgeboren«, und unter zahllosen Verbeugungen der Manilows, die, auf den Fußspitzen stehend, noch lange ihre Taschentücher schwenkten, fuhr Tschitschikow davon.

Manilow stand noch eine ganze Weile auf der Treppe und folgte der sich entfernenden Kutsche mit den Augen, und auch als sie überhaupt nicht mehr zu sehen war, stand er noch immer da und rauchte seine Pfeife. Schließlich ging er wieder ins Haus, ließ sich auf einem Stuhl nieder und versank in Nachdenken, von Herzen froh darüber, daß er seinem Gast eine bescheidene Freude gemacht hatte. Dann wechselten seine Gedanken, ohne daß er sich dessen bewußt war, zu anderen Gegenständen hinüber, um endlich, Gott weiß wo, haltzumachen. Er dachte an das Glück der Freundschaft, und wie schön es doch wäre, mit dem Freunde am Ufer gleichviel welchen Flusses zu leben. Dann baute er in Gedanken eine Brücke über diesen Fluß und ein ungeheures Haus mit einem Pavillon, der so hoch war, daß man sogar Moskau sehen konnte, und malte sich aus, wie wundervoll es sein müßte, dort abends im Freien Tee zu trinken und über lauter angenehme Dinge zu plaudern. Dann träumte er davon, daß er und Tschitschikow sich in vornehmen Kutschen zu einer gesellschaftlichen Veranstaltung begaben und dort alle Gäste durch ihre feinen Umgangsformen in Begeisterung versetzten, so daß der Kaiser, der von der Freundschaft gehört hatte, sie zu Generälen ernannte, und so weiter und so weiter, bis er schließlich selbst nicht mehr wußte, was er sich eigentlich ausgemalt hatte. Aber plötzlich unterbrach Tschitschikows sonderbare Bitte seine Phantasien. Sein Verstand konnte diesen Gedanken auf keine Weise fassen. Wie er ihn auch drehte und wendete – er konnte mit ihm nicht fertig werden. So saß er noch lange mit der Pfeife im Munde da, bis er zum Abendessen gerufen wurde.

3

Unterdessen saß Tschitschikow bei bester Gemütsverfassung in seiner Kutsche, die schon geraume Zeit auf der Landstraße dahinrollte. Aus dem vorigen Kapitel, in welchem wir seine Geschmacksrichtung und seine Neigungen kennenlernten, wissen wir bereits, was er im Sinn hatte, und welcher Art die Ziele und Absichten waren, die er verfolgte. Kein Wunder, daß er sich alsbald mit Leib und Seele in diese Pläne vertiefte. Die Vermutungen, Erwägungen und Voranschläge, die sich in seinem Mienenspiel ausdrückten, waren offenbar vielversprechend, denn fortwährend huschte ein befriedigtes Lächeln über seine Züge. So mit sich selber beschäftigt, schenkte er dem Kutscher keinerlei Aufmerksamkeit, der, im höchsten

Grade angetan von der Aufnahme, die er beim Hausgesinde Manilows gefunden hatte, dem Schecken, der auf der rechten Seite als Beipferd angeschirrt war, allerhand strenge Rügen erteilte. Dieser Scheck hatte es faustdick hinter den Ohren und suchte sich nur den Anschein zu geben, als sei er am Ziehen des Wagens mitbeteiligt, während das braune Stammpferd und der Fuchs, der als linkes Beipferd diente – er hieß »Beisitzer«, weil er seinerzeit von irgendeinem gerichtlichen Beisitzer gekauft worden war –, sich mit Anspannung aller Kräfte ins Zeug legten, so daß man ihnen die Befriedigung, die ihnen diese Anstrengung bereitete, geradezu an den Augen ablesen konnte. »Sei so listig, wie du nur kannst, ich werde dich doch überlisten!« sagte Selifan, indem er sich ein wenig erhob und dem schlauen Faulpelz einen Hieb mit der Peitsche versetzte. »Damit du weißt, was du zu tun hast, du deutscher Hosentrompeter! Ja, der Braune ... der ist ein ehrenwerter Gaul, der seine Pflicht tut! Darum gebe ich ihm auch mit Vergnügen ein Maß Hafer mehr, weil er ein ehrenwertes Pferd ist. Und ‚Beisitzer' ist gleichfalls ein gutes Tier ... Na, na, warum bewegst du die Ohren, du Dummkopf? Hör lieber gut zu, wenn man mit dir spricht! Du unwissender Flegel, ich werde dir schon nichts Unrechtes beibringen. Schau mal an, wo du wieder hindrängst!« Und damit zog er ihm abermals eins mit der Peitsche über und wetterte: »Ach, du Bonaparte, du Barbar, du verdammter!« Dann rief er: »He, ihr Lieben!« und fuchtelte mit der Peitsche über allen drei Pferderücken herum, aber diesmal nicht etwa, um die Gäule zu schlagen, sondern um ihnen klarzumachen, daß er mit ihnen zufrieden sei. Nachdem er ihnen auf diese Weise seine Anerkennung zum Ausdruck gebracht hatte, nahm er seine Ermahnungen an den Schecken wieder auf: »Du meinst wohl, daß du dein Betragen vor mir verbergen kannst. Nein, benimm dich ehrlich und anständig, wenn du willst, daß man dir Achtung bezeigt. Siehst du, bei dem Gutsbesitzer, den wir besucht haben, waren gute Menschen. Mit einem, der ein guter Mensch ist, werde ich immer gern reden. Mit einem solchen werde ich stets gut Freund sein, werde Tee mit ihm trinken und mit Vergnügen am gleichen Tisch sitzen. Ein guter Mensch wird sich der allgemeinen Achtung erfreuen. Schau, unsren Herrn zum Beispiel – den achtet jeder, weil er dem Kaiser treu gedient hat und es bis zum Skollegenrat, oder wie das Ding heißt, gebracht hat ...«

Solche Erwägungen anstellend, verlor sich Selifan schließlich in ganz fernliegende und ausgefallene Ideenverbindungen. Wäre Tschitschikow ein aufmerksamer Zuhörer gewesen, so hätte er noch mancherlei ihn persönlich betreffende Einzelheiten erfahren, aber seine Gedanken waren so völlig von seinem Lieblingsthema in Anspruch genommen, daß erst ein gewaltiger Donnerschlag kommen mußte, der ihn aufschreckte und um sich blicken ließ: der ganze Himmel war mit Wolken bedeckt, und schwere Regentropfen fielen auf die staubige Landstraße herab. Abermals krachte ein Donnerschlag, diesmal noch lauter und näher, und schon goß es wie aus Kübeln. Anfangs fiel der Regen schräg und schlug einmal von der einen und dann von der anderen Seite gegen den Wagen. Hierauf änderte er seine Richtung, trommelte schnurgerade auf die Kutsche und bespritzte Tschitschikows Gesicht. Das veranlaßte ihn, auf beiden Seiten die Ledervorhänge mit den kleinen runden Fenstern, durch die man in die Landschaft hinausblicken konnte, zuzuziehen und Selifan anzuweisen, schneller zu fahren. Selifan, mitten in seiner Rede an den Schecken unterbrochen, begriff, daß keine Zeit mehr zu verlieren war, und zerrte einen alten zerlumpten Rock aus grauem Tuch unter dem Bock hervor. Er nahm ihn um, schlüpfte in die Ärmel und ergriff von neuem die Zügel. Mit einem anfeuernden Zuruf suchte er sein Dreigespann wieder in Gang zu bringen, das sich aber, durch seine pausenlosen Reden eingeschläfert, nur Schritt vor Schritt in Bewegung setzte. Selifan konnte sich durchaus nicht mehr erinnern, ob man schon an zwei oder sogar an drei Wegkreuzungen vorübergekommen war. Nachdem er angestrengt nachgedacht und versucht hatte, sich die Einzelheiten der zurückgelegten Strecke ins Gedächtnis zurückzurufen, kam er zu dem Schluß, daß die Kutsche schon eine ganze Menge Wegkreuzungen passiert haben mußte. Ein echter Russe verliert aber in Augenblicken, da guter Rat teuer ist, niemals den Kopf, sondern weiß sich immer zu helfen. So auch Selifan; er rief: »He, meine verehrten Freunde!« und veranlaßte die Pferde in den ersten besten Seitenweg, der nach rechts abbog, einzuschwenken. Dann jagte er im Galopp drauflos, ohne viel zu überlegen, wohin die Straße eigentlich führte.

Der Regen schien sich zu einem Dauerregen zu entwickeln. Der Straßenstaub verwandelte sich bald in Schmutz, so daß die Gäule immer schwerer und schwerer zu ziehen hatten. Tschitschikow fing schon an, sich darüber aufzuregen, daß vom Gutshof Sobakewitschs, den man nach seiner Schätzung schon längst hätte erreichen müssen, noch nicht das geringste zu sehen war. Er blickte bald nach rechts und bald nach links hinaus, es war aber so dunkel, daß er nichts unterscheiden konnte.

»Selifan!« rief er schließlich und steckte den Kopf zum Fenster hinaus.

»Was ist los, Herr?« rief Selifan zurück.

»Sieh dich mal um – ist das Gut noch nicht zu sehen?«

»Nein, Herr, nichts ist zu sehen!« antwortete Selifan und schwenkte die Peitsche, wobei er etwas Undefinierbares, Langgezogenes anstimmte, das ein Lied und doch kein Lied war, weil es überhaupt kein Ende zu haben schien. In diesem merkwürdigen Gesang kam alles und jedes vor, alle Arten von Zurufen, mit denen man von einem Ende Rußlands bis zum anderen die Pferde aufzumuntern und anzutreiben pflegt, und alle nur irgend erdenklichen Eigenschaftswörter, die man Pferden beilegen oder auch nicht beilegen kann, ganz wahllos, und wie sie ihm gerade auf die Zunge kamen. Das ging so weit, daß er seine Pferde schließlich sogar »Sekretäre« nannte.

Unterdessen machte Tschitschikow die Entdeckung, daß seine Kutsche nach allen Seiten schwankte, wobei er selbst fortwährend kräftige Stöße erhielt. Das ließ ihn vermuten, daß sie von der Straße abgekommen waren und wahrscheinlich über ein frisch gepflügtes Feld fuhren. Auch Selifan schien den Braten gerochen zu haben, sagte aber kein Wort.

»Auf was für einer Straße fährst du überhaupt, du Gauner?« brüllte Tschitschikow.

»Was kann man da machen, Herr, es ist ja so dunkel, daß ich nicht einmal meine Peitsche sehe!« Bei diesen Worten neigte sich die Kutsche so tief auf die Seite, daß Tschitschikow sich mit beiden Händen festhalten mußte, um nicht hinauszufallen. In diesem Augenblick bemerkte er erst, daß Selifan einen tüchtigen Rausch hatte.

»Halt, halt, du wirfst ja um!« rief er ihm zu.

»Nein, Herr, wo denken Sie hin«, beschwichtigte Selifan. »Daß man nicht umwerfen darf, weiß ich ja selbst. Fürchten Sie nichts, ich werf schon nicht um!« Und damit fing er an, den Wagen vorsichtig zu wenden, und zwar mit dem Erfolg, daß er ihn ganz umschmiß. Tschitschikow fiel mit den Händen voran in den Dreck. Selifan brachte die Pferde zum Stehen, doch wären sie wohl auch von selbst stehengeblieben, weil sie schon ganz erschöpft waren. Dieses unvorhergesehene Ereignis rief ein gewaltiges Staunen bei Selifan hervor, der vom Bock heruntergeklettert war und sich mit in die Seiten gestemmten Armen vor die Kutsche hingestellt hatte. Er beobachtete längere Zeit und mit lebhaftem Interesse, wie sein Herr, mit den Beinen im Schlamm herumstrampelnd, sich vergeblich bemühte, wieder hochzukommen, und sagte dann, nachdem er scharf nachgedacht hatte: »Ist die Kutsche also doch umgefallen!«

»Du bist betrunken wie ein Schuster!« sagte Tschitschikow.

»Nein, Herr, wie sollte ich denn! Ich weiß ja, daß sich das nicht gehört. Ich habe nur ein wenig mit einem Freund geschwatzt, und mit einem guten Menschen zu plaudern ist keine Sünde. Dann haben wir miteinander gefrühstückt, was doch auch nicht verboten ist – mit einem guten Menschen ein wenig zu frühstücken.«

»Hast du schon vergessen, was ich dir gesagt habe, als du das letztemal betrunken warst?« fragte Tschitschikow streng.

»Nein, Euer Wohlgeboren, wie sollte ich das wohl vergessen haben! Ich bin mir meiner Pflicht bewußt. Ich weiß, daß es nicht schicklich ist, sich zu betrinken, aber ich habe ja nur mit einem guten Menschen geschwatzt, was doch nicht ...«

»Na warte, ich werde dir eine Tracht Prügel verabfolgen

lassen, daß dir schon die Augen darüber aufgehen werden, was es heißt, sich mit guten Menschen einzulassen!«

»Das steht bei Ihnen«, sagte Selifan gefügig. »Sie sind der Herr! Von Zeit zu Zeit braucht der Bauer den Stock, damit er nicht übermütig wird. Und warum auch nicht? Ordnung muß sein. Wer Prügel verdient hat, muß Prügel haben!«

Auf diese einsichtsvolle Betrachtung wußte Tschitschikow nichts zu erwidern. Aber gerade in diesem Augenblick schien das Schicksal selbst ein Einsehen mit ihnen zu haben. Sie vernahmen plötzlich fernes Hundegebell. Der erfreute und erleichterte Tschitschikow befahl Selifan, aufzubrechen. Der russische Kutscher hat in der Dunkelheit ein gutes Fingerspitzengefühl – unter Umständen kann er sogar mit geschlossenen Augen und in wildem Tempo aufs Geratewohl dahinjagend irgendein Ziel erreichen. So lenkte auch Selifan, ohne im Nebel auch nur das geringste zu sehen, die Pferde so schnurgerade auf ein Dorf zu, daß der Wagen erst zum Stehen kam, als er mit der Deichsel an einen Zaun stieß. Tschitschikow konnte durch den dichten Vorhang des herabstürzenden Regens nur etwas noch Dunkleres erkennen, das eine entfernte Ähnlichkeit mit einem Dach zu haben schien. Er schickte Selifan auf die Suche nach einer Pforte, was ohne Zweifel viel Zeit in Anspruch genommen hätte, wenn es in Rußland an Stelle von Portiers nicht überall hurtige Hunde gäbe, die jeden Ankömmling so vernehmlich anzumelden pflegen, daß man sich die Finger in die Ohren stecken muß. In einem Fenster blitzte jetzt ein Licht auf, dessen dunstiger Strahlenkegel bis zum Gartenzaun hinausdrang und unseren Reisenden das Tor beleuchtete. Selifan fing an zu klopfen, worauf alsbald die Pforte geöffnet und eine Gestalt in einem faltigen Bauernrock sichtbar wurde. Herr und Diener vernahmen eine heisere weibliche Stimme, die sich erkundigte, was los sei.

»Reisende, Mütterchen, bitten um Einlaß und Nachtquartier«, sagte Tschitschikow.

»Schau mal an, was für ein Leichtfuß«, erwiderte die Alte, »und kommt so zu später Stunde! Dies ist kein Wirtshaus, hier wohnt eine Gutsbesitzerin.«

»Nichts zu machen, Mütterchen, wir haben uns verirrt. Kann man denn bei dem Wetter draußen übernachten?«

»Ja, das Wetter ist schlecht«, bemerkte Selifan.

»Halt den Mund, Dummkopf«, sagte Tschitschikow.

»Wer sind Sie denn eigentlich?« fragte die Alte.

»Ein Edelmann, Mütterchen.«

Diese Auskunft stimmte die Alte ein wenig nachdenklich. »Warten Sie, ich spreche mal mit der Gnädigen«, sagte sie und kam schon nach wenigen Minuten mit einer brennenden Laterne in der Hand zurück. Das Tor wurde jetzt ganz weit geöffnet, und ein zweites Fenster wurde hell. Die Kutsche fuhr in den Hof und hielt vor einem kleinen Nebengebäude, das in der Finsternis kaum zu sehen war und das nur zum Teil durch den Lichtschein beleuchtet wurde, der aus den Fenstern in den Hof fiel und sich in einer großen Pfütze spiegelte. Der Regen trommelte geräuschvoll auf das hölzerne Hausdach und strömte in rauschenden Bächen in eine zu diesem Zweck bereitgestellte Wassertonne. Die Hunde überboten sich in allen möglichen Tonarten. Einer von ihnen hatte den Kopf weit nach hinten gelegt und jaulte in kläglichen, langgezogenen Tönen. Er tat das fortdauernd und mit einem Eifer, als erhielte er dafür einen Gott weiß wie hohen Lohn. Das Gebell eines anderen erinnerte lebhaft an das Glockengeläute eines Kirchendieners, und dazwischen erklang wie ein Posthörnchen der unermüdliche schrille Diskant eines wahrscheinlich noch ganz jungen Hündchens. Und das Ganze wurde übertönt von dem mächtigen Baß eines vermutlich schon ziemlich betagten, aber offenbar noch sehr kräftigen Köters, dessen Stimme wie der Kontrabaß eines Sängerchors anschwoll, wenn das Konzert sich seinem Höhepunkt näherte. Die Tenöre heben sich auf die Fußspitzen, um die höchsten Noten klar herauszuschmettern, und alles reckt sich und wirft den Kopf in den Nacken, nur er, der Kontrabaß, preßt sein unrasiertes Kinn in die Tiefe des Kragens, drückt sich fast auf den Fußboden nieder und läßt von unten her seine gewaltige Stimme erdröhnen, daß überall die Fensterscheiben nur so klirren. Allein schon aus diesem vielstimmigen Konzert der augenscheinlich weit verstreuten vierbeinigen Musiker mußte man auf ein ausgedehntes, recht ansehnliches Dorf schließen, aber unser durchnäßter und vor Kälte zitternder Held dachte jetzt an gar nichts andres als an ein warmes Bett.

Bevor noch die Kutsche halten konnte, sprang er hinaus, stolperte und wäre um ein Haar hingefallen. Auf der Treppe erschien jetzt eine andere Frau, die jünger war als die erste, aber ihr ziemlich ähnlich sah. Sie führte Tschitschikow ins Haus. Er warf einen prüfenden Blick ins Zimmer: die Wände waren mit altmodischen gestreiften Tapeten beklebt und mit Bildern behängt, die verschiedene Vögel darstellten. Zwischen den Fenstern befanden sich schmale, altertümliche Spiegel in dunklen Rahmen, welche die Form zusammengerollter Blätter hatten. Hinter jedem Spiegel steckte ein Brief, ein abgewetztes Spiel Karten oder ein Strumpf. Unter anderem war auch eine Wanduhr mit einem blumenbemalten Zifferblatt vorhanden, doch war Tschitschikow nicht imstande, die ganze Einrichtung zu mustern – er fürchtete, daß seine Augen zufallen und sich nicht mehr öffnen lassen würden, als wären die Lider mit Honig bestrichen und zusammengeklebt. Einen Augenblick später erschien die Hausfrau, eine bejahrte Dame in einer offenbar in aller Eile aufgesetzten Nachtmütze und einem Halstuch aus Flanell – eine jener Matronen und Besitzerinnen kleinerer Güter, die mit schief gehaltenem Köpfchen fortwährend über Verluste und Mißernten klagen, während sie nach und nach in aller Stille Geldstücke in buntbestickten Leinwandsäckchen anhäufen und in ihren Kommodenschubläden verbergen. In ein Beutelchen kommen die Silberrubel, in ein weiteres die Fünfzigkopeken- und in ein drittes die Fünfundzwanzigkopekenstücke, und dennoch hat es den Anschein, als befänden sich in der Kommode nur Garnrollen, Nachtjäckchen und andere Wäschestücke oder auch etwas Aufgetrenntes, was sich später einmal wieder in ein neues Kleid verwandeln wird, wenn das alte beim Backen festlicher Stollen und Pfefferkuchen schadhaft werden sollte. Wenn es sich jedoch als unerwartet dauerhaft erweist, wird es noch lange in der Kommode der sparsamen Alten aufgetrennt liegen bleiben, um schließlich mit anderem alten Krempel einer entfernten Verwandten testamentarisch vermacht zu werden.

Tschitschikow entschuldigte sich wegen der Störung, die er durch seine unangemeldete Ankunft verursacht hatte. »Macht nichts, macht nichts«, sagte die Hausfrau, »zu welch später Stunde Sie Gott auch bei dem Sturmwetter hergesandt hat! Nach Ihrer Reise sollten Sie eigentlich etwas essen, aber so mitten in der Nacht kann ich Ihnen nichts mehr auftischen lassen.«

Diese Worte wurden durch ein sonderbares Geräusch unterbrochen, so daß Tschitschikow erschrocken zusammenfuhr. Es war, als hätte sich das ganze Zimmer mit zischenden Schlangen gefüllt. Aber ein schneller Blick an die Wand genügte, um ihn gleich wieder zu beruhigen, denn er überzeugte sich, daß es nur die Wanduhr war, welche gerade die Lust anwandelte, zum Schlage auszuholen. Nachdem das Zischen aufgehört hatte, ließ sie ein angestrengtes Rasseln hören. Dann, alle Kräfte zusammennehmend, schlug sie zwei, und zwar mit einem Ton, als würde mit einem Stock auf einen zerbrochenen Topf geschlagen, worauf das Pendel wieder ruhig und gleichmäßig hin und her schwang.

Tschitschikow dankte der Hausfrau und versicherte, daß er gar nichts brauche. Sie möge sich ja nicht beunruhigen, er bäte nur um ein Nachtlager und um Auskunft, wo er sich eigentlich befände, und ob es von hier noch weit bis zum Gutsbesitzer Sobakewitsch sei, worauf die Alte erwiderte, daß sie diesen Namen noch niemals gehört habe und daß es einen solchen Gutsbesitzer überhaupt nicht gebe.

»Aber Sie kennen doch sicher Manilow«, fragte Tschitschikow überrascht.

»Wer ist Manilow?«

»Auch ein Gutsbesitzer, Mütterchen.«

»Habe nie etwas von ihm gehört. Einen Gutsbesitzer dieses Namens gibt es ebenfalls nicht.«

»Was gibt es denn hier für welche?«

»Bobrow, Swinjin, Kanapatjew, Charpakin, Trepakin und Pleschakow.«

»Sind das reiche Leute oder nicht?«

»Nein, Väterchen, besonders reich ist keiner von ihnen. Einer mag zwanzig, der andere dreißig Seelen haben, aber solche mit hundert gibt es hier überhaupt nicht.«

Jetzt erst wurde Tschitschikow sich klar darüber, in welche abgelegene Gegend er geraten war.

»Aber Sie können mir doch wenigstens sagen, wie weit es von hier bis zur Stadt ist?«

»An die sechzig Kilometer werden es sein. Wie schade, Väterchen, daß ich so gar nichts zu essen für Sie habe! Mögen Sie nicht doch etwas Tee?«

»Vielen Dank, Mütterchen. Ich brauche nichts als ein Bett.«

»Nicht wahr, Väterchen, nach einer solchen Reise bedarf man vor allem der Ruhe! Hier auf diesem Sofa machen Sie es sich nur bequem. Ei, Fetinja, hole ein Federbett, ein Kissen und ein Bettuch. Was hat uns Gott doch für ein Wetter geschickt! Welch ein Donner – die ganze Nacht brennt bei mir eine Kerze vor dem Heiligenbild. Ach, Väterchen, was sehe ich, dein Rücken und deine Seite sind ganz voll Dreck, du siehst ja aus wie ein Wildschwein! Wo hast du denn beliebt, dich so zu beschmutzen?«

»Gott sei gelobt, daß ich nur schmutzig geworden bin, ich muß dankbar sein, daß ich mir nicht auch noch das Rückgrat gebrochen habe!«

»Mein Gott, was du nicht sagst! Soll ich dir nicht etwas zum Einreiben des Rückens geben?«

»Danke, danke! Seien Sie unbesorgt und sagen Sie nur Ihrem Mädchen, daß es mir meine Kleider trocknet und sauber macht.«

»Hörst du, Fetinja!« wandte sich die Hausfrau an das Frauenzimmer, das bereits ein Pfühl hereinbrachte und es mit beiden Händen so energisch bearbeitete, daß eine ganze Wolke von Federn wie ein Schneegestöber das Zimmer erfüllte, »nimm Mantel und Rock mit hinaus, trockne die Sachen, wie du es auch für den seligen Herrn gemacht hast, und klopfe und bürste dann alles gründlich.«

»Ich verstehe, Herrin!« antwortete Fetinja, während sie ein Laken über das Unterbett breitete und einige Kopfkissen drauflegte.

»Also jetzt ist das Bett fertig«, sagte die Hausfrau. »Gute Nacht, Väterchen, schlaf gut. Hast du nicht noch einen Wunsch? Möglicherweise bist du es gewöhnt, dir die Fußsohlen streicheln zu lassen? Mein seliger Mann konnte, ohne daß ihm die Fußsohlen gestreichelt wurden, überhaupt nicht einschlafen.«

Aber der Gast verzichtete auf diese Gefälligkeit. Die Hausfrau verließ das Zimmer, und er beeilte sich, seine Kleider auszuziehen. Nachdem er alles, Oberzeug wie Unterzeug, Fetinja übergeben hatte, wünschte auch sie ihm eine geruhsame Nacht und verschwand mit den nassen Sachen. Allein gelassen, musterte er nicht ohne Befriedigung sein Bett, das fast bis zur Zimmerdecke hinaufragte. Fetinja war offensichtlich eine Meisterin im Aufklopfen von Federbetten. Als er mit Hilfe eines herangeschobenen Stuhls hinaufgeklettert war und sich ins Bett hatte fallen lassen, war er unter dem Druck seines Gewichts beinahe bis zum Fußboden herabgesunken, und die herausgepreßten Federn wirbelten überall im Zimmer umher. Er blies das Licht aus, zog sich die Steppdecke über den Kopf, kringelte sich unter ihr zusammen und schlief sofort ein.

Am anderen Morgen erwachte er ziemlich spät. Die Sonne schien ihm direkt ins Gesicht, und die Fliegen, die in der Nacht ruhig an den Wänden und an der Decke geschlummert hatten, stürzten sich alle auf ihn: eine setzte sich ihm auf die Lippe, eine andere aufs Ohr, eine dritte ruhte nicht eher, bis sie sich ihm mitten aufs Auge gesetzt hatte, und wieder eine, die so unvorsichtig gewesen war, sich in der Nähe seines Nasenloches aufzuhalten, zog er mit einem Atemzuge in die Nase hinein, was ihn veranlaßte, heftig zu niesen – ein Umstand, der sein Erwachen herbeiführte. Als er sich jetzt im Zimmer umsah, bemerkte er, daß nicht nur Vogelbilder an den Wänden hingen, sondern auch ein Bildnis Kutusows und ein Ölgemälde, das einen alten Mann in einer Uniform mit roten Aufschlägen, wie sie unter Kaiser Paul Petrowitsch üblich waren, darstellte. Die Wanduhr ließ wieder ihr Rasseln hören und schlug zehn. Ein weibliches Gesicht schaute zur Tür herein und zog sich gleich wieder zurück, denn

Tschitschikow hatte sich splitternackt ins Bett gelegt, um besser zu schlafen. Das Gesicht war ihm bekannt vorgekommen. Er suchte sich zu besinnen, wem es wohl gehören könnte, und erinnerte sich endlich, daß es die Hausfrau selber gewesen war. Er warf schnell sein Hemd über – seine Kleider fanden sich trocken und gesäubert neben dem Bett. Nachdem er sich angekleidet hatte, trat er vor einen Spiegel und nieste abermals, und zwar so laut, daß ein Truthahn, der sich in der Nähe der fast bis zum Erdboden herabreichenden Fenster aufhielt, einen Koller bekam und ihm in seiner sonderbaren Sprache vermutlich »Zur Gesundheit« zurief, was Tschitschikow mit »Alter Schwachkopf« beantwortete. Dann trat er ans Fenster, das offenbar auf den Hühnerstall hinausging, und blickte sich um. Jedenfalls war der enge Hof, den er vor sich sah, voll von Geflügel und anderen Haustieren. Es wimmelte hier von Puten und Hühnern, und mitten unter ihnen stolzierte ein Hahn mit prächtigem Kamm umher und legte hie und da seinen Kopf lauschend auf die Seite. Auch eine Muttersau mit zahllosem Nachwuchs wühlte hier in einem Kehrichthaufen, verschlang so nebenbei, und fast ohne es zu bemerken, ein Küken und fuhr dann fort, weggeworfene Schalen von Wassermelonen aufzufressen. Dieser kleine Hof war mit einem Bretterzaun umgeben, hinter welchem sich ausgedehnte Gemüsegärten mit Kohl, Zwiebeln, Kartoffeln, roten Rüben und dergleichen hinzogen. In den Gärten standen verstreut Apfelbäume und andere Obstbäume, die mit Netzen zum Schutz vor Elstern und Spatzen bedeckt waren. Die letzteren flogen immerfort in schräger Richtung auf, um sich dann in ganzen Wolken woanders niederzulassen. Auch waren vielfach Vogelscheuchen mit weit ausgebreiteten Armen auf langen Stangen aufgestellt und einer von ihnen hatte man sogar eine Nachtmütze der Hausfrau aufgesetzt. Hinter diesen Gemüsegärten lagen die Bauernhütten ziemlich willkürlich verstreut und nicht wie sonst an gradlinigen Dorfstraßen. Sie ließen aber trotzdem nach Tschitschikows Meinung einen gewissen Wohlstand ihrer Bewohner erkennen, denn sie waren alle gut gehalten: überall hatte man auf den hölzernen Dächern die verwitterten und verfaulten Bretter durch neue ersetzt, und nirgends waren windschiefe Hofpforten zu sehen. Ja, er konnte sogar feststellen, daß in den gedeckten Schuppen vielfach ein oder zwei fast neue Ersatzwagen standen. »Wahrhaftig, ein gar nicht so kleines Dorf!« sagte Tschitschikow zu sich selber und beschloß sofort, mit der Besitzerin zu sprechen und sie näher kennenzulernen. Er spähte in der gleichen Weise durch die Tür, wie sie selbst es vorhin gemacht hatte, sah sie am Teetisch sitzen und trat ihr dann heiter und liebenswürdig entgegen.

»Guten Morgen, Väterchen, wie haben Sie geschlafen?« sagte die Hausfrau und erhob sich, um ihn zu begrüßen. Sie war jetzt besser gekleidet als gestern, trug ein dunkles Kleid und auch auf dem Kopf keine Nachtmütze mehr. Nur das Halstuch war das gleiche geblieben.

»Danke, ausgezeichnet«, erwiderte Tschitschikow und setzte sich in einen Lehnstuhl. »Und Sie, Mütterchen?«

»Schlecht, Väterchen.«

»Wieso denn?«

»Ich leide an Schlaflosigkeit. Das Kreuz tut mir weh, und ich habe Schmerzen im Bein überm Knöchel.«

»Das geht vorüber, Mütterchen, man muß nur nicht darauf achten.«

»Gott gebe, daß es vergeht. Ich habe es schon mit Schweinefett und Terpentin eingerieben. Was nehmen Sie zum Tee? Hier in der Schale ist Marmelade!«

»Brot mit Marmelade wäre in der Tat nicht übel, Mütterchen.«

Der Leser wird, wie ich vermute, schon bemerkt haben, daß Tschitschikow sich hier trotz seiner liebenswürdigen Haltung viel freier gab als bei den Manilows und überhaupt keine Umstände machte. Wenn man auch zugeben muß, daß Rußland noch in mancher Beziehung hinter dem Ausland zurück ist, so haben wir doch Europa, was das feine Benehmen anbetrifft, längst überflügelt, kurz, es ist ganz unmöglich, alle Schattierungen und Feinheiten unserer Umgangsformen aufzuzählen. Ein Franzose oder ein Deutscher wird niemals imstande sein, alle Unterschiede und Besonderheiten unseres Betragens zu bemerken, geschweige denn zu begreifen: sie werden fast in denselben Ausdrücken und im gleichen Tonfall mit einem Millionär wie mit einem kleinen Tabakhändler sprechen, obgleich sie natürlich vor dem ersten auf dem Bauche liegen. Bei uns ist das ganz anders: wir haben solche Schlauköpfe, die mit einem Gutsbesitzer, der über zweihundert Leibeigene gebietet, vollkommen anders reden als mit einem Besitzer von dreihundert Seelen, aber mit einem, der dreihundert hat, wiederum nicht so wie mit einem, dem fünfhundert Seelen gehören, und diesem gegenüber werden sie sich wieder anders benehmen als in Gegenwart eines andern, der über achthundert verfügt, mit einem Wort: bis hinauf zu einer Million Seelen werden sich immer neue Abstufungen beobachten lassen. Nehmen wir zum Beispiel an, es gäbe – nicht etwa bei uns, sondern in irgendeinem Reich weit über allen Bergen – eine Kanzlei und in dieser einen Kanzleichef. Der Leser wird gebeten, sich diesen Mann doch nur einmal anzuschauen, wie er so mitten unter seinen Untergebenen dasitzt – ich bin ganz sicher, ihm würde vor Schreck kein Wort über die Lippen kommen. Stolz und Edelmut und wer weiß was noch alles spricht so überwältigend aus seinem Blick und seinen Mienen, daß ihn sehen und unwillkürlich nach Pinsel und Leinwand greifen, um diesen Eindruck festzuhalten, ohne Zweifel eins wäre. Ein Prometheus, ein leibhaftiger Prometheus mit dem Blick eines Adlers und mit einem sicheren Gang von majestätischer Gelassenheit! Aber wie mit einem Schlage hat sich dieser Adler von einem Kanzleichef in ein verschüchtertes und atemloses Rebhühnchen verwandelt, wenn er sich mit Akten unter dem Arm nur der Zimmertür seines Vorgesetzten nähert. In einer Abendgesellschaft, zu der nicht allzu hochstehende Persönlichkeiten geladen sind, bleibt er ein Prometheus, aber kaum ist auch nur einer zugegen, der etwas höher im Rang steht, so geht mit ihm eine Metamorphose vor, wie sie sich selbst ein Ovid nie hätte träumen lassen: er ist zu einem Etwas geworden, das kleiner als eine Fliege ist – zu einem Sandkorn, zu einem Nichts! Aber nein, sagt man sich, wenn man seiner ansichtig wird, das kann doch unmöglich Iwan Petrowitsch sein! Iwan Petrowitsch ist doch viel größer und dieser nur ein dünnes und unscheinbares Männchen, jener spricht mit donnerndem Baß und lacht niemals, doch dieser hier, hol mich der Teufel, piepst ja wie ein Vogel und kichert fortwährend! Aber trittst du näher an ihn heran und siehst genauer zu – dann ist es doch Iwan Petrowitsch. Soso, hmhm, denkt man ... aber wenden wir uns wieder unsren handelnden Personen zu. Wie wir gesehen haben, hatte Tschitschikow beschlossen, sich keinerlei Zwang aufzuerlegen. Er nahm sich eine Tasse Tee, tat ordentlich Fruchtsaft hinein und sagte: »Sie, Mütterchen, haben aber wirklich ein schönes Dörfchen. Wieviel Seelen gehören dazu?«

»Noch nicht achtzig Seelen, Väterchen«, antwortete die Hausfrau, »aber leider sind die Zeiten so schlecht: im vorigen Jahr hatten wir eine Mißernte, daß Gott erbarm.«

»Aber Ihre Bauern sehen recht kräftig aus, und die Hütten sind ganz stattlich. Übrigens, wie ist doch Ihr Name? Ich bin so zerstreut; als ich gestern zu nachtschlafender Zeit hier ankam ...«

»Korobotschka, Kollegiensekretärswitwe.«

»Verbindlichsten Dank! Und Rufname und Vatersname?«

»Nastasja Petrowna.«

»Nastasja Petrowna? Ein schöner Name – dieser Name. Ich hatte eine leibliche Tante, die auch Nastasja Petrowna hieß.«

»Und wie ist Ihr Name? Sie sind doch Beisitzer, nicht wahr?«

»Nein, Mütterchen«, erwiderte Tschitschikow lächelnd, »Assessor bin ich nicht, sondern reise nur so in eigenen Angelegenheiten.«

»Dann sind Sie wohl Aufkäufer? Wie schade, daß ich meinen Honig den Händlern so spottbillig verkauft habe. Du, Väterchen, hättest ihn mir sicherlich abgenommen.«

»Nein, Honig hätte ich nicht gekauft.«

»Was denn sonst? Hanf vielleicht? Auch Hanf habe ich nur noch ganz wenig – alles in allem höchstens einen halben Zentner.«

»Nein, Mütterchen, ich brauche eine ganz andere Ware: sagen Sie mal, sind bei Ihnen viele Bauern gestorben?«

»Ach, Väterchen, achtzehn Mann«, erwiderte die Alte seufzend. »Und lauter brauchbare Leute, tüchtige Arbeiter. Es ist zwar genug Nachwuchs da, aber lauter so kümmerliche und schwächliche Burschen, und doch, sagte der Beisitzer, muß die Kopfsteuer für jeden bezahlt werden. Totes Volk – aber, sagt er, heraus mit dem Geld, als wären sie alle noch springlebendig! Erst vorige Woche ist mir mein Schmied ganz einfach verbrannt und war doch ein so besonders geschickter und anstelliger Schmied, der auch das Schlosserhandwerk verstand!«

»Hat's denn bei Ihnen gebrannt, Mütterchen?«

»Bewahre, Väterchen, eine Feuersbrunst – das wäre ja noch viel schrecklicher! Nein, er ist ganz von selber verbrannt. Hat sich da irgendein blaues Flämmchen in seinem Innern entzündet, er hat auch allzuviel getrunken, und schließlich ist er ganz ausgebrannt und schwarz wie ein Stück Kohle gewesen und war doch so ein besonders geschickter Schmied! Und jetzt kann ich überhaupt nicht mehr ausfahren. Es ist niemand mehr da, der mir die Pferde beschlägt.«

»Das war gewiß Gottes Wille, Mütterchen«, sagte Tschitschikow seufzend, »gegen Gottes Weisheit darf sich der Mensch nicht auflehnen ... Überlassen Sie sie doch mir, Nastasja Petrowna!«

»Wen, Väterchen?«

»Nun alle die, die gestorben sind.«

»Wie kann ich denn das?«

»Nun, ganz einfach. Oder meinetwegen, Sie können sie mir auch verkaufen. Ich will Ihnen Geld dafür geben.«

»Ja, wie denn das? Ich verstehe Sie wirklich nicht. Du willst sie doch nicht aus der Erde buddeln?«

Tschitschikow sah, daß die Alte begriffsstutzig war, und hielt es daher für nötig, ihr die Sache zu erklären. In wenigen Worten sagte er ihr, daß die Überlassung oder der Verkauf nur auf dem Papier stattfände und die Seelen als lebendige gelten würden.

»Ja, wozu willst du sie denn haben?« fragte die Alte und starrte ihn verwundert an.

»Das ist meine Sache«, erwiderte Tschitschikow barsch.

»Aber sie sind doch schon tot!«

»Ja, wer sagt denn, daß sie noch leben? Es ist doch Ihr Schaden, daß sie tot sind und daß Sie trotzdem für sie zahlen müssen, als lebten sie noch, ich aber will Sie von diesen Sorgen und Unkosten befreien. Begreifen Sie jetzt, was ich meine? Und nicht nur befreien – ich will Ihnen sogar noch fünfzehn Rubel draufzahlen. Haben Sie's jetzt verstanden?«

»Nein wirklich, ich weiß nicht«, sagte die Alte unentschlossen, »Tote habe ich noch nie verkauft.«

»Das fehlte auch noch – es wäre wahrhaftig ein Wunder, wenn Sie's schon getan hätten und auf den Gedanken gekommen wären, sie hätten überhaupt einen Wert.«

»Nein, das ist es ja eben, daß ich das gar nicht glaube. Was sollten sie auch noch wert sein, seit sie tot sind? Sie sind ja zu gar nichts mehr nütze. Was mich stutzig macht, ist eben dies, daß sie tot sind.«

Mein Gott, ist das ein Dickschädel, dachte Tschitschikow. »Hören Sie mal, Mütterchen, denken Sie doch bloß ein bißchen nach! Sie haben ja nur Verluste, wenn Sie für jeden einzelnen Steuern zahlen müssen, als wäre er noch am Leben.«

»Ach, Väterchen, sprechen Sie doch nicht davon«, unterbrach ihn die Gutsbesitzerin. »Es ist noch nicht drei Wochen her, daß ich schon wieder hundertfünfzig Rubel hinlegen und außerdem den Beisitzer schmieren mußte.«

»Na, sehen Sie, Mütterchen! Aber jetzt bedenken Sie mal, daß Sie den Assessor nie wieder zu schmieren brauchen, denn von nun an werde ich an Ihrer Stelle die Steuern zahlen. Ich werde, verstehen Sie, überhaupt alle Verpflichtungen und sogar die Gebühren für den Kaufvertrag auf mich nehmen.«

Die Alte wurde nachdenklich. Sie begann den Vorteil des allzu neuartigen und unerhörten Geschäftes einzusehen, fürchtete aber doch, von diesem Käufer irgendwie betrogen zu werden, den ihr der Zufall Gott weiß woher und noch zu so ungewöhnlicher nächtlicher Stunde zugeführt hatte.

»Also, wie bleibt es, Mütterchen, werden wir handelseinig?« fragte Tschitschikow.

»Wirklich, Väterchen, ich habe noch niemals Tote verkauft. Lebendige dagegen noch vor drei Jahren. Damals habe ich

Protopopow zwei junge Mädchen abgegeben, für hundert Rubel das Stück. Sind beides tüchtige Arbeiterinnen geworden, die sogar Servietten zu weben verstehen. Der Käufer ist sehr zufrieden.«

»Mag sein, hier aber handelt es sich nicht um Lebende, ich brauche Verstorbene.«

»Ich weiß schon, Väterchen, wie aber, wenn's ein Verlustgeschäft wird? Vielleicht stehen sie im Preis irgendwie höher und du willst mich am Ende betrügen?«

»Was, Mütterchen, sollten sie denn wohl kosten? Überlegen Sie doch: Asche und nichts als Asche! Selbst der älteste, unbrauchbarste Fetzen hat noch immer seinen Wert, den kauft Ihnen die Papierfabrik ab und stampft ihn ein. Aber die toten Seelen – sagen Sie doch selbst, wozu sollen die noch von Nutzen sein?«

»Nun ja, das ist wahr, man kann sie zu nichts mehr brauchen. Was mich abhält, ist aber doch, daß sie tot sind.«

»Mein Gott, hat die Alte ein Brett vor dem Schädel!« sagte Tschitschikow zu sich selbst und fing an, zu schwitzen und die Geduld zu verlieren. »Mit dir soll einer zu Rande kommen!« Er zog sein Taschentuch heraus und wischte sich den Schweiß von der Stirn. Übrigens hatte er eigentlich keinen Grund, sich zu ärgern: selbst unter den angesehensten Staatsmännern gibt es genug Leute, die sich bei näherem Zusehen durch nichts von der Korobotschka unterscheiden. Hat sich so einer mal etwas in den Kopf gesetzt, dann bringst du es auf keine Weise wieder aus ihm heraus. Deine Einwände können noch so überzeugend sein, sie werden an ihm abprallen, wie ein Gummiball von der Wand. Als Tschitschikow sich den Schweiß abgewischt hatte, beschloß er den Versuch zu machen, sie auf eine andre Art zur Vernunft zu bringen.

»Mütterchen«, fing er an, »entweder Sie wollen mich nicht verstehen, oder Sie sagen das alles nur, um überhaupt etwas zu sagen. Ich werde Ihnen fünfzehn Rubel in Banknoten geben – das ist, verstehen Sie, Geld, das nicht auf der Straße liegt. Nun, unter uns, zu welchem Preis haben Sie Ihren Honig verkauft?«

»Für zwölf Rubel den Zentner.«

»Versündigen Sie sich nicht, Mütterchen! Soviel haben Sie doch bestimmt nicht bekommen?«

»Gott ist mein Zeuge!«

»Nun sehen Sie wohl – aber dafür war das auch Honig. Es hat vielleicht eines Jahres voller Sorgen, Mühe und Arbeit bedurft, bis Sie ihn beisammen hatten. Man ist umhergelaufen, hat die Bienen beunruhigt und hat sie den ganzen Winter über im Keller gefüttert, aber tote Seelen – sind nicht von dieser Welt. Die haben Sie nicht die geringste Mühe gekostet. Dazu hat der Wille Gottes allein genügt, daß sie die Welt verließen und Ihrer Wirtschaft einen erheblichen Schaden zufügten. In jenem Fall erhielten Sie für Ihre Mühe und Arbeit zwölf Rubel, aber in diesem sollen Sie nun mir nichts, dir nichts und ganz ohne Ihr eigenes Zutun nicht zwölf, sondern fünfzehn Rubel, und zwar nicht in Silberstücken, sondern in lauter richtigen blauen Banknoten bekommen.« Als Tschitschikow so starke und überzeugende Gesichtspunkte ins Treffen geführt hatte, zweifelte er kaum noch, daß die Alte endlich nachgeben würde.

Aber die Gutsbesitzerin erwiderte, daß sie eine arme, in Geschäften unerfahrene Witwe sei und lieber noch etwas warten wolle, bis möglicherweise noch andere Käufer kämen und sie sich genau über die Preise unterrichten könne.

»Wahrhaftig, Sie sollten sich schämen, Mütterchen! Überlegen Sie doch selber, was Sie da reden! Wer wird denn so etwas kaufen wollen? Welchen Nutzen soll man denn daraus ziehen?«

»Na, vielleicht kann man sie gelegentlich doch in der Wirtschaft verwenden ...« wandte die Alte ein. Aber sie blieb mitten im Satz stecken, riß den Mund weit auf und starrte ihn erschrocken an, gespannt, was er jetzt antworten würde.

»Leichen in der Wirtschaft? Welch ein Gedanke! Wollen Sie auf diese Weise vielleicht die Spatzen in der Nacht aus Ihrem Gemüsegarten verscheuchen?«

»Gott steh mir bei, was Sie da für schreckliche Dinge sagen!« rief die Alte und bekreuzigte sich.

»Wozu wollen Sie sie denn sonst benutzen? Übrigens

können Sie ja doch die Gräber und Knochen ruhig behalten. Der Kauf soll ja nur auf dem Papier stehen. Nun also, geben Sie mir wenigstens Antwort.«

Die Alte bedachte sich von neuem.

»Woran denken Sie, Nastasja Petrowna?«

»Wahrhaftig, ich weiß es selber nicht ... ich werde Ihnen doch lieber nur Hanf verkaufen.«

»Wieso denn Hanf? Ich bitte Sie, ich will etwas ganz anderes kaufen, Sie aber drängen mir Hanf auf. Lassen Sie den Hanf Hanf sein, wenn ich ein andermal herkomme, nehme ich Ihnen vielleicht auch Hanf ab. Wie also wird es, Nastasja Petrowna?«

»Bei Gott, es ist eine so sonderbare, so ungewöhnliche Ware!«

Hier verlor Tschitschikow ganz und gar seine Selbstbeherrschung: er ergriff einen Stuhl, stieß ihn mit einem Krach auf den Fußboden und schrie, sie möge sich zum Teufel scheren.

Der Teufel jagte der Alten einen so höllischen Schrecken ein, daß sie ganz blaß wurde. »Ach, laß ihn aus dem Spiel und beschwöre ihn nicht!« rief sie entsetzt. »Noch vor drei Tagen hat er mich die ganze Nacht über gequält, der Verdammte. Ich war zu später Stunde nach dem Abendgebet noch auf den Gedanken gekommen, mir die Karten zu legen, da hat ihn mir Gott offenbar zur Strafe geschickt. In der scheußlichsten Gestalt ist er mir erschienen, mit Hörnern, die noch viel länger waren als die eines Ochsen!«

»Ich wundere mich, daß Ihnen nicht gleich ein Dutzend oder mehr Teufel erschienen sind! Was mich zu meinem Angebot veranlaßt, ist nichts als pure Menschenliebe einer armen Witwe gegenüber, die sich quält und abrackert, du aber ... ach, verreckt alle miteinander, du und dein ganzes Dorf!«

»Kannst du aber fluchen!« sagte die Alte und starrte ihn entgeistert an.

»Wie soll man denn sonst mit Ihnen reden! Sie sind ja – entschuldigen Sie – wie der Hofhund an der Kette, der selber nichts frißt, aber auch andren jeden Bissen mißgönnt. Ich hätte nicht übel Lust gehabt, Ihnen außerdem noch mancherlei ländliche Produkte abzukaufen, weil ich mich auch mit Lieferungen an den Fiskus beschäftige ...« Dies log er aufs Geratewohl, traf damit aber offenbar gerade das Richtige, denn seine angeblichen Staatslieferungen übten auf Nastasja Petrowna eine so unerwartete Wirkung aus, daß sie fast flehentlich sagte: »Warum wirst du denn gleich so wütend? Hätte ich früher gewußt, daß du so aus der Haut fahren kannst, dann hätte ich mich gehütet, dir zu widersprechen.«

»Ach was, ich ärgere mich gar nicht. Die ganze Sache ist ja nicht einmal einen Schuß Pulver wert!«

»Na schön – ich werde sie dir für fünfzehn Papierrubel überlassen, vorausgesetzt, daß du mich bei den Staatslieferungen nicht vergißt. Also bitte denke an mich, wenn du für den Fiskus Fleisch brauchst oder Roggen-, Gersten- oder Buchweizenmehl.«

»Nein, Mütterchen, ich werde dich nicht vergessen«, erwiderte er, indem er sich den Schweiß abwischte, der in drei Bächen über sein Gesicht floß. Dann forschte er sie aus, ob sie nicht in der Stadt einen Bevollmächtigten oder auch nur einen Bekannten habe, den sie mit dem Abschluß des Kaufvertrages und allen damit zusammenhängenden Formalitäten betrauen könne. »Natürlich«, entgegnete die Korobotschka, »Vater Kyrill, den Propst, dessen Sohn am Gericht arbeitet.« Tschitschikow ersuchte sie, diesen zu bevollmächtigen, und erbot sich gleich selbst, die Vollmacht aufzusetzen, um der Alten die Sache zu erleichtern.

Die Korobotschka malte sich inzwischen aus, wie schön es doch wäre, wenn Tschitschikow ihr Mehl und Vieh für den Fiskus abnehmen würde. Man müßte sich ihn warmhalten. Es ist – überlegte sie – noch etwas Teig von gestern übriggeblieben. Ich will mal Fetinja sagen, daß sie Pfannkuchen backen und eine Pastete aus Eiern und Butterteig zubereiten soll. Das nimmt nicht viel Zeit, und sie versteht sich darauf. Nastasja Petrowna ging hinaus, um die Pastete und noch andre Leckerbissen zu bestellen. Tschitschikow aber begab sich ins Wohnzimmer, in dem er übernachtet hatte, um die nötigen Papiere aus seiner Schatulle zu nehmen. Der Salon war bereits aufgeräumt, die üppigen Federbetten waren entfernt, und vor dem Sofa stand wieder ein Tisch, auf dem eine Decke lag. Nachdem er seine Schatulle auf den Tisch gestellt hatte, gönnte er sich ein wenig Ruhe, da er vollkommen in Schweiß gebadet war: alles, was er anhatte, vom Hemd bis zu den Socken, war naß. »Ist das aber eine harte Nuß, diese verteufelte Alte!« sagte er zu sich selbst, als er sich wieder erholt hatte und die Schatulle öffnete. Der Autor ist sicher, daß nicht wenige seiner Leser sogar werden wissen wollen, wie es im Innern des Kästchens aussah und was es enthielt. Und warum sollte er diese Neugier nicht auch befriedigen? Also es sah darin folgendermaßen aus: In der Mitte befand sich eine Seifenschale. Um diese herum waren sechs bis sieben schmale Fächer für Rasiermesser angeordnet. Dann folgten zwei quadratische Behälter für Streusandbüchse und Tintenfaß, durch eine Vertiefung voneinander getrennt, die zur Aufbewahrung von Gänsefedern, Siegellackstangen und dergleichen diente. Weiterhin gab es eine ganze Reihe verschieden großer Fächer mit und ohne Deckel für kleinere Gegenstände, wie zum Beispiel Visitenkarten, Beerdigungsanzeigen, Theaterbillets und andere Karten, die lediglich zur Erinnerung aufgehoben wurden. Die ganze obere Einlage mit allen ihren Fächern war zum Herausnehmen eingerichtet. Darunter befand sich ein zweiter Hohlraum, der mit ganzen Stößen von Papier in einzelnen Bogen angefüllt war, und schließlich kam noch ein kleines, seitwärts eingebautes Geheimfach, das für die Aufbewahrung von Geld bestimmt war. Tschitschikow pflegte es stets so schnell zu öffnen und wieder zu schließen, daß man niemals imstande war festzustellen, wieviel Geld es gerade enthielt. Jetzt machte er sich an die Arbeit, schnitt sich einen Gänsekiel zurecht und fing an zu schreiben. In diesem Augenblick betrat die Hausfrau das Zimmer.

»Was für ein prächtiges Kästchen du doch hast«, sagte sie und nahm neben ihm Platz. »Das hast du wohl in Moskau gekauft?«

»Ganz recht, in Moskau«, erwiderte Tschitschikow und fuhr fort zu schreiben.

»Das habe ich mir gleich gedacht, nur in Moskau bekommt man so schöne Dinge! Vor drei Jahren hat meine Schwester von dort warme Stiefelchen für die Kinder mitgebracht. Sie tragen sie noch heute, so dauerhaft sind sie! Ach, Väterchen, welche Menge von Stempelpapier!« fuhr sie fort und blickte in die Schatulle hinein. »Du könntest mir einige Bogen davon verehren! Ich habe immer zuwenig davon. Muß ich mal eine Eingabe ans Gericht machen, fehlt mir immer das Stempelpapier.«

Tschitschikow erklärte ihr, daß dieses Papier nicht das richtige sei, es käme nur für Kaufverträge in Frage, nicht aber für Bittschriften. Dennoch überließ er ihr einen Bogen im Wert von einem Rubel, um sie zum Schweigen zu bringen. Nachdem er mit der Vollmacht fertig war, ließ er sie unterschreiben und bat sie um eine kleine Liste ihrer Bauern. Hierbei zeigte sich, daß die Gutsbesitzerin überhaupt nicht Buch führte, aber alles auswendig wußte. Er veranlaßte sie, ihm die Namen zu diktieren, wobei er über die Namen und mehr noch über die Spitznamen der Bauern aus einem Erstaunen ins andere fiel, so daß er jedesmal, wenn er wieder einen Namen hörte, zuerst ein wenig stutzte, bevor er ihn aufschrieb. Besonders war es ein gewisser »Pjotr Saweljew, der Bottichmißachter«, der ihn so verblüffte, daß er sich nicht enthalten konnte auszurufen: »Ist das aber ein langer Name!« Der Name eines andern war mit dem Spitznamen »Kuhfarbener Ziegelstein« verbunden und ein dritter wurde kurz und bündig »Iwan, das Rad« genannt. Als er mit dem Schreiben zu Ende gekommen war, lehnte er sich aufatmend zurück, wobei ihm der Duft von etwas in Butter Gebratenem verführerisch in die Nase stieg.

»Ich bitte ergebenst zuzugreifen«, sagte die Hausfrau. Tschitschikow blickte sich um und sah erst jetzt, daß inzwischen aufgetragen und der ganze Tisch schon mit Schüsseln mit eingemachten Pilzen, Spiegeleiern, Butterteigpiroggen, Pfannkuchen und kleinen, mit Mohn, Zwiebeln, Quark, Fischchen und anderen Zutaten gefüllten Pasteten bedeckt war.

»Butterteigpirogge mit Ei!« sagte die Hausfrau einladend.

Tschitschikow machte sich an die Butterteigpirogge, konnte sie nicht genug loben und verzehrte sogleich mehr als die Hälfte des ganzen Gebäcks. Es war in der Tat vorzüglich und schmeckte ihm nach all den Plackereien mit der Alten besonders gut.

»Und jetzt vielleicht Pfannkuchen?« nötigte ihn die Hausfrau weiter. Als Antwort auf diese Frage rollte Tschitschikow gleich drei Pfannkuchen auf einmal zusammen, tauchte sie in geschmolzene Butter, schob sie in den Mund und wischte sich Lippen und Hände mit der Serviette ab. Nachdem er das dreimal wiederholt hatte, bat er die Alte, anspannen zu lassen. Nastasja Petrowna schickte Fetinja hinaus und befahl ihr zugleich, noch weitere heiße Pfannkuchen hereinzubringen.

»Ihre Pfannkuchen, Mütterchen, sind wirklich ganz ausgezeichnet«, sagte Tschitschikow und machte sich sofort über die frischen Pfannkuchen her.

»Ja«, erwiderte die Alte, »darauf versteht man sich bei mir, nur schade, daß die Ernte so miserabel war und der Teig so schlecht aufgeht ... Aber was ist denn, Väterchen, warum haben Sie es so eilig?« fuhr sie fort, als sie bemerkte, daß Tschitschikow schon seine Mütze in der Hand hielt. »Die Kutsche ist ja noch gar nicht vorgefahren.«

»Das wird sogleich geschehen, Mütterchen«, entgegnete Tschitschikow. »Mein Kutscher ist schnell bei der Hand.«

»Nicht wahr, Sie vergessen mich nicht bei den Lieferungen?«

»Aber gewiß nicht«, sagte Tschitschikow und trat in den Flur hinaus.

»Und Schweineschmalz wollen Sie mir also nicht abkaufen?« fragte die Hausfrau, hinter ihm hergehend.

»Doch, doch! Das werde ich ebenfalls tun, wenn auch nicht heute.«

»Zu Weihnachten werde ich Schweineschmalz haben.«

»Ich werde alles kaufen, auch Schweineschmalz.«

»Und Daunen? Werden Sie auch für Daunen Bedarf haben? In der Adventszeit werde ich auch Daunen abgeben können.«

»Gut, gut«, sagte Tschitschikow.

»Siehst du wohl, Väterchen, dein Wagen ist noch nicht da«, rief die Hausfrau, als man auf die Treppe hinausging.

»Gleich wird er dasein. Erklären Sie mir nur, wie ich auf die große Straße gelange.«

»Wie soll ich dir das nur klarmachen«, sagte die Alte, »man muß so oft einbiegen. Ich glaube, ich gebe dir lieber ein Mädchen mit, das dir den Weg zeigen kann. Du hast doch noch Platz auf dem Kutschbock?«

»Natürlich habe ich Platz.«

»Gut also, ich gebe dir eines mit, aber entführ es mir nicht, wie das kürzlich schon ein paar Kaufleute mit einem anderen Mädchen getan haben.«

Tschitschikow versicherte, daß er das Mädchen zurückschikken werde, worauf sich die Korobotschka beruhigte und bereits wieder anfing, auf ihrem Hof nach dem Rechten zu sehen. Zuerst blickte sie scharf zu ihrer Haushälterin hinüber, die mit einem hölzernen Honiggefäß aus der Vorratskammer kam, und dann musterte sie einen Bauern, der im Hoftor erschien – kurz, sie begann wieder in ihrem materiellen Dasein unterzutauchen. Übrigens, warum beschäftigen wir uns überhaupt so lange und eingehend mit dieser Korobotschka? Korobotschka oder Manilow? Materielles oder nicht materielles Dasein? Was geht das eigentlich uns an? Lassen wir sie doch ruhig beiseite. Ist das nicht überhaupt seltsam auf dieser Welt eingerichtet: alles Heitere und Lustige geht unversehens in Trübseliges über, wenn man sich allzu lange damit befaßt; und schon sieht man sich da in Gott weiß was für tiefsinnige Betrachtungen verstrickt. Man könnte sogar auf den Gedanken kommen, sich folgende Frage vorzulegen: Steht die Korobotschka tatsächlich so tief unten auf der unendlich langen Stufenleiter menschlicher Entwicklung? Sollte die Kluft wirklich so abgründig sein, die sie von ihrer Schwester trennt – jener unnahbaren Schwester, die, von den Wänden eines aristokratischen Hauses voller Mahagonimöbel, kostbarer Teppiche und bronzener Treppengeländer umhegt, einen nicht zu Ende gelesenen Roman gähnend beiseite schiebt? Jener Schwester, die in ihrem parfümierten Salon den Besuch eines geistreichen Weltmannes erwartet, um in seiner

Gegenwart ihr Licht leuchten zu lassen und irgendwelche einstudierten Gedanken als die ihren auszugeben! Gedanken, die nach den Gesetzen der Mode eine Woche lang die ganze Stadt beschäftigen, aber ganz und gar nicht darauf gerichtet sind, was in ihrem Haushalt oder auf ihren durch Unfähigkeit vernachlässigten und verwahrlosten Gütern vorgeht, sondern beispielsweise auf eine vielleicht in Frankreich demnächst bevorstehende Revolution oder auf eine moderne Richtung des Katholizismus. Aber warum davon reden, lassen wir das beiseite! Wie oft weht einen gerade in Augenblicken munterer, sorgenfreier Gedankenlosigkeit plötzlich etwas Hintergründiges an, und ein heiteres Lächeln kann, noch bevor es erstirbt, dem gleichen Antlitz einen völlig veränderten Ausdruck geben ... Doch lassen wir das und kehren wir wieder zu unserer Erzählung zurück.

»Da ist ja mein Wagen!« rief Tschitschikow, als er seine Kutsche endlich heranrollen sah. »Was hast du denn so lange getrieben, du Einfaltspinsel? Offenbar ist dein gestriger Rausch noch immer nicht verflogen?«

Selifan gab keine Antwort.

»Leben Sie wohl, Mütterchen! Aber wo bleibt denn das Mädchen?«

»Hallo, Pelageja!« rief die Gutsbesitzerin einem etwa elfjährigen Mädchen zu, das in der Nähe der Treppe stand und ein hausgewebtes leinenes Kleid trug. Obgleich Pelageja barfüßig war, hätte man annehmen können, daß sie hohe Stiefel anhatte, denn ihre Beine waren bis hoch hinauf mit frischem Straßendreck überzogen. »Zeige dem Herrn den Weg!«

Selifan half dem Mädchen auf den Bock, das einen Fuß auf das herrschaftliche Trittbrett setzte und es dabei ein bißchen beschmutzte. Dann kletterte es auf den Bock und setzte sich neben Selifan. Als endlich Tschitschikow ebenfalls in der Kutsche Platz nahm, legte sie sich ein wenig auf die Seite, so schwer war er. Mit den Worten: »Jetzt ist alles in Ordnung. Auf Wiedersehen, Mütterchen!« verabschiedete er sich von der Korobotschka, und die Pferde zogen an.

Selifan war während der ganzen Fahrt mürrisch, aber zugleich sehr aufmerksam bei der Sache, was immer dann der Fall war, wenn er sich etwas hatte zuschulden kommen lassen, insbesondere, wenn er betrunken gewesen war. Die Pferde waren überraschend gut geputzt, selbst eines der Kummets, welches fast immer so zerschlissen war, daß die Füllung aus dem Leder herausquoll, war kunstvoll geflickt und in Ordnung gebracht. Selifan blieb schweigsam, schwang nur zuweilen die Peitsche und ersparte sich alle lebhaften Reden an die Pferde, obgleich der Schecke gern etwas Belehrendes gehört hätte, denn während dieser Ansprachen pflegte der redselige Kutscher die Zügel bloß ganz leicht in den Händen zu halten und die Peitschenschnur, lediglich um der Form zu genügen, hoch über den Pferderücken knallen zu lassen. Aber aus dem Munde, dessen Winkel melancholisch herabgezogen waren, bekam man diesmal nur eintönig barsche Ausrufe zu hören, wie zum Beispiel: »Na, na, alte Krähe, schlaf nicht ein!« und sonst gar nichts. Sogar der Braune und der »Beisitzer« waren unzufrieden, denn sie wurden nicht ein einziges Mal, wie sonst, mit »Ihr Lieben!« oder mit »Verehrteste!« angeredet. Der Scheck fühlte hie und da sogar höchst unerfreuliche Hiebe auf seinen vollen, breit ausladenden Körperteilen. Sieh mal einer an, was heute in den gefahren ist! dachte er und spitzte die Ohren. Der weiß genau, wohin er drischt! Zielt nicht etwa auf den Rücken, sondern auf die allerempfindlichsten Stellen. Klatscht einem mit der Peitsche um die Ohren oder sogar unter den Bauch!

»Nach rechts oder wie?« fragte Selifan barsch das neben ihm sitzende Mädchen, indem er mit dem Peitschenstiel auf die regengeschwärzte Straße hinwies, die sich in dem frischen Hellgrün der Felder hinzog.

»Nein, nein, ich zeige dir's schon«, antwortete das Mädchen.

»Ja, wohin denn?« sagte Selifan, als sie sich einer Wegkreuzung näherten.

»Dorthin«, entgegnete Pelageja und zeigte mit der Hand die Richtung an.

»Ach, du!« brummte Selifan. »Das ist doch rechts! Weißt weder wo rechts noch wo links ist!«

Obwohl die Sonne schien, war die Straße doch so schmutzig, daß der Dreck die Räder wie mit dickem Filz überzog und die ganze Kutsche noch schwerer machte. Außerdem war der aufgeweichte Boden lehmig und ungewöhnlich zähflüssig. Das eine wie das andere trug dazu bei, daß man erst um die Mittagszeit endlich von den Feldwegen auf die große Poststraße gelangte. Ohne das Mädchen hätten sie dieses Ziel kaum erreicht, weil die Wege nach allen Himmelsrichtungen auseinanderstrebten, wie gefangene Krebse, die man aus dem Sack schüttelt. So hätte sich Selifan leicht verirren können, ohne selber schuld daran zu sein. Jetzt zeigte das Mädchen mit der Hand nach einem Gebäude, das in der Ferne dunkel aufragte, und erklärte: »Dort ist die Poststraße.«

»Und was ist das für ein Haus?« fragte Selifan.

»Ein Wirtshaus«, antwortete Pelageja.

»So, nun kommen wir allein weiter«, sagte Selifan, »geh jetzt nach Hause zurück.«

Er hielt an, half ihr beim Aussteigen und brummte: »Ach du Schmutzbeinige!«

Tschitschikow schenkte ihr ein kupfernes Geldstück, und sie rannte nach Hause, sehr glücklich darüber, daß sie auf dem Bock hatte sitzen dürfen.

4

Als man beim Wirtshaus angekommen war, befahl Tschitschikow zu halten. Zwei Gründe veranlaßten ihn dazu: einerseits sollte den Pferden eine Ruhepause gegönnt werden, und andrerseits wollte er selbst etwas essen, um sich zu stärken. Der Autor muß gestehen, daß er diese Art Menschen nicht wenig um ihren Appetit und guten Magen beneidet. Gar nichts bedeuten ihm dagegen die großen Herren in Petersburg oder Moskau, die ihre Zeit damit verbringen, darüber nachzugrübeln, was sie morgen essen werden, wie sie das Diner von übermorgen zusammenstellen sollen, und die sich nicht zu Tisch setzen können, ohne vorher Pillen zu schlucken und ihre Mahlzeit mit Austern, Meerspinnen und anderen auserlesenen Leckerbissen zu beginnen, um sich schließlich von den Folgen solcher Genüsse in Karlsbad oder im Kaukasus zu kurieren. Nein, diese Leute haben beim Autor noch niemals Gefühle des Neides erweckt. Aber jene Herren des Mittelstandes, die sich auf der einen Poststation Schinken bestellen, auf der nächsten ein Spanferkel, auf der dritten eine Portion Stör oder eine Bratwurst mit Zwiebeln verlangen und sich darauf, als ob nichts vorgefallen wäre, zu jeder beliebigen Tageszeit wieder zu Tisch setzen können, um eine Sterletsuppe mit Pasteten oder eine Welspirogge mit so viel Vergnügen zu verzehren, daß jedem Zuschauer das Wasser im Munde zusammenläuft – wahrhaftig, diese fröhlichen Esser sind vom Himmel mit einer beneidenswerten Fähigkeit ausgestattet! Mancher große Herr würde jederzeit die Hälfte seines Besitzes an Bauern und seine verpfändeten und nicht verpfändeten Güter samt allen aus- und inländischen Verschönerungen hergeben, um dafür nur einen solchen Magen einzutauschen, wie ihn jene Herren des Mittelstandes haben. Aber das ist ja gerade das Elend, daß man sich für kein Geld und für kein Gut mit oder ohne in- und ausländische Verschönerung einen solchen Mittelstandsmagen beschaffen kann.

Das hölzerne, verwitterte Wirtshaus mit seinem gastlichen Vordach auf gedrechselten Säulen, die an alte Kirchenleuchter erinnerten, sah einem russischen Bauernhaus ähnlich, wenn es auch größer war. Die geschnitzten Fenster- und Dachverzierungen und die mit Blumen und Krügen bemalten Läden hoben sich bunt und lebhaft von den mit der Zeit nachgedunkelten Hauswänden ab.

Tschitschikow stieg eine schmale Treppe hinauf, die zu einem geräumigen Flur führte. Hier öffnete er eine knarrende Tür und stieß auf eine beleibte, in farbigen Kattun gekleidete Alte, die ihn mit einem »Hier herein, bitte!« zum Eintreten nötigte. Sie geleitete ihn in ein Zimmer, in welchem er lauter alte Bekannte vorfand, denen man in allen diesen hölzernen Gaststätten an den Poststraßen begegnet, nämlich den dampfenden Samowar, die glattgehobelten

Fichtenholzwände, den dreieckigen Tassenschrank in der Zimmerecke, die vergoldeten Porzellan-Ostereier, vor den Heiligenbildern an blauen und roten Bändern hängend, die Katze, die kürzlich Junge geworfen hat, den Spiegel, der statt zwei Augen vier und statt eines menschlichen Gesichts eine Art von Pfefferkuchen zeigt, und endlich die kleinen Sträuße aus wohlriechenden Kräutern und Nelken, welche hinter die Ikonen gesteckt und so verdorrt sind, daß jeder, der an ihnen riecht, sogleich niesen muß.

»Kann ich ein Spanferkel haben?« Mit dieser Frage wandte sich Tschitschikow an die Alte.

»Selbstverständlich!«

»Mit Meerrettich und mit saurer Sahne?«

»Natürlich mit Meerrettich und mit saurer Sahne.«

»Her damit!«

Die Alte brachte einen Teller, eine wie Baumrinde gestärkte Serviette, ein Messer mit gelblichem Knochengriff, das dünn wie ein Taschenmesser war, eine zweizinkige Gabel und ein so stark verbogenes Salzfaß, daß es nicht gerade auf dem Tisch stehen konnte.

Unser Held folgte auch hier seiner Gewohnheit und fing sogleich mit ihr zu plaudern an. Er fragte sie aus, ob sie selbst Besitzerin des Wirtshauses sei, wieviel die Gastwirtschaft einbringe, ob ihre Söhne bei ihr wohnten, womit sich der älteste Sohn beschäftige, ob er ledig oder mit einer Frau verheiratet sei, die eine Mitgift oder keine erhalten habe, ob der Schwiegervater zufrieden und der Sohn nicht vielleicht ärgerlich gewesen sei, daß er zu wenig Hochzeitsgeschenke bekommen habe, kurz, er ließ keine Kleinigkeit unberücksichtigt. Es versteht sich von selbst, daß er sich auch nach den Gutsbesitzern der Umgegend erkundigte, wobei er erfuhr, daß es dort eine ganze Reihe gab, nämlich Blochin, Potschitajew, Mylnoj, Oberst Tscheprakow und Sobakewitsch. »Ah, du kennst Sobakewitsch?« fragte er und hörte sogleich, daß sie nicht nur Sobakewitsch kannte, sondern auch Manilow, und daß dieser viel anspruchsvoller war als jener. Manilow – sagte sie – bestelle sofort nicht nur ein Huhn, sondern auch Kalbsbraten, und wenn Hammelleber vorhanden sei, verlange er auch Hammelleber, esse aber von jedem nur einen Bissen. Sobakewitsch dagegen lasse sich nur ein einziges Gericht geben, das er aber ganz aufesse und von dem er sich dann sogar noch eine zweite, womöglich noch größere Portion für dasselbe Geld nachservieren lasse.

Während Tschitschikow auf diese Weise plauderte und dabei sein Spanferkel bis auf einen kleinen Rest verzehrte, vernahm er plötzlich das Räderrollen eines sich dem Gasthaus nähernden Wagens. Er beugte sich zum Fenster hinaus und sah, wie eine leichte mit drei guten Pferden bespannte Kutsche vor dem Eingang hielt. Zwei Herren stiegen aus, von denen der eine lang und blond und der andere dunkelhaarig und kleiner von Wuchs war. Der Blonde hatte einen dunkelblauen ungarischen Rock an, während der Brünette eine ganz gewöhnliche gestreifte Sommerjacke trug. Der Kutsche folgte eine zweite kleinere, in welcher niemand saß und die von vier zottigen Pferden mit zerrissenen Kummete und Geschirren, aus Stricken bestehend, gezogen wurde. Der Blonde rannte sofort die Treppe hinauf, während der Dunkelhaarige noch verweilte. Er untersuchte die Kutsche, sprach mit dem Kutscher und winkte dem herankommenden zweiten Wagen. Tschitschikow glaubte, die Stimme schon einmal gehört zu haben. Während er ihn noch beobachtete, hatte der Blonde schon die Tür geöffnet und war eingetreten. Er war von hohem Wuchs und hatte ein hageres oder, wie man sich auszudrükken pflegt, verlebtes Gesicht und ein rotes Schnurrbärtchen. Seine gebräunte Hautfarbe ließ erkennen, daß ihm Rauch, wenn auch nicht Pulverrauch, so doch zumindest Tabakrauch, keineswegs fremd war. Er machte vor Tschitschikow eine höfliche Verbeugung, die dieser in derselben Weise beantwortete, worauf beide fast gleichzeitig ihre vollkommene Befriedigung darüber zum Ausdruck brachten, daß der Staub auf der Landstraße durch den gestrigen Regen gänzlich niedergeschlagen und das Reisen daher heute kühl und angenehm sei. Damit war der erste Schritt zu einer näheren Bekanntschaft der beiden Herren bereits getan, und sie wären ohne Zweifel schon in wenigen Minuten miteinander ins Gespräch gekommen, wenn nicht gerade in diesem Augenblick auch der

Brünette das Zimmer betreten, seine Mütze auf den Tisch geworfen hätte und sich mit einer schnellen Handbewegung durch sein dichtes, schwarzes Haar gefahren wäre. Er war ein mittelgroßer, nicht übel gewachsener Bursche mit vollen rosigen Wangen, schneeweißen Zähnen und kohlschwarzem Backenbart. Sein Gesicht, frisch wie Milch und Blut, strotzte nur so vor Gesundheit.

»Ba, ba, ba!« rief er plötzlich und breitete beim Anblick Tschitschikows beide Arme aus. »Welcher Wind hat dich hierhergeweht?«

Jetzt erkannte Tschitschikow jenen Nosdrew, mit dem er beim Staatsanwalt gegessen und der sich mit ihm so angebiedert hatte, daß er ihn schon in wenigen Minuten zu duzen anfing, obgleich Tschitschikow ihm dazu auch nicht den mindesten Anlaß gegeben hatte.

»Wo bist du gewesen?« fragte Nosdrew und fuhr, ohne die Antwort abzuwarten, gleich fort: »Du kannst mir gratulieren, Bruder, ich komme geradewegs vom Jahrmarkt, wo ich alles und jedes und sogar meine Pferde und meinen Wagen verspielt habe! Du wirst mir's nicht glauben – so blank war ich noch nie in meinem Leben, daß ich mir wahrhaftig eine Droschke hab mieten müssen! Schau mal hin, da steht sie!« Und er drückte Tschitschikows Kopf so gewaltsam zum Fenster hinaus, daß sich dieser fast am Rahmen gestoßen hätte. »Siehst du die verdammten Schindermähren? Nicht einmal bis ganz hierher haben die Luder mich ziehen können – schließlich bin ich noch in dessen Kutsche da gestiegen!« Nosdrew zeigte mit dem Finger auf seinen Gefährten: »Was – ihr kennt euch noch nicht? Mein Schwager Mischujew! Wir beide haben schon den ganzen Morgen von dir gesprochen. Paß mal auf – habe ich zu ihm gesagt –, wenn wir nicht heute noch Tschitschikow treffen! Nein, Bruder, wenn du nur wüßtest, wie blank ich bin! Glaub's oder glaub es nicht, ich habe mir nicht nur meine vier Traber durch die Gurgel gejagt, sondern auch alles übrige verjubelt – selbst Uhr und Kette sind zum Teufel gegangen ...« Tschitschikow blickte ihn an und sah, daß er tatsächlich keine Uhr und keine Kette mehr hatte. Ja, es schien ihm sogar, als wäre die eine Hälfte seines Bratenrockes kleiner und dünner als die andere. »Hätte ich nur noch zwanzig Rubel in der Tasche gehabt«, fuhr Nosdrew fort, »ich versichere dir, nicht mehr und nicht weniger als genau zwanzig Rubel, so hätte ich nicht nur alles Verlorene zurückgewonnen, sondern jetzt noch dreißigtausend Rubel mehr in der Tasche. Ja wahrhaftig, das hätte ich, so wahr ich ein Ehrenmann bin.«

»Das, mein Lieber«, entgegnete der Blonde, »hast du auch schon damals gesagt, als ich dir die fünfzig Rubel gab, die du ebenfalls verspielt hast.«

»Ich hätte sie nicht verspielt«, beteuerte Nosdrew, »bei Gott, ich besäße sie noch heute, wenn ich damals nicht selbst eine Dummheit gemacht hätte. Hätte ich nach dem Paroli dieser verfluchten Sieben nicht den Einsatz verdoppelt, ich hätte die ganze Bank gesprengt!«

»Aber du hast sie ja nicht gesprengt«, sagte der Blonde.

»Natürlich nicht, weil ich eben im falschen Augenblick den Einsatz verdoppelt habe. Du aber glaubst wohl noch, daß dein Major gut spielt?«

»Gut oder nicht gut – aber ausgepowert hat er dich doch.«

»Welche Heldentat!« sagte Nosdrew. »Geradeso würde ich es auch mit ihm machen. Er sollte nur versuchen, mit mir Doublette zu spielen, dann würde sich schon zeigen, was er in Wirklichkeit als Spieler wert ist! Aber wie dem auch sei, Bruder Tschitschikow, wir haben uns dort nicht schlecht verlustiert! In der Tat, es war ein herrlicher Jahrmarkt! Selbst die Kaufleute erklärten, daß es noch nie etwas Ähnliches gegeben habe. Alles, was mein Gut geliefert hat, habe ich auf das vorteilhafteste losgeschlagen. Wenn ich jetzt an diese Tage zurückdenke ... hol's der Teufel, es ist doch ein Jammer, daß du nicht mit dabei warst! Stell dir mal vor, drei Kilometer von der Stadt entfernt stand ein Dragonerregiment, und sämtliche Offiziere, es mögen mindestens vierzig gewesen sein, waren alle ohne Ausnahme in der Stadt ... und dann, Bruder, fing das Saufen an ... der Stabsrittmeister Pozelujew, was war das doch für ein prächtiger Bursche und was hatte er für einen stattlichen Schnurrbart! Eine Flasche Bordeaux nannte er einfach eine ‚Burdaschka' ... ‚bring mir mal, Bruder', rief er dem Kellner zu, ‚eine Burdaschka!' Und der Leutnant Kuwschinnikow ... ach, mein Lieber, was für ein reizender Mensch! Ein Saufbruder, wie man ihn sich nicht besser wünschen kann, das muß man wirklich sagen. Aber was hat uns dieser Ponomarjow für einen Wein vorgesetzt! Du mußt wissen, daß er ein Halsabschneider ist, bei dem man nichts kaufen sollte. Gott weiß, was der für ein Zeug in seinen Wein tut – er mischt ihn mit Sandelholzfarbe, Holunder und angekohlten Korken, der Spitzbube. Gelingt es dir aber, aus seinem Hinterzimmer, das er seine Schatzkammer nennt, ein beliebiges Fläschchen zu entführen, dann, Bruder, fühlst du dich gleich wie im Paradiese. Einen Champagner, will ich dir sagen, fanden wir da, gegen den der Champagner des Gouverneurs nur ein elender Kwaß ist! Stell dir mal vor, nicht Cliquot, sondern irgendein verstärkter, sozusagen vervielfachter Cliquot-Matradura. Und dann erwischte ich da noch eine andere französische Marke ‚Bonbon', die nach Rosen und allem, was dein Herz begehrt, duftete. Mein Gott, haben wir gesoffen! Nach uns kam noch irgendein Fürst und wollte ebenfalls Champagner haben – aber, was meinst du, in der ganzen Stadt war keine einzige Flasche mehr aufzutreiben: die Offiziere hatten den Champagner bis auf den letzten Tropfen ausgetrunken. Glaub's oder glaub es nicht – ich allein habe im Laufe eines einzigen Mittagessens siebzehn Flaschen Champagner hinter die Binde gegossen!«

»Na, na, gleich siebzehn Flaschen! Dazu bist du nun doch nicht imstande«, bemerkte der Blonde.

»Hand aufs Herz, ich habe sie ausgetrunken«, erwiderte Nosdrew.

»Behaupte, was du willst, aber ich sage dir, daß du nicht einmal mit zehn Flaschen fertig wirst.«

»Wetten wir, daß ich sie austrinke?«

»Was gilt die Wette?«

»Das Gewehr, das du dir in der Stadt gekauft hast.«

»Ich habe keine Lust.«

»Warum nicht? Versuch es doch!«

»Ich habe keine Lust, es zu versuchen.«

»Wie du willst, aber ein Gewehr zu verlieren wäre noch nicht das Schlimmste ... Ach, Bruder Tschitschikow, wie jammerschade, daß du nicht mit dabei warst! Ich bin überzeugt, auch du wärst mit dem Leutnant Kuwschinnikow ein Herz und eine Seele gewesen. Ihr beide hättet euch ausgezeichnet verstanden! Wahrhaftig, ein himmelweiter Unterschied zwischen dem und dem knickerigen Staatsanwalt und allen sonstigen Pfennigfuchsern in unserer Stadt. Der, Bruder, ist kein Spielverderber, hält dir sogleich jede Bank und ist bei allem dabei, was dir Spaß macht. Ach, Tschitschikow, was hätte es dir denn ausgemacht, ebenfalls hinzukommen, du alter Schweinehund! Komm, gib mir einen Kuß, mein Herz, ich könnte dich fressen, so gern hab ich dich! Schau mal, Mischujew, welch glücklicher Zufall hat uns zusammengeführt! Was wußte ich von ihm und er von mir? Kommt er da eines Tages, Gott weiß woher, angefahren und läuft mir geradewegs in die Arme ... Und die Unmenge Kutschen, die sich dort auf dem Jahrmarkt zusammengefunden hatten, alles in ganz großem Stil! Auch in der Lotterie habe ich mein Glück versucht, habe zwei Töpfchen Haarpomade, eine Tasse aus Porzellan und eine Gitarre gewonnen und dann beim zweiten Einsatz – welche Niedertracht! – alles wieder verloren und sogar noch sechs Rubel draufgezahlt. Ach, und wenn du wüßtest, was dieser Kuwschinnikow für ein Schürzenjäger ist! Wir haben mit ihm alle Bälle besucht. Da war eine, die war so mächtig aufgetakelt, hatte sich mit Rüschen und Spitzen und weiß der Teufel was allem behängt ... Unschlüssig kratzte ich mir den Kopf, er aber, das heißt Kuwschinnikow, dieser Teufelsbraten, machte sich sogleich an sie heran und fing an, ihr Komplimente auf Französisch zu machen ... Nicht das einfachste Bauernmädchen, sag ich dir, kann der ungeschoren lassen. ‚Erdbeeren pflücken‘ heißt das bei ihm. Und Störe und andere herrliche Fische hat es dort eine Unmenge gegeben. Ich habe nur einen davon mitgebracht – ein Glück, daß ich ihn gekauft habe, als ich noch Geld in der Tasche hatte. Wo fährst du jetzt hin?«

»Ich muß hier in der Nähe zu einem Herrn ...« sagte Tschitschikow.

»Unsinn! Laß das doch bleiben und komm lieber zu mir!«

»Nein, nein, das geht nicht, ich habe Geschäfte.«

»Ach du, Opodeldok Iwanowitsch! Ausreden, nichts als Ausreden!«

»Im Ernst, Geschäfte, und zwar sehr wichtige.«

»Was gilt die Wette, du lügst! Na sag schon, zu wem du willst?«

»Wenn's also sein muß – zu Sobakewitsch.«

Nosdrew brach in ein dröhnendes Gelächter aus, daß ihm die Backen zitterten. Er lachte so unbefangen, wie nur ein frischer, kerngesunder Mensch lachen kann, ein Mensch, der ein blendend weißes Gebiß bis zum letzten Backenzahn sehen läßt, und so laut, daß man es durch drei Türen hören kann und der Nachbar aus dem Schlafe auffährt und, die Augen weit geöffnet, ausruft: »Was ist denn da eigentlich los?«

»Was gibt es hier zu lachen?« fragte Tschitschikow ein wenig verärgert.

Aber Nosdrew lachte weiter aus vollem Halse und schrie dabei nur: »Verschone mich, ich berste vor Lachen!«

»Da ist durchaus nichts Komisches, ich hab's ihm versprochen«, sagte Tschitschikow.

»Du wirst deines Lebens nicht froh werden, wenn du zu ihm fährst: er ist ganz einfach ein Geizhals! Ich kenne ja deinen Charakter, du wirst eine große Enttäuschung erleben, wenn du meinst, dort ein Bänkchen oder eine Flasche ‚Bonbon' vorzufinden. Paß mal auf, Bruder: zum Teufel mit Sobakewitsch! Fahren wir lieber zu mir und ich bewirte dich mit einem prächtigen Stör! Ponomarjow, die Bestie, hat mit vielen Kratzfüßen immer wieder beteuert: ‚Nur weil Sie es sind! Auf dem ganzen Jahrmarkt werden Sie keinen schöneren finden', und ist dennoch ein offenkundiger Gauner. Ich habe es ihm auf den Kopf zugesagt: ‚Du und unser Aufkäufer', habe ich gesagt, ‚seid hier die größten Spitzbuben!' Und er? Hat nur gelacht und sich den Bart gestrichen. Kuwschinnikow und ich haben jeden Tag in seinem Laden gefrühstückt. Übrigens, das habe ich doch richtig vergessen, dir zu sagen: ich bin zwar sicher, daß du nicht aufhören wirst, mich zu bedrängen, aber ich sage es dir schon im voraus – ich gebe ihn selbst für zehntausend Rubel nicht her. Hallo, Porfirij!« schrie Nosdrew abermals, »hol doch mal das Hündchen herauf! Ein großartiges Tier, nicht wahr?« fuhr er, sich an Tschitschikow wendend, fort. »Selbstverständlich gestohlen! Nicht um alles in der Welt hätte ihn der Besitzer hergegeben. Ich bot ihm die hellbraune Stute dafür, die ich – du erinnerst dich – von Chwostyrew gekauft habe.« Und dabei hatte Tschitschikow weder Chwostyrew noch die hellbraune Stute jemals gesehen. »Gnädiger Herr, wollen Sie nicht einen Bissen essen?« fragte jetzt die Alte, die an Nosdrew herangetreten war.

»Nein, gar nichts. Ach, Bruder, wie haben wir gezecht! Übrigens doch, bring mir einen Schnaps! Was hast du für einen?«

»Anisschnaps«, erwiderte die Alte.

»Also gut, Anis«, erklärte Nosdrew.

»Und mir gib auch einen«, sagte der Blonde.

»Da war so eine Kanaille von einer Sängerin im Theater, die hat gesungen wie ein Kanarienvogel. ‚Schau mal hin‘, sagte Kuwschinnikow, der neben mir saß, ‚die wäre wahrhaftig nicht übel, um bei ihr Erdbeeren zu pflücken!‘ Ich schätze schon allein die Zahl der Jahrmarktsbuden auf mindestens fünfzig.« Jetzt nahm Nosdrew der Alten, die einen tiefen Bückling machte, das Schnapsglas aus der Hand. »Ah, bring ihn mal her!« rief er dann, als er Porfirij mit dem jungen Hündchen bemerkte. Der Diener war ebenso gekleidet wie sein Herr und trug wie dieser eine wattierte Jacke, die nur ein bißchen fettiger war.

»Tu ihn hierher auf den Fußboden!«

Porfirij legte ihn hin, und der junge Hund streckte alle Viere von sich und beschnüffelte den Boden.

»Nicht wahr, ein prächtiger Köter!« sagte Nosdrew, faßte ihn am Wickel und hob ihn in die Höhe. Das Tierchen gab einen kläglichen Ton von sich.

»Du hast natürlich wieder nicht das getan, was ich dir befohlen habe«, sagte Nosdrew zu Porfirij, während er den Bauch des Köters aufmerksam untersuchte. »Es ist dir nicht eingefallen, ihn zu kämmen.«

»Doch, ich habe ihn gekämmt.«

»Und die Flöhe? Wo kommen denn die eigentlich her?«

»Das kann ich nicht wissen. Möglich, daß sie in der Kutsche auf ihn hinaufgehüpft sind.«

»Du lügst, hast überhaupt nicht daran gedacht, ihn zu kämmen. Ich glaube gar, du hast ihm von deinen eigenen Flöhen noch welche abgetreten. Schau mal, Tschitschikow, was er für Ohren hat, befühl sie mal mit der Hand.«

»Aber warum denn? Ich sehe auch so, daß es ein edles Tier ist«, antwortete Tschitschikow.

»Nein, fasse mal richtig die Ohren an.«

Tschitschikow tat ihm den Gefallen und streichelte die Ohren. »Ja«, sagte er, »es wird ohne Zweifel ein schöner Hund.«

»Und die Schnauze? Fühlst du, wie kühl sie ist? Probiere mal mit der Hand.«

Tschitschikow, der Nosdrew nicht beleidigen wollte, griff auch nach der Schnauze und sagte: »Gewiß auch eine gute Nase.«

»Eine echte Bulldogge«, fuhr Nosdrew fort, »ich bin, offen gestanden, schon längst auf eine Bulldogge aus. Na, Porfirij, trag ihn wieder weg!«

Porfirij faßte den Köter unter dem Bauch und trug ihn in den Wagen zurück.

»Hör mal, Tschitschikow, du mußt jetzt unbedingt mit mir fahren. Es sind ja bloß fünf Kilometer von hier und wir sind im Augenblick da. Von dort kannst du meinetwegen noch immer zu Sobakewitsch.«

Was ist schließlich dabei, dachte Tschitschikow, warum soll ich eigentlich nicht zu Nosdrew fahren? Ein Mensch wie alle andern auch, und da er Geld verloren hat, wird er billiger zu haben sein als die übrigen. – »Also gut, fahren wir«, sagte er, »aber ohne weiteren Aufenthalt, meine Zeit ist kostbar.«

»Das ist recht, mein Herz! Das ist hübsch von dir! Komm, laß dir einen Kuß dafür geben!« Und Nosdrew und Tschitschikow küßten sich. »Ausgezeichnet, wir fahren zu dritt!«

»Nein, mich mußt du schon entschuldigen«, erklärte der Blonde. »Ich werde zu Hause erwartet.«

»Unsinn, Bruder, ich laß dich nicht fort.«

»Nein, nein, meine Frau wird böse sein. Jetzt kannst du ja auch in Tschitschikows Kutsche fahren.«

»Wo denkst du denn hin, kommt gar nicht in Frage ...«

Der Blonde gehörte zu jenen Leuten, bei denen man auf den ersten Blick eine gewisse Hartnäckigkeit vermutet. Man hat noch kaum den Mund geöffnet, da sind sie schon bereit zu widersprechen und werden – so scheint es wenigstens – sich niemals mit etwas abfinden, was ihrer Auffassung entgegensteht. Offensichtlich werden sie nie einen Dummen klug nennen und insbesondere auf keinen Fall nach der Pfeife eines anderen tanzen. Schließlich aber endet es doch immer damit, daß ihr Charakter nachgiebiger ist, als man denkt, daß sie gerade das gutheißen, was sie vorher bekämpft haben, daß sie Dummes klug nennen und dann hingehen, um nach einer fremden Pfeife zu tanzen – mit einem Wort: sie beginnen keck und enden im Dreck.

»Blödsinn!« antwortete Nosdrew auf irgendeinen weiteren Einwand des Blonden, drückte ihm einfach die Mütze auf den Kopf, und – der Blonde folgte ihnen gehorsam auf dem Fuße.

»Der Schnaps, gnädiger Herr, ist noch nicht bezahlt ...« sagte die Alte.

»Schon gut, schon gut, Mütterchen. Höre mal, Schwager, ich habe nicht einen roten Heller in der Tasche ...«

»Also, wieviel?« fragte der Schwager.

»Nur eine Kleinigkeit, Väterchen, alles in allem achtzig Kopeken«, erwiderte die Alte.

»Ach was, Schwindel! Gib ihr fünfzig, damit hat sie mehr als genug.«

»Ein bißchen zu wenig, gnädiger Herr«, maulte die Alte, nahm aber dann doch das Geld dankbar und unterwürfig entgegen und lief, um den Gästen die Tür zu öffnen. Sie hatte tatsächlich auch keinen Verlust, weil sie das Vierfache verlangt hatte, was der Schnaps sie kostete.

Die Herren stiegen ein und nahmen in ihren Wagen Platz. Tschitschikows Kutsche fuhr neben dem Wagen, in dem Nosdrew und sein Schwager saßen, so daß alle drei unterwegs bequem miteinander plaudern konnten. Nosdrews Droschke mit den drei spindeldürren Mähren folgte hinterher und blieb immer weiter zurück. Darin saß Porfirij mit dem Hündchen.

Weil das Gespräch, das die Reisenden miteinander führten, für den Leser nicht gerade sehr fesselnd ist, werden wir guttun, an dieser Stelle einige Worte über Nosdrew selbst einzuschalten, zumal ihm möglicherweise beschieden sein wird, in dieser Erzählung alles andere eher als die nebensächlichste Rolle zu spielen.

Nosdrews Gesicht ist dem Leser vermutlich schon einigermaßen bekannt. Leuten dieser Art wird schon jeder von uns öfter begegnet sein. Man pflegt sie flotte Burschen zu nennen und schon in der Kindheit und in der Schule haben sie im Ruf gestanden, gute Kameraden zu sein, was sie aber durchaus nicht gehindert hat, mitunter eine recht schmerzhafte Tracht Prügel zu beziehen. Aus ihren Gesichtern spricht immer etwas Offenes, Gerades, Verwegenes. Sie schließen schnell Bekanntschaften, und noch bevor man Zeit gefunden hat, sie richtig anzuschauen, duzen sie einen. Sie schwören gleich ewige Freundschaft, aber dann kommt es regelmäßig schon am ersten Abend, wenn der Freundschaftsbund tüchtig begossen wird, zu einer handfesten Prügelei. Burschen dieser Art sind immer Schwätzer, Zecher, Routiniers, mit einem Wort, Leute, die sich sehen lassen können. Nosdrew war mit fünfunddreißig Jahren unverändert derselbe wie mit siebzehn oder mit zwanzig: ein unverbesserlicher Bummler. Auch in der Ehe hatte er sich in keiner Weise gewandelt, zumal sich seine Frau schon sehr früh ins Jenseits zurückgezogen hatte, jedoch nicht, ohne ihm zwei Kinder zu hinterlassen, mit denen er absolut nichts anzufangen wußte und die er daher einem übrigens recht niedlichen Kindermädchen übergab. Zu Hause hielt es ihn niemals länger als allerhöchstens einen Tag. Er hatte eine feine Nase und witterte auf Entfernungen von Dutzenden von Kilometern, wo und wann ein Jahrmarkt mit allen möglichen Zusammenkünften und Bällen veranstaltet wurde. Im Handumdrehen war er dann selbst da, brach sofort allerhand Streitigkeiten vom Zaun und machte einen gewaltigen Krach am grünen Tisch, denn er war, wie alle Leute seines Schlages, ein passionierter Kartenspieler. Wie wir andeutungsweise schon aus dem ersten Kapitel erfahren haben, spielte er durchaus nicht immer einwandfrei. Er wandte zweifelhafte Kniffe und Praktiken an, weshalb das Spiel gewöhnlich mit einem ganz anderen Spiel abschloß, nämlich damit, daß er verprügelt wurde, einige kräftige Fußtritte bekam oder zumindest nur noch mit einer Barthälfte heimgeschickt wurde. Aber seine runden und vollen Backen waren ein bewundernswert fruchtbarer Boden, dem eine so ungemein vegetative Kraft innewohnte, daß der Backenbart sofort wieder nachwuchs und sich jedesmal noch viel schöner und dichter entfaltete als vorher. Aber was das Merkwürdigste war und überhaupt nur in Rußland möglich ist – schon nach ganz kurzer Zeit kam er wieder mit den gleichen Busenfreunden zusammen, die ihm so übel mitgespielt hatten. Man tat so, als wäre nicht das geringste vorgefallen, und auch er selbst war durchaus nicht beleidigt.

Nosdrew war in gewisser Hinsicht eine »historische« Persönlichkeit, denn es gab keine Zusammenkunft, bei der er zugegen war, die ohne irgendein Histörchen ablief. Sei es, daß er von einem Gendarmen unter den Arm genommen und hinausgeführt wurde oder daß seine Freunde selber sich genötigt sahen, ihn an die Luft zu setzen. Wenn sich das aber vermeiden ließ – irgend etwas geschah doch mit Sicherheit, was anderen niemals passiert wäre: entweder er betrank sich so sehr, daß er überhaupt nicht mehr zu lachen aufhörte, oder er fuhr sich in seinen eigenen Lügengeschichten so hoffnungslos fest, daß er nicht mehr ein und aus wußte und am Ende selbst ganz beschämt war. Und dabei log er ohne jede Veranlassung. So konnte er zum Beispiel plötzlich erzählen, er habe einmal einen hellblau und rosa gefleckten Gaul gehabt, und ähnlichen Unsinn, bis die Anwesenden sagten: »Na, na, Bruder, fängst du aber an aufzuschneiden«, und sich einer nach dem andern entfernte. Es gibt Leute, die zuweilen ganz plötzlich der Versuchung nicht widerstehen können, ihre Mitmenschen ohne den mindesten Grund auf die niederträchtigste Weise hineinzulegen. So kann zum

Beispiel ein nach der neuesten Mode gekleideter Herr von hohem Rang und mit einem Stern auf der Brust, der dir mit einem höflichen Händedruck entgegenkommt und sich mit dir über die erhabensten und tiefsinnigsten Dinge unterhält, dich ganz offen und unerwartet vor aller Welt auf das allerinfamste blamieren. Und zwar so blamieren wie ein ganz einfacher Kollegienregistrator und nicht etwa wie ein Herr mit einem Stern auf der Brust, der dir soeben noch von den erhabensten und tiefsinnigsten Dingen gesprochen hat. In einer so über alle Maßen gemeinen und niedrigen Art, daß man vor Staunen nur den Mund aufreißen und mit den Achseln zucken kann. Diese merkwürdige Leidenschaft hatte auch Nosdrew. Je besser sich einer mit ihm stand, um so schändlicher schwärzte er ihn an, setzte über ihn die unhaltbarsten Gerüchte, wie sie dümmer gar nicht auszudenken waren, in Umlauf, hintertrieb Hochzeiten, vereitelte Geschäfte und hielt sich dabei absolut nicht für den Feind des Geschädigten. Ganz im Gegenteil: kam er zufällig mit dem Betreffenden wieder zusammen, so benahm er sich höchst freundschaftlich und war sogar imstande zu sagen: Du bist doch wahrhaftig ein schlechter Kerl – warum läßt du dich gar nicht mehr bei mir blicken?

Nosdrew war in mancher Hinsicht ein vielseitiger Mensch, das heißt, in allen Sätteln gerecht. In ein und demselben Augenblick konnte er den Vorschlag machen, gleichviel wohin und, wenn es gewünscht würde, sogar bis ans Ende der Welt zu fahren, sich an jedem beliebigen Unternehmen zu beteiligen und alles und jedes gegen gleichgültig welchen Gegenstand zu tauschen. Jagdgewehre, Hunde und Pferde – alles war er bereit zu vertauschen, ohne daß er dabei irgendeinen Gewinn im Auge hatte; diese Bereitwilligkeit war vielmehr nur der Ausfluß einer gewissen rastlosen Geschäftigkeit, die zu seinem Wesen gehörte. Hätte er auf dem Jahrmarkt das Glück gehabt, einen Dummen zu finden, dem er sein ganzes Geld aus der Tasche ziehen konnte, er hätte einfach alles zusammengekauft, was ihm im ersten besten Laden vor Augen gekommen wäre: Pferdekummete, Räucherkerzen, Kopftücher für das Kindermädchen, einen

Hengst, Rosinen, ein silbernes Waschbecken, holländische Leinwand, Grieß, Tabak, Pistolen, Heringe, Bilder, einen Schleifstein, Töpfe, Schuhe, Porzellangeschirr – solange das Geld reichte. Im übrigen kam es nur selten vor, daß er alle diese Einkäufe auch wirklich nach Hause brachte: meist ging der ganze Segen schon am gleichen Tage in den Besitz eines anderen, erfolgreicheren Spielers über, der dann außerdem noch Nosdrews Pfeife mit Mundstück und Tabaksbeutel und mitunter auch sein ganzes Viergespann samt Wagen und Kutscher dazuerhielt, so daß der ehemalige Besitzer in seiner kurzen Jacke herumlaufen mußte, um irgendeinen Freund ausfindig zu machen, der ihn in seiner Kutsche mitnähme. So war Nosdrew! Kann sein, daß manche ihn einen ausgestorbenen Typus nennen und behaupten werden, Leute seines Charakters gebe es heute gar nicht mehr. Aber weit gefehlt! Die Menschen, die diese Ansicht vertreten, irren sich. Nosdrew wird nicht so bald aus dieser Welt verschwinden. Er ist überall unter uns zu finden, wenn auch vielleicht nur in einem anderen Rock. Die Menschen sind gedankenlos und unüberlegt, und wenn ein Mensch einen anderen Rock trägt, meinen sie gleich, es sei auch ein anderer Mensch.

Unterdessen hielten die drei Kutschen schon vor der Treppe des Nosdrewschen Hauses. Man war dort in keiner Weise zu ihrem Empfang vorbereitet. In der Mitte des Eßzimmers standen zwei Bauern auf Brettern, die über hölzerne Böcke gelegt waren, tünchten die Wände und sangen dazu ein endloses Lied. Der ganze Fußboden war mit weißen Spritzern bedeckt. Nosdrew befahl den Leuten, unverzüglich mitsamt ihren Böcken zu verschwinden, und rannte ins Nebenzimmer, um dort weitere Anweisungen zu geben. Die Gäste hörten, wie er beim Koch das Mittagessen bestellte und Tschitschikow, der bereits wieder hungrig geworden war, rechnete sich unter diesen Umständen aus, daß man sich nicht vor fünf Uhr zu Tisch setzen würde. Nosdrew kehrte gleich darauf zurück und führte seine Gäste hinaus, um ihnen alles zu zeigen, was es auf dem Gute nur irgend zu sehen gab. In zwei Stunden war die Besichtigung beendet, die mit dem Pferdestall begonnen hatte. Hier sah man einen

Apfelschimmel, einen Fuchs und einen braunen Hengst, der keinen sehr stattlichen Eindruck hinterließ. Nichtsdestoweniger schwor Nosdrew bei Gott und allen Heiligen, daß er zehntausend Rubel für ihn bezahlt habe.

»Zehntausend hast du nie und nimmer für ihn gegeben«, bemerkte der Schwager. »Der ist noch nicht einmal tausend wert.«

»Bei Gott, ich habe zehntausend für ihn bezahlt«, beteuerte Nosdrew.

»Du kannst schwören, soviel du willst«, erwiderte der Schwager.

»Gut, wetten wir!« sagte Nosdrew.

Aber der Schwager mochte nicht.

Dann wies Nosdrew auf einige leere Boxen hin, in welchen früher auch gute Pferde gestanden hatten. Man sah hier einen Ziegenbock, der nach einem alten Aberglauben immer im Pferdestall gehalten werden mußte und der sich hier offenbar ganz zu Hause fühlte, denn er spazierte seelenruhig unter den Bäuchen der Pferde herum. Dann führte Nosdrew seine Gäste zu einem jungen Wolf, der mit einem Strick angebunden war. »Das ist ein junger Wolf«, sagte er. »Ich füttere ihn absichtlich mit rohem Fleisch, weil ich will, daß er ein wildes Tier bleiben soll.« Weiterhin besichtigte man einen Teich, in welchem nach Nosdrews Worten Fische von einer Größe umherschwammen, daß die Kräfte eines einzigen Menschen nicht ausreichten, um so einen Fisch aus dem Wasser zu ziehen. Es bedurfte angeblich mindestens zweier Menschen dazu – eine Behauptung, die übrigens der Schwager in Zweifel zu ziehen auch diesmal nicht unterließ. »Paß mal auf, Tschitschikow«, sagte Nosdrew, »jetzt werde ich dir noch ein paar ausgezeichnete Hunde vorführen. Erstaunlich, was die für Kräfte haben und Nasen, spitz wie die Nadeln!« Als er das sagte, gelangte man zu einem hübschen Häuschen, das von einem großen eingezäunten Hof umgeben war. Beim Betreten dieses Hofes erblickte man eine ganze Menge wollhaariger und glatthaariger Köter der verschiedensten Farben und Rassen: braune, schwarze mit braunen und braune mit schwarzen Flecken, getigerte, schwarz- und grauohrige und dergleichen mehr. Hier gab es auch die verschiedensten Hundenamen in Form von Imperativen, wie zum Beispiel: »Schieß los!«, »Schimpf!«, »Flieg!«, »Brenn!«, »Stich!«, »Beiß!«, »Bravo!«, während andere wieder »Satan«, »Ungeduld«, »Schwälbchen« und »Patronesse« hießen. Nosdrew bewegte sich in der Meute wie ein Familienvater inmitten seiner Lieben. Mit hocherhobenen Schwänzen oder Ruten, wie die Fachleute sich ausdrücken, fielen sie die Gäste an, um sie zu begrüßen. Etwa gleich zehn auf einmal sprangen an Nosdrew empor und legten ihm die Pfoten auf die Schultern. »Schimpf« erwies Tschitschikow den gleichen Freundschaftsdienst, erhob sich auf die Hinterpfoten und leckte ihm mitten über den Mund, worauf dieser sogleich ausspuckte. Dann wurden die Tiere einzeln in Augenschein genommen und ihre Muskelkraft weidlich bewundert. Es waren tatsächlich ausgezeichnete Hunde. Hierauf schaute man sich noch eine Hündin aus der Krim an, die, wie Nosdrew behauptete, blind war und bald eingehen würde, obgleich sie noch vor zwei Jahren durchaus brauchbar gewesen war. Das Tier erwies sich wirklich als blind. Die nächste Sehenswürdigkeit war eine Wassermühle, welcher der Träger fehlte, an dem der obere Mühlstein angebracht ist. »Jetzt«, sagte Nosdrew, »kommen wir gleich zur Schmiede«, die dann auch noch besichtigt wurde.

»Auf jenem Acker«, sagte Nosdrew und zeigte mit dem Finger auf ein Feld, »gibt es so unglaublich viel Hasen, daß man den Erdboden überhaupt nicht sieht. Ich selbst habe einen mit den Händen an den Hinterläufen gepackt und tatsächlich gefangen!«

»Na, na«, bemerkte der Schwager, »mit den Händen greifst du nie einen Hasen.«

»Ich habe es aber doch fertiggebracht«, beteuerte Nosdrew und fuhr dann, sich Tschitschikow zuwendend, fort: »Jetzt zeige ich dir die Grenze meines Besitzes.« Und damit führte er seine Gäste über ein Feld, das mit kleinen Erdhügeln bedeckt war. Die Herren – Tschitschikow fing bereits an, müde zu werden – mußten wohl oder übel einen unbestellten Acker und ein frisch geeggtes Feld überqueren. An vielen Stellen drang ihnen Wasser in die Schuhe, so tief war die

Niederung, die sie passierten. Anfangs waren sie auf der Hut und traten vorsichtig auf, dann aber, als sie die Zwecklosigkeit ihres Verhaltens einsahen, marschierten sie einfach darauflos, ohne sich weiter vor dem Schlamm in acht zu nehmen. Als sie eine tüchtige Strecke zurückgelegt hatten, erreichten sie wirklich einen hölzernen Pfahl und einen schmalen Graben, wodurch die Grenze kenntlich gemacht war.

»Dies ist die Grenze!« verkündete Nosdrew. »Alles, was diesseits ist, gehört mir, aber auch der dunkle Wald dort drüben, und was hinter ihm liegt.«

»Seit wann ist denn dieser Wald in deinen Besitz übergegangen?« fragte der Schwager. »Du mußt ihn wohl erst vor kurzem gekauft haben, denn früher hat er doch keineswegs dir gehört.«

»Ja, ich habe ihn erst kürzlich gekauft«, erwiderte Nosdrew.

»Wie ist denn das so schnell möglich gewesen?«

»Erst vorgestern habe ich ihn erworben und, hol mich der Teufel, verdammt teuer bezahlt.«

»Aber vorgestern warst du doch auf dem Jahrmarkt!«

»Ach, du Schlauberger! Kann man denn nicht auf dem Jahrmarkt sein und gleichzeitig Grund und Boden kaufen? Natürlich war ich da, aber während ich fort war, hat mein Verwalter hier an Ort und Stelle den Wald gekauft.«

»So, so, der Verwalter ...« sagte der Schwager und schüttelte mißtrauisch den Kopf.

Die Gäste kehrten auf dem gleichen beschwerlichen Weg zum Hause zurück. Nosdrew führte sie in sein Zimmer, in welchem übrigens keine Spur von alledem zu entdecken war, was zur Ausstattung eines Arbeitszimmers gehört. Es gab dort keine Bücher und Papiere und an der Wand hingen nur ein Säbel und zwei Gewehre, eines für dreihundert und das andere für achthundert Rubel. Der Schwager blickte sich um und schüttelte abermals den Kopf. Dann zeigte Nosdrew seinen Gästen Dolche, die er als türkische Dolche bezeichnete, aber auf einem von ihnen stand: »Meister Sawelij Sibirjakow« – eine Inschrift, die vermutlich nur aus Versehen dorthin geraten war. Weiterhin war hier ein Leierkasten zu sehen, den Nosdrew sofort in Bewegung setzte. Das Instrument spielte recht nett, aber dann schien plötzlich in seinem Inneren irgend etwas Rätselhaftes geschehen zu sein, denn die Mazurka, die es zum besten gab, ging ganz unvermittelt in das Lied »Marlborough s'en va-t-en guerre« und schließlich ebenso unerwartet in einen abgedroschenen Walzer über. Und als Nosdrew schon längst zu drehen aufgehört hatte, pfiff eine einzelne, besonders unternehmungslustige Pfeife, die auf keine Weise zum Schweigen zu bringen war, noch lange für sich allein weiter. Hierauf führte Nosdrew seine Pfeifensammlung vor. Er besaß eine Unmenge teils angerauchter und teils noch nicht angerauchter Holz-, Ton- und Meerschaumpfeifen mit und ohne Wildlederetui. Darunter befand sich auch eine türkische Tabakspfeife mit Bernsteinmundstück, die er kürzlich im Spiel gewonnen hatte, und ein von einer Gräfin eigens für ihn gestrickter Tabaksbeutel. Diese Gräfin hatte sich auf irgendeiner Poststation bis über die Ohren in Nosdrew verliebt, und ihre Händchen waren, wie er sich ausdrückte, das »subtilste Superflu«, was für ihn offenbar soviel bedeutete wie: der höchste Gipfel der Vollkommenheit.

Nachdem man einen Imbiß, der aus Stör bestand, zu sich genommen hatte, setzte man sich gegen fünf Uhr zu Tisch. Das Diner war im Leben Nosdrews augenscheinlich nicht gerade die Hauptsache. Er legte keinen besonderen Wert auf die Zubereitung des Essens: die Speisen kamen teils angebrannt, teils in fast noch rohem Zustande auf den Tisch. Offenbar ließ der Koch sich hauptsächlich von irgendwelchen plötzlichen Eingebungen leiten und griff wahllos nach allem, was sich gerade in Reichweite befand. Stand eine Pfefferbüchse neben ihm, so streute er Pfeffer auf die Pfanne, fiel sein Blick zufällig auf einen Kohlkopf, so tat er auch Kohl hinein; und ebenso verfuhr er mit Milch, Schinken oder Erbsen, wenn sie gerade bei der Hand waren – mit einem Wort: er stopfte alles, wie sich's gerade traf, in den Kochtopf, es kam ihm nur darauf an, daß das Gericht recht heiß war, irgendeinen Geschmack würde es schon von selber haben. Dagegen legte Nosdrew den allergrößten Wert auf den Wein:

die Suppe war noch nicht aufgetragen, da erhielt schon jeder Gast ein großes Glas Portwein und ein Glas Haut-Sauternes – gewöhnlichen Sauternes gab es in den russischen Gouvernements- und Kreisstädten überhaupt nicht –, und gleich darauf ließ Nosdrew eine Flasche Madeira bringen, »wie sie auch der Feldmarschall nicht besser hat«. Dieser Madeira brannte einem nur so in der Kehle, denn die Kaufleute, welche die Vorliebe der Gutsbesitzer für starken Madeira genau kannten, versetzten ihn schonungslos mit Rum und zuweilen sogar einfach mit Salpetersäure in der richtigen Annahme, daß russische Mägen alles vertragen können. Hierauf folgte noch eine besondere Flasche, die, wie Nosdrew behauptete, eine Mischung von Burgunder und Champagner enthielt. Mit großer Geschäftigkeit schenkte er rechts und links die Gläser seines Schwagers und Tschitschikows voll, wobei dieser bemerkte, daß Nosdrew sich selbst viel sparsamer bedachte. Das veranlaßte Tschitschikow, stark auf der Hut zu sein und jedesmal, wenn der Hausherr sich besonders eifrig mit seinem Schwager unterhielt oder diesem das Glas füllte, den Inhalt seines eigenen Glases in den Teller zu schütten. Gleich darauf wurde noch Ebereschenschnaps hereingebracht, der einem, so versicherte Nosdrew, wie Sahne die Kehle hinabglitt. Er schmeckte aber nur nach starkem Fusel. Endlich wurde noch irgendein Balsam getrunken, welcher einen Namen hatte, der so schwer zu behalten war, daß ihm selbst der Hausherr fortwährend eine andere Bezeichnung gab. Das Mittagessen war längst zu Ende und alle Weine ausprobiert, aber man saß noch immer bei Tisch und Tschitschikow konnte sich absolut nicht entschließen, das Gespräch in Gegenwart des Schwagers auf jenen Gegenstand zu bringen, der ihm am meisten am Herzen lag: der Schwager war doch gewissermaßen ein Außenstehender, und die Behandlung dieser Angelegenheit bedurfte einer vertraulich-freundschaftlichen Erörterung unter vier Augen. Allerdings konnte der Schwager ihm kaum gefährlich werden, denn da er fortwährend auf seinem Stuhl vornüber sank, schien er kräftig genug geladen zu haben. Schließlich merkte er wohl auch selbst, daß sein Zustand hoffnungslos war, denn er bat, man möge ihn doch heimfahren lassen, er tat dies aber mit einer so matten und weinerlichen Stimme, als zöge er – wie ein volkstümlicher Ausdruck lautet – dem Pferde das Kummet mit einer Zange über den Kopf.

»Fällt mir nicht ein, ich laß dich nicht fort!« rief Nosdrew.

»Nein wirklich, lieber Freund, ich fahre, laß mich in Frieden.«

»Unsinn, Unsinn! Wir legen gleich ein Bänkchen auf.«

»Leg es nur auf, Bruder, aber ich mache nicht mit! Meine Frau würde sehr verstimmt sein, ich muß ihr doch vom Jahrmarkt erzählen, muß ihr diese kleine Freude bereiten. Nein, halt mich nicht auf!«

»Hol die Frau doch der Teufel! Wird schon was Wichtiges sein, was ihr da miteinander vorhabt.«

»Nein, Bruder! Sie ist eine gute Frau, so treu und so anständig, wahrhaftig, ein Vorbild von einer Frau! Sie tut mir jeden Gefallen. Du kannst es mir glauben, bin oft bis zu Tränen gerührt. Nein, halte mich nicht zurück! Auf Ehre, ich kann nicht mehr bleiben!«

»So laß ihn doch fahren, was haben wir denn an ihm verloren?« flüsterte Tschitschikow Nosdrew zu.

»Eigentlich hast du ganz recht, ich mag solche Schwächlinge nicht«, erwiderte Nosdrew ebenso leise und fügte dann laut hinzu: »Also zum Teufel mit dir! Fahr schon – direkt in die Arme deiner Frau, du elender Schlappschwanz!«

»Aber ich bitte dich, Bruder, schilt mich nicht Schlappschwanz«, erwiderte der Schwager, »ich muß ihr mein Leben lang dankbar sein. Sie ist ja so herzensgut, so lieb und immer so zärtlich mit mir, daß ich oft bis zu Tränen gerührt bin. Sie wird mich fragen, was ich auf dem Jahrmarkt erlebt und gesehen habe, ich muß ihr alles haarklein erzählen, sie ist ja so lieb mit mir ...«

»So scher dich doch schon und lüg ihr deinen kindischen Unsinn vor. Dort liegt deine Mütze!«

»Im Ernst, Bruder, du solltest nicht so von ihr sprechen, damit kränkst du, kann man wohl sagen, auch mich – sie ist ja so lieb und so herzensgut!«

»Worauf wartest du noch? Mach, daß du fortkommst!«

»Ja, Bruder, ich fahre; und entschuldige, daß ich nicht bleiben kann, ich bliebe von Herzen gern, aber es ist mir unmöglich.«

Der Schwager setzte seine Entschuldigungen noch lange fort, ohne zu bemerken, daß er schon längst in der Kutsche saß, das Tor passiert hatte und nur noch von weiten Feldern umgeben war. Es läßt sich denken, daß seine Frau nur herzlich wenig vom Jahrmarkt zu hören bekommen hat.

»So ein Schlappschwanz!« sagte Nosdrew, der ans Fenster getreten war und der davonfahrenden Kutsche nachblickte. »Da macht er sich aus dem Staube! Aber das Beipferd ist nicht übel, ich bin schon lange scharf darauf. Doch man kann ja mit ihm nicht zu Rande kommen. Er ist ein Schwächling, nichts als ein Schwächling!«

Damit gingen sie ins Arbeitszimmer. Porfirij brachte Kerzen und Tschitschikow bemerkte jetzt in der Hand des Hausherrn ein Spiel Karten, von dem er nicht wußte, wie es plötzlich dahin geraten war.

»Nun, Bruder«, sagte Nosdrew, indem er die Karten zusammendrückte, ein wenig bog und dann wieder zurückschnellen ließ, so daß der Papierstreifen, der sie zusammenhielt, zerriß und auf den Fußboden fiel, »wie denkst du über eine Bank von dreihundert Rubeln – nur so, um die Zeit zu vertreiben?«

Aber Tschitschikow tat, als hätte er gar nicht gehört, wovon die Rede war, und sagte leichthin: »Ja, richtig, das hätte ich beinah vergessen – ich habe eine Bitte an dich.«

»Und was für eine Bitte?«

»Versprich mir zuerst, daß du sie erfüllen wirst.«

»Worum handelt es sich denn?«

»Nun, gib schon dein Wort!«

»Gut, meinetwegen.«

»Dein Ehrenwort?«

»Mein Ehrenwort.«

»Du wirst doch wohl eine Menge Bauern haben, die tot, aber noch nicht von der Revisionsliste gestrichen sind?«

»Natürlich, aber was soll's damit?«

»Überlaß sie mir, überschreib sie auf meinen Namen.«

»Was hast du davon?«

»Nun, ich habe sie nötig.«

»Zu welchem Zweck denn?«

»Das ist meine Sache – ich brauche sie einfach.«

»Da steckt doch etwas dahinter. Gestehe, was du mit ihnen vorhast!«

»So eine Kleinigkeit – was könnte man überhaupt damit anfangen?«

»Ja, warum willst du sie denn haben?«

»Gott im Himmel, bist du aber neugierig! Du mußt anscheinend jeden Dreck nicht nur anfassen, sondern auch noch beriechen!«

»Ja, warum willst du denn nicht damit herausrücken?«

»Was nützt es dir denn, wenn ich's sage? Es ist ganz einfach nur eine Laune von mir.«

»Solang du's nicht sagst, tu ich's auch nicht.«

»Da hat man's: kaum hast du dein Wort gegeben, so nimmst du's schon wieder zurück. Das ist wahrhaftig nicht anständig von dir.«

»Wie du willst, ich tue nichts, bevor du nicht sagst, warum.«

Was soll ich ihm bloß sagen? überlegte Tschitschikow und erklärte dann, nachdem er eine Minute scharf nachgedacht hatte, daß er die toten Seelen nötig habe, um sich ein größeres Ansehen in der Gesellschaft zu verschaffen. Güter besitze er nicht mehr und wolle daher vorläufig wenigstens einige Seelen haben ...

»Du lügst, Bruder!« sagte Nosdrew, ohne ihn aussprechen zu lassen.

Tschitschikow hatte schon selbst empfunden, daß sein Einfall nicht besonders überzeugend war und seine Ausrede überhaupt auf recht schwankenden Füßen stand. »Nun gut, dann werde ich mich etwas deutlicher ausdrücken, nur bitte ich dich, Stillschweigen darüber zu bewahren. Ich habe die Absicht zu heiraten, aber du mußt wissen, daß die Eltern meiner Braut äußerst anspruchsvolle Leute sind. So schwer zu befriedigende Leute, daß ich jetzt beinah froh wäre, wenn ich mich nicht gebunden hätte. Sie verlangen nämlich unbedingt, daß der Bräutigam nicht weniger als dreihundert Seelen besitzt, und da mir nun an dieser Zahl noch fast hundertfünfzig Bauern fehlen ...«

»Du lügst!« schrie Nosdrew abermals.

»Aber diesmal«, sagte Tschitschikow, »lüge ich nicht einmal so viel ...« und er zeigte mit dem Daumen an die äußerste Spitze seines kleinen Fingers.

»Ich wette meinen Kopf, daß du wieder gelogen hast!«

»Aber das ist schon wirklich beleidigend. Wer bin ich eigentlich? Warum muß ich denn immer die Unwahrheit sprechen?«

»Nun, ich kenne dich doch. Du bist ein abgefeimter Spitzbube – gestatte mir, dir das in aller Freundschaft zu sagen. Wenn ich dein Vorgesetzter wäre, würde ich dich am ersten besten Baum aufhängen lassen.«

Tschitschikow fühlte sich durch diese Bemerkung ernstlich gekränkt. Jedes grobe, die guten Formen mißachtende Wort berührte ihn unangenehm. Ja, sogar jeden nur leicht vertraulichen Ton suchte er abzuwehren, es sei denn, daß sich hochgestellte Personen ihm gegenüber einen solchen gestatteten. Und deshalb eben zeigte er sich jetzt aufs tiefste verletzt.

»Bei Gott, ich ließe dich aufhängen!« wiederholte Nosdrew. »Ich sage das offen und ehrlich und nicht, um dich zu beleidigen, sondern aus purer Freundschaft.«

»Alles hat seine Grenzen«, sagte Tschitschikow mit Würde. »Wenn du dich in dergleichen Redensarten zu ergehen wünscht, dann begib dich in die Kaserne.« Und er fügte weiter hinzu: »Wenn du sie mir nicht schenken willst, so verkauf sie mir wenigstens.«

»Verkaufen! Aber ich kenne dich doch. Du bist ein Gauner und wirst mir nicht viel dafür zahlen.«

»Du bist aber wirklich gelungen, glaubst wohl, daß deine Bauern Juwelen sind?«

»Da haben wir's, ich wußte es ja.«

»Ich bitte dich, Bruder, was sind das für knausrige Anwandlungen! Du solltest sie mir einfach schenken.«

»Also paß mal auf: um dir zu beweisen, daß ich alles eher als ein Geizkragen bin, will ich tatsächlich nichts für sie fordern. Kauf mir einen Hengst ab, und du bekommst sie als Zugabe umsonst.«

»Was soll mir der Hengst?« erwiderte Tschitschikow, aufs höchste befremdet von diesem Vorschlag.

»Was du damit sollst? Ich habe zehntausend Rubel für ihn bezahlt und gebe ihn dir für viertausend ab.«

»Was soll ich denn damit, ich habe doch kein Gestüt.«

»Aber hör nur zu, was ich sage: ich fordere jetzt bloß dreitausend von dir, den Rest kannst du später bezahlen.«

»Nein, lassen wir das, ich kann ihn doch nicht brauchen.«

»Na schön, dann nimm mir die braune Stute ab.«

»Auch für die Stute habe ich keine Verwendung.«

»Ich überlaß sie dir beide, die Stute und den grauen Gaul dazu, den du vorhin bei mir gesehen hast, für zusammen zweitausend Rubel.«

»Ich brauche überhaupt keine Pferde.«

»Du wirst sie verkaufen – schon auf dem ersten Jahrmarkt wird man dir doppelt soviel dafür geben.«

»Dann verkauf sie doch lieber selbst, wenn du so fest davon überzeugt bist.«

»Ich weiß, daß ich ein Geschäft dabei mache, aber ich will, daß auch du daraus Vorteil ziehst!«

Tschitschikow dankte Nosdrew für seine gute Absicht, verzichtete aber rundweg sowohl auf das graue wie auf das braune Pferd.

»So nimm mir einige Hunde ab! Ich will dir ein Paar verkaufen, daß es dir vor Begeisterung kalt über den Rücken läuft! Ein Paar rauhhaarige mit Schnauzbärten, sage ich dir. Die Rippen sind die reinen Faßreifen und die Pfoten so stark gepolstert, daß sie kaum den Boden berühren!«

»Was soll ich denn mit den Hunden anfangen, ich bin ja kein Jäger!«

»Nun, es würde mir Freude machen, wenn du Hunde hättest. Aber höre mal, wenn du schon keine Hunde willst, so kauf mir wenigstens die Drehorgel ab! Hand aufs Herz, sie hat mich anderthalbtausend gekostet, dir aber gebe ich sie für neunhundert Rubel.«

»Was soll ich denn mit der Drehorgel machen? Ich bin doch kein Deutscher, der mit so einem Instrument von Haus zu Haus geht und bettelt.«

»Aber es ist ja gar kein Leierkasten, wie ihn die Deutschen mit sich herumschleppen. Schau sie dir doch genauer an – es ist eine richtige Orgel und ganz von Mahagoni. Ich werde sie dir noch einmal zeigen!«

Und damit nahm Nosdrew Tschitschikow bei der Hand und fing an, ihn ins Nebenzimmer zu zerren. Aber so sehr sich dieser auch mit den Füßen gegen den Boden stemmte und immer wieder versicherte, daß er genau wisse, was für eine Drehorgel es sei, so half ihm doch alles nichts – er mußte abermals hören, wie Marlborough in die Schlacht zog. »Wenn du nun schon kein Geld herausrücken willst, so paß einmal auf: ich gebe dir die Drehorgel und meine sämtlichen toten Seelen und du gibst mir dafür deine Kutsche und zahlst mir noch dreihundert Rubel drauf.«

»Und was nicht noch! Womit soll ich denn fahren?«

»Ich gebe dir eine andere Kutsche. Gehen wir mal in den Schuppen, ich will sie dir zeigen. Du läßt sie neu anstreichen, und sie wird ein Wunder von einer Kutsche sein!«

Der ist wahrhaftig von allen bösen Geistern besessen! dachte Tschitschikow und beschloß, sich ein für allemal sämtliche Nosdrewschen Kutschen, Drehorgeln und Hunde ungeachtet ihrer an Faßreifen erinnernden Rippen und stark gepolsterten Pfoten vom Halse zu schaffen.

»Du bekommst also alles zusammen: die Kutsche, den Leierkasten und die toten Seelen.«

»Ich mag aber nicht!« sagte Tschitschikow noch einmal.

»Warum willst du denn nicht?«

»Ganz einfach, weil ich nicht will, und damit Schluß!«

»Bist du aber ein Bursche! Wie man sieht, ist jeder freundschaftliche Umgang mit dir unmöglich. Du bist eben, das merkt man sofort, ein heimtückischer Mensch!«

»Aber erlaube mal, bin ich denn ein Narr? Überlege doch selber: warum soll ich mir lauter Dinge anschaffen, mit denen ich absolut nichts anfangen kann?«

»Bitte rede nicht! Jetzt habe ich dich endgültig durchschaut. Nein wirklich, so ein Schurke! Aber paß mal auf: wenn du willst, legen wir ein Bänkchen auf? Ich setze alle toten Seelen auf einmal und die Drehorgel dazu.«

»Nein, sich auf eine Bank einlassen, heißt sich dem blinden Zufall ausliefern«, sagte Tschitschikow und schielte nach den Karten, die Nosdrew in der Hand hielt. Beide Spiele sahen wenig vertrauenerweckend aus, und sogar die Rückseite machte einen recht zweifelhaften Eindruck.

»Warum denn dem blinden Zufall?« fragte Nosdrew. »Nichts von Zufall. Hast du Glück, kannst du den Teufel und die ganze Welt gewinnen. Da ist es schon, dein Glück!« fuhr er fort, indem er ein paar Karten aufdeckte, um Tschitschikow Lust zu machen. »Nein, welch ein Glück, welch ein Glück! Schau mal, da ist diese verfluchte Neun, die mich so gewaltig hineingelegt hat! Ich ahnte ja schon, daß sie das tun würde, kniff aber die Augen zu und dachte: Hol dich der Teufel! Meinetwegen tu's nur, Verfluchte!«

Als Nosdrew das sagte, brachte Porfirij eine Flasche herein. Aber Tschitschikow weigerte sich. Er war weder zu spielen noch zu trinken bereit.

»Warum willst du denn nicht spielen?« fragte Nosdrew.

»Weil ich nicht dazu aufgelegt bin. Offen gestanden, ich spiele überhaupt nicht Karten.«

»Warum denn nicht?«

Tschitschikow zuckte die Achseln und fügte hinzu: »Weil ich nun einmal kein Freund des Kartenspiels bin.«

»Du Schlappschwanz!«

»Nichts zu machen, Gott hat mich so geschaffen.«

»Einfach ein Schlappschwanz! Anfangs hielt ich dich noch für einen einigermaßen anständigen Kerl, aber du hast ja nicht den geringsten Schimmer von guten Manieren. Mit dir kann man überhaupt nicht wie mit einem Freunde reden ... Keine Spur von Treue und Aufrichtigkeit! Um nichts besser als Sobakewitsch – ein richtiger Gauner, nichts anderes!«

»Ja, warum beschimpfst du mich denn? Kann ich dafür, daß ich kein Freund des Kartenspiels bin? Verkauf mir die Seelen allein, wenn du schon so einer bist, der mit jedem glatzköpfigen Teufel ein Geschäft machen will.«

»Jawohl, einen glatzköpfigen Teufel kriegst du! Erst war ich bereit, sie dir umsonst zu überlassen, jetzt aber bekommst du gar nichts, selbst wenn du mir drei Kaiserreiche dafür gibst. So ein Strauchdieb, so ein durchtriebener Bauernfänger! Von heute ab will ich nichts mehr mit dir zu tun haben. Porfirij, geh und sag dem Stallknecht, daß er seinen Pferden keinen Hafer mehr gibt, für die ist Heu gut genug.«

Einen solchen Abschluß hatte Tschitschikow ganz und gar nicht erwartet.

»Wärst du mir doch niemals vor Augen gekommen«, sagte Nosdrew.

Dieses Zerwürfnis hielt aber den Gast und den Hausherrn keineswegs davon ab, zusammen zu Abend zu essen; allerdings standen diesmal keine Weine mit sonderbaren und verlockenden Namen auf dem Tisch, sondern nur eine einzige vereinsamte Flasche, die eine Art von Zypernwein enthielt, der aber in Wirklichkeit ein in jeder Beziehung minderwertiger Säuerling war. Nach dem Abendessen führte Nosdrew Tschitschikow in ein abgelegenes Zimmer, wo man ein Nachtlager für ihn vorbereitet hatte. Er sagte: »Hier ist dein Bett, ich will dir nicht einmal gute Nacht sagen«, und ging hinaus.

Tschitschikow blieb in denkbar schlechter Gemütsverfassung zurück. Er ärgerte sich über sich selbst und machte sich Vorwürfe, daß er überhaupt zu Nosdrew gefahren war und dabei soviel Zeit vertrödelt hatte. Am meisten wurmte ihn aber, daß er mit Nosdrew über sein Anliegen gesprochen und damit gedankenlos wie ein Kind und unvorsichtig wie ein richtiger Dummkopf gehandelt hatte. Wie hatte er nur gerade Nosdrew in dieser so heiklen Angelegenheit ins Vertrauen ziehen können? Nosdrew war ja niederträchtig genug, um noch mancherlei Lügen hinzuzuerfinden und weiß der Teufel was für Gerüchte in Umlauf zu setzen, woraus eine höchst peinliche Klatschgeschichte entstehen konnte, kurz, das Ganze war faul, mehr als faul. »Ich bin doch wirklich ein Narr!« sagte er zu sich selbst. Er schlief die Nacht miserabel, zumal ihm gewisse kleine, aber sehr zudringliche Insekten mit ihren Bissen so empfindlich zusetzten, daß er sich mit der ganzen Handfläche an den in Mitleidenschaft gezogenen Körperstellen reiben mußte und dabei immer wieder ausrief: »Der Teufel möge euch holen, euch und euren Nosdrew!«

Er erwachte sehr früh am Morgen. Das erste, was er tat, war, in Schlafrock und Schuhen über den Hof in den Pferdestall zu gehen und Selifan den Auftrag zu geben, unverzüglich anzuspannen. Als er über den Hof zurückkehrte, begegnete er Nosdrew, der gleichfalls im Schlafrock war und eine Pfeife zwischen den Zähnen hatte.

Nosdrew begrüßte ihn freundschaftlich und erkundigte sich, wie er geschlafen habe.

»Mäßig«, antwortete Tschitschikow trocken.

»Ich ebenfalls«, sagte Nosdrew, »die ganze Nacht haben mich diese verfluchten Bestien gequält, auch nur davon zu sprechen ist ekelhaft. Und dabei habe ich nach dem gestrigen Tage einen Geschmack im Munde, als hätte eine ganze Schwadron darin genächtigt. Stell dir mal vor, mir träumte, daß man mich durchgebleut hat. Und kannst du dir denken, wer das getan hat? Du wirst es bestimmt nicht erraten – der Stabsrittmeister Pozelujew und Kuwschinnikow.«

O ja, dachte Tschitschikow, es wäre wahrhaftig nicht übel, wenn dir einmal tüchtig das Fell gegerbt würde.

»Bei Gott! Es war äußerst schmerzhaft! Ich bin sogar davon aufgewacht, so hat's mich gejuckt. Wahrscheinlich waren's die Flöhe, diese verdammte Brut. Aber geh jetzt und kleide dich an. Ich werde gleich wieder bei dir sein, muß nur zuerst noch meinen Spitzbuben von Verwalter anschnauzen.«

Tschitschikow ging in sein Zimmer, um sich zu waschen und anzukleiden. Als er bald darauf das Eßzimmer betrat, stand schon der Tee mit einer Flasche Rum auf dem Tisch. Überall fanden sich noch Spuren des gestrigen Mittag- und Abendessens. Offenbar waren die Zimmerbesen noch keineswegs in Bewegung gesetzt worden. Auf dem Fußboden lagen Brotreste herum und sogar das Tischtuch war noch voller Tabakasche. Der Hausherr, der jetzt herbeieilte, hatte nichts unter seinem Schlafrock als die nackte, mit Haaren dicht bedeckte Brust. So mit dem Pfeifenrohr in der einen Hand und der Teetasse, aus der er hie und da einen Schluck nahm, in der anderen hätte er ohne Zweifel einen Maler in helles Entzücken versetzt, der nichts für solche geschniegelte und gelockte Herren übrig hat, wie man sie auf den Reklameschildern der Friseurläden sieht.

»Wie also steht es«, fragte Nosdrew, nachdem er ein wenig nachgedacht hatte, »willst du jetzt um die Seelen spielen oder nicht?«

»Ich habe bereits erklärt, Bruder, daß ich nicht spielen werde. Kaufen, wenn du willst – sofort.«

»Verkaufen will aber ich wiederum nicht, das hieße unkameradschaftlich handeln. So eine kleine Partie dagegen – wäre eine andere Sache. Wie steht's also mit einem Bänkchen?«

»Ich hab's dir ja schon gesagt: ich will nicht.«

»Und tauschen willst du auch nicht?«

»Auch nicht.«

»Na, hör mal: wollen wir Dame spielen? Wenn du gewinnst – sind sie allesamt dein. Ich habe ja so viele, die aus dem Verzeichnis herausmüssen. Hallo, Porfirij, bring mal das Damespiel her!«

»Vergebliche Mühe: ich werde nicht spielen.«

»Aber Dame ist doch kein Hasard. Hier gibt's keinen Zufall und mogeln kann man auch nicht, die Geschicklichkeit allein entscheidet. Ich verrate dir von vornherein, daß ich ein schlechter Spieler bin und daß du mir daher eine Vorgabe zubilligen mußt.«

Vielleicht – dachte Tschitschikow – sollte ich mich wirklich darauf einlassen, ich habe doch einmal gar nicht so übel Dame gespielt und Mogeln ist hier in der Tat kaum möglich ...

»Gut also, eine Partie Dame will ich mit dir riskieren.«

»Die Seelen gegen hundert Rubel!«

»Wieso? Fünfzig genügen.«

»Ich bitte dich, fünfzig sind doch kein Ersatz! Dann gebe ich lieber noch einen einfachen Jagdhund und ein goldnes Uhrketten-Petschaft dazu.«

»Einverstanden!« sagte Tschitschikow.

»Und welche Vorgabe räumst du mir ein?« fragte Nosdrew.

»Was sollte mich dazu veranlassen? Natürlich keine.«

»Überlaß mir wenigstens die ersten zwei Züge.«

»Dazu spiele ich selbst zu schlecht.«

»Weiß schon, was davon zu halten ist!« rief Nosdrew und machte den ersten Zug.

»Lange habe ich keinen Stein mehr in die Hand genommen«, sagte Tschitschikow und machte ebenfalls einen Zug.

»Weiß schon, was von dem schlechten Spiel zu halten ist!« sagte Nosdrew und schob einen weiteren Stein vor.

»Lange habe ich keinen Stein mehr in die Hand genommen«, wiederholte Tschitschikow und rückte seinerseits vor.

»Weiß schon, weiß schon, was davon zu halten ist«, sagte Nosdrew zum drittenmal und verschob, während er seinen Gegenzug machte, mit seinem Ärmel noch einen anderen Stein.

»Lange habe ich keinen Stein mehr ... halt, Bruder, was soll das bedeuten? Tu mal den Stein da wieder zurück!« fuhr Tschitschikow auf.

»Was soll ich tun?«

»Den Stein da wieder zurückschieben«, sagte Tschitschikow und bemerkte dabei plötzlich unmittelbar vor seiner Nase noch einen Stein, der anscheinend gerade im Begriff war, ins Damenfeld einzurücken. Wie er dahin geraten war, wußte nur Gott allein. »Nein«, rief Tschitschikow und erhob sich von seinem Platz, »mit dir zu spielen ist einfach unmöglich. Drei Steine auf einmal – da hört doch nun alles auf!«

»Wieso drei Steine? Ein reiner Zufall! Jener da hat sich nur versehentlich verschoben. Wenn du gestattest, schieb ich ihn wieder zurück.«

»Und der andre da? Wo ist der hergekommen?«

»Welcher andre?«

»Nun dieser hier, der ins Damenfeld vorrückt.«

»Das ist doch allerhand! Du wirst doch nicht ernstlich bestreiten ...«

»Nein, Bruder, das geht zu weit! Ich habe alle Züge gezählt und bin ganz im Bilde. Du hast ihn eben erst hingeschmuggelt. Dort ist sein Platz!«

»Wieso dort?« sagte Nosdrew und errötete. »Du bist, wie ich sehe, ein Märchenerzähler!«

»Nein, Bruder, du selbst scheinst mir ein Märchenerzähler zu sein, und zwar einer ohne Erfolg.«

»Für wen hältst du mich?« fragte Nosdrew. »Ich werde doch nicht etwa betrügen?«

»Ich halte dich für gar nichts, werde aber nie wieder mit dir spielen.«

»Nein, du darfst jetzt nicht kneifen!« ereiferte sich Nosdrew. »Das Spiel hat begonnen.«

»Ich werde mich doch zurückziehen dürfen, wenn du nicht ehrlich und anständig spielst!«

»Du lügst, du hast kein Recht, das zu sagen!«

»Nein, Bruder, du selbst sprichst die Unwahrheit!«

»Ich habe nicht gemogelt und du hast nicht das Recht, abzubrechen, du bist verpflichtet, zu Ende zu spielen!«

»Dazu wirst du mich nicht bringen«, sagte Tschitschikow kaltblütig, trat ans Brett heran und warf die Steine durcheinander.

Nosdrew fuhr auf und drang auf Tschitschikow ein, so daß dieser einige Schritte zurückwich.

»Ich werde dich zwingen weiterzuspielen. Daß du die Steine zusammengeschmissen hast, wird uns daran nicht hindern. Ich erinnere mich an alle Züge. Wir werden die Steine wieder so aufstellen, wie sie gestanden haben.«

»Nein, Bruder, der Spaß ist zu Ende, ich spiele nicht mehr mit dir.«

»Du weigerst dich also zu spielen?«

»Du mußt doch selbst zugeben, daß es unmöglich ist.«

»Nein, klipp und klar: willst du spielen oder nicht?« sagte Nosdrew und rückte ihm noch näher auf den Pelz.

»Ich tue es nicht«, erwiderte Tschitschikow und hielt sich auf alle Fälle beide Hände vors Gesicht, denn die Sache fing in der Tat an, bedenklich zu werden. Diese Vorsorge war auch ohne Zweifel am Platz, denn Nosdrew holte bereits zum Schlage aus, und es war durchaus nicht unmöglich, daß sich schon im nächsten Augenblick eine der vollen Backen unseres Helden mit unaustilgbarer Schmach bedecken würde. Aber Tschitschikow parierte geschickt den Hieb, packte Nosdrew an beiden Armen und hielt ihn fest.

»Porfirij, Pawluschka!« brüllte Nosdrew in rasendem Zorn, indem er die heftigsten Anstrengungen machte, sich Tschitschikow zu entwinden.

Als Tschitschikow diesen Hilferuf hörte, ließ er die Arme seines Gegners los, denn er fühlte, daß es zwecklos war, Nosdrew festzuhalten. Auch wollte er die Hausleute nicht zu Zeugen dieser äußerst beschämenden Szene machen. In diesem Augenblick trat Porfirij in Begleitung Pawluschkas ein, eines handfesten Burschen, mit dem anzubinden augenscheinlich ganz und gar nicht ratsam war.

»Du willst also die Partie nicht zu Ende spielen?« rief Nosdrew. »Sag ohne Umschweife ja oder nein!«

»Die Partie zu beenden ist unmöglich«, entgegnete Tschitschikow und schielte dabei aus dem Fenster. Draußen sah er seine Kutsche in voller Bereitschaft und neben ihr Selifan, der offensichtlich nur auf das Zeichen zum Vorfahren wartete. Aber es gab keine Möglichkeit, aus dem Zimmer zu entkommen, denn die Tür hielten zwei leibeigene, ungewöhnlich muskulöse Halbidioten besetzt.

»Also, du willst die Partie nicht beenden?« wiederholte Nosdrew, dessen Gesicht vor Zorn loderte.

»Wenn du wie ein anständiger Mensch spielen würdest ... aber jetzt bin ich dazu nicht mehr in der Lage.«

»Also nicht? Nur deshalb, weil du einsiehst, daß du verlieren wirst, bist du auf einmal nicht dazu in der Lage, du Feigling! – Haut ihn!« schrie er plötzlich in maßloser Wut, zu Porfirij und Pawluschka gewandt, und schwang dabei sein Pfeifenrohr. Tschitschikow wurde bleich wie Leinwand. Er wollte irgend etwas sagen, fühlte aber, daß sich seine Lippen bewegten, ohne einen Laut hervorzubringen.

»Haut ihn!« brüllte Nosdrew zornglühend und in Schweiß gebadet, als stieße er mit seinem Weichselrohr zum Handstreich auf eine uneinnehmbare Festung vor. »Haut ihn!« schrie er mit einer Stimme, wie sie ein ungewöhnlich hitziger Leutnant haben mag, der bei einem entscheidenden Angriff seiner Kompanie mit dem Zuruf: »Vorwärts, Kinder!« voranstürmt und dessen wahnwitziges Draufgängertum schon so berüchtigt ist, daß man, wenn es besonders heiß hergeht, den Befehl ausgeben muß, ihn an Händen und Füßen zu binden. Aber schon ist es zu spät: schon hat ihn der Taumel der Schlacht ergriffen, alles dreht sich vor seinen Augen und er glaubt, Suworow selbst vor sich herreiten zu sehen. »Vorwärts, Kinder!« schreit er und wirft sich blindlings auf den Feind, ohne zu überlegen, daß er mit seiner unerhörten Heldentat dem wohldurchdachten allgemeinen Angriffsplan nur schadet, daß ihm und seiner Kompanie Millionen von Gewehrläufen aus den Schießscharten der himmelhohen und unerreichbaren Festungsmauern entgegenstarren, daß seine ohnmächtigen Soldaten wie Flaumfedern in die Luft fliegen müssen und daß die Schicksalskugel schon heransaust, ihm den vorlauten Mund zu stopfen.

Aber wenn Nosdrew an einen solchen völlig kopflos gegen eine Festung anrennenden Leutnant erinnerte, so war doch die Festung, die er angriff, durchaus nicht uneinnehmbar. Im Gegenteil, Tschitschikow war von einer so panischen Furcht erfüllt, daß ihm das Herz in die Hosen sank. Schon wurde ihm der Stuhl, mit dem er sich zu verteidigen gedachte, von den Leibeigenen aus den Händen gerissen. Schon erwartete er, geschlossenen Auges und mehr tot als lebendig, den Hieb, den der Hausherr mit seinem tscherkessischen Pfeifenrohr auf ihn niedersausen lassen würde, und was ihm sonst noch bevorstehen könnte. Aber einem freundlichen Schicksal gefiel es, die Lenden, Schultern und sonstigen wohlgepflegten Körperteile unseres Helden zu retten. Völlig unerwartet erklangen plötzlich, wie Sphärenmusik, die lieblichen Töne eines Glöckchens, das unverkennbare Räderrollen einer an der Treppe vorfahrenden Kutsche und das bis ins Zimmer hinein deutlich vernehmbare Schnaufen eines Dreigespanns. Alle spähten unwillkürlich zum Fenster hinaus: ein schnurrbärtiger Mann in halbmilitärischer Uniform kletterte aus dem Wagen. Nachdem er sich im Vorzimmer unterrichtet hatte, trat er ein: Tschitschikow hatte sich noch nicht von seinem Schreck erholen können und war in der jämmerlichsten Lage, in der sich je ein Sterblicher befunden hat.

»Gestatten Sie die Frage, wer hier Herr Nosdrew ist?« fragte der Unbekannte und warf einen einigermaßen erstaunten Blick auf den Hausherrn mit dem Pfeifenrohr in der Hand und auf Tschitschikow, der erst allmählich wieder zur Besinnung kam.

»Darf ich zunächst erfahren, mit wem ich die Ehre habe zu sprechen?« sagte Nosdrew, auf ihn zugehend.

»Mit dem Polizeichef.«

»Und was führt Sie hierher?«

»Ich komme, um Ihnen die Mitteilung zu machen, daß Sie sich im Anklagezustand befinden, bis das Urteil in Ihrer Sache gefällt ist.«

»Was für ein Unsinn, in welcher Sache?« fragte Nosdrew.

»Sie sind in die Angelegenheit des Gutsbesitzers Maksimow verwickelt, infolge einer persönlichen Beleidigung, die Sie ihm im trunkenen Zustande durch Rutenhiebe zugefügt haben.«

»Sie lügen, ich habe einen Gutsbesitzer Maksimow noch niemals gesehen.«

»Verehrtester! Gestatten Sie mir, Sie darauf aufmerksam zu machen, daß ich Offizier bin. Sie können solche Ausdrücke Ihrem Diener sagen, aber nicht mir.«

In diesem Augenblick griff Tschitschikow, ohne abzuwarten, was Nosdrew darauf antworten würde, schleunigst nach seiner Mütze, schlüpfte hinter dem Rücken des Polizeichefs auf die Treppe hinaus, setzte sich in seine Kutsche und befahl Selifan loszufahren, was das Zeug hielt.

5

Unser Held war gehörig eingeschüchtert. Obgleich die Kutsche im Galopp dahinjagte und Nosdrews Gutshof sich längst hinter Feldern, Abhängen und Hügeln verloren hatte, blickte er sich immer wieder angstvoll um, als fürchtete er, daß man hinter ihm hersein könnte und die Verfolger ihn bald erreichen würden. Er atmete schwer, und als er die Hand aufs Herz drückte, fühlte er, daß es hüpfte wie die Wachtel im Käfig. »Ach, wie mich dieser Bursche hat schwitzen lassen!« Und diesen Worten folgte eine Flut von

Verwünschungen, worin es an unflätigen Ausdrücken nicht fehlte. Das konnte auch gar nicht anders sein: er war eben ein Russe, der sich ins Herz getroffen fühlte! Zudem war das Ganze keineswegs leichtzunehmen. Man kann sagen, was man will, dachte er, wäre nicht im letzten Augenblick der Polizeichef erschienen, wer weiß, ob ich mich jetzt noch in Gottes freier Natur erginge! Vermutlich wäre ich wie eine Wasserblase spurlos zerplatzt, ohne Nachkommen und ohne meinen künftigen Kindern ein Vermögen und einen ehrlichen Namen zu hinterlassen!« Wie man sieht, war unser Held sehr um das Wohl seiner Nachkommen besorgt.

So ein miserabler Herr! dachte Selifan unterdessen. So einen Herrn habe ich mein Lebtag noch nicht gesehen. Dem sollte man glatt ins Gesicht spucken! Laß lieber die Menschen hungern, aber dem Gaul sollst du zu fressen geben, weil der Gaul den Hafer liebt. Das ist seine Nahrung. Was zum Beispiel für uns die Kost ist, das ist für ihn der Hafer. Er ist eben seine Nahrung.

Auch die Pferde hatten anscheinend keinen günstigen Eindruck von Nosdrew. Weder der Braune und der »Beisitzer« noch der Scheck waren gut aufgelegt. Obgleich dieser für seinen Teil immer etwas weniger Hafer bekam als die anderen und Selifan ihm diesen nie anders in den Trog schüttete als mit den Worten: »Das ist für dich, du Gauner!« so war es doch immer Hafer, was sie erhielten, und nicht Heu; der Scheck kaute es mit Vergnügen und steckte – besonders, wenn Selifan nicht im Pferdestall war – seine lange Nase in die Krippen seiner Kameraden, um auszukundschaften, was sie für eine Nahrung hatten. Aber jetzt nur Heu und nichts anderes – nein wahrhaftig, das war nicht schön! Alle waren höchst unzufrieden.

Aber plötzlich wurden die Meditationen dieser Unzufriedenen auf eine ganz unerwartete Weise unterbrochen. Alle einschließlich des Kutschers kamen erst wieder zur Besinnung, als eine mit sechs Pferden bespannte Kutsche mit Tschitschikows Wagen heftig zusammenstieß und das Angstgeschrei der in der Kutsche sitzenden Damen und das drohende Schimpfen des fremden Kutschers schon beinahe über ihren

Köpfen erschallte. »Ach, du Strauchdieb! Habe ich dir nicht wiederholt zugerufen, daß du nach rechts ausbiegen sollst, du alte Krähe! Du bist wohl betrunken?« Selifan fühlte, daß er fahrlässig gewesen war, aber weil der Russe es durchaus nicht liebt, seine Schuld anderen gegenüber einzugestehen, nahm er eine würdige Haltung an und rief: »Und warum fährst denn du so ins Blaue hinein? Du hast wohl deine Augen in der Kneipe verpfändet?« Hierauf bemühte er sich, die Gäule, die in das Geschirr des anderen Wagens verstrickt waren, zurückzureißen, aber das ganze Durcheinander wurde noch schlimmer. Der Scheck beschnupperte neugierig seine neuen Kameraden, die so plötzlich rechts und links neben ihm aufgetaucht waren. Unterdessen blickten die in der Kalesche sitzenden Damen mit angstverzerrten Gesichtern auf die ganze Bescherung. Die eine war schon in vorgerückten Jahren, die andere ein etwa sechzehnjähriges Mädchen, dessen goldblondes Haar sich glatt um das anmutige Köpfchen schmiegte. Das liebliche Oval ihres Gesichts erinnerte an ein frisches, schneeweißes Ei und schimmerte zart und fast durchsichtig wie ein solches, wenn es, soeben erst gelegt, von der Wirtschafterin aus dem Nest genommen und von ihrer braunen Hand prüfend gegen das Licht gehalten wird und die Sonnenstrahlen es durchdringen. Ganz so durchsichtig waren auch ihre feinen Öhrchen, die von der warmen Sonne durchleuchtet wurden. Dazu ihre leicht geöffneten Lippen und der Ausdruck der Furcht in den Augen, die von Tränen erglänzten – dies alles war so entzückend, daß unser Held sie einige Minuten hingerissen anblickte, ohne dem Gewirr von Wagen, Pferden und Kutschen auch nur die geringste Aufmerksamkeit zu schenken. »Zurück, du Nowgorodsche Krähe!« brüllte der andere Kutscher. Selifan riß an den Zügeln, der fremde Kutscher tat dasselbe, die Pferde wichen ein wenig zurück, strauchelten aber gleich wieder und traten über die Stränge. Dies war ganz nach dem Sinn des Schecken, zumal ihm die neue Bekanntschaft so gut gefiel, daß er auf keinen Fall seine durch so unerwartete Umstände gewonnene Nachbarschaft wieder verlassen wollte. Er legte seine Schnauze auf den Hals des neuen Kameraden und flüsterte ihm anscheinend etwas ins Ohr, wahrscheinlich einen fröhlichen Unsinn, denn der Fremdling spitzte munter die Ohren.

Dieser hilflose Wirrwarr hatte inzwischen Bauern aus einem Dorf herbeigelockt, das glücklicherweise nicht weit entfernt war. Da ein derartiges Schauspiel für den Bauern ein wahres Geschenk des Himmels ist, wie für den Deutschen eine Zeitung oder ein Verein, so sammelte sich in kürzester Frist um die Kutschen eine so unübersehbare Menge, daß nur die ganz alten Frauen und die Säuglinge im Dorf zurückblieben. Die Stränge wurden entfernt und ein paar kräftige Püffe vor die Schnauze brachten den Schecken dazu, den Rückzug anzutreten, mit einem Wort, Selifans Gäule wurden von den anderen getrennt und beiseite geführt. Aber war es der Ärger, den die fremden Pferde darüber empfanden, daß man sie von ihren neuen Freunden getrennt hatte, oder war es einfach Eigensinn – der Kutscher konnte auf sie losdreschen, soviel er mochte, sie rührten sich nicht vom Fleck und standen wie angewurzelt. Die Anteilnahme der Bauern wuchs ins Unglaubliche. Jeder einzelne drängte sich vor, um Ratschläge zu erteilen: »Geh, Andrjuschka, führ mal das rechte Beipferd beiseite und Onkel Mitja soll das mittlere besteigen: Sitz mal auf, Onkel Mitja!« Der magere und lange Onkel Mitja mit dem roten Bart kletterte hinauf und sah wie der Glockenturm einer Dorfkirche aus oder, besser noch, wie der Haken, an dem man den Eimer aus dem Brunnen emporzieht. Der Kutscher drosch auf die Pferde ein, aber es half alles nichts, auch Onkel Mitja brachte nichts zuwege.

»Halt, halt!« schrien die Bauern, »Onkel Mitja, setz dich lieber auf das Beipferd und auf das mittlere soll sich mal Onkel Minjaj setzen!« Onkel Minjaj, ein breitschultriger Bauer mit einem kohlschwarzen Bart und einem Bauch, der an jenen riesenhaften Samowar erinnerte, in welchem der Tee für die sämtlichen Besucher eines Marktes bereitet wird, bestieg bereitwillig das Mittelpferd, dessen Rücken sich unter seinem Gewicht fast bis zum Erdboden bog. »Jetzt geht es, jetzt geht es!« jubelten die Bauern. »Zieh ihm, dem Gelben da, eins mit der Knute über, daß er seine Beine wie eine

Wassermücke spreizt!«* Als sich zeigte, daß es auch auf diese Weise keineswegs ging und auch Hiebe nichts nützten, setzten sich Onkel Mitja und Onkel Minjaj beide auf das Mittelpferd und veranlaßten Andrjuschka, wieder das Beipferd zu besteigen. Schließlich verlor der Kutscher die Geduld und jagte sowohl Onkel Mitja wie auch Onkel Minjaj fort. Und er tat gut daran, denn die Pferde dampften so, als hätten sie die ganze Strecke zwischen zwei Poststationen zurückgelegt, ohne sich auch nur einen Augenblick ausgeruht zu haben. Er ließ sie eine Minute verschnaufen, worauf sie sich ganz von selbst in Bewegung setzten.

Während dies alles vor sich ging, hatte Tschitschikow die junge Unbekannte aufmerksam betrachtet und wiederholt den Versuch gemacht, sie anzureden, ohne daß ihm dieses gelungen war. Inzwischen waren die Damen davongefahren, und die zarte Gestalt mit dem hübschen Köpfchen und den feinen Gesichtszügen war entschwunden wie eine Vision. Tschitschikow fand sich wieder auf der Landstraße in seiner Kutsche mit Selifan und den drei dem Leser vertrauten Pferden, umgeben von der Öde und Verlorenheit der flachen Felder. Überall im Leben – sowohl in den niederen Schichten der Bevölkerung in ihren ärmlichen, unsauberen und muffigen Behausungen wie auch inmitten der einförmig-kühlen und untadelig-langweiligen höheren Kreise –, überall begegnet uns, wenn auch meist nur ein einziges Mal auf unserem Lebenswege, eine Erscheinung, die mit nichts vergleichbar ist, was wir bisher gesehen haben, und die in uns ganz ungewöhnliche Gefühle erweckt. Einmal bricht ein Lichtstrahl der Freude durch alle Trübsal, aus der unser Leben gewebt ist, so wie manchmal – als käme sie direkt aus dem Bilderbuch – eine mit goldstrotzenden Rossen bespannte märchenhafte Karosse mit funkelnden Fensterscheiben ganz plötzlich und unerwartet an einem bettelarmen Dörfchen

* Wassermücke (russisch Koramora) – eine große, lange und matte Mücke. Zuweilen fliegt sie ins Zimmer und sitzt irgendwo einsam an der Wand. Man kann ruhig an sie herantreten und sie an einem Bein packen. Als Antwort darauf spreizt sie sich nur, wie das Volk sagt.

vorüberjagt, das nie etwas anderes gesehen hat als den üblichen Bauernwagen. Und lange noch stehen die Bauern gaffend und mit offenem Munde da und trauen sich nicht, ihre Mützen wieder aufzusetzen, obgleich die Wunderkarosse schon längst wieder auf und davon ist. So ist auch die kleine Blondine ganz unerwartet in unserer Erzählung erschienen, um ebenso plötzlich wieder zu verschwinden. Wäre ihr an Stelle von Tschitschikow irgendein zwanzigjähriger Jüngling begegnet – ein Husar, ein Student oder einfach einer, der sich gerade anschickt, ins Leben hinauszutreten –, du lieber Himmel, was wäre nicht alles in ihm erwacht, was hätte sich nicht in seiner Seele bewegt und zu Worten geformt! Er hätte noch lange wie betäubt an Ort und Stelle verharrt, hätte den versonnenen Blick in die Ferne gerichtet, vergessen, seinen Weg fortzusetzen, und alle ihm wegen seiner Unpünktlichkeit drohenden Vorwürfe und Ermahnungen, seinen Dienst, sich selbst, die ganze Welt mit ihrem Drum und Dran, kurz, alles vergessen!

Aber unser Held war schon in mittleren Jahren und von kühlem und besonnenem Charakter. Dennoch gab auch er sich Betrachtungen hin und wurde nachdenklich, aber seine Gedanken waren durchaus positiver Art. Sie waren nicht so verschwommen und schwärmerisch, sondern teilweise sogar recht konkret. »Ein ganz patentes Mädchen!« sagte er, öffnete seine Tabaksdose und schnupfte. »Aber was ist das Schönste an ihr? Daß sie offenbar eben erst aus irgendeinem Pensionat oder Institut nach Hause zurückgekehrt ist, daß sie noch nichts typisch Weibliches an sich hat, noch nichts von alledem, was an dem ganzen Geschlecht so unangenehm auffällt. Noch ist sie ein Kind, alles in ihr ist noch einfach, was sie denkt, spricht sie aus, und sie lacht, wenn ihr so ums Herz ist. Noch kann man alles aus ihr machen, sie kann ein Wunder von einer Frau, aber auch eine rechte Pute werden. Und darauf wird es wohl auch herauskommen, wenn erst die Mamachens und Tantchens sich ihrer annehmen. Im Laufe eines einzigen Jahres werden sie ihr den Kopf mit so viel albernem Zeug vollstopfen, daß selbst der eigene Vater sie nicht mehr erkennt. Sie wird ein aufgeblasenes und affektiertes Wesen annehmen, wird sich nach feststehenden Vorschriften drehen und wenden, sich den Kopf darüber zerbrechen, mit wem sie wie und was und wieviel reden wird und in welcher Weise sie wen anblicken soll. Jeden Augenblick wird sie in Angst sein, mehr, als schicklich ist, gesagt zu haben, und schließlich wird sie überhaupt nicht mehr ein und aus wissen und ihr ganzes Leben lang lügen. Kurz, es wird weiß der Teufel was herauskommen!« Tschitschikow schwieg eine Weile und fügte dann hinzu: »Interessant, zu wissen, wer sie eigentlich ist. Wer mag wohl ihr Vater sein? Vielleicht ein reicher, ehrenwerter Gutsbesitzer oder einfach ein gutgesinnter Mensch, der sich im Dienst ein Kapital zurückgelegt hat? Wenn man zum Beispiel annimmt, daß die Kleine etwa Zweihunderttausend mitbekäme, so wäre das in der Tat ein leckerer Bissen. Ein anständiger Mensch könnte auf diese Weise sozusagen sein Glück machen.« Die Zweihunderttausend fingen bereits an, ihm so verlockend vor Augen zu schweben, daß er sich über sich selbst ärgerte, weil er es versäumt hatte, sich während des Wirrwarrs mit den Wagen und Pferden bei dem Vorreiter oder dem Kutscher zu erkundigen, wer die Reisenden waren. Aber schon bald zog das Gut Sobakewitschs, das jetzt sichtbar wurde, seine Gedanken auf sich und veranlaßte ihn, sich wieder dem Gegenstand zuzuwenden, der ihn beständig beschäftigte.

Das Dorf schien ziemlich groß zu sein. Ein Birken- und ein Fichtenwald schlossen sich rechts und links wie Flügel an, von denen der eine etwas heller war als der andere. In der Mitte lag ein hölzernes Haus mit einem Zwischenstock, einem roten Dach und dunkelgrauen oder – richtiger gesagt – unverschalten Balkenwänden – ein Haus, wie sie bei uns für Soldatensiedlungen oder deutsche Kolonisten errichtet werden. Es war deutlich zu sehen, daß der Architekt bei dem Bau des Hauses fortgesetzt mit dem Geschmack des Besitzers hatte kämpfen müssen. Der Baumeister war ein Pedant und für Symmetrie, der Hausherr dagegen für nüchterne Zweckmäßigkeit gewesen und hatte augenscheinlich aus diesem Grunde auf der einen Seite des Hauses alle gleichgroßen Fenster vermauern und statt dessen nur eine kleine runde

Öffnung anbringen lassen, die für eine dunkle Rumpelkammer vonnöten war. Auch der Giebel war durchaus nicht in die Mitte des Hauses geraten, wie sehr sich der Architekt auch darum bemüht haben mochte, denn der Besitzer hatte auf der Entfernung einer der vier Säulen, die bestimmt waren, den Giebelvorbau zu tragen, bestanden. So hatte das Haus nur drei Säulen statt vier. Der Hof war von einem unverhältnismäßig kräftigen und haltbaren Lattenzaun umgeben. Überhaupt schien der Besitzer vor allem auf Dauerhaftigkeit bedacht zu sein. Für den Pferdestall, die Scheunen und Küchen hatte man schwere und massive Balken verwandt, die offenbar Jahrhunderte vorhalten sollten. Auch die Hütten der Bauern waren ungemein solide gebaut, es gab an den Wänden keine Schnitzereien, keine ausgesägten Muster und ähnliche Spielereien, sondern alles war fest zusammengefügt und gedichtet, wie sich's gehört. Sogar der Brunnen hatte eine starke Einfassung von Eichenholz, wie man es sonst nur für Mühlen und Schiffe nimmt. Mit einem Wort – alles, was Tschitschikow zu sehen bekam, war in hohem Maße widerstandsfähig und zeichnete sich überhaupt durch eine irgendwie grobe und wuchtige Ordnung aus. Als die Kutsche vor der Treppe hielt, bemerkte er zwei Gesichter, die fast gleichzeitig zum Fenster hinausschauten: ein weibliches mit einer Haube, das lang und schmal wie eine Gurke war, und ein männliches, breit und rund wie einer jener moldauischen Flaschenkürbisse, aus denen in Rußland die leichten, zweisaitigen Balalaiken gemacht werden. Eine derartige Balalaika ist der Stolz und die Freude jedes zwanzigjährigen flotten und lebenslustigen Bauernburschen, der den weißhäutigen und vollbusigen Dorfschönen, die sich um ihn sammeln, um seinem Pfeifen und Klimpern zuzuhören, vertraulich zuzwinkert. Beide Gesichter verschwanden sofort wieder, nachdem sie einen Blick durchs Fenster geworfen hatten. Ein Diener in grauer Jacke mit hellblauem Kragen kam auf die Treppe heraus und führte Tschitschikow in den Flur, wo ihm der Hausherr selber entgegentrat. Als er den Gast erblickte, sagte er nur lakonisch: »Bitte!« und geleitete ihn ins Innere des Hauses.

Tschitschikow blickte Sobakewitsch von der Seite an und fand, daß er diesmal sehr an einen mittelgroßen Bären erinnerte. Dieser Eindruck wurde dadurch noch verstärkt, daß sein Frack braun wie ein Bärenfell war. Die Ärmel und Hosen waren lang, er trug Filzpantoffeln, und sein Gang war so plump, und linkisch, daß er den Leuten fortwährend auf die Füße trat. Er hatte eine Gesichtsfarbe, so rot wie ein kupfernes Fünfkopekenstück. Bekanntlich gibt es eine Menge Gesichter auf der Welt, auf deren Ausprägung die Natur nicht allzu viel Mühe verschwendet und keine feineren Werkzeuge wie zum Beispiel Feile, Bohrer und dergleichen benutzt hat, sondern sich einfach mit ein paar Axthieben aus voller Kraft begnügt. Ein Schlag mit dem Beil – und schon steht die Nase da, ein zweiter – und die Lippen sind fertig, dann mit dem großen Bohrer zwei Löcher an die Stelle, wo die Augen hingehören, und ohne noch viel an dem Kerl herumzubasteln und zu glätten, entläßt sie ihn mit den Worten: »Er lebt!« in die Welt. Genauso eine grobschlächtig zusammengewuchtete Figur war Sobakewitsch: seine Haltung war eher vornüber gebeugt als aufrecht, den Hals hielt er vollkommen steif und sah infolge dieser Unbeweglichkeit sein Gegenüber, mit dem er sich gerade unterhielt, nur selten an, sondern schaute fast immer nach der Ofenecke, nach der Tür oder sonstwohin. Tschitschikow warf abermals einen Seitenblick auf ihn, als sie durch das Eßzimmer gingen: »Ein Bär, ganz und gar ein Bär!« Und sonderbares Spiel des Zufalls: zu alledem trug er ausgerechnet noch den Namen Michail Semjonowitsch – bekanntlich der Spitzname, den das einfache Volk dem Bären gegeben hat. Tschitschikow, der Sobakewitschs Eigentümlichkeit, den Leuten auf die Füße zu treten, kannte, war daher auf der Hut und ließ ihn nach Möglichkeit vorangehen. Der Hausherr schien sich übrigens dieser Neigung selbst bewußt zu sein, denn er fragte beständig: »Ich habe Sie doch nicht auf irgendeine Weise belästigt?« Aber Tschitschikow dankte ihm höflich und erklärte, daß er von einer Belästigung bisher noch nichts bemerkt habe.

Als man den Salon betreten hatte, wies Sobakewitsch auf einen Lehnstuhl und sagte wiederum kurz: »Ich bitte!«

Tschitschikow nahm Platz, sah sich um und musterte die Bilder an den Wänden. Es waren Porträtstiche, die lauter unerschrockene Draufgänger in ganzer Figur darstellten, und zwar waren es fast durchweg Feldherren aus dem griechischen Freiheitskriege, wie Maurokordato in roten Uniformhosen, eine Brille auf der Nase, dann Miauli und Kanari. Alle diese Helden hatten so breite Hüften und unerhörte Schnauzbärte, daß es einem schon bei ihrem Anblick kalt über den Rücken lief. Zwischen den Bildern dieser handfesten Burschen hatte, unbekannt auf welche Weise und warum, auch ein allerdings nur ganz schmal gerahmtes Porträt des Fürsten Bagration, mit ganz kleinen Standarten und Kanonen zu seinen Füßen, Platz gefunden. Dann folgte wiederum eine griechische Heroine, und zwar die Bobelina, deren Beine allein schon viel größer waren als die ganzen Figuren jener Dandys, die heute in unseren Salons ein und aus gehen. Der Hausherr, selber gesund und bärenstark, wünschte offenbar auch in seinen vier Wänden nur ebenso robuste und gesunde Leute um sich zu sehen. Neben der Bobelina und unmittelbar am Fenster hing ein Käfig, aus welchem eine dunkle, weißgepunktete Amsel hervorlugte, die ebenfalls Sobakewitsch irgendwie ähnlich sah. Der Gast und der Hausherr hatten noch nicht zwei Minuten Zeit gehabt zu schweigen, als sich die Salontüre öffnete und die Hausfrau erschien – eine Dame von imponierendem Wuchs mit einer Haube auf dem Kopf, deren Bänder offenbar im Hause gefärbt worden waren. Sie trat gemessenen Schrittes ein und hielt ihren Kopf aufrecht wie eine Palme.

»Das ist meine Feodulija Iwanowna«, sagte Sobakewitsch.

Tschitschikow küßte Feodulija Iwanowna die Hand, welche sie ihm fast zwischen die Zähne drückte. Hierbei erhielt er Gelegenheit festzustellen, daß sie ihre Hände mit gesalzenem Gurkenwasser zu waschen pflegte.

»Mein Herzchen, ich empfehle dir Pawel Iwanowitsch Tschitschikow«, fuhr Sobakewitsch fort. »Ich hatte die Ehre, ihn beim Gouverneur und beim Postmeister kennenzulernen.«

Feodulija Iwanowna bat die Herren, wieder Platz zu nehmen, wobei sie ebenfalls »Bitte!« sagte und eine Kopfbewegung machte, wie eine Schauspielerin in der Rolle einer Königin. Dann setzte sie sich auf das Sofa, hüllte sich in ein dickes wollenes Umschlagtuch und regte weiterhin kein Glied mehr.

Tschitschikow blickte auf und faßte abermals Kanari mit seinen breiten Hüften und seinem endlos langen Schnurrbart, die Bobelina und den Käfig mit der Amsel ins Auge.

Fast fünf Minuten lang beobachteten alle ein tiefes Schweigen. Man hörte nur das Geräusch, welches die Amsel hervorrief, indem sie mit dem Schnabel auf den hölzernen Boden ihres Käfigs pickte, wo sie nach Brotkrumen suchte. Tschitschikow blickte sich noch einmal im Zimmer um und musterte die ganze Ausstattung: alles war solide, im höchsten Grade plump und sah in irgendeiner Weise dem Hausherrn merkwürdig ähnlich. In der Ecke stand eine bauchige Schreibkommode aus Nußholz auf außerordentlich klotzigen Füßen und erinnerte lebhaft an einen Bären. Der Tisch, die Stühle und die Sessel – alles wirkte geradezu beunruhigend schwerfällig. Mit einem Wort, jedes Möbel, jeder Gegenstand schien zu sagen: Ich bin ebenfalls Sobakewitsch! oder: Auch ich habe mit Sobakewitsch Ähnlichkeit!

»Wir haben uns beim Gerichtspräsidenten, bei Iwan Grigorjewitsch, Ihrer erinnert«, sagte schließlich Tschitschikow, als er sah, daß niemand sich anschickte, ein Gespräch in Gang zu bringen. »Es war am vorigen Donnerstag. Wir haben dort die Zeit sehr angenehm verbracht.«

»Ja, ich war damals nicht beim Präsidenten«, erwiderte Sobakewitsch.

»Ein vortrefflicher Mensch!«

»Wer?« fragte Sobakewitsch.

»Der Präsident.«

»Kann sein, daß Ihnen das so vorgekommen ist: er ist zwar Freimaurer, aber ein Narr, wie ihn die Menschheit noch nicht gesehen hat!«

Tschitschikow war überrascht von dieser ein wenig zu scharfen Beurteilung der Persönlichkeit des Gerichtspräsidenten, faßte sich aber bald wieder und fuhr fort: »Natürlich, jeder Mensch hat seine Schwächen, aber der Gouverneur ist doch ein ganz hervorragender Mensch?«

»Der Gouverneur ein hervorragender Mensch?«

»Ja, etwa nicht?«

»Der größte Räuber von der Welt!«

»Wie, der Gouverneur ein Räuber?« sagte Tschitschikow und konnte absolut nicht begreifen, wie der Gouverneur unter die Räuber hatte geraten können. »Ich gestehe, daß ich nie auf diesen Gedanken gekommen wäre«, fuhr er fort. »Aber gestatten Sie zu bemerken: seine Handlungsweise läßt so ganz und gar nicht darauf schließen, im Gegenteil, es liegt viel Weichheit in seinem Charakter.« Und wie um die Richtigkeit seiner Ansicht zu beweisen, erinnerte er an die vom Gouverneur mit eigener Hand gestickten Geldbörsen und äußerte sich lobend über seinen liebenswürdigen Gesichtsausdruck.

»Auch sein Gesicht ist das eines Halsabschneiders!« sagte Sobakewitsch. »Geben Sie ihm ein Messer in die Hand und lassen Sie ihn auf die Poststraße hinaus – er wird Ihnen sofort die Kehle abschneiden, wird Ihnen für einen Groschen die Kehle abschneiden! Er und der Vizegouverneur – das sind die reinen Kannibalen!«

Er wird mit den beiden irgendwelche Differenzen gehabt haben – dachte Tschitschikow – ich werde mal über den Polizeimeister sprechen, mit dem scheint er befreundet zu sein. »Übrigens, was mich betrifft«, fuhr dann Tschitschikow fort, »so bekenne ich, daß mir mehr als alle anderen der Polizeimeister gefällt. Was ist das doch für ein gerader und offener Charakter, sein Gesicht drückt soviel Treuherzigkeit aus!«

»Ein Betrüger!« sagte Sobakewitsch kaltblütig, »der ist imstande, Sie zu begaunern und hinzuhängen und hinterher noch mit Ihnen zu Mittag zu essen. Ich kenne sie alle, es sind lauter Spitzbuben und die ganze Stadt ist voll von ihnen: sie treten sich gegenseitig auf die Füße und denunzieren einander, wo sie nur können. Es gibt dort nur einen einzigen anständigen Menschen, und das ist der Staatsanwalt, aber auch der ist, die Wahrheit zu sagen, ein Schwein!«

Nach diesen etwas lakonischen biographischen Bemerkungen war sich Tschitschikow darüber klar, daß es vollkommen zwecklos war, auch noch die übrigen Honoratioren zu erwähnen, und er entsann sich, daß Sobakewitsch den Leuten nicht gern etwas Rühmliches nachsagte.

»Was meinst du, Herzchen, setzen wir uns zu Tisch?« schlug Frau Sobakewitsch vor.

»Ich bitte«, sagte der Hausherr. Man erhob sich und trat an einen Tisch, auf dem der Imbiß serviert war. Der Gast und der Hausherr nahmen, wie sich's gehört, einen Schnaps, ließen sich, wie man es in allen Städten und Dörfern des weiträumigen Rußland gewohnt war, mancherlei gesalzene und sonstige appetiterregende Vorspeisen schmecken und begaben sich dann erst ins Eßzimmer, voran die Hausfrau wie eine majestätische Gans. Auf dem mittelgroßen Tisch war für vier Personen gedeckt. Der vierte Platz wurde alsbald von einer etwa dreißigjährigen Dame eingenommen, die in ein buntes Tuch gehüllt und ohne Haube war und von der sich schwer sagen ließ, ob sie eine Verwandte, eine Haushälterin oder einfach nur eine Mitbewohnerin war. Es gibt Geschöpfe, die keine selbständigen Existenzen sind, sondern gewissermaßen nur als Bestandteile, als Flecken oder Pünktchen, auf der Welt ein Dasein haben. Sie sitzen immer an ein und derselben Stelle und haben dauernd die gleiche Kopfhaltung. Man ist geneigt, sie für einen Einrichtungsgegenstand zu halten, und kann sich überhaupt nicht vorstellen, daß sie jemals den Mund aufgemacht hätten, um ein Wort zu sagen. Aber in der Mägdestube oder in der Vorratskammer sind sie wie ausgewechselt.

»Die Kohlsuppe ist heute besonders gut, mein Herz«, meinte Sobakewitsch, die Suppe löffelnd, und legte sich ein mächtiges Stück von der »Njanja« vor, einem Gericht, das in der Regel zur Kohlsuppe gegessen wurde und aus einem unter anderem mit Buchweizengrütze und Hirn gefüllten Hammelmagen bestand. »So etwas«, fuhr er, zu Tschitschikow gewandt, fort, »werden Sie in der Stadt niemals bekommen, dort wird man Ihnen weiß der Teufel was vorsetzen!«

»Beim Gouverneur wird übrigens nicht schlecht gegessen«, sagte Tschitschikow.

»Haben Sie eine Ahnung, wie die Speisen dort zubereitet

werden? Wenn Sie es wüßten, würden Sie keinen Bissen hinunterbringen.«

»Wie dort gekocht wird, entzieht sich meiner Beurteilung, aber die Schweineschnitzel und der Fisch waren hervorragend.«

»Das ist Ihnen nur so vorgekommen. Ich weiß ganz genau, was sie alles vom Markt beziehen. Da kauft zum Beispiel die Kanaille von Koch, der seine Weisheit von einem Franzosen hat, einen Kater, zieht ihm das Fell über die Ohren und bringt ihn als Hasen auf den Tisch.«

»O pfui, was für ekelhafte Dinge du da erzählst«, sagte Frau Sobakewitsch.

»Ja, was denn, mein Herzchen, kann ich dafür, daß es dort so hergeht? Alle Abfälle, die unsere Akulka, entschuldigen Sie den Ausdruck, in die Müllgrube wirft, kommen dort in die Suppe, jawohl, in die Suppe!«

»Immer sprichst du bei Tisch von solchen Sachen«, wandte Frau Sobakewitsch ein.

»Was macht denn das, Herzchen«, erwiderte Sobakewitsch, »ja, wenn ich es selber täte, aber sei versichert, ich würde niemals so etwas Ekelhaftes in den Mund nehmen. Einen Frosch, auch wenn er dick mit Zucker bestreut wäre, würde ich ebensowenig hinunterschlucken wie eine Auster, ich weiß ganz genau, woran eine Auster erinnert! Nehmen Sie doch noch vom Hammelbraten«, fuhr er fort und wandte sich an Tschitschikow. »Das ist Hammelkeule mit Grütze und nicht dieses Haché, wie es in den Herrschaftsküchen aus Hammelfleisch bereitet wird, welches schon vier Tage lang auf dem Markt herumgelegen hat. Das sind Erfindungen, die sich die deutschen Doktoren und die Franzosen ausgedacht haben. Wenn es nach mir ginge, so würden sie dafür aufgehängt werden. Die Diät – das ist auch so etwas, was sie bei uns eingeführt haben, die Leute gesund zu machen, indem man sie hungern läßt. Fischblütig, wie diese Deutschen sind, glauben sie fest und steif, daß sie auch dem russischen Magen beikommen werden! Nein, das ist nicht das Richtige, das sind nur Einbildungen, das alles ...« und Sobakewitsch schüttelte sogar unwillig den Kopf. »Da reden sie immer von Aufklärung, aber Aufklärung ist nichts als ein ... wahrhaftig, jetzt hätte ich fast bei Tisch einen unanständigen Ausdruck gebraucht. Bei mir ist das alles nicht so. Bei mir kommt, wenn es Schweinebraten gibt, gleich das ganze Schwein auf den Tisch, bei Hammel- oder Gänsebraten – gleich der ganze Hammel oder die ganze Gans! Lieber esse ich nur zwei Gerichte, aber dann auch von jedem, soviel hereingeht.« Und Sobakewitsch setzte diese Worte sogleich in die Tat um: er lud sich die halbe Hammelkeule auf den Teller, schlang die gewaltige Portion hinunter und nagte auch noch alle Knochen ratzekahl ab.

In der Tat, dachte Tschitschikow, der ist doch kein Kostverächter.

»Bei mir ist es nicht so«, sagte Sobakewitsch und wischte sich die Hände mit der Serviette ab, »bei mir ist es nicht so wie bei irgendeinem Pljuschkin, der achthundert Seelen hat und schlechter lebt und ißt als mein Viehhirt.«

»Wer ist dieser Pljuschkin?« fragte Tschitschikow.

»Ein Halsabschneider«, erwiderte Sobakewitsch. »Ein Geizkragen, wie man ihn sich kaum vorstellen kann. Sogar die Zuchthäusler leben besser als er. Alle Leute verhungern bei ihm.«

»Im Ernst?« fragte Tschitschikow aufs höchste interessiert. »Ist es Tatsache, daß, wie Sie sagen, so viele Leute bei ihm sterben?«

»Sie sterben wie die Fliegen.«

»Wirklich, wie die Fliegen? Gestatten Sie die Frage: Wie weit ist es denn noch von Ihnen zu ihm?«

»Fünf Kilometer.«

»Nur fünf Kilometer!« rief Tschitschikow aus und fühlte, wie sein Herz sogar schneller klopfte. »Wenn man aus Ihrem Tor hinausfährt, liegt dann sein Gut rechts oder links?«

»Es ist besser, wenn Sie gar nicht wissen, wie man zu diesem Hund gelangt«, antwortete Sobakewitsch. »Es wäre verzeihlicher, ein schlechtes Haus zu besuchen als ihn.«

»Ich frage ja auch nicht, weil ich damit irgendwelchen Zweck verfolge, sondern nur, weil ich mich für Land und Leute interessiere«, entgegnete Tschitschikow.

Der Hammelkeule folgten quarkgefüllte Pfannkuchen, von denen jeder größer war als ein Teller, dann eine Pute, fast so groß wie ein Kalb und gefüllt mit Eiern, Reis, Leber und vielen anderen leckeren Dingen, die einem hinterher wie Steine im Magen lagen. Damit war das Mittagessen zu Ende, und als man wieder vom Tisch aufstand, fühlte sich Tschitschikow um einen guten Zentner schwerer geworden. Man begab sich in den Salon zurück, wo schon eine Schale mit Eingemachtem von unbekannter Zusammensetzung bereitstand. Die Hausfrau verließ das Zimmer, um Teller für den Nachtisch herbeizuholen. Tschitschikow benutzte ihre Abwesenheit, um sich an Sobakewitsch zu wenden, der in einem Lehnstuhl lag und nach diesem üppigen Mahl nur noch stöhnen konnte. Manchmal gab er auch unverständliche Laute von sich, wobei er sich die Hand vor den offenen Mund hielt und sich fortwährend bekreuzigte. »Ich hätte gern mit Ihnen über eine gewisse Angelegenheit gesprochen«, sagte Tschitschikow.

»Hier ist noch Eingemachtes«, bemerkte die Hausfrau, die mit einer weiteren Schale zurückkehrte, »in Honig gekochter Rettich.«

»Später, später!« sagte Sobakewitsch. »Zieh du dich jetzt in dein Zimmer zurück, Pawel Iwanowitsch und ich werden unsere Fräcke ablegen und uns ein wenig erholen.«

Die Hausfrau zeigte sich bereit, Kissen und Federbetten bringen zu lassen, aber Sobakewitsch sagte: »Nicht nötig, wir werden uns in den Lehnstühlen ausruhen«, und die Hausfrau verließ den Salon.

Sobakewitsch beugte den Kopf ein wenig vor, zu hören, worum es sich handelte.

Tschitschikow fing bei Adam und Eva an, kam dann auf das russische Reich zu sprechen, dessen gewaltigem Umfang er Worte des Lobes und der Bewunderung widmete, hob hervor, daß sogar die allerälteste römische Monarchie keineswegs größer gewesen sei, und betonte, daß die Ausländer sich mit Recht darüber wunderten. (Sobakewitsch lauschte mit vorgebeugtem Kopf.)

Tschitschikow ging dann zu den bestehenden Gesetzen dieses Reiches über, eines Reiches, dem an Ruhm kein anderes gleichkomme. Nach diesen Gesetzen – fuhr er fort – würden die in den Revisionslisten geführten Seelen auch dann, wenn sie ihr irdisches Dasein bereits abgeschlossen hätten, bis zur Einforderung neuer Verzeichnisse genauso bewertet, wie solche, die noch am Leben seien. Dies geschehe, um die Behörden nicht mit einer Fülle von detaillierten und dennoch unnützen Erhebungen zu belasten und auf diese Weise den ohnehin unübersichtlichen staatlichen Verwaltungsapparat noch mehr zu komplizieren. (Sobakewitsch lauschte mit vorgebeugtem Kopf.) Aber – fuhr Tschitschikow weiter fort – so begreiflich und zweifellos gerechtfertigt diese gleiche Bewertung der toten und der lebenden Seelen auch sei, sie könne sich für manchen Seelenbesitzer doch recht mißlich auswirken, da bekanntlich auch bei der Steuerveranlagung des Gutsbesitzers nicht der mindeste Unterschied zwischen seinem toten und lebenden Inventar, also auch zwischen den tatsächlich vorhandenen und den nicht mehr existierenden Bauern, gemacht werde. Deshalb sei er, Tschitschikow, und zwar lediglich aus persönlicher Hochachtung vor seinem Gastgeber, bereit, ihm einen Teil dieser drückenden Verpflichtung abzunehmen. Als Tschitschikow zum Kernpunkt der ganzen Angelegenheit gelangte, wurde seine Ausdrucksweise sehr reserviert: er vermied die Bezeichnung »tote Seelen« und sprach ausschließlich von »nicht existierenden«.

Sobakewitsch lauschte noch immer mit geneigtem Kopf und in seinem Gesicht war auch nicht die geringste Veränderung zu bemerken, aus der man auf irgendeine Regung hätte schließen können. Es schien vielmehr, daß er nur einen Körper und keine Seele hatte, oder wenn überhaupt eine Seele vorhanden war, so jedenfalls nicht dort, wo sie hingehört. Seine Seele war, wie bei dem unsterblichen Kostschej, der in der russischen Sage die Rolle des Todes spielt, von einer so harten und undurchdringlichen Umhüllung umgeben, daß alles, was sich auf ihrem Grunde regte, keinerlei Erschütterung auf ihrer Oberfläche hervorzurufen vermochte.

»Also?« sagte Tschitschikow und erwartete nicht ohne Spannung die Antwort.

»Sie brauchen tote Seelen?« fragte Sobakewitsch unbewegt

und ohne das mindeste Erstaunen, als handelte es sich um Getreide.

»Ganz recht«, erwiderte Tschitschikow und benutzte wieder den Ausdruck »nicht existierende Seelen«, um die Sache harmloser erscheinen zu lassen.

»Warum nicht? Es werden sich schon welche auftreiben lassen ...« sagte Sobakewitsch.

»Und wenn das der Fall ist, werden Sie sich ihrer sicherlich gerne entledigen wollen?«

»Gestatten, ich bin bereit, sie Ihnen zu verkaufen«, sagte Sobakewitsch, seinen Kopf augenblicks erhebend, als ihm plötzlich klar wurde, daß der Käufer sich offenbar einen Nutzen von dieser Sache versprach.

Hol's der Teufel! dachte Tschitschikow, der Kerl ist schon bereit zu verkaufen, bevor ich überhaupt ein Wort davon gesagt habe! Und dann wandte er sich an Sobakewitsch: »Darf man fragen, für welchen Preis, obgleich man wohl eigentlich in diesem Fall ... von einem Preis kaum sprechen kann ...«

»Na, um nicht zu viel zu verlangen, hundert Rubel pro Stück«, erwiderte Sobakewitsch.

»Hundert Rubel!« rief Tschitschikow verblüfft, riß seinen Mund auf und blickte ihm starr in die Augen. Er war im Zweifel, ob er selbst falsch gehört oder ob Sobakewitschs unbeholfene Zunge ihm einen Streich gespielt hatte.

»Erscheint Ihnen das zu teuer?« fragte Sobakewitsch und fügte hinzu: »Und was hätten Sie sich denn ungefähr als Preis gedacht?«

»Wir haben uns offenbar nicht ganz verstanden und außer acht gelassen, um welchen Gegenstand es sich eigentlich handelt. Was mich betrifft, so bin ich – Hand aufs Herz – der Meinung, daß zwanzig Kopeken für die Seele ein – phantastischer Preis ist!«

»Du lieber Himmel – zwanzig Kopeken!«

»Wieso denn, mehr kann ich unter keinen Umständen geben.«

»Ich handle doch nicht mit Bastschuhen!«

»Aber es sind auch keine Menschen – das müssen Sie doch zugeben?«

»Sie werden doch selbst nicht glauben, daß Sie einen Dummen finden, der Ihnen eine eingetragene Seele für zwanzig Kopeken verkauft?«

»Aber ich bitte Sie, warum sprechen Sie denn immer von ‚eingetragenen Seelen'? Alle diese Seelen sind doch schon längst gestorben, und was übrigblieb ist nur noch ein Name und auch der ist bloß Schall und Rauch. Übrigens: halten wir uns nicht länger bei diesem Punkt auf – anderthalb Rubel sollen Sie haben, nicht mehr.«

»Sie sollten sich schämen, von dieser Summe überhaupt zu reden! Sie fühlen vor, nennen Sie nur Ihren wirklichen Preis!«

»Ich kann nicht, Michail Semjonowitsch, auf Ehre, ich kann nicht; was unmöglich ist, ist unmöglich«, sagte Tschitschikow, legte aber dann doch noch einen halben Rubel zu.

»Warum sind Sie denn so knausrig«, wandte Sobakewitsch ein, »es ist doch wahrhaftig nicht teuer. Ein andrer Spitzbube würde Sie glatt betrügen und Ihnen wer weiß was für einen Dreck verkaufen, aber keine Seelen. Was Sie von mir bekommen, sind lauter ausgesuchte, kraft- und saftstrotzende Leute, die, wenn sie auch nicht alle Handwerker, doch jedenfalls kerngesunde Bauern sind. Überlegen Sie mal, da ist zum Beispiel dieser Stellmacher Michejew, der hat überhaupt nichts anderes als Federwagen gebaut, und zwar, sage ich Ihnen, nicht so eine Moskauer Arbeit, die nur eine Stunde vorhält. Und dabei hat er seine Kutsche noch mit eigener Hand gepolstert und lackiert!«

Tschitschikow schnappte nach Luft und wendete ein, daß Michejew doch lange nicht mehr auf der Welt sei, aber Sobakewitsch war so in Schwung gekommen, daß sein Redefluß gar nicht einzudämmen war.

»Und dann Stepan Probka! Ich wette meinen Kopf, daß Sie keinen besseren Zimmermann finden. Was war das doch für ein Athlet! Wenn der in der Garde gedient hätte – Gott weiß, wozu er es noch gebracht hätte. Fast zwei Meter war dieser Mordskerl groß!«

Wieder wollte Tschitschikow einwenden, daß auch Probka nicht mehr am Leben sei, aber Sobakewitsch war jetzt nicht mehr zu halten: sein Wortschwall war so gewaltig, daß einem nichts anderes übrigblieb, als ihm einfach zuzuhören.

»Und dann der Ziegelbrenner Miluschkin, der imstande war, in jedem beliebigen Haus einen Ofen zu setzen, oder der Schuster Maxim Teljatnikow – einen Stich mit der Ahle, und fertig waren die Stiefel, und was für welche! Und nie hat Teljatnikow auch nur einen Tropfen getrunken. Aber vor allem Jeremej Sorokopljochin! Der brachte mir allein an Abgaben mehr ein als alle anderen zusammen: wenn er in Moskau handelte – fünfhundert Rubel im Jahr. Ja, das sind Burschen, da staunen Sie! Das ist eine andere Sorte als die, die Ihnen irgendein Pljuschkin verkaufen wird.«

Tschitschikow war sehr überrascht über diesen Redefluß, der gar kein Ende zu nehmen schien. »Entschuldigen Sie«, sagte er, als er endlich wieder zu Wort kam, »warum zählen Sie mir eigentlich alle diese guten Eigenschaften Ihrer Leute auf? Das hat doch jetzt, wo sie tot sind, gar keinen Sinn mehr. Mit Toten kann man höchstens noch einen Zaun stützen, sagt das Sprichwort.«

»Ja, natürlich sind sie tot«, sagte Sobakewitsch, der sich jetzt erst darauf zu besinnen schien, daß sie tatsächlich tot waren. Aber im gleichen Atemzuge fügte er hinzu: »Übrigens, was ist denn schon mit diesen sogenannten Lebenden los? Sind das überhaupt noch Menschen? Fliegen sind es und keine Menschen!«

»Immerhin, sie existieren doch wenigstens, jene aber sind nur eine Illusion.«

»Oh, keineswegs eine Illusion! So einen Burschen wie diesen Michejew finden Sie nicht so bald wieder: so ein Koloß wie der geht kaum in dies Zimmer herein. Nein, das ist gewiß keine Illusion! In den Schultern hat er Kräfte gehabt, da ist ein Ackergaul nichts dagegen. Möchte wohl wissen, ob Sie heute an irgendeinem anderen Ort noch solch einer Illusion begegnen können.« Diese letzten Worte richtete er nicht an Tschitschikow, sondern an die an der Wand hängenden Porträts von Bagration und Kolokotroni. Es pflegt ja bei Zwiegesprächen oft vorzukommen, daß der eine der beiden Partner sich plötzlich aus unbekannten Gründen nicht an den andern wendet, für den seine Worte bestimmt sind, sondern an irgendeine zufällig eingetretene, vielleicht sogar ganz unbekannte dritte Person, von der weder eine Antwort noch eine Meinungsäußerung, geschweige denn eine Zustimmung zu erwarten ist. Dennoch fixiert der Sprecher diesen völlig unbeteiligten Außenseiter so scharf, als beabsichtigte er, ihn sogleich als Schiedsrichter oder Vermittler in Anspruch zu nehmen, was den Fremden natürlich unsicher macht, denn er ist im Zweifel darüber, ob er sich zu einer Angelegenheit äußern soll, von der er überhaupt nichts weiß, oder ob er anstandshalber nur noch ein wenig herumstehen soll, bevor er sich wieder zurückzieht.

»Nein, mehr als zwei Rubel kann ich nicht geben«, sagte Tschitschikow.

»Gestatten Sie – damit Sie mir nicht vorwerfen können, ich hätte zuviel gefordert und wäre Ihnen in keiner Weise entgegengekommen, will ich Ihnen aus purer Freundschaft ein anderes Angebot machen: fünfundsiebzig Papierrubel pro Seele!«

Hält er mich wirklich für so einen Esel? fragte sich Tschitschikow und fügte dann laut hinzu: »Merkwürdig, es kommt mir wirklich vor, als würde hier zwischen uns Komödie gespielt, anders läßt sich das gar nicht erklären ... Soviel ich sehe, sind Sie ein gescheiter und vielseitig gebildeter Mensch und werden sich doch klar darüber sein, daß der Gegenstand unseres Geschäftes im Grunde ein Nichts ist. Was ist er denn wert? Wem kann er von Nutzen sein?«

»Doch jedenfalls Ihnen, denn sonst würden Sie ihn ja nicht kaufen wollen!«

Tschitschikow biß sich auf die Lippen und wußte nichts darauf zu erwidern. Er stotterte irgendwas von gewissen Umständen innerhalb seiner Familie, aber Sobakewitsch sagte lakonisch: »Davon will ich nichts wissen. Ich misch mich nicht in Ihre Familienverhältnisse – die gehen nur Sie etwas an. Sie suchen Seelen, ich biete sie Ihnen zum Kauf an, und es wird Ihnen noch leid tun, wenn Sie die Gelegenheit nicht wahrgenommen haben.«

»Zwei Rubelchen«, sagte Tschitschikow.

»Wahrhaftig, man hat es nicht leicht mit Ihnen! Wie sagt doch der Volksmund? Immer das gleiche Sprüchlein krächzt Jakobs Elster. Haben Sie einmal zwei Rubel gesagt, wollen Sie auf keinen Fall davon abgehen. Nennen Sie doch einen anständigen Preis!«

Der Teufel soll ihn holen, den Hund! dachte Tschitschikow. Ich lege ihm noch einen halben Rubel zu, mag er sich einen guten Tag machen. – »Also dann, zwei Rubel fünfzig.«

»Gut, gestatten Sie, daß auch ich Ihnen mein äußerstes Angebot mache: fünfzig Rubel, ein reines Verlustgeschäft! So tüchtige Leute werden Sie billiger nirgends bekommen.«

»So ein Halsabschneider!« murmelte Tschitschikow ärgerlich und fuhr dann laut fort: »Was wollen Sie denn nun eigentlich? Wirklich, als ob es sich hier um eine ernsthafte Sache handelte! Überall würde ich sie umsonst bekommen. Jeder wäre froh, sie loszuwerden. Das müßte ja schon ein richtiger Trottel sein, der sie behielte, um Steuern für sie zu bezahlen!«

»Aber sind Sie sich auch klar darüber, daß dergleichen Geschäfte – ich sage Ihnen das aus Freundschaft und ganz unter uns – durchaus nicht immer erlaubt sind? Würde ich oder ein anderer etwas davon verlauten lassen – ein solcher Käufer würde jedes Vertrauen verlieren. Kein Mensch würde mehr einen Vertrag mit ihm abschließen oder irgendwelche vorteilhafte Geschäftsverbindungen mit ihm aufnehmen.«

Da also will er hinaus ... schau, schau, ein leibhaftiger Erpresser! dachte Tschitschikow und sagte dann vollkommen kaltblütig: »Aber wie Sie wollen, ich kaufe ja nicht, um ein möglichst gutes Geschäft zu machen, sondern nur aus Idealismus. Zweieinhalb Rubel! Wenn Sie darauf nicht eingehen wollen – auf Wiedersehen!«

Der läßt sich nicht einschüchtern und gibt nicht nach! dachte seinerseits Sobakewitsch. »Also in Gottes Namen, geben Sie dreißig und Sie sollen sie haben!«

»Nein, ich sehe schon, Sie wollen gar nicht verkaufen. Leben Sie wohl!«

»Halt! Halt!« rief Sobakewitsch, ohne Tschitschikows

Hand loszulassen, und trat ihm dabei auf den Fuß. Unser Held hatte nämlich vergessen, auf der Hut zu sein, und büßte jetzt dieses Versäumnis damit, daß er vor Schmerz aufschreien und auf einem Bein herumhüpfen mußte.

»Ich bitte um Entschuldigung, mir scheint, daß ich Sie belästigt habe. Seien Sie doch so liebenswürdig, hier Platz zu nehmen, ich bitte sehr darum!« Und Sobakewitsch drängte Tschitschikow wieder in seinen Sessel zurück, und zwar mit der Geschicklichkeit eines schon an den Umgang mit Menschen gewöhnten Bären, dem man einige Sprünge und Tanzschritte und auch ein paar andere Kunststücke beigebracht hat: Zeig uns mal, Mischa, wie sich die Weiber im Schwitzbad benehmen! oder: Wie machen es die kleinen Kinder, wenn sie Erbsen stehlen!

»Nein, im Ernst, ich vertrödele nur meine Zeit, ich habe es eilig.«

»Bleiben Sie doch noch einen Augenblick, ich werde Ihnen gleich etwas sagen, was Ihnen gefallen wird.« Und Sobakewitsch rückte näher an Tschitschikow heran und flüsterte ihm ins Ohr, als wäre es das tiefste Geheimnis: »Würden Sie – ein Viertel geben?«

»Sie meinen fünfundzwanzig Rubel? Nein, nein und nochmals nein! Ich gebe nicht einmal ein Viertel von einem Viertel, nicht eine Kopeke leg ich zu.«

Sobakewitsch verstummte und Tschitschikow sagte ebenfalls nichts. Zwei Minuten lang dauerte dieses Schweigen, das Fürst Bagration von der Wand herab mit gespannter Aufmerksamkeit verfolgte.

»Und Ihr alleräußerster Preis?« fragte schließlich Sobakewitsch.

»Es bleibt dabei: zweieinhalb.«

»Wahrhaftig, eine menschliche Seele scheint Ihnen nicht mehr wert als eine gekochte Rübe! Geben Sie doch wenigstens drei Rubel.«

»Unmöglich. Mit Ihnen ist nichts anzufangen.«

»Na meinetwegen, Sie sollen sie für zweieinhalb Rubel haben! Ich verkaufe zwar mit Verlust, aber was bleibt mir übrig, ich kann nun einmal nicht anders, als meinem Nächsten gefällig zu sein. Wir werden wohl einen Kaufvertrag abschließen müssen, damit die Sache in Ordnung kommt.«

»Selbstverständlich.«

»Es wird also nötig sein, daß ich in die Stadt fahre.«

Damit war das Geschäft unter Dach und Fach und man kam überein, sich schon am folgenden Tage in der Stadt zu treffen, um den Vertrag abzuschließen. Tschitschikow bat sich noch ein Verzeichnis der Bauern aus. Sobakewitsch war sogleich einverstanden, begab sich an seine Schreibkommode und machte sich eigenhändig daran, nicht nur die Namen aller toten Bauern aufzuschreiben, sondern auch ihre lobenswerten Eigenschaften hinzuzufügen.

Unterdessen betrachtete Tschitschikow, der nichts Besseres zu tun hatte, noch einmal die gewaltigen Körperdimensionen des Hausherrn. Als er seinen Blick auf Sobakewitschs Rücken verweilen ließ, der so stämmig war wie der eines Gaules aus dem Gouvernement Wjatka, und auf seinen Beinen, die an jene klobigen gußeisernen Pfosten erinnerten, welche an den Bordschwellen der Bürgersteige stehen, da dachte er: Wahrhaftig, an dir hat die Natur nicht gespart! Du bist, wie man zu sagen pflegt, schlecht zugeschnitten, aber solide genäht. Gott weiß, ob du schon so als Bär auf die Welt gekommen bist, oder haben dich erst dieses stumpfsinnige Ackerbauerndasein und die ewigen Scherereien mit den Bauern in einen Bären verwandelt und zu dem gemacht, was man einen Beutelschneider nennt? Aber nein: ich bin überzeugt, du warst schon von Geburt an ein Bär und wärst immer ein solcher geblieben, auch wenn man dich in Petersburg nach der Mode erzogen und dann erst in diesem verlorenen Winkel in Freiheit gesetzt hätte. Der ganze Unterschied besteht nur darin, daß du jetzt einen halben Hammelrücken mit Grütze und Quarkpfannkuchen von Tellergröße hinunterschlingst, in Petersburg aber Schnitzel mit Trüffel zu dir genommen hättest. Jetzt kommandierst du Bauern, die dein Eigentum sind, kommst einigermaßen gut mit ihnen zurecht und mißhandelst sie nicht, weil's auch dein eigener Schaden wäre. Lebtest du aber in Petersburg, so hättest du Beamte unter dir und würdest sie im Bewußtsein, daß sie nicht deine

Leibeigenen sind, bis aufs Blut peinigen und außerdem die Staatskasse gründlich ausplündern. Nein, wer sich einmal daran gewöhnt hat, mit der Faust zuzuschlagen, der hat das Streicheln für immer verlernt! Biegst du ihm aber einen oder zwei Finger gerade, so wird es womöglich noch schlimmer. Hat einer einmal auch nur ein ganz klein wenig von einer Wissenschaft genascht und ist auf einen höheren Posten gelangt, dann wehe allen denen, die sich in dieser Wissenschaft wirklich auskennen! Besonders, wenn er ausruft: »Na warte mal, jetzt werde ich euch zeigen, was ich kann!« oder wenn es ihm eines Tages sogar einfällt, eine so weise Verfügung zu erlassen, daß vielen die ganze Suppe versalzen wird. Ach, wenn doch alle diese Rohlinge ...

»Die Liste ist fertig!« sagte Sobakewitsch und wandte sich zu Tschitschikow um.

»Fertig? Bitte geben Sie her!« Rasch überflog er sie und wunderte sich, wie genau und sauber sie zusammengestellt war. Nicht nur, daß Beruf, Handwerk, Alter und Familienverhältnisse ausführlich angegeben waren, am Rande des Verzeichnisses fanden sich sogar besondere Bemerkungen über die Nüchternheit und die allgemeine Führung des einzelnen Bauern, kurz, man konnte seine Freude an der Liste haben.

»Und jetzt ersuche ich Sie um eine kleine Anzahlung«, sagte Sobakewitsch.

»Wozu denn eine Anzahlung? Sie erhalten doch in der Stadt den ganzen Kaufpreis auf einmal.«

»Aber Sie wissen doch, daß das so üblich ist«, entgegnete Sobakewitsch.

»Ich weiß nicht recht, wie ich das machen soll: ich habe kein Geld bei mir. Übrigens, hier sind ja zehn Rubel.«

»Was soll ich mit zehn Rubel? Geben Sie mir mindestens fünfzig.«

Tschitschikow suchte sich damit herauszureden, daß er in der Tat nichts mitgenommen habe, aber Sobakewitsch bestand so energisch darauf, daß er schließlich doch noch einen Schein aus der Tasche zog und sagte: »Bitte schön, hier habe ich noch fünfzehn, zusammen also fünfundzwanzig Rubel. Darf ich um eine Quittung bitten?«

»Wozu denn eine Quittung?«

»Wissen Sie, eine Quittung ist doch sicherer. Man kann nie wissen ... manches ist möglich.«

»Schon gut, geben Sie mir das Geld.«

»Wozu denn das Geld? Ich halte es ja hier in der Hand. Im selben Augenblick, wo Sie mir die Quittung geben, gebe ich Ihnen das Geld.«

»Aber erlauben Sie mal, wie soll ich denn den Empfang bestätigen, wenn ich das Geld noch nicht empfangen habe?«

Tschitschikow öffnete seine Hand und Sobakewitsch riß die Scheine an sich. Dann trat er an den Schreibtisch, bedeckte sie mit einigen Fingern der linken Hand und bestätigte mit der Rechten auf einem Fetzen Papier, daß er eine Anzahlung von fünfundzwanzig Rubel in Banknoten für verkaufte Seelen erhalten habe. Nachdem er damit fertig war, zählte er noch einmal die Geldscheine.

»Diese Banknote ist ein wenig abgenützt«, sagte er und hielt einen der Scheine gegen das Licht. »Sie ist auch ein bißchen eingerissen, aber unter Freunden soll man es nicht so genau nehmen.«

Jawohl, ein Beutelschneider und eine Bestie obendrein! dachte Tschitschikow.

»Und wie denken Sie über weibliche Seelen?«

»Danke, ich brauche keine.«

»Ich würde sie billig abgeben. Unter Freunden einen Rubel das Stück.«

»Nein, für das weibliche Geschlecht habe ich keine Verwendung.«

»Freilich, wenn Sie keine Verwendung dafür haben, erübrigt sich jedes weitere Wort. Über den Geschmack läßt sich nicht streiten: der eine nimmt den Popen, der andere des Popen Frau, sagt das Sprichwort.«

»Und nun noch eine Bitte: ich lege Wert darauf, daß dieser Geschäftsgang unter uns bleibt«, sagte Tschitschikow und verabschiedete sich.

»Das versteht sich von selbst. Dritte Personen geht das nichts an: was unter engen Freunden vertraulich vereinbart wird, bleibt ihre persönliche Angelegenheit. Leben Sie wohl! Vielen Dank für Ihren Besuch. Ich bitte, mich auch in Zukunft nicht zu vergessen. Wenn Sie nichts Besseres vorhaben, kommen Sie doch einmal zu Mittag. Vielleicht haben wir wieder einmal Gelegenheit, einander gefällig zu sein.« – Und was nicht noch, dachte Tschitschikow und bestieg seinen Wagen. Hat mir zweieinhalb Rubel für jede tote Seele abgeknöpft, der verdammte Spitzbube!

Er war entrüstet über Sobakewitschs Verhalten. Sie waren miteinander bekannt, hatten sich beim Gouverneur und beim Polizeimeister getroffen und dennoch hatte er sich jetzt wie ein völlig Fremder aufgeführt und für so einen Dreck noch Geld von ihm genommen! Als die Kutsche den Hof verließ, blickte er sich um und bemerkte, daß Sobakewitsch noch immer auf der Treppe stand und ihm nachsah, offenbar um festzustellen, wohin der Gast fuhr.

»Der Gauner steht noch immer da!« murmelte er in seinen Bart und wies Selifan an, zu den Hütten der Bauern abzuschwenken und so zu fahren, daß man den Wagen vom Gutshause aus nicht mehr sehen konnte. Tschitschikow wollte zu Pljuschkin, bei dem, wie Sobakewitsch gesagt hatte, die Leute wie die Fliegen starben. Aber er wollte nicht, daß Sobakewitsch das sah. Als die Kutsche am anderen Ende des Dorfes angelangt war, rief er den ersten besten Bauern heran, der sich gerade einen übermäßig dicken Balken, welcher an der Straße lag, auf die Schulter lud, um ihn, mit der Emsigkeit einer Ameise, in seine Hütte zu tragen.

»Hallo, du Graubart! Wie gelangt man hier zu Pljuschkin, ohne am Gutshaus vorüberzukommen?«

Der Bauer schien nicht recht zu wissen, wie er antworten sollte.

»Was, du weißt es nicht?«

»Nein, Herr, ich weiß es nicht.«

»Bist du aber ein Kerl, den Kopf voll grauer Haare und kennt den Geizkragen Pljuschkin nicht, der seine Leute so schlecht füttert!«

»Aha, der geflickte, der geflickte ...« rief der Bauer und fügte dann noch ein derart derbes Hauptwort hinzu, das zwar sehr treffend, aber in gebildeter Gesellschaft so ungebräuchlich ist, daß wir es doch lieber fortlassen. Es muß aber von einer im höchsten Grade überzeugenden Anschaulichkeit gewesen sein, weil Tschitschikow auch dann noch lachte, als man schon eine ganze Strecke gefahren war und den Bauern längst aus den Augen verloren hatte. Das russische Volk kargt keineswegs mit kräftigen Ausdrücken. Wer einmal einen solchen Spitznamen angehängt bekommen hat, der vererbt ihn von Geschlecht zu Geschlecht. Er schleppt ihn mit sich in den Staatsdienst und in den Ruhestand, nach Petersburg und bis ans Ende der Welt. Man kann noch so viele Hintertreppen benutzen, kann noch so sehr bemüht sein, ihn irgendwie zu veredeln und ihn sogar mit Hilfe käuflicher Tintenschmierer hinter einem meinetwegen fürstlichen Adelsprädikat verstecken zu wollen – es nützt alles nichts: der Spitzname krächzt ganz von selbst aus seiner schwarzen Rabenkehle und verrät jedermann, woher der Vogel kommt. So ein Wort sitzt meist für immer und ist auch mit Gewalt nicht mehr herauszuhauen. Wie wunderbar treffend ist doch das alles, was aus jenem tiefsten Inneren Rußlands kommt, wo es weder deutsche oder finnische noch irgendwelche andere Fremdvölker gibt. Solche Kernsprüche sind Erzeugnisse des springlebendigen, urwüchsigen russischen Geistes, der nicht erst lange nach dem richtigen Ausdruck zu suchen und ihn, wie die Henne das Ei, auszubrüten braucht, sondern mir nichts, dir nichts sind sie da und gelten wie Reisepässe auf Lebensdauer. Und es bedarf nicht erst einer umständlichen Beschreibung – wie deine Nase aussieht und was du für Lippen hast –, mit einem einzigen Strich bist du vom Kopf bis zu den Füßen gezeichnet!

Wie eine unzählbare Menge von Kirchen und Klöstern mit ihren Kuppeln, Spitzen und Kreuzen über das fromme, heilige Rußland verstreut ist, so unermeßlich groß und vielgestaltig ist die Zahl der Völker, Stämme und Geschlechter, die das Antlitz der Mutter Erde prägen. Und jedes dieser Völker, erfüllt und getragen vom Bewußtsein seiner Seelenstärke, seiner schöpferischen Geisteskraft, seiner markanten Eigenart und anderer Gaben Gottes, charakterisiert sich durch sein selbstgeprägtes Wort, mit welchem es nicht nur den Gegenstand bezeichnet, sondern auch sein Wesen spiegelt. Herzenskenntnis und Lebensklugheit spricht aus dem Wort des Briten. Anmutig und beschwingt sprüht und erlischt das flüchtige Wort des Franzosen. Klug ersinnt sein nicht jedem zugängliches, überlegenes, doch auch karges Wort der Deutsche. Aber es gibt kein Wort auf der Welt, das so unmittelbar aus der Tiefe des Herzens sprudelt und so voll Leben ist wie das urwüchsige, treffende russische Wort.

6

In meiner weit zurückliegenden und unwiederbringlich entschwundenen Jugend hat es mir immer Vergnügen gemacht, an einen mir unbekannten Ort zu kommen. Gleichviel, ob es ein winziges Dorf, ein unbedeutendes Kreisstädtchen, ein Marktflecken oder auch nur eine Siedlung war – der wißbegierige Kinderblick entdeckte überall Interessantes. Jedes Gebäude, das irgendwie anders war als die übrigen, fesselte mich und erregte meine Neugier. Ein stattliches steinernes Haus, das mit seinen vielen blinden Fenstern von der üblichen Bauweise abwich und über die eng zusammengedrängten hölzernen Kleinbürgerhäuser hinausragte, die mit Weißblech gedeckte Kuppel einer frisch getünchten neuen Kirche und selbst der geckenhafte Schürzenjäger, der sich Gott weiß wie auf den kleinstädtischen Marktplatz verirrt hatte – nichts entging meiner immer wachen Aufmerksamkeit. Die Nase vorwitzig aus dem Reisewagen hinausgestreckt, musterte ich ebenso neugierig den ungewöhnlichen Schnitt eines Rockes wie die Kistchen mit Nägeln vor den Türen der Kramläden. Ich nahm die Rosinen und Seifenstücke in Augenschein, die neben Gläsern mit vertrockneten Moskauer Süßigkeiten in den Auslagen zu sehen waren, und beobachtete den gerade vorübergehenden Infanterieoffizier, den der Zufall in dieses langweilige Nest verschlagen hatte, oder den Händler im langen Rock, der in seinem leichten Wagen vorbeifuhr und es so eilig hatte. Ich begleitete sie in Gedanken und malte mir ihr bescheidenes Dasein aus. Kam ein Beamter vorüber – gleich dachte ich mir aus, wohin er wohl unterwegs sein mochte. Vielleicht begab er sich zu irgendeiner Abendgesellschaft, vielleicht auch zu seinem besten Freunde oder auch nur nach Hause, um noch ein halbes Stündchen bis zum Einbruch der Dunkelheit vor der Tür zu sitzen und dann zum Abendessen hineinzugehen. Und worüber würden sie dann bei Tisch wohl sprechen – er, seine Frau, seine Mutter, die Schwägerin und die ganze Familie –, wenn das Hausmädchen mit der Halskette oder der Bursche in der wattierten Jacke, nachdem die Suppe bereits auf dem Tisch steht, die Talgkerze in dem altmodischen Leuchter hereinbringt? Fuhren wir zu irgendeinem Gutsbesitzer, so schaute ich interessiert zu dem hohen, schlanken Glockenturm oder der alten hölzernen Kirche empor. Schon von weitem sah ich die weißen Kamine und das rote Dach des Herrenhauses behaglich durch das Grün der Bäume schimmern, und ich konnte den Augenblick kaum erwarten, wo das Laub der Gärten zurücktreten und die gar nicht immer geschmacklose und langweilige Fassade frei daliegen würde. Aus dem Eindruck des Hauses suchte ich auch auf das Äußere seines Besitzers zu schließen und stellte Überlegungen an, ob er dünn oder dick sein mochte und ob er wohl Söhne habe oder am Ende gar sechs Töchter, die mit ihren Spielen und ihrem hellen Mädchenlachen Haus und Garten erfüllen und von denen die jüngste natürlich die schönste ist. Ob sie allesamt dunkle Augen haben und ob der Vater wohl ebenso fröhlich ist wie die Töchter oder grämlich und mißmutig wie die letzten Septembertage. Oder – fragte ich mich – gehört er zu jenen, die fortwährend in den Kalender schauen und die Jugend damit langweilen, daß sie immer nur von Roggen und Weizen sprechen?

Heute fahre ich achtlos und gleichgültig durch jedes unbekannte Dorf und mein Blick schweift uninteressiert über die einförmige Bauart der Häuser dahin. Alles läßt mich kalt, ich finde nichts Ansprechendes, nichts, was mich zum Lachen reizt. Was mich in früheren Zeiten lebhaft berührte und mir unerschöpflicher Gesprächsstoff war, gleitet jetzt an mir ab, und gleichmütiges Schweigen versiegelt meine Lippen. Oh, meine frische, meine leicht empfängliche Jugend!

Während Tschitschikow immer noch über den Spitznamen schmunzelte, den die Bauern Pljuschkin gegeben hatten, passierte er, ohne es zu merken, ein langgestrecktes Dorf mit vielen Straßen und Hütten. Dies kam ihm jedoch bald durch kräftige Püffe zum Bewußtsein, deren Ursache der dörfliche Knüppeldamm war, mit dem das holperige Pflaster in der Stadt wahrhaftig nicht zu vergleichen war. Die Knüppel hoben und senkten sich wie die Tasten eines Klaviers und der Reisende mußte sehr auf der Hut sein, wenn er sich nicht eine Beule am Hinterkopf oder einen blauen Fleck an der Stirn zuziehen oder sogar die Zungenspitze abbeißen wollte. Der ungewöhnlich verwahrloste Zustand des Dorfes fiel Tschitschikow auf. Das Gebälk der Hütten war vor Alter ganz dunkel geworden, manches Dach war wie ein Sieb durchlöchert, während von anderen überhaupt nur noch die Sparren, einem Gerippe ähnlich, übriggeblieben waren. Es schien fast, als hätten die Bewohner die Schindeln und Bretter mit eigener Hand heruntergeholt, in der Erkenntnis, daß die Hütten ohnehin keinen Regenschutz mehr bieten konnten. Warum sollten sie sich auch gerade hier mit ihren Weibern vergnügen – man konnte das ja in der Kneipe tun oder mindestens ebensogut auf der Hauptstraße, oder wo es einem sonst gefiel. Fast durchweg fehlten die Fensterscheiben und die Öffnungen waren teilweise mit irgendwelchen Lappen oder alten Kleidungsstücken verstopft. Die kleinen Balkons, die vielfach an russischen Bauernhäusern angebracht sind, wirkten mit ihren verwitterten, krumm und schief gewordenen Geländern schon kaum mehr malerisch. Hinter manchen Häusern war Getreide in langen Reihen aufgeschüttet. Es lag hier offenbar schon längere Zeit unter freiem Himmel, denn es hatte die Farbe alter, schlecht gebrannter Backsteine angenommen und obenauf wucherte Unkraut, während an den Seiten sogar Gebüsche hervorgesprossen waren. Das Getreide gehörte offensichtlich dem Gutsbesitzer. Zwischen den Getreideschobern und den altersschwachen Dächern ragten zwei Dorfkirchen in den klaren Himmel, die manchmal rechts und manchmal links vom Wege zu sehen waren, je nach den Biegungen der Straße, denen die Kutsche folgte. Die beiden Kirchen standen dicht beieinander. Die alte hölzerne schien außer Gebrauch, die andere war aus Stein und ihre gelblichen Mauern hatten Flecke und Risse. Gelegentlich konnte man zwischen den Hütten hindurch Teile des Herrenhauses sehen, bis es schließlich unverdeckt dalag, als die Häuser des Dorfes zurückblieben und einem öden, von einem verfallenen Lattenzaun umgebenen Gemüsegarten oder Krautacker Platz machten. Einem hinfälligen Invaliden glich dieser sonderbare, übermäßig lange Schloßbau, der teils einstöckig und teils zweistöckig war. Das dunkle Dach, das längst nicht mehr überall dem alten Gebäude Schutz bot, war von zwei ebenfalls stark verfallenen Aussichtstürmen flankiert, deren ehemaliger Farbanstrich kaum mehr zu erkennen war. Stellenweise war der Verputz der Schloßmauern abgebröckelt und das darunterliegende Gebälk und Mauerwerk, das durch Wind und Wetter erheblich gelitten hatte, kam zum Vorschein. Die Läden der Fenster waren geschlossen oder mit Brettern verschlagen bis auf zwei, die darauf hinwiesen, daß hier jemand wohnte. Die Scheiben dieser beiden Fenster waren fast blind, an einer von ihnen klebte ein verwittertes Dreieck von blauem Einwickelpapier.

Ein sehr großer alter Park, der unmittelbar hinter dem Hause begann und sich erst weit hinter den letzten Häusern des Dorfes in den Feldern verlor, war ebenfalls, wie alles übrige, ungepflegt und verwahrlost. Dennoch wirkte er mit seiner malerischen Wildheit in dem eintönigen Bilde des langgestreckten Dorfes wie ein frischer und lebendiger Farbfleck. Wie grüne Wolken und unregelmäßig gewölbte Kuppeln schwankten die eng ineinander verästelten Kronen der himmelhohen Bäume, die niemand in ihrem üppigen Wachstum gehindert hatte. Der weiße Stamm einer riesigen Birke, durch Sturm und Blitzschlag seines Wipfels beraubt, erhob sich einer schimmernden Marmorsäule gleich aus dem grünen Urwald. Die dunkle, zackige Bruchstelle, die sie anstatt eines Kapitäls abschloß, wirkte auf dem schneeweißen Stamm wie ein Hut oder ein schwarzer Vogel. Wilder Hopfen, der sich um Holunder, Ebereschen und Nußsträucher gerankt hatte, sie beinahe erwürgend, war dann am morschen Zaun entlanggewandert und schließlich am Stamm der halbgeborstenen Birke emporgeklettert. Auf halber Höhe hatte er wieder kehrtgemacht, um sich auch in die Wipfel anderer Bäume hineinzuflechten oder seine langen, zähen Ranken einfach herabhängen und vom Winde hin und her schaukeln zu lassen. An manchen Stellen öffnete sich das grüne, hell von der Sonne beleuchtete Dickicht in lichtlose, beschattete Gründe, die wie aufgerissene Rachen aussahen. In ihrer Tiefe wurden die blassen Umrisse eines schmalen Pfades und einer verfallenen Laube sichtbar, in welcher trockene Äste und Blätter umherlagen. Neben einem morschen Geländer stand ein ausgehöhlter Weidenstumpf, hinter dem das dürre, graubemooste Gestrüpp einer in dieser mörderischen Enge verdorrten Akazie hervorstarrte. Ein junger Ahornzweig war so hoch emporgeschossen, daß ein Gott weiß auf welche Weise bis hierher vorgedrungener Sonnenstrahl eines seiner sternförmigen Blätter traf und es wie ein goldenes Wunder mitten in dieser grünen Dämmerung aufleuchten ließ. Seitlich, am Rande des Parkes, standen besonders hohe, alle anderen Bäume weit überragende Espen, mit großen Krähennestern in den schwankenden Wipfeln. An einigen dieser Espen hingen geknickte, aber noch nicht ganz niedergebrochene Äste mit ihren vertrockneten Blättern herab ... So schön war das alles, wie es für sich allein weder die Natur noch die Kunst hervorzubringen vermag und wie es nur dort entsteht, wo beide sich zum gemeinsamen Werke zusammenfinden. Der Mensch in seiner Maßlosigkeit wird nur dort Köstliches schaffen, wo die Natur seinem Werk mit ihrem Meißel zu Hilfe kommt, die schweren Massen auflockert, alle übertriebenen starren Symmetrien mildert, jene Risse in seinem Bettlerkleide liebevoll schließt, durch welche die nackte Absicht allzu aufdringlich hindurchschaut und mit ihrer wunderbaren Wärme alles durchdringt, was in der seelenlosen Kühle ausgeklügelter Berechnung entstand ...

Noch ein paar Straßenbiegungen und die Kutsche unseres Helden hielt vor dem Gutshaus, das jetzt in der Nähe noch düsterer und trauriger aussah. Das morsche Holz der Fensterrahmen und Türen war mit grünem Schimmel bedeckt. Im Hof war eine Menge verfallener Wirtschaftsgebäude – Gesindehäuser, Scheunen, Vorratskammern und dergleichen, und rechts und links Pforten, welche in weite Höfe führten.

Alles ließ erkennen, daß hier früher einmal in großem Stile gewirtschaftet worden war. Aber wie trostlos sah es jetzt aus! Keine Tür öffnete sich, kein Mensch ging aus und ein, nichts rührte sich in dem völlig verödeten Hause. Nur das Haupttor stand offen: ein Bauer auf einem mit Bastmatten bedeckten Wagen war gerade hineingefahren, wie um zu beweisen, daß der Gutshof noch nicht ganz ausgestorben war. Sonst war auch dieses Tor mit einem gewaltigen Vorhängeschloß zugesperrt. Vor einem der Nebengebäude zeigte sich jetzt eine wunderliche Gestalt, die mit dem Kutscher des Bauernwagens, der vorhin in den Hof gefahren war, in einen Wortwechsel geriet. War es ein Mann oder eine Frau? Tschitschikow konnte das lange nicht feststellen, denn die Kleidung dieses Wesens war einigermaßen unbestimmt, wenn sie auch allenfalls eine gewisse Ähnlichkeit mit einem Frauenumhang hatte. Auf dem Kopf trug die Person eine hohe Mütze, wie man sie bei Bäuerinnen sieht, die auf den Gutshöfen beschäftigt werden. Nur die Stimme schien ihm für ein weibliches Wesen zu rauh. Aha, ein Frauenzimmer! dachte er, fügte aber im nächsten Augenblick hinzu: Nein, doch nicht! um schließlich dabei zu bleiben, daß es sich doch wohl um ein Frauenzimmer handelte. Die Person starrte den Gast wie ein Fabelwesen an. Aber nicht nur Tschitschikow, sondern auch Selifan sah sie prüfend an und musterte auch die Pferde – vom Maul bis zum Schwanz. Nach dem Schlüsselbund und den groben Ausdrücken zu urteilen, die sie dem Bauern an den Kopf warf, mußte es die Haushälterin sein.

»Hör mal, Mütterchen«, sagte Tschitschikow, aus seiner Kutsche steigend, »wo ist dein Herr?«

»Nicht zu Haus«, entgegnete die Haushälterin und fügte dann zögernd hinzu: »Was wünschen Sie denn von ihm?«

»Ich komme in Geschäften.«

»Dann gehen Sie bitte ins Haus«, sagte die Haushälterin

und wandte ihm den mit Mehl bestaubten Rücken zu. In ihrem Rock klaffte ein großer Riß.

Tschitschikow betrat einen großen dunklen Flur, in dem es kalt war wie im Keller. Aus dem Flur geriet er in ein gleichfalls dunkles Zimmer, in welches ein schwacher Lichtschein durch einen breiten Spalt unter der Türe fiel. Als er diese geöffnet hatte, stand er wieder im Tageslicht und war erstaunt über die Unordnung, die er hier vorfand. Es machte den Eindruck, als würden gerade alle Fußböden gescheuert und als hätte man einstweilen sämtliche Möbel des Hauses in diesem Zimmer abgestellt. Auf einem Tisch stand ein zerbrochener Stuhl und daneben eine Uhr, mit stillstehendem Pendel, das eine Spinne mit ihrem Netz umsponnen hatte. Ein Schrank, voll von altertümlichem Silber, Kristallkaraffen und chinesischem Porzellan, war mit der Schmalseite an die Wand gerückt und auf einer Schreibkommode, die stellenweise ihre Perlmutterintarsien verloren hatte, so daß in den Lücken der trockene gelbe Leim zu sehen war, lag allerhand alter Plunder herum: ein Haufen engbeschriebener Zettel und darauf ein marmorner Briefbeschwerer mit eiförmigem Griff, ein ledergebundenes Buch mit rotem Schnitt, eine bis zur Größe einer Nuß zusammengeschrumpfte Zitrone, eine zerbrochene Stuhllehne, ein mit einem Briefbogen bedecktes Schnapsglas mit irgendeiner Flüssigkeit, in welcher einige Fliegen schwammen, ein Stückchen Siegellack, ein irgendwo aufgelesener Stoffetzen, zwei tintenbefleckte Gänsekiele, die wie von der Schwindsucht ausgezehrt waren, und ein vergilbter Zahnstocher, den der Hausherr schon vor der Besetzung Moskaus durch die Franzosen benutzt haben mochte.

An den Wänden hingen gedrängt und wahllos nebeneinander verschiedene Bilder: ein länglicher, stockfleckiger Stich von irgendeiner Schlacht, auf dem riesige Trommeln, schreiende Soldaten und ertrinkende Pferde abgebildet waren. Er steckte in einem Mahagonirahmen mit schmalen Bronzeleisten und Rosetten in den Ecken, aber das Glas fehlte. Dicht daneben bedeckte ein gewaltiges, stark nachgedunkeltes Stilleben in Öl die Hälfte der Wand. Blumen,

Früchte, darunter eine angeschnittene Wassermelone, der Kopf eines Wildschweins und eine Ente mit herabhängendem Hals waren darauf zu sehen. In der Mitte der Zimmerdecke war ein Kronleuchter angebracht, der, in einen verstaubten Leinensack gehüllt, wie ein Seidenraupenkokon aussah. In einer Zimmerecke war ein Haufen anderer, gröberer Dinge aufgestapelt, die es offenbar nicht wert waren, daß sie auf den Tischen lagen. Diese einzelnen Gegenstände waren kaum einer vom anderen zu unterscheiden, sie waren so mit Staub bedeckt, daß jede Hand, die mit ihr in Berührung gekommen wäre, sogleich wie ein grauer Handschuh ausgesehen hätte. Nur Stücke einer zerbrochenen hölzernen Schaufel und eine alte Schuhsohle waren als solche erkennbar.

Kein Mensch hätte auf den Gedanken kommen können, daß in dieser Rumpelkammer ein lebendes Wesen wohnte, wenn nicht eine abgetragene, von ihrem Besitzer offenbar erst kürzlich auf den Tisch gelegte Mütze solches hätte vermuten lassen. Während Tschitschikow die sonderbare Einrichtung dieses Zimmers in Augenschein nahm, öffnete sich eine Seitentür und dieselbe Haushälterin trat ein, der er vorhin im Hof begegnet war. Jetzt sah er aber, daß es doch eher ein Haushälter als eine Haushälterin war, denn eine solche rasiert sich ja im allgemeinen nicht, sein Gegenüber tat das aber, wenn auch wohl nur selten, da sein Kinn und die unteren Partien seiner Wangen einer Drahtbürste glichen, mit der man die Pferde striegelt. Mit fragendem Ausdruck sah Tschitschikow den dienstbaren Geist an und wartete ungeduldig auf das, was er ihm sagen würde. Dieser hingegen wartete darauf, daß Tschitschikow das Wort an ihn richte. Um dieser beiderseitigen Unschlüssigkeit ein Ende zu machen, raffte sich Tschitschikow endlich zu der Frage auf: »Und dein Herr? Ist er zu Haus?«

»Der Herr ist zu Hause.«

»Wo ist er denn?« wiederholte Tschitschikow.

»Ach Väterchen, du bist wohl blind? Ich selbst bin der Herr!«

Unwillkürlich trat unser Held einen Schritt zurück und starrte sein Gegenüber an. Er hatte in seinem Leben die verschiedenartigsten Menschen gesehen, darunter auch solche, wie sie unsereinem nicht über den Weg laufen, aber so etwas hatte er noch niemals erlebt. Pljuschkins Gesicht hatte eigentlich nichts Ungewöhnliches an sich – es war das eines hageren Greises, nur sein Kinn sprang so weit vor, daß er es mit einem Taschentuch hätte bedecken müssen, um nicht darauf zu spucken. Seine winzigen Äuglein waren äußerst lebendig und spähten unter den buschigen Brauen hervor, wie Mäuse tun, wenn sie die Schnäuzchen mit den gesträubten Barthaaren aus ihren Löchern stecken, die Ohren spitzen und mißtrauisch in der Luft herumschnuppern, ob sich nicht eine Katze oder ein böser Bube irgendwo versteckt hält. Viel auffallender war jedoch seine Kleidung. Man hätte sich noch so sehr bemühen können – nie wäre es gelungen herauszubringen, woraus sein Schlafrock eigentlich zusammengeflickt war. Die Ärmel und die Aufschläge glänzten so speckig, daß sie an Juchtenleder erinnerten, aus welchem Stiefel gemacht werden. Hinten hingen nicht zwei, sondern vier Schöße herunter, aus denen das Baumwollfutter herausquoll. Um den Hals hatte er sich etwas ganz Unbestimmbares gewickelt. Es konnte ebensogut ein Strumpf wie eine Bauchbinde sein, nur ein Halstuch war es auf keinen Fall. Mit einem Wort, wäre Tschitschikow ihm in diesem Aufzug vor dem Portal einer Kirche begegnet, so hätte er ihm höchstwahrscheinlich eine Kupfermünze in die Hand gedrückt, denn zur Ehre unseres Helden muß gesagt werden, daß er ein mitleidiges Herz hatte und an keinem Armen vorübergehen konnte, ohne ihm einen Groschen zuzustecken.

Aber hier stand kein Bettler vor ihm, sondern ein Gutsbesitzer, welcher über tausend Seelen besaß. Ja, man hätte kaum einen anderen finden können, der mehr Getreide und Mehl in seinen Speichern hatte, dessen Vorratskammern, Scheunen und Tennen ebenso bis ans Dach mit Leinwand, Tuch, gegerbten und ungegerbten Schaffellen, getrockneten Fischen, Gemüsen und Pilzen gefüllt waren. Und wenn man in seinen Hof hineinschaute, wo die verschiedensten hölzernen Gebrauchsgegenstände auf Vorrat hergestellt wurden, um sie – niemals zu benutzen, so konnte man sich ohne weiteres auf den Moskauer Holzmarkt versetzt glauben, wo, ihre Köchinnen hinter sich, die unermüdlichen Hausfrauen täglich ihre Haushaltseinkäufe machen und wo ganze Berge von nützlichen Dingen aus weißem Holz angeboten werden: gedrechselte, gehämmerte, geschnitzte und geflochtene. Da gibt es Fässer, Bottiche, Tröge, Kannen mit und ohne Schnabel, Körbe und Kammbretter, durch welche die Frauen ihren Flachs ziehen, Spanschachteln aus dünnem, gebogenem Espenholz, Körbchen aus Birkenrinde geflochten und vielerlei andere Dinge, die sowohl das reiche wie auch das arme Rußland nötig hat. Aber wozu brauchte Pljuschkin eine solche Unmenge dieser und ähnlicher Gegenstände? Er hätte längst für die Dauer seines ganzen Lebens genug davon gehabt, selbst dann, wenn er nicht nur *ein* Gut, sondern deren zwei besessen hätte. Aber ihm war das alles immer noch zu wenig! Noch keineswegs zufrieden mit diesen riesigen Vorräten, wanderte er jeden Tag durch seine Dorfstraßen, spähte unter alle Brücken und Stege und hob alle alten Schuhsohlen, Lumpen, Scherben und rostigen Nägel auf, um sie dann auf jenen Haufen zu werfen, der Tschitschikow in der Zimmerecke aufgefallen war. »Schau mal, da geht der Angler wieder auf den Fang!« sagten die Bauern, wenn sie ihm auf einem seiner Beutezüge begegneten. Und in der Tat, es wäre sinnlos gewesen, hinter ihm noch die Straße zu kehren: geschah es, daß etwa ein vorüberreitender Offizier einen seiner Sporen verlor, schon war das Ding auf den bewußten Haufen gewandert; vergaß ein Weibsbild, das sich beim Schwatzen am Brunnen verspätet hatte, seinen Eimer, im Handumdrehen hatte Pljuschkin ihn fortgeschleppt. Übrigens, wenn ein Bauer ihn auf frischer Tat ertappte, gab er den geraubten Gegenstand widerspruchslos her, aber war dieser erst einmal auf dem Haufen angelangt, war nichts mehr zu machen. Dann schwor er heilige Eide, daß er seine Beute irgendwann und von irgendwem gekauft oder sogar von seinem Großvater geerbt hätte. Auch bei sich zu Hause sammelte er alles vom Fußboden auf, was er dort herumliegen sah: Siegellack, Papierschnitzel, Federn, oder was es sonst war, und legte es auf den Schreibtisch oder auf die Fensterbank.

Und doch hatte es einmal eine Zeit gegeben, wo seine Sparsamkeit nicht über das vernünftige Maß hinausgegangen war. Er hatte Weib und Kind, die Nachbarn besuchten ihn zum Mittagessen und ließen sich in Fragen haushälterischer Wirtschaftsführung von ihm beraten. Alles war wohlgeordnet: die Mühlen klapperten, die Walzen drehten sich, die Tuchfabrik, die Webstühle und Hobelbänke arbeiteten. Alles übersah und durchdrang der wachsame Blick des Hausherrn, der wie eine emsige Spinne von einem Ende des weitverzweigten Wirtschaftsnetzes zum anderen eilte. Aus seinen Gesichtszügen sprach kein allzu starkes Gefühlsleben, aber in seinen Augen spiegelte sich ein scharfer Verstand, seine Worte verrieten Erfahrung und Weltkenntnis und die Gäste hörten ihm gerne zu. Die liebenswürdige und gesprächige Hausfrau war wegen ihrer Gastfreundschaft berühmt, zwei reizende Töchter, blond und frisch wie die Rosen, traten den Gästen entgegen, der Sohn, ein lebhafter Knabe, kam herbeigerannt und küßte einen jeden, ohne viel zu fragen, ob dies dem Gast gefalle. Alle Fensterläden des Hauses standen offen. Im Zwischenstock wohnte der französische Hauslehrer, der immer gut rasiert und ein vorzüglicher Schütze war. Oft brachte er zu Mittag ein Birkhuhn oder eine Wildente mit, manchmal allerdings auch nur Spatzeneier, aus denen er Rührei für sich zubereiten ließ, weil niemand im ganzen Hause sie essen wollte. Ebenfalls im Zwischenstock wohnte seine Landsmännin, die Erzieherin der beiden Mädchen. Bei Tisch erschien der Hausherr im langen Gehrock, der allerdings ein wenig abgetragen, aber nirgends geflickt war und immer sauber gebürstet, auch die Ellbogen waren in Ordnung.

Dann starb die gute Hausfrau. Ein Teil der Schlüssel und damit der kleinen Sorgen gingen auf Pljuschkin selbst über. Er begann unstet und rastlos und, wie alle Witwer, mißtrauisch und geizig zu werden. Auf seine älteste Tochter Alexandra Stepanowna glaubte er sich nicht genug verlassen zu können – mit Recht, denn eines Tages lief sie mit einem Stabsrittmeister von Gott weiß welchem Kavallerieregiment davon und ließ sich in aller Eile in einer Dorfkirche trauen, da sie wußte, daß der Vater Offiziere nicht mochte, weil er das sonderbare Vorurteil hatte, sie seien allesamt Spieler und Verschwender. Der Vater machte keinen Versuch, die Entflohene zurückzuholen, sondern begnügte sich damit, ihr seinen Fluch nachzusenden. Das Haus verödete noch mehr. Bei seinem Herrn zeigten sich immer mehr graue Haare und auch der Geiz, der ja häufig der Gefährte des Alters ist, trat immer deutlicher hervor. Der französische Lehrer wurde entlassen, zumal für den Sohn die Zeit gekommen war, in den Staatsdienst einzutreten, Mademoiselle aber wurde einfach fortgejagt, da sie an der Entführung Alexandra Stepanownas nicht ganz unbeteiligt zu sein schien. Der Sohn war in die Gouvernementsstadt abgereist, um dort am Gericht nach des Vaters Wunsch von der Pike auf Dienst zu tun. Aber er zog es vor, in ein Regiment einzutreten, und bat den Vater brieflich um Geld für seine militärische Ausrüstung. Kein Wunder, daß er statt des erbetenen Geldes das erhielt, was man im Volksmund eine kalte Abreibung nennt. Schließlich starb noch die jüngere Tochter, die beim Vater ausgehalten hatte, und dieser blieb völlig vereinsamt zurück als alleiniger Hüter seines Reichtums. Das einsame Leben nährte seinen Geiz reichlich, der ja gierig wie ein Wolf ist und immer unersättlicher wird. Die Regungen des Herzens, ohnehin bei ihm nicht besonders entwickelt, wurden immer seltener und kärglicher, und von Tag zu Tag bröckelte mehr von dieser menschlichen Ruine ab. In jener Zeit geschah es, daß der Sohn, wie um die väterlichen Ansichten über das Militär zu rechtfertigen, große Verluste im Kartenspiel erlitt. Der Alte verfluchte auch ihn aus tiefster Seele und hatte von Stund an kein Interesse mehr daran, ob er noch am Leben war oder nicht. Von Jahr zu Jahr blieben mehr Fensterläden geschlossen, und endlich wurden nur noch zwei geöffnet, von denen der eine, wie der Leser sich erinnern wird, mit Papier verklebt war. Mit der Zeit verlor Pljuschkin ganz den Überblick über seine Wirtschaft und wandte seine nur noch auf Kleinliches gerichtete Aufmerksamkeit allerhand Papierchen und Federchen zu, die er in seinem Zimmer aufsammelte. Immer abweisender und unnachgiebiger wurde er gegen die Händler, die zu ihm kamen, um ihm die Erzeugnisse seiner Wirtschaft abzunehmen. Die Käufer handelten und feilschten und gaben es schließlich mit dem Bemerken auf, Pljuschkin sei ja ein Teufel und kein Mensch mehr. Das Heu und das Getreide verfaulten. Die Vorräte auf den Speichern und die Heuschober verwandelten sich in Dunghaufen, auf denen man hätte Kohl anbauen können. Das Mehl in den Vorratskammern wurde so hart, daß es in Stücke gehackt werden mußte. Tuch, Leinwand und hausgewebte Stoffe zerfielen in Staub, wenn man sie nur berührte. Pljuschkin hatte längst keine Ahnung mehr, was und wieviel er besaß. Dagegen wußte er ganz genau, an welcher Stelle in seinem Schrank jene kleine Karaffe mit dem Likörrest stand, auf der er ein Zeichen eingeritzt hatte, damit er feststellen konnte, ob nicht jemand heimlich daraus getrunken hatte. Auch vergaß er niemals, wo er ein Stückchen Siegellack oder irgendein Federchen hingetan hatte. Inzwischen liefen die Einkünfte aus der Wirtschaft wie immer ein: die Bauern mußten ihre Abgaben bezahlen, die Weiber Nüsse für den Gutshaushalt sammeln, die Weberinnen bestimmte Mengen Leinwand abliefern. Das alles wurde in den Vorratskammern aufgehäuft, wo es vermoderte und verkam, und schließlich war er selbst nur noch ein menschliches Wrack.

Alexandra Stepanowna kam ein-, zweimal mit ihrem kleinen Söhnchen angereist, um auszukundschaften, ob der Vater etwas herzugeben bereit war, denn offensichtlich verlockte sie das unstete Leben mit ihrem Stabsrittmeister nicht mehr ganz so wie vor ihrer Hochzeit. Pljuschkin, der ihr inzwischen verziehen hatte, gab seinem Enkel sogar einen Knopf zum Spielen, der sich irgendwo auf einem Tisch gefunden hatte, aber Geld gab er ihr nicht. Alexandra Stepanowna kam wieder – dieses Mal mit zwei Kleinen – und brachte ein Ostergebäck und einen neuen Schlafrock mit, denn Großpapas alter Schlafrock sah allzu erbärmlich, ja geradezu anstößig aus. Pljuschkin streichelte seine beiden Enkel, setzte den einen auf das rechte, den anderen auf das linke Knie und schaukelte sie, als ritten sie auf richtigen Pferden. Das Ostergebäck und den Schlafrock nahm er gerne entgegen, die

Tochter aber erhielt nicht das geringste und mußte abermals mit leeren Händen abreisen.

Dies also war der Mann, der jetzt vor Tschitschikow stand! Es muß gesagt werden, daß solche Erscheinungen nur sehr selten in Rußland zu finden sind, wo man weit eher zu einem breiten Lebensstil neigt, als sich zurückzuziehen und abzuschließen. Um so mehr überrascht und erstaunt dies, wenn man sich vor Augen hält, daß schon in der allernächsten Nachbarschaft einer von jenen Gutsbesitzern lebt, die ihrer verschwenderischen russischen Herrennatur bedenkenlos nachgeben und, wie man zu sagen pflegt, den Becher der Freuden bis auf den letzten Tropfen leeren. Ein Reisender, der zufällig des Weges kommt, würde seinen Augen kaum trauen, daß sich so ein Krösus unter die kleinen, bescheidenen Grundbesitzer verirrt hat. Wie richtige Palais würden ihm alle diese weißen steinernen Gebäude mit ihren zahllosen Kaminen, Aussichtstürmen und Wetterfahnen erscheinen und er würde sich nicht genug wundern können über die vielen Seitenflügel und Kavaliershäuser, die für die Unterbringung der zahllosen Gäste bestimmt sind. Was geht da nicht alles vor sich! Theateraufführungen und Bälle werden veranstaltet, die ganze Nacht über spielt die Musik zum Tanz auf und der Park erstrahlt im Widerschein von Freudenfeuern und Fakkeln. Das halbe Gouvernement lustwandelt festlich gekleidet und in sorgloser Heiterkeit unter den Bäumen und niemand empfindet das Wilde und unheimlich Drohende, das in dieser gewaltsamen Beleuchtung liegt. Und reckt sich gar ein einzelner Ast, seines hellen Grüns beraubt, vom künstlichen Licht theatralisch angestrahlt, in dunkle Höhen hinauf, so erscheint der nächtliche Himmel noch zwanzigmal schwärzer und unheilverkündender und hoch oben schütteln die Bäume ihre Kronen voll Groll über den falschen Glanz, in den ihre Wurzeln getaucht sind ...

Schon mehrere Minuten stand Pljuschkin da, ohne ein Wort zu sagen. Auch Tschitschikow wußte nicht, wie er ein Gespräch in Gang bringen sollte. So sehr war er noch vom Aussehen des Hausherrn und seiner ganzen Umgebung verwirrt, daß er lange vergeblich überlegte, was er als Grund seines

Besuches angeben sollte. Schon war er im Begriff, sich etwa in dem Sinn zu äußern, daß er von den Tugenden und seltenen Charaktereigenschaften Pljuschkins gehört und es daher für seine Pflicht gehalten habe, ihm persönlich seine Hochachtung zum Ausdruck zu bringen. Aber dann empfand er, daß dies doch wohl allzu übertrieben war. Er warf noch einen verstohlenen Blick auf das bunte Durcheinander des Zimmers und fühlte deutlich, daß es ratsamer wäre, die Worte »Tugenden« und »Charaktereigenschaften« durch die Ausdrücke »Sparsamkeit« und »Ordnung« zu ersetzen. In diesem Sinne änderte er seine Begrüßungsworte ab und sagte, er habe von Pljuschkins Sparsamkeit und musterhafter Verwaltung seiner Güter gehört und es daher für seine Pflicht gehalten, sich ihm vorzustellen und ihm seine Hochachtung persönlich auszusprechen. Natürlich hätte man auch einen anderen und überzeugenderen Grund für den Besuch anführen können, aber es war ihm eben nichts Besseres eingefallen.

Pljuschkin beantwortete diese Einleitungsworte mit einem Gemurmel, wobei er nur die Lippen bewegte, denn Zähne hatte er überhaupt nicht mehr. Was er eigentlich gesagt hatte, blieb daher unbekannt, doch der Sinn seiner Erwiderung wird vermutlich in folgendem bestanden haben: Hätte dich doch lieber der Teufel geholt mitsamt deiner ganzen Hochachtung! Aber da die Gastfreundschaft bei uns in so hohem Ansehen steht, daß selbst ein Geizhals ihre Gesetze nicht ungestraft übertreten darf, fügte er etwas deutlicher hinzu: »Nehmen Sie doch gefälligst Platz! – Es ist schon eine Ewigkeit her, daß ich Gäste bei mir gesehen habe«, fuhr er dann fort, »und offen gestanden, ich habe sie nicht vermißt. Da haben die Leute die höchst unpassende Gewohnheit eingeführt, sich gegenseitig Besuche zu machen, worüber die Wirtschaft vernachlässigt wird. Und dann verlangt man Heu für die Pferde! Ich habe schon längst zu Mittag gegessen, auch ist meine Küche niedrig und unbrauchbar und Herd und Kamin sind so zerfallen, daß sie wegen Feuersgefahr nicht benutzt werden können.«

So also steht es, dachte Tschitschikow, nur gut, daß ich bei

Sobakewitsch einen Quarkkuchen und ein Stück Hammelrücken erwischt habe.

»Schlimm genug, daß außerdem in der ganzen Wirtschaft kein bißchen Heu aufzutreiben ist!« fuhr Pljuschkin fort. »Und in der Tat, woher sollte man es auch nehmen? Ich habe nur wenig Grund und Boden, die Bauern sind faul und arbeitsscheu und haben nur die Kneipe im Sinn ... wahrhaftig, man muß auf der Hut sein, um nicht auf seine alten Tage noch betteln zu müssen!«

»Man hat mir aber doch gesagt«, bemerkte Tschitschikow bescheiden, »daß Sie mehr als tausend Seelen besitzen.«

»Wer hat Ihnen das vorgelogen? Sie, Väterchen, hätten diesem Gerüchtemacher ins Gesicht spucken sollen! Diesem Windbeutel, der sich offenbar nur über Sie lustig machen wollte! Da schwatzt man von tausend Seelen, aber wenn man erst anfängt nachzurechnen, kommt das nie und nimmer heraus! In den letzten drei Jahren ist mir bei der verfluchten Seuche ein ganzer Haufen Bauern draufgegangen.«

»Ich bitte Sie, waren es tatsächlich so viele?« rief Tschitschikow teilnehmend aus.

»Ja, es sind viele dahingerafft worden.«

»Gestatten Sie die Frage: wie viele denn?«

»Ungefähr achtzig Seelen.«

»Nicht möglich?«

»Leider die reine Wahrheit.«

»Darf ich mir noch eine Frage erlauben: diese Rechnung gilt doch wohl für die Zeit nach der letzten Revision?«

»Da müßte ich noch Gott danken«, erwiderte Pljuschkin, »wenn ich so rechnen würde, mögen es leicht hundertzwanzig sein.«

»Tatsächlich, ganze einhundertzwanzig?« rief Tschitschikow und sperrte vor Überraschung sogar den Mund auf.

»Ich, Väterchen, bin zu alt, um Ihnen was vorzumachen, bin schon bald siebzig!« sagte Pljuschkin, anscheinend fast gekränkt über diesen freudigen Ausruf. Tschitschikow begriff, daß er mit seiner Teilnahmslosigkeit gegenüber fremdem Kummer einen Fehler begangen hatte. Er suchte ihn mit einem tiefen Seufzer zu korrigieren und drückte sein Mitgefühl aus.

»Ihr Mitgefühl kann ich leider nicht in meinen Geldbeutel stecken«, bemerkte Pljuschkin. »Schauen Sie mal, da lebt in meiner Nähe ein Hauptmann, der Teufel mag wissen, wo er hergekommen ist. Nun, dieser Hauptmann küßt mir die Hand und behauptet, ein Neffe von mir zu sein: Onkelchen hinten und Onkelchen vorn! Wenn der erst mit seinem Mitgefühl anfängt, erhebt er ein solches Jammergeschrei, daß man sich am liebsten die Ohren zuhalten möchte. Er hat ein feuerrotes Gesicht und wird sich sicher zu Tode saufen. Wahrscheinlich hat er als Offizier sein ganzes Geld durchgebracht oder eine Schauspielerin hat es ihm aus der Tasche gezogen - Grund genug, jetzt den Mitleidigen zu spielen!«

Tschitschikow beeilte sich zu beteuern, daß seine Teilnahme ganz anders als die des Hauptmanns, ganz aufrichtig sei und daß er sie nicht mit Phrasen, sondern durch die Tat zu beweisen gedenke. Er packte daher den Stier bei den Hörnern und erklärte frank und frei, daß er durchaus bereit sei, die Steuerverpflichtungen für alle so unglücklich ums Leben gekommenen Bauern auf sich zu nehmen. Dieses Angebot schien Pljuschkin völlig aus der Fassung zu bringen. Er war so verblüfft, daß ihm die Augen aus dem Kopf traten. Lange starrte er sein Gegenüber an und fragte dann lauernd: »Waren Sie nicht beim Militär?«

»Nein«, erwiderte Tschitschikow verschlagen, »ich war im Staatsdienst.«

»Im Staatsdienst?« wiederholte Pljuschkin mißtrauisch und kaute an seinen Lippen, als könnte er sich nicht entschließen, diesen Bissen hinunterzuschlucken. »Ja, wieso denn? Das wäre ja nur zu Ihrem Schaden?«

»Um Ihnen einen Gefallen zu tun, käme es mir darauf nicht an.«

»Ach, Väterchen! Ach, mein Wohltäter!« rief Pljuschkin aus, ohne in seiner Freude darauf zu achten, daß ihm der Tabaksaft wie Kaffeesatz aus der Nase quoll, was nicht gerade malerisch wirkte, und daß die auseinanderklaffenden Schöße seines Schlafrocks eine Unterwäsche sehen ließen, die einen ebensowenig schicklichen Eindruck machte.

»Ach, du gütiger Himmel! Sie sind mein Tröster, mein

Helfer, der Schutzengel eines armen hilflosen Greises!« Pljuschkin konnte nicht weitersprechen. Aber es dauerte keine Minute, daß die Freude, die sich so plötzlich auf seinem hölzernen Gesicht gezeigt hatte, ebenso plötzlich und spurlos verschwunden war und seine Züge wieder den alten bekümmerten Ausdruck annahmen. Er fuhr sich sogar mit dem Taschentuch über das Gesicht, ballte es in der Hand zusammen und begann sich damit die Oberlippe zu reiben.

»Wollen Sie denn wirklich, sozusagen – aber ich möchte Ihnen auf keinen Fall zu nahe treten – alljährlich diese Steuern auf sich nehmen, und wem wollen Sie sie bezahlen, mir oder dem Fiskus?«

»Wir wollen das folgendermaßen machen: wir schließen einen Kaufvertrag ab, als wenn sie noch am Leben wären und als hätten Sie sie mir verkauft.«

»Ich verstehe, einen Kaufvertrag ...« sagte Pljuschkin, versank in Nachdenken und begann wieder, an seinen Lippen zu kauen. »Aber ein Kaufkontrakt – mit all den vielen Unkosten. Die Gerichtsbeamten sind so gewissenlos! Früher kam man mit einem halben Rubel in Kupfer und einem Sack Mehl als Dreingabe davon, aber heutzutage verlangen sie schon eine ganze Wagenladung Grütze und mindestens noch einen roten Lappen dazu – so eine Geldgier! Ich begreife nicht, daß niemand sich findet, der ihnen auf die Finger klopft oder auch nur ins Gewissen redet. Schon durch eine Ermahnung wäre manches gewonnen. Sag, was du willst – einer kräftigen Verwarnung widersteht niemand.«

Na, na, du selbst würdest ganz bestimmt eine Ausnahme machen! dachte Tschitschikow und brachte zum Ausdruck, daß er aus purer Hochachtung gewillt sei, auch die Unkosten für den Kaufvertrag aus eigener Tasche zu bezahlen.

Als Pljuschkin das hörte, war er überzeugt, daß sein Gast ganz dumm sein müsse und ihm mit dem Staatsdienst nur blauen Dunst habe vormachen wollen, während er in Wirklichkeit Offizier gewesen sei und sich mit Schauspielerinnen herumgetrieben habe. Dennoch konnte er seine Freude nicht verbergen und überschüttete Tschitschikow mit den verschiedenartigsten guten Wünschen für ihn selbst und seine Kinder, ohne erst zu fragen, ob er überhaupt welche hätte. Dann trat er ans Fenster, klopfte an die Scheibe und schrie: »Hallo, Proschka!« Schon im nächsten Augenblick hörte man, wie jemand atemlos in den Flur kam, sich dort längere Zeit zu schaffen machte und dabei mit seinen Stiefeln polterte. Endlich öffnete sich die Tür und Proschka erschien, ein etwa dreizehnjähriger Bursche in so großen Stiefeln, daß er fortwährend in Gefahr war, sie zu verlieren. Warum Proschka diese Stiefel anhatte, die ihm viel zu groß waren, werden wir gleich erfahren: Pljuschkin besaß für alle seine Hofleute nur dieses eine Paar Stiefel, das immer im Flur bereitstehen mußte. Jeder, der zum Gutsherrn bestellt wurde, war gehalten, zuerst barfuß über den Hof zu tanzen, dann im Flur die Stiefel anzuziehen und in diesen vor dem Herrn zu erscheinen. Nach dem Verlassen des Zimmers mußte er die Stiefel wieder im Flur zurücklassen und sich auf seinen eigenen Sohlen entfernen. Blickte man im Herbst und besonders in der Frühe, wenn der Erdboden noch bereift war, aus dem Fenster, so konnte man sehen, was für prächtige Sprünge Pljuschkins Seelen dort ausführten, Sprünge, wie sie auch dem geschicktesten Tänzer auf der Bühne niemals gelungen wären.

»Sehen Sie nur diese Schnauze!« sagte Pljuschkin zu Tschitschikow, indem er mit dem Finger auf Proschkas Gesicht zeigte. »Dumm wie ein Brett – aber läßt du nur irgend etwas liegen, sofort hat er es geklaut! – Nun, zu welchem Zweck bist du hierhergekommen? Also mach das Maul auf, warum?« Pljuschkin schwieg einen Augenblick und Proschka blieb ebenfalls stumm. »Mach den Samowar fertig und hier nimm den Schlüssel. Gib ihn Mawra, sie soll in die Vorratskammer gehen, dort auf dem Brett liegt ein Osterkuchen, den Alexandra Stepanowna mitgebracht hat. Sie soll ihn zum Tee hereinbringen ... Halt! Wo läufst du denn hin, du Dummkopf? Ach, was bist du doch für ein Trottel! Als wenn dir der Teufel auf den Fersen säße ... Hör doch erst ordentlich zu. Der Kuchen ist außen schon schimmlig, sie soll ihn mit dem Messer abkratzen, aber die Brösel nicht wegwerfen, sondern den Hühnern geben. Und du selbst – paß auf, Bruder, daß du mir nicht in die Speisekammer hineingehst ...

sonst gibt's was mit der Birkenrute, daß dir die Lust dazu für immer vergeht! Das wäre ja noch schöner, wenn du da mit hineingingest! Aber versuche es nur, ich werde dir schon auf die Schliche kommen, hier von dem Fenster aus. – Man kann ihm überhaupt nicht trauen«, fuhr er, sich an Tschitschikow wendend, fort und betrachtete jetzt auch diesen mit wachsendem Argwohn, als Proschka sich mit seinen Stiefeln entfernt hatte. Die Selbstverleugnung kam ihm so unwahrscheinlich und bedenklich vor, daß er sich sagte: Hol's der Teufel, vielleicht ist er auch nur so ein Schwätzer und Aufschneider, wie alle diese Verschwender! Schwindelt einem nur etwas vor, um sich die Zeit zu vertreiben und sich Tee vorsetzen zu lassen, und macht sich dann aus dem Staube. Er sagte daher aus Vorsicht und zugleich, um den Gast auf die Probe zu stellen, daß es nicht übel wäre, den Kaufvertrag sogleich abzuschließen, denn der Mensch sei ein unsicherer Patron – heute lebe er zwar noch, aber morgen schon könne Gott weiß was mit ihm geschehen sein.

Tschitschikow erklärte sich bereit, den Vertrag unverzüglich zu unterschreiben, und bat sich nur eine Liste der Bauern aus.

Das beruhigte Pljuschkin. Man konnte ihm anmerken, daß er irgend etwas vorhatte, und richtig, schon griff er nach dem Schlüsselbund, öffnete den Schrank, kramte lange zwischen Gläsern und Tassen und rief schließlich aus: »Jetzt kann ich ihn nicht finden und es war doch so ein hervorragendes Likörchen! Wenn meine Leute ihn nur nicht wieder ausgetrunken haben, es ist doch das reine Diebsgesindel! Aber hier – das wird er wohl sein?« Und Tschitschikow erblickte eine kleine Karaffe, die so mit Staub bedeckt war, als wäre ihr eine wollene Mütze tief über die Ohren gezogen. »Stammt noch von meiner verstorbenen Frau«, fuhr Pljuschkin fort, »die Haushälterin, diese Schlampe, hatte ihn hier einfach so verkommen lassen und nicht einmal zugekorkt, die Kanaille! Gott weiß was für Käfer und sonstiges Ungeziefer hineingekommen war, aber ich habe den ganzen Dreck herausgefischt und jetzt ist er wieder sauber. Mögen Sie ein Gläschen?«

Aber Tschitschikow wollte von dem hervorragenden Likörchen nichts wissen und beteuerte, daß er bereits gegessen und getrunken habe.

»So, so, Sie haben schon getrunken und gegessen«, sagte Pljuschkin. »Woran erkennt man den Herrn aus der guten Gesellschaft? Natürlich daran, daß er nicht hungrig ist, sondern satt, aber so einen Windhund, den kannst du füttern, solange du willst, und er hat niemals genug! Kommt da der Hauptmann angefahren, sogleich heißt es: ‚Ach, Onkelchen, haben Sie nicht eine Kleinigkeit zu essen?' Und dabei bin ich genauso wenig sein Onkel, wie er mein Großpapa ist. Sicherlich ißt er zu Hause gar nichts und nassauert nur überall herum. Ja, richtig, Sie brauchen ja ein Verzeichnis all dieser Nichtstuer! Ich habe sie sämtlich, soweit ich sie noch im Kopfe hatte, auf einen besonderen Zettel geschrieben, um sie bei der nächsten Revision gleich streichen zu lassen.« Pljuschkin setzte die Brille auf und begann in seinen Papieren zu suchen. Dabei schnürte er mancherlei Bündel auf und hüllte seinen Gast in eine solche Staubwolke, daß dieser niesen mußte. Endlich zog er ein auf beiden Seiten so eng mit Bauernnamen beschriebenes Blatt hervor, daß es aussah, als hätten sich eine Unmenge kleiner Fliegen darauf niedergelassen. Dort gab es die unterschiedlichsten Paramonows, Pimenows und Pantelejmonows und sogar einen gewissen Grigorij »Fahr-los-kommst-niemals-an«, alles in allem mehr als einhundertzwanzig Namen. Tschitschikow konnte angesichts dieser stattlichen Anzahl ein Lächeln nicht unterdrükken. Er schob die Liste in die Tasche und machte Pljuschkin darauf aufmerksam, daß er zum Abschluß des Kaufvertrages in die Stadt fahren müsse.

»In die Stadt? Wie soll ich denn das? Ich kann doch das Haus nicht allein lassen? Meine Leute sind lauter Diebe und Halsabschneider. Die plündern mich im Laufe eines Tages so aus, daß nicht einmal ein Nagel übrigbleibt, um meinen Rock aufzuhängen.«

»Haben Sie denn nicht irgendeinen Bekannten?«

»Ja, wen denn? Alle meine Bekannten sind tot oder kennen mich nicht mehr ... Ach, Väterchen, wie sollte ich keinen haben? Natürlich habe ich noch einen!« rief er aus. »Es ist der Gerichtspräsident selber, er hat mich sogar in alten Zeiten nicht selten besucht. Wie sollte ich den nicht kennen, er war ja mein Spielkamerad! Wir sind miteinander auf die Zäune geklettert! Wenn das kein Bekannter sein soll! Ich könnte ihm schreiben ...«

»Natürlich könnten Sie das.«

»Freilich, ein so guter Bekannter! Wir haben ja auch zusammen auf der Schulbank gesessen.«

Und in seinem hölzernen Gesicht zuckte plötzlich so etwas wie ein heller Schein auf. Aber es war kein wirkliches, echtes Gefühl, sondern nur der bleiche Abglanz einer schattenhaften Empfindung, wie wenn ein Ertrinkender ganz unerwartet an der Oberfläche des Wassers auftaucht und die am Ufer versammelte Menge in einen Freudenschrei ausbricht. Aber vergeblich werfen die zuversichtlichen Brüder und Schwestern das Rettungsseil aus und hoffen und warten auf das abermalige Auftauchen einer Schulter oder eines im Kampf mit dem Tode ermatteten Armes – er kommt nicht wieder zum Vorschein. Und um so bewegter und öder wird das erbarmungslose Element. So wurde auch Pljuschkins Gesicht, nachdem der flüchtige Schatten eines Gefühls darüber hinweggehuscht war, immer kälter und starrer.

»Hier auf dem Tisch hat doch ein Viertelbogen unbeschriebenes Papier gelegen«, sagte er, »aber ich weiß gar nicht, wo es geblieben ist. Meine Leute sind doch zu gar nichts nütze!« Und er fing an, auf dem Tisch und unter dem Tisch zu suchen, alles durcheinanderzuwühlen und schließlich »Mawra, Mawra!« zu rufen. Auf sein Geschrei hin erschien ein Weibsbild mit einem Teller, auf welchem der dem Leser schon bekannte Kuchen lag. Und zwischen Pljuschkin und der Haushälterin entspann sich folgendes Gespräch:

»Wo hast du das Papier gelassen, du Diebin?«

»Gott ist mein Zeuge, Herr, ich habe nichts gesehen, außer dem Papierfetzen, mit dem Sie das Schnapsglas zugedeckt haben!«

»Ich sehe es dir ja an den Augen an, daß du es geklaut hast.«

»Wozu sollte ich es denn geklaut haben? Ich hätte ja gar keinen Nutzen davon, da ich nicht lesen und schreiben kann.«

»Du lügst, du hast es dem Kirchendiener gebracht. Er malt Krakelfüße, also hast du es ihm gebracht.«

»Wenn der Kirchendiener Papier braucht, verschafft er sich's selbst. Er hat Ihren Wisch überhaupt nicht gesehen!«

»Warte nur, beim Jüngsten Gericht werden dich die Teufel an ihren eisernen Spießen rösten! Wirst schon sehen, wie sie dich quälen!«

»Warum sollen sie mich quälen, wenn ich doch den Papierfetzen gar nicht genommen habe? Mag sein, daß ich von anderen weiblichen Schwächen nicht frei bin, aber eine Diebin hat mich noch niemand genannt.«

»Paß nur auf, wie sie mit dir umgehen werden! Das ist der Lohn dafür – werden sie sagen –, daß du deinen Herrn betrogen und angelogen hast. Mit glühenden Zangen wird man dich zwicken!«

»Ich aber werd sagen: ich hab's nicht verdient, bei Gott, ich hab's nicht verdient ... Aber da liegt es ja auf dem Tisch, das Papier! Immer wird unsereiner für nichts und wieder nichts beschuldigt!«

Als Pljuschkin den Bogen tatsächlich daliegen sah, hielt er einen Augenblick inne, kaute an seinen Lippen und sagte: »Warum bist du so außer dir? So eine Kratzbürste! Sagt man nur ein Wort, gleich gibst du ein ganzes Dutzend zurück! Lauf mal und bring mir etwas zum Erhitzen des Siegellacks, damit ich den Brief hier abschließen kann, aber kein Talglicht. Es schmilzt zu schnell, man hat nur Verlust. Hol mir einen brennenden Kienspan!«

Mawra ging hinaus und Pljuschkin nahm im Lehnstuhl Platz. Doch bevor er zur Feder griff, drehte er das Stück Papier noch lange hin und her, wobei er wohl überlegte, ob er von dem Viertelbogen nicht noch ein Achtel abschneiden und einsparen könne. Aber dann kam er doch zum Schluß, daß sich das nicht mehr machen ließ. Er tauchte also die Feder ins Tintenfaß, das eine schimmelbedeckte Flüssigkeit und eine Menge toter Fliegen enthielt, und fing an zu schreiben. Die Buchstaben, die lebhaft an Noten erinnerten, reihte er eng aneinander, rückte auch die Zeilen so dicht wie irgend möglich zusammen und versuchte immer wieder seine Feder zu bändigen, die dazu neigte, sich in hemmungslosen Sprüngen über das Blatt zu bewegen. Dennoch mußte er mit Bedauern feststellen, daß noch immer viel zuviel unausgenutzter Raum auf dem Papier übrigblieb.

Kann ein menschliches Wesen wirklich bis zu einer solchen armseligen Kleinlichkeit herabsinken? Kann ein Mensch sich dermaßen verändern? Ist eine solche Wandlung überhaupt denkbar und glaubwürdig? Ja, sie ist es, denn es gibt nichts Unwahrscheinliches auf der Welt und auch mit dem Menschen kann alles geschehen! Ein feuriger Jüngling von heute würde entsetzt zurückprallen, wenn man ihm im Spiegel sein eigenes Greisenbild vor Augen hielte. Ihr, die ihr aus eurer schwärmerisch-empfindsamen Jugend hinaustretet in den rauhen Ernst der Mannesjahre, bewahrt jede menschliche Regung auf eurem Lebensweg und achtet behutsam auf die Schätze des Herzens, daß sie euch nicht unterwegs abhanden kommen, denn einmal verloren, findet ihr sie niemals wieder! Grausam und unerbittlich ist das drohend vor euch liegende Alter, es bringt nichts wieder und gibt nichts zurück. Selbst das Grab ist barmherziger. Der Leichenstein wird die Inschrift tragen: »Hier ist ein Mensch begraben«, aber in den kalten und starr gewordenen Gesichtszügen des gefühllosen Greises ist nichts mehr zu lesen.

»Haben Sie nicht irgendeinen Freund, der für geflüchtete Bauern Verwendung hätte?« sagte Pljuschkin, den Brief zusammenfaltend.

»Ach, haben Sie auch entlaufene Bauern?« fragte Tschitschikow, der wieder ganz bei der Sache war.

»Das ist es ja eben, daß ich auch solche habe. Mein Schwager hat schon Erkundigungen eingezogen. Er sagt, daß sie spurlos verschwunden sind, aber er ist Soldat und versteht nur, mit den Sporen zu klirren. Wenn man aber beim Gericht Schritte ergreifen würde ...«

»Wieviel Bauern könnten das sein?«

»Ungefähr siebzig.«

»Nicht möglich?«

»Bei Gott, so ist es! Kein Jahr, daß sie nicht in Scharen davonlaufen. Das Volk ist unglaublich gefräßig! Wollen nicht arbeiten, sondern sich nur den Bauch vollschlagen und ich habe doch selbst nichts zu essen ... Ich würde sie gern für ein Butterbrot herschenken. Geben Sie doch Ihrem Freunde einen Wink: wenn er auch nur zehn Stück wieder herschafft, so hat sich die Mühe glänzend gelohnt. Eine einzige registrierte Seele ist ja schon an die fünfhundert Rubel wert.«

Fällt mir auch nicht im Traum ein, hier andere Leute hineinriechen zu lassen, dachte Tschitschikow und erwiderte, daß er einen solchen Freund gar nicht habe und daß auch die Unkosten viel zu hoch sein würden. Mit den Gerichten ließe man sich am besten überhaupt nicht ein, sie zögen einem ja doch nur das Fell über die Ohren. Wenn sich Pljuschkin jedoch in so mißlicher Lage befände, so sei er aus lauter persönlicher Anteilnahme gerne bereit ... aber es könnte wirklich nur eine Kleinigkeit sein, die nicht der Rede wert sei.

»Wieviel würden Sie denn geben?« fragte Pljuschkin, wobei seine Hände vor Geldgier wie Quecksilber bebten.

»Ich würde fünfundzwanzig Kopeken für die Seele geben.«

»Und würden Sie bar bezahlen?«

»Warum nicht? Sie können das Geld gleich haben.«

»Aber um meiner Armut willen – wollen Sie nicht doch lieber vierzig Kopeken geben?«

»Verehrtester«, sagte Tschitschikow, »mit dem größten Vergnügen würde ich statt vierzig Kopeken fünfhundert Rubel zahlen, denn ich sehe ja, wie hier ein herzensguter, ehrwürdiger Greis aus lauter Menschenfreundlichkeit und Nächstenliebe immer tiefer ins Elend gerät.«

»Gott steh mir bei, so ist es!« sagte Pljuschkin und schüttelte bekümmert den Kopf. »Es ist die reine Wahrheit, das ganze Elend kommt nur von der allzu großen Gutmütigkeit.«

»Na, sehen Sie, ich habe Ihren Charakter doch gleich erkannt. Warum sollte ich also nicht fünfhundert Rubel pro Seele geben – allein mir fehlen die Mittel. Aber fünf Kopeken will ich noch zulegen, so daß jede Seele auf dreißig Kopeken kommt.«

»Wie Sie wollen, Väterchen, aber wie wäre es, wenn Sie doch noch einen Zweier hinzufügen würden?«

»Also meinetwegen noch zwei Kopeken. Wieviel Seelen waren es doch? Sprachen Sie nicht von siebzig?«

»Nein, es sind alles in allem achtundsiebzig.«

»Achtundsiebzig mal zweiunddreißig ...« Hier besann sich unser Held nur eine Sekunde, und keinen Augenblick länger, und sagte dann wie aus der Pistole geschossen: »Vierundzwanzig Rubel und sechsundneunzig Kopeken!« Er war stark in der Arithmetik. Dann veranlaßte er Pljuschkin, unverzüglich eine Quittung zu schreiben, worauf er das Geld auszahlte, das jener mit beiden Händen so vorsichtig zu seinem Schreibtisch brachte, als trüge er eine Flüssigkeit, die er jeden Augenblick zu verschütten fürchtete. An der Schreibkommode zählte er das Geld noch einmal durch und legte es ebenso behutsam in eine der Schubladen, wo es vermutlich so lange begraben sein würde, bis Vater Karp und Vater Polikarp, die beiden Dorfpriester, ihn selber begraben würden, und zwar zur unbeschreiblichen Freude seines Schwiegersohns und seiner Tochter und möglicherweise auch des Hauptmanns, der ja unbedingt mit ihm verwandt sein wollte. Nachdem Pljuschkin das Geld fortgelegt hatte, setzte er sich auf seinen Lehnstuhl und machte den Eindruck, als wenn ihm jetzt der Gesprächsstoff ausgegangen wäre.

»Wollen Sie denn schon aufbrechen?« sagte er endlich, als er Tschitschikow, der nur sein Taschentuch hervorholen wollte, eine leise Bewegung machen sah.

Diese Frage erinnerte Tschitschikow daran, daß es für ihn in der Tat keinen Sinn mehr hatte, hier noch länger zu verweilen. »Ja, es wird Zeit für mich«, sagte er und griff nach seinem Hut.

»Und der Tee?«

»Nein, keinen Tee mehr. Den trinke ich lieber ein andermal bei Ihnen.«

»Ja, wie denn nun? Der Samowar ist doch schon bestellt? Übrigens, ich mache mir, offen gestanden, nicht viel daraus – es ist ohnehin ein kostspieliges Getränk und jetzt sind die Zuckerpreise noch so erbarmungslos gestiegen. Proschka! Der Samowar ist nicht mehr nötig, und, hörst du, trag den Kuchen zu Mawra zurück! Sie soll ihn wieder auf die gleiche

Stelle in der Speisekammer tun, oder nein, gib ihn her, ich werde ihn selbst hinbringen. Leben Sie wohl, Väterchen! Gott segne Sie! Und den Brief geben Sie dem Gerichtspräsidenten, nicht wahr? Möge er ihn nur lesen, mein alter Bekannter. Wir waren ja Spielkameraden!«

Und damit begleitete diese sonderbare Erscheinung, dieser kleine, zusammengeschrumpfte Greis Tschitschikow bis an das Hoftor, das er hinter ihm sofort wieder zusperren ließ. Dann sah er alle Vorratskammern nach, um sich zu überzeugen, ob die Wachtposten auch richtig aufmarschiert waren und, wie es ihre Pflicht war, an den Hausecken standen und mit hölzernen Spaten auf leere Fässer losdonnerten, um die Diebe zu vertreiben. Auch warf er einen spionierenden Blick in die Küche, angeblich um zu prüfen, ob das Essen für die Leute auch gut und kräftig genug sei, in Wirklichkeit aber nur, um sich selbst mit Grütze und Kohlsuppe vollzuschlagen. Bei dieser Gelegenheit beschuldigte er alle und jeden des Diebstahls und beschimpfte sie wegen ihres schlechten Betragens, worauf er sich schließlich in sein Zimmer zurückzog. Als er wieder allein war, kam er sogar auf den Gedanken, sich dem Gast gegenüber wegen seines in der Tat beispiellosen Edelmuts erkenntlich zu zeigen. Ich will ihm doch, dachte er, die Taschenuhr schenken. Es ist eine gute silberne Uhr und nicht etwa von Tombak oder Messing – ein bißchen beschädigt freilich, aber er kann sie ja wieder in Ordnung bringen lassen. Er ist doch ein junger Mann und kann eine Taschenuhr brauchen, um damit auf seine Braut Eindruck zu machen. Oder nein, doch lieber nicht – sagte er nach einigem Nachdenken zu sich selbst –, ich vermache sie ihm besser in meinem Testament, damit er sich auch nach meinem Tode meiner erinnert.

Aber unser Held war auch ohne Pljuschkins beschädigte Uhr in aufgemunterter Stimmung. Diese unerwartete Erwerbung war ein wahres Geschenk des Himmels. Sag, was du willst – nicht nur tote, sondern auch entlaufene Seelen und alles in allem fast zweihundert Stück! Gewiß, schon auf dem Wege zu Pljuschkin hatte er eine Ahnung gehabt, daß ihn ein gutes Geschäft erwarte. Aber daß es so glänzend werden würde, war nicht vorauszusehen gewesen. Auf dem ganzen Wege war er außergewöhnlich munter, pfiff und schmetterte lustig drauflos, indem er die hohle Hand an den Mund hielt und wie in eine Trompete hineinblies. Und schließlich stimmte er ein so ungewöhnliches Lied an, daß selbst Selifan nach längerem Horchen verwundert den Kopf schüttelte und endlich meinte: »Schau mal an, wie der Herr singen kann!«

Es dämmerte schon stark, als man sich der Stadt näherte. Licht und Dunkelheit gingen ineinander über und sogar die Umrisse der Gegenstände begannen sich aufzulösen, der bunte Schlagbaum nahm eine unbestimmte Färbung an. Der Schnauzbart des Wachtpostens schien über seine Augenbrauen hinausgehoben und in die Stirn gerutscht und die Nase überhaupt nicht vorhanden zu sein. Das Geratter und die Sprünge der Kutsche ließen erkennen, daß man bereits wieder auf dem städtischen Pflaster dahinfuhr. Die Straßenlaternen waren noch nicht angezündet, die Fenster der Häuser erst teilweise erleuchtet und in den Gäßchen und dunklen Winkeln wurde geflüstert und es spielten sich jene dieser Tageszeit entsprechenden Szenen ab, die in allen Städten zu beobachten sind. Besonders aber in solchen, wo es eine Unmenge Soldaten, Fuhrleute, Arbeiter und eine gewisse Sorte von Damen gibt, die, in roten Halstüchern und Schuhen ohne Strümpfe, wie Fledermäuse an den Straßenkreuzungen herumschwirren. Tschitschikow schenkte ihnen keinerlei Beachtung und bemerkte auch die feinen Beamten nicht, die mit Spazierstöckchen in den Händen vermutlich von einer Promenade vor der Stadt soeben nach Hause zurückkehrten. Hie und da erreichten ihn Ausrufe, offensichtlich weibliche Stimmen, wie zum Beispiel: »Was lügst du, Säufer, nie hätte ich ihm eine solche Zudringlichkeit gestattet!« oder: »Fängst du schon wieder Streit an, du ungebildeter Trottel? Komm nur mit auf die Polizei, da zeige ich dir, was die Glocke geschlagen hat!« Solche und ähnliche Stimmen, die Tschitschikow, wie gesagt, völlig unberührt ließen, müssen wie ein Sturzbad auf jeden zwanzigjährigen Jüngling wirken, der möglicherweise gerade aus dem Theater kommt, noch ganz verträumt und erfüllt von einer nächtlichen spanischen Gasse und einem bezaubernden, lockenumrahmten Frauenantlitz. Welche Träume, Phantasien und Wunschbilder wirbeln nicht in seinem Hirn durcheinander. Er schwebt über allen Wolken, ja er ist sogar beim Dichter Schiller selbst zu Gast – da plötzlich treffen ihn diese Worte wie ein Donnerschlag, er sieht sich mitten auf dem »Neumarkt« oder unmittelbar vor dem Eingang einer verrufenen Kneipe und das wirkliche Leben zeigt ihm wieder sein ungeschminktes Gesicht.

Endlich vollführte die Kutsche noch einen tüchtigen Luftsprung und verschwand dann wie in einem Erdloch im Tor des Gasthofs, wo Tschitschikow von Petruschka in Empfang genommen wurde, der mit der einen Hand seine Rockschöße, die zum Auseinanderklaffen neigten, zusammenraffte und mit der anderen seinem Herrn aus dem Wagen half. Auch der Kellner kam, mit einer Kerze in der Hand und die Serviette über die Schulter geworfen, herbeigerannt. Schwer zu sagen, ob Petruschka über die Ankunft seines Herrn besonders beglückt war. Sein mürrisches Gesicht schien sich zwar etwas zu erhellen, jedoch zwinkerten er und Selifan sich vielsagend zu.

»Sie beliebten eine recht lange Spazierfahrt zu machen«, sagte der Kellner, als er Tschitschikow auf der Treppe voranleuchtete.

»Ja«, sagte Tschitschikow, »und was treibst du?«

»Uns geht es Gott sei Dank gut«, erwiderte der Kellner, »gestern ist ein Leutnant angekommen und hat sich auf Nummer sechzehn einquartiert.«

»Ein Leutnant?«

»Ein Unbekannter. Er kommt aus Rjasan und hat braune Pferde.«

»Ist schon recht, benimm dich auch weiterhin anständig!« sagte Tschitschikow und begab sich in sein Zimmer. Als er durch das Vorzimmer ging, rümpfte er die Nase und wandte sich an Petruschka: »Wenigstens die Fenster hättest du aufmachen können.«

»Ich habe sie offengehalten«, antwortete Petruschka, doch es war gelogen. Übrigens war sich auch Tschitschikow klar darüber, daß es eine Lüge war, aber er hatte keine Lust zu widersprechen. Nach beendeter Fahrt fühlte er sich sehr ermüdet. Er bestellte sich ein ganz leichtes Abendessen, das lediglich aus einem Spanferkel bestand. Als er es verzehrt hatte, legte er sogleich seine Kleider ab, zog sich die Decke über den Kopf und versank in einen festen und tiefen Schlaf, wie ihn nur jene Kinder des Glückes kennen, die weder von Hämorrhoiden noch von Flohstichen noch von allzu lebhaften Regungen des Geistes heimgesucht werden.

7

Glücklich der Reisende, der nach langer, einförmiger Fahrt mit ihrer Kälte, ihrer Feuchtigkeit und ihrem Schmutz, mit ihren unausgeschlafenen Postmeistern, ihrem Schellengeklingel, ihren Wagenreparaturen, ihren Kutschern, Schmieden und Landstreichern endlich sein heimatliches Dach und die ihm freundlich entgegenblinkenden Lichter seines Hauses erblickt. Er sieht sie schon vor sich – die vertrauten Stuben, er meint schon die Jubelrufe des ihm entgegeneilenden Hausgesindes, das erwartungsfreudige Lärmen der Kinder und der Gattin sanftbeschwichtigende Worte, von zärtlichen Liebkosungen unterbrochen, zu hören, die alle unterwegs erlittenen Verdrießlichkeiten und alles Mißbehagen auslöschen. Glücklich der Familienvater, der solch einen traulichen Winkel sein eigen nennt, aber wehe dem vereinsamten Junggesellen!

Glücklich auch der Schriftsteller, der an allen langweiligen oder gar abstoßenden und in ihrer Erbärmlichkeit kränkenden Charakteren vorübergehen kann und sich aus dem großen Strudel ständig durcheinanderwirbelnder Personen jene seltenen Ausnahmen heraussucht, welche die wahre menschliche Würde zur Geltung bringen. Glücklich der Dichter, der auch nicht ein einziges Mal an dem hochgestimmten Ton seiner Leier zum Verräter zu werden brauchte, der sich niemals gezwungen sah, von seiner eigenen schwindelnden Höhe zu den armseligen und bedeutungslosen Mitbrüdern hinabzusteigen, und, ohne die Erde zu berühren, sich ganz seinen erhabenen, weltentrückten Gestalten hingeben darf. Doppelt beneidenswert ist sein unvergleichliches Los: er wandelt unter ihnen wie im vertrauten Kreise, indes sein Ruhm den Erdball umspannt. Mit dem süßen Weihrauch seines Wortes umwölkt und verschleiert er den Jammer des Lebens und offenbart das Idealbild des Menschen. Und beifallklatschend folgt ihm und seinem Triumphwagen die ganze Welt. Man erhebt ihn, den großen, den berühmten Poeten, in den Himmel, ihn, der weit über allen anderen Geistern schwebt, wie ein Adler über allem, was Flügel hat. Allein schon sein Name läßt die glühenden Herzen der Jugend höher schlagen und Tränen der Verehrung glänzen in aller Augen. Niemand kommt ihm an Macht und Stärke gleich – er ist ein Gott!

Anders ist dagegen das Los und anders das Schicksal jenes Schriftstellers, der das Wagnis unternimmt, das in unsren Blick zu bannen, was offen vor uns liegt und was wir dennoch, gleichgültig wie wir sind, übersehen – die ganze Wirrnis der zahllosen Nichtigkeiten, mit denen wir unser Leben verzetteln, und den ganzen Leerlauf der kalten, innerlich zerrissenen, alltäglichen Charaktere, die uns auf unserer bitteren und oft so öden irdischen Bahn umdrängen. Bedauernswerter Dichter, der den Mut hat, mit fester Hand und unerbittlich scharfem Meißel alle diese Gestalten klar und deutlich herauszuarbeiten und uns vor Augen zu führen! Ihn erwarten nicht Beifallsstürme der Massen, nicht Tränen der Dankbarkeit und nicht die einmütige Begeisterung ergriffener Seelen. Ihm fliegen keine sechzehnjährigen Jungfrauen, hingerissen, in heroischer Verzückung entgegen. Nie kann er sich selbstvergessen an der Süßigkeit seiner eigenen tönenden Verse berauschen, und er wird schließlich dem mitleidlosen Verdammungsurteil seiner Zeitgenossen anheimfallen, jener scheinheiligen Kritteler, welche seine so sorgsam gehegten und gepflegten Geschöpfe gemein und nichtswürdig nennen und ihn selbst in die Reihe der verachteten Schriftsteller verweisen, welche die Menschheit schänden und beleidigen. Diese Kritiker werden ihm selber die Charaktereigenschaften seiner Helden zuschreiben, werden ihm Herz und Seele und den göttlichen Funken des Talents absprechen, denn sie erkennen nicht an, daß das Glas, welches die Gestirne des Himmels vor das Auge zaubert, ebenso wunderbar ist wie dasjenige, welches uns die Bewegungen der unscheinbarsten Lebewesen sichtbar macht. Der Richterspruch der Zeitgenossen will nicht wahrhaben, daß es ungewöhnlicher seelischer Tiefe bedarf, um ein Bild des mißachteten Alltagsdaseins als Perle der Schöpfung ins Licht zu heben, daß hochherziges Lachen erhabenem lyrischen Überschwang ebenbürtig ist und daß zwischen jenem Lachen und den Grimassen des Possenreißers in der Jahrmarktsbude ein unüberbrückbarer Abgrund liegt! Das alles übersieht die zeitgenössische Kritik, sie verkehrt es in Schimpf und Schande für den Dichter, dem sie ihre Anerkennung versagt und den sie ohne Teilnahme, ohne Antwort und Verständnis wie einen heimatlosen Wanderer seine Straße ziehen läßt. Schwer ist die Bürde seiner Sendung und das Bewußtsein seiner Verlassenheit.

Noch lange wird es mir von einer rätselvollen Macht auferlegt sein, meine Helden auf ihrem Wege zu begleiten und das ganze große Getriebe des Lebens mit einem der Welt sichtbaren lachenden und einem heimlich weinenden Auge zu überschauen. Und fern ist nicht die Zeit, da sich mir, von heiligen Schauern der Inspiration umwittert, neue Quellen erschließen und aus meinem Munde Worte einer anderen Sphäre kommen werden, die man in bebender Erschütterung vernehmen wird ...

Aber lassen wir uns nicht aufhalten! Fort mit dem finsteren Ernst, fort mit der Unmutsfalte auf unserer Stirn! Werfen wir uns wieder mitten ins Leben mit all seinem Lärm und seinen Disharmonien und laßt uns sehen, was Tschitschikow inzwischen macht.

Tschitschikow war soeben erwacht, reckte die Arme und Beine und hatte die angenehme Empfindung, gut ausgeschlafen zu sein. Nachdem er noch einige Minuten auf dem Rücken liegen geblieben war, schwang er freudig seine Hand und strahlte bei dem Gedanken, daß er jetzt schon fast vierhundert Seelen beisammen hatte. Er sprang aus dem Bett und unterließ es sogar, sein Gesicht, das er aufrichtig liebte, im Spiegel zu betrachten. Vor allem das Kinn lobte er gern vor seinen Freunden, besonders wenn er sich gerade rasierte. »Schau doch mal her«, pflegte er dann zu sagen und streichelte es wohlgefällig, »ist es nicht wirklich ganz rund?« Jetzt aber hatte er weder einen Blick für sein Kinn noch für sein Gesicht, sondern schlüpfte hurtig in seine Pantoffeln von Saffianleder. Sie waren mit verschiedenfarbigen Garnierungen verziert und stammten aus der Stadt Torschok, die mit solchen Pantoffeln, die bei der allgemeinen Leidenschaft für ein Schlafrockdasein allen echten Russen unentbehrlich waren, einen schwunghaften Handel trieb.

Hierauf machte Tschitschikow, nur mit einem kurzen schottischen Hemdchen bekleidet und trotz seiner sonstigen Gesetztheit und seiner mittleren Jahre, einige Luftsprünge in seinem Zimmer, wobei er sich nicht ohne körperliche Gewandtheit mit den Händen auf die nackten Fußsohlen klatschte. Und dann ging er sofort an die Arbeit: ganz wie ein unbestechlicher Kreisrichter, der – zu einer Untersuchung aufs Land gefahren – gerade im Begriff ist, seinen Imbiß zu sich zu nehmen, rieb er sich, vor seiner Schatulle stehend, behaglich die Hände und entnahm ihr dann seine Papiere. Er wollte die Sache nicht mehr aufschieben, sondern möglichst schnell zum Abschluß bringen und entschloß sich daher, die Kaufverträge selbst aufzusetzen und abzuschreiben, um die Gebühren zu sparen. Über die entsprechenden Formalitäten war er vollkommen im Bilde. Zunächst schrieb er mit großen schwungvollen Buchstaben: eintausendachthundertundsoundsoviel, dann folgte in kleinerer Schrift: Gutsbesitzer Soundso und dann kam alles übrige, wie sich's gehört. In zwei Stunden war die Angelegenheit erledigt. Als er dann seine fertigen Bogen durchsah und sein Blick auf die Namen der Bauern fiel, die einmal leibhaftige Bauern gewesen waren, gepflügt, sich besoffen, als Fuhrleute gearbeitet und ihre Herrschaft betrogen hatten oder mitunter auch einfach wakkere Bauern gewesen waren, beschlich ihn eine sonderbare, fast unverständliche Empfindung. Jeder Bogen hatte seine ganz besondere Eigenart, was auch irgendwie den Bauern einen eigenen Charakter gab. Die Bauern, die Eigentum der Korobotschka gewesen waren, hatten noch alle ihre

Spitznamen. Pljuschkins Liste zeichnete sich durch Knappheit des Stils aus: häufig waren nur die Anfangsbuchstaben der Vor- und Vatersnamen angegeben, dann folgten zwei Punkte. Sobakewitschs Register fiel durch eine ungewöhnliche Vollständigkeit und Umständlichkeit auf, bei jedem Bauern schienen dessen sämtliche Besonderheiten aufgezählt und nichts vergessen zu sein. Bei einem hieß es beispielsweise: »ein geschickter Schreiner« und bei einem anderen war hinzugefügt: »ein verständiger Mann, der nicht trinkt.« Genau angegeben war ferner, wer die Eltern gewesen und wie sie sich betragen hatten, nur bei einem gewissen Fedotow war angemerkt: »Vater unbekannt, Mutter Hofbedienstete Kapitolina, aber sonst anständig und nicht diebisch.« Alle diese Einzelheiten gaben dem Ganzen etwas Frisches, gewissermaßen Zeitnahes, als hätten die Leute noch gelebt.

Tschitschikow sah noch einmal die Reihen der Namen aufmerksam durch. Er wurde ganz gerührt, seufzte und sagte zu sich selbst: Du lieber Himmel, so viele auf einmal! Was habt ihr denn, meine Lieben, euer Leben lang getan? Wie habt ihr euch durchgebracht? Und sein Blick blieb ganz unwillkürlich an einem Namen hängen. Es war jener Pjotr Saweljew, der »Bottichmißachter«, der einmal der Gutsbesitzerin Korobotschka gehört hatte. Auch hier konnte Tschitschikow den Ausruf nicht unterlassen: »Mein Gott, bist du aber anspruchsvoll, verlangst eine ganze Zeile für dich allein! Warst du ein Handwerksmeister oder nur ein einfacher Bauer und welchen Todes bist du gestorben? In der Kneipe vielleicht oder hat dich eine schwere Fuhre überfahren, als du unterwegs eingenickt warst? – Probka, Stepan, Zimmermann, ein Vorbild der Nüchternheit. Ah, da bist du ja wieder, du gewaltiger Recke, der für die Garde so gut gepaßt hätte! Sicher bist du viel auf der Wanderschaft gewesen und, die Axt im Gürtel und die Stiefel über die Schulter gehängt, wer weiß wie weit herumgekommen. Wirst auf der Walz für einen Groschen Brot und für zwei getrockneten Fisch gegessen und jedesmal bei der Heimkehr deine hundert Silberrubel im Beutel und außerdem noch einen großen Schein in deiner leinenen Hose oder im Stiefel versteckt gehabt haben.

Aber wo und wie mag dir dein letztes Stündlein geschlagen haben? Bist du am Ende, um immer noch mehr Geld zu verdienen, bis in die Kirchenkuppel oder sogar auf das Kreuz hinaufgekrochen, dann aber vom Gerüst heruntergestürzt und zerschmettert vor irgendeinem Onkel Michej liegengeblieben, der sich nur ein bißchen den Kopf gekratzt und selber mit den Worten: ‚Ach, Wasja, was ist denn dir eingefallen?' sich den Strick umgebunden hat und an deiner Stelle hinaufgeklettert ist. – Maxim Teljatnikow, Schuster ... Besoffen wie ein Schuster, sagt das Sprichwort. Jawohl, ich kenne auch dich, mein Täubchen, kenne dich gut genug, um dir, wenn du Lust hast, deine ganze Lebensgeschichte zu erzählen. Du warst bei einem Deutschen in der Lehre, der euch alle miteinander satt gemacht hat. Aber er hat euch auch mit dem Riemen den Buckel vollgehauen für eure Nachlässigkeit und euch abends nicht auf die Straße gelassen, damit ihr keine Geschichten macht. Du bist bei ihm ein Wunder von einem Schuster geworden und er, der Deutsche, hat dich nicht genug loben können, wenn die Rede mit seiner Frau und seinem ‚Kamraden' auf dich gekommen ist. Und als du's bis zum Gesellen gebracht hattest, hast du dir gesagt: ‚Jetzt will ich mir mein eigenes Häuschen zulegen', hast du gesagt, ‚aber nicht so will ich's machen wie der Deutsche, der Pfennigfuchser – ich will mit einem Schlage ein reicher Mann werden!' Und dann zahltest du deinem Herrn einen anständigen Zins, machtest einen kleinen Laden auf, sammeltest einen Haufen Aufträge ein und machtest dich an die Arbeit. Du verschafftest dir irgendwo zu einem Drittel des Preises morsch und brüchig gewordenes Leder und verdientest wahrhaftig an jedem Paar das Doppelte, aber schon in zwei Wochen waren alle Stiefel gerissen und man beschimpfte dich von oben bis unten. Die weitere Folge war, daß kein Mensch mehr in deinen Laden kam, während du selbst anfingst zu saufen, dich herumzutreiben und dich zu beschweren: ‚Welch eine niederträchtige Welt! Wir Russen müssen notleiden, der Deutsche nimmt uns das Brot!' – Aber was in aller Welt ist denn das für ein Bauer: Jelisaweta Worobej? Pfui Teufel, ein Weib? Wie ist denn die hier hereingeraten? Der Gauner

Sobakewitsch hat sie hereingeschwindelt!« Tschitschikow hatte vollkommen recht: es war wirklich ein Frauenzimmer. Wie es in die Liste hineingelangt war, blieb unerfindlich, allerdings war der Name so raffiniert hingeschrieben, daß man ihn auf den ersten Blick tatsächlich für einen männlichen Namen halten konnte, zumal da nicht Jelisaweta, sondern Jelisawet stand. Aber Tschitschikow ließ das nicht gelten, sondern strich das Weibsbild sofort aus der Liste. »Und du, Grigorij ‚Fahr-zu-kommst-niemals-an'? Was bist denn du für ein Mensch gewesen? Warst du am Ende ein Mietskutscher, der sich ein Dreigespann und einen Planwagen anschaffte und dann mit seiner Troika die heimatliche Höhle für immer verließ, um die Kaufleute von einem Jahrmarkt zum anderen zu schleppen? Gabst du deine Seele auf der Landstraße Gott zurück, beförderten dich deine eigenen Freunde um irgendeines fetten, rotbäckigen Soldatenweibes willen ins Jenseits oder haben deine ledernen Handschuhe und deine drei niedrigen, aber kräftigen Pferde einem Strauchdieb mehr gefallen, als gut war? Oder kamst du gar, auf deiner Kutsche liegend, auf den Gedanken, mir nichts, dir nichts in einer Kneipe und von da aus in einem Eisloch spurlos zu verschwinden, daß dich seitdem kein Mensch mehr wiedergesehen hat? Ach, du mein liebes russisches Volk, das es nun einmal nicht gern hat, auf natürliche Art zu sterben!«

»Und ihr, meine Lieben?« setzte Tschitschikow sein Selbstgespräch fort, indem er seine Aufmerksamkeit dem Zettel zuwandte, auf dem Pljuschkins entlaufene Seelen registriert waren, »ihr lebt zwar noch, aber seid dennoch so gut wie tot. Wohin mögen euch jetzt eure schnellen Füße tragen? Hattet ihr es bei Pljuschkin wirklich so schlecht, oder war es nur der Hang zum Herumstreunen, der euch in die Wälder trieb und euch veranlaßte, die Reisenden zu überfallen und auszuplündern? Sitzt ihr in den Gefängnissen oder habt ihr euch bei anderen Brotherrn verdungen, deren Felder ihr jetzt pflügt? – Jeremej Karjakin, Nikita Wolokita und Sohn Anton Wolokita – schon aus euren Spitznamen ersieht man, daß ihr gute Säufer seid ... Popow, der Gutsknecht ... ist wohl ein schreibkundiger Mann, der vielleicht niemals zum

Messer seine Zuflucht genommen, aber sich wacker allerhand zusammengeklaut hat. Gib nur acht, du paßloses Individuum, daß dich nicht eines Tages der Polizeihauptmann schnappt! Allerdings, dir wird beim Verhör nicht leicht beizukommen sein. ‚Wem gehörst du?' fragt der Polizeihauptmann und benutzt die Gelegenheit, dir ein tüchtiges Kraftwort anzuhängen. ‚Dem Gutsbesitzer Soundso', erwiderst du frech. ‚Und warum bist du hier?' fragt der Polizeihauptmann weiter. ‚Weil ich gegen Zinszahlung entlassen bin', antwortest du, ohne mit der Wimper zu zucken. ‚Wo ist dein Paß?' – ‚Bei meinem Arbeitgeber, dem Kleinbürger Pimenow.' – ‚Man hole den Pimenow. Bist du Pimenow?' – ‚Jawohl, Pimenow.' – ‚Hat er dir seinen Paß ausgehändigt?' – ‚Nein, er hat mir seinen Paß nicht gegeben.' – ‚Warum lügst du also?' sagt der Polizeihauptmann, nicht ohne ein neues Kraftwort hinzuzufügen. ‚Stimmt', entgegnest du unverschämt, ‚ich habe ihm den Paß nicht gegeben, weil ich zu spät nach Hause kam, sondern ich gab ihn dem Glöckner Antip Prochorow zur Aufbewahrung.' – ‚Man hole den Glöckner! Hat er dir seinen Paß ausgehändigt?' – ‚Nein, er hat mir seinen Paß nicht gegeben.' – ‚Warum hast du also wieder gelogen?' sagt der Polizeihauptmann und setzt zur Bestätigung abermals ein tüchtiges Kraftwort hinzu. ‚Wo ist denn dein Paß?' – ‚Ich hatte ihn ganz bestimmt', erwiderst du unerschütterlich, ‚muß ihn also wohl unterwegs verloren haben.' – ‚Und warum hast du dem Soldaten den Mantel und dem Popen den Kasten mit dem Kupfergeld geklaut?' fragt jetzt der Polizeihauptmann und flicht wiederum ein kräftiges Schimpfwort ein. ‚Ist mir gar nicht eingefallen', behauptest du standhaft, ‚wurde beim Stehlen noch niemals angetroffen.' – ‚Warum wurde denn der Mantel bei dir gefunden?' – ‚Das kann ich nicht wissen, wahrscheinlich hat ihn irgend jemand zu mir gebracht.' – ‚Ach, du Bestie – die Bestie!' ruft der Polizeihauptmann, schüttelt den Kopf und stemmt die Arme in die Seiten. ‚Fesselt ihm die Füße und schafft ihn ins Gefängnis!' – ‚Bitte schön, mit dem größten Vergnügen', antwortest du freundschaftlich den beiden Invaliden, die dir die Fesseln anlegen; du bietest ihnen deine Schnupftabakdose an und fragst sie aus, welchen

Krieg sie mitgemacht haben und ob sie schon lange entlassen sind. Du bleibst hinter Schloß und Riegel, bis das Gericht sich mit deiner Sache befaßt. Und dann kommt eines Tages die Verfügung: Überführung aus Zarewo-Kokschaisk in die Stadt Soundso, und das dortige Gericht wiederum verfügt: Überführung in irgendeine Stadt Wesjegonsk, und so geht es immer weiter aus einem Gefängnis ins andre. Wenn du dann wieder einmal eine neue Behausung dieser Art in Augenschein nimmst, sagst du etwas folgendes: ‚Nein wirklich, das Wesjegonskische Gefängnis war doch entschieden behaglicher, es gab dort mehr Platz, man konnte sich mit dem Babchenspiel die Zeit vertreiben und auch die Gesellschaft war besser.' – Awakum Fyrow! Wer bist denn du, Bruder, und wo treibst du dich herum? Bist du vielleicht an die Wolga verschlagen und hast dich dort aus lauter Liebe zum freien, ungebundenen Leben den Treidelschiffern angeschlossen?« Hier hielt Tschitschikow inne und wurde nachdenklich. Was waren es für Gedanken, die sich ihm aufdrängten? Beschäftigte ihn das Schicksal Awakum Fyrows oder war es jene melancholisch-sehnsüchtige Stimmung, die jeden Russen gleichviel welchen Alters, welchen Standes und Ranges überkommt, wenn er an den Rausch des freien und unabhängigen Lebens denkt? In der Tat, wo mochte jetzt dieser Fyrow sein? Möglicherweise streifte er gerade munter und aufgeräumt auf einer lärmerfüllten Landungsstelle unter den Kaufleuten umher. Blumen und Bänder an den Hüten, scherzt und lacht das ganze Getümmel der Treidler. Sie nehmen Abschied von ihren derben, hochgewachsenen Frauen und Geliebten, die sich mit Schleifen und Perlenschnüren geschmückt haben. Es wird getanzt und der ganze Landungsplatz hallt von Gesängen wider, während sich die Lastträger unter Tumult, Gezänke und ermunternden Zurufen neunzentnerschwere Säcke auf die Schultern laden, Erbsen und Weizen mit großem Lärm in geräumige Barken schütten und weitere Säcke mit Graupen und Hafer herbeischleppen. Über den breiten Platz hinweg sieht man große Haufen von übereinandergestapelten Säcken, die wie Pyramiden von Kanonenkugeln aussehen. Höchst eindrucksvoll wirkt dieses ganze Arsenal von Getreidevorräten, bis es in die dickbäuchigen Kornschiffe verladen ist und diese endlose Flotte im Gänsemarsch mit dem Frühjahrseis davonschwimmt. Da gibt es genug für euch zu tun, ihr Treidler! Und wie ihr vorher miteinander gebummelt habt oder euch in die Haare geraten seid, so macht ihr euch jetzt gemeinsam an die Arbeit, zieht im Schweiße eures Angesichts die schweren Taue der Barken und singt dazu eure alten Burlakenlieder, die ebenso ohne Ende sind wie das unermeßliche Rußland!

»Mein Gott, schon zwölf Uhr!« rief plötzlich Tschitschikow erschrocken, indem er auf die Uhr blickte. »Wie habe ich nur so viel Zeit vertrödeln können? Wenn ich noch etwas Verständiges getan hätte, aber keine Spur davon – zuerst habe ich allerhand Unsinn geschwatzt und mich dann in Träumereien verloren. Was bin ich doch für ein Trottel!« Nachdem er sich selbst auf diese Weise eine Rüge erteilt hatte, vertauschte er sein schottisches Kostüm mit einem allgemein üblichen, zog den Hosenriemen über seinem fülligen Bäuchlein fester an und besprengte sich mit Eau de Cologne. Dann griff er nach seiner warmen Mütze, nahm seine Papiere unter den Arm und begab sich ins Gericht, um die Kaufverträge beglaubigen zu lassen. Er beeilte sich nicht etwa deshalb, weil er glaubte, zu spät zu kommen – in dieser Richtung hatte er nichts zu befürchten, denn der Präsident war sein guter Freund, der die Gerichtsverhandlung nach Gutdünken in die Länge zu ziehen oder abzukürzen vermochte, ganz wie der alte Zeus des Homer, der die Tage verlängerte oder es unvermutet Nacht werden ließ, wenn es ihm zweckmäßig erschien, den Streit seiner geliebten Helden abzubrechen oder ihnen die Möglichkeit zu geben, ihn auszutragen. Aber Tschitschikow selbst hatte den lebhaften Wunsch, die Sache so schnell wie möglich zum Abschluß zu bringen, zumal er sich, solange das noch nicht geschehen war, unruhig und unbehaglich fühlte. Er machte sich immerhin Gedanken darüber, daß mit den Seelen doch wohl nicht alles in Ordnung und es daher geraten sei, diese Angelegenheit schleunigst zu erledigen. Dies alles überdenkend, zog er seinen braunen, mit Bärenfell gefütterten Tuchmantel an und war kaum auf die Straße hinausgetreten, als er auch schon mit einem Herrn zusammenstieß, der ebenfalls einen Bärenpelz anhatte und eine warme Mütze mit Ohrenklappen trug. Der Herr stieß einen Ruf freudiger Überraschung aus – es war Manilow. Beide schlossen sich in die Arme und verharrten längere Zeit in dieser Umarmung, wobei die Küsse, die sie miteinander wechselten, so nachdrücklich waren, daß beiden den ganzen Tag über die Vorderzähne weh taten. Manilow zeigte sich so entzückt, daß vor Freude seine Augen ganz verschwanden und nur noch die Nase und die Lippen zu sehen waren. Mindestens eine Viertelstunde lang preßte er in seinen beiden Händen die Rechte Tschitschikows, daß diese ganz heiß wurde. In den gewähltesten und liebenswürdigsten Ausdrücken berichtete er, wie er herbeigeeilt sei, um seinen Pawel Iwanowitsch in die Arme zu schließen, und beendete seinen Redefluß mit Schmeicheleien, wie sie höchstens einem jungen Mädchen gegenüber am Platze sind, das man zum Tanz auffordert. Tschitschikow hatte gerade den Mund aufgesperrt, ohne noch recht zu wissen, wie er sich bedanken sollte, als Manilow unvermutet ein zusammengerolltes und mit einem rosa Bändchen verschnürtes Blatt Papier aus seinem Pelz zog.

»Was ist denn das?«

»Das sind meine Bäuerlein.«

»Ach!« Tschitschikow entfaltete den Bogen, überflog ihn und war entzückt über die Sauberkeit und Schönheit der Handschrift. »Wunderbar geschrieben«, sagte er, »braucht gar nicht mehr abgeschrieben zu werden. Und sogar ein weißer Rand um das Ganze! Wer hat denn diesen Rand so kunstgerecht freigelassen?«

»Fragen Sie gar nicht«, erwiderte Manilow.

»Sie selber?«

»Meine Frau.«

»Ach, mein Gott! Ich habe wahrhaftig ein schlechtes Gewissen, daß man sich meinetwegen soviel Mühe macht.«

»Für Pawel Iwanowitsch ist uns keine Mühe zu groß.«

Tschitschikow dankte mit einer Verbeugung. Als Manilow hörte, daß er unterwegs sei, den Kaufvertrag im Gericht zum Abschluß zu bringen, erklärte er sich bereit, ihn zu begleiten. Die Freunde gingen Hand in Hand weiter. Bei jeder unbedeutenden Bodenerhebung, bei dem winzigsten Hügelchen oder bei der kleinsten Stufe beeilte sich Manilow, Tschitschikow zu stützen oder ihn sogar darüber hinwegzuheben, wobei er mit dem liebenswürdigsten Lächeln hinzufügte, er könne unter keinen Umständen zulassen, daß Pawel Iwanowitsch sich möglicherweise seine Füßchen verletze. Tschitschikow geriet darüber um so mehr in Verlegenheit, als er sich seines nicht ganz unerheblichen Körpergewichts voll bewußt war. So gelangten sie schließlich unter gegenseitigen Freundschaftsdiensten bis zu dem Platz, wo das Gerichtsgebäude lag – ein großes dreistöckiges Haus, das, vermutlich um die Unschuld der darin tätigen Beamten anzudeuten, weiß wie Kreide war. Die übrigen Häuser an diesem Platz waren auch nicht annähernd so groß wie das Amtsgebäude. Außerdem gab es hier noch ein Schilderhaus, vor dem ein Soldat mit geschultertem Gewehr stand, zwei oder drei Droschkenhalteplätze und endlich lange Bretterzäune, die mit den üblichen, mit Kohle oder Kreide hergestellten Aufschriften und Zeichnungen reichlich versehen waren. Sonst fand sich auf diesem einsamen oder, wie man bei uns zu sagen pflegt, schönen Platz nichts. Aus den Fenstern des zweiten und dritten Stockwerkes des Gerichtsgebäudes streckten einige unbestechliche Themispriester ihre Köpfe hervor, zogen sie aber gleich wieder zurück, weil wahrscheinlich gerade in diesem Augenblick ihr Vorgesetzter erschien. Die beiden Freunde gingen nicht etwa gemessen die Treppe hinauf, sondern nahmen sie im Galopp: Tschitschikow beschleunigte seine Schritte, um nicht wieder von Manilow gestützt zu werden, dieser aber, bemüht, Tschitschikow dennoch zu Hilfe zu kommen und auf diese Weise vor Ermüdung zu bewahren, lief ebenfalls, so schnell er konnte, und so waren beide vollkommen außer Atem, als sie oben im dunklen Korridor anlangten. Weder dieser noch die einzelnen Sitzungssäle verblüfften durch besondere Reinlichkeit. Man hielt es damals noch nicht für nötig, auf Sauberkeit zu achten, und was nun einmal schmutzig war, blieb auch schmutzig und niemand kam auf den Gedanken, diesen Räumen ein etwas freundlicheres Aussehen zu geben. Themis empfing ihre Gäste ganz so, wie sie war, im Negligé und im Morgenrock. Jetzt sollte man eigentlich eine genaue Beschreibung der Kanzleiräume geben, die unsere Helden passierten, aber der Autor hat eine unüberwindliche Scheu vor jeder Art von Amtsstuben. Selbst wenn er gelegentlich solche Lokalitäten zu durchschreiten hatte, die sich in einem gewissermaßen glänzenden und veredelten Zustande befanden und deren Fußböden und Tische lackiert waren, so bemühte er sich, sie in möglichst schnellem Tempo und mit bescheiden gesenktem Blick zu passieren, weshalb er auch nicht die geringste Ahnung davon hat, wie da alles gedeiht und sich glücklich fühlt. Unsere Helden bemerkten eine Unmenge Papier, weißes und beschriebenes, und über die Arbeit gebeugte Köpfe, breite Nacken, Fräcke, Röcke von provinziellem Schnitt oder sogar eine schlichte, hellgraue Joppe, die sich von allem übrigen scharf abhob. Der Träger dieser Jacke war, den Kopf so stark seitwärts geneigt, daß er fast auf dem Papier lag, damit beschäftigt, in schwungvollen Buchstaben ein Protokoll abzuschreiben über einen gewissen Grundbesitz, den sich irgendein Gutsbesitzer angeeignet hatte, um dort ungeachtet des Anklagezustands, in dem er sich dauernd befand, ein Menschenalter lang wie unter dem eigenen Dach zu hausen, Kinder zu zeugen und im Kreise seiner Kinder und Kindeskinder seelenruhig zu leben. Zwischendurch hörte man eine heisere Stimme kurze aus dem Zusammenhang gerissene Worte oder Sätze sagen, wie zum Beispiel: »Fedosej Fedosejewitsch, seien Sie doch so freundlich, mir den Akt Nr. 368 zu geben!« oder: »Immer schleppen sie den Korken des staatlichen Tintenfasses weg!« Gelegentlich hörte man auch eine hoheitsvolle Stimme, ohne Zweifel die eines Kanzleichefs, in anmaßendem Ton rufen: »Hier, schreib das mal, andernfalls lasse ich dir deine Schuhe wegnehmen und dich auf sechs Tage bei Wasser und Brot einsperren.« Das Gekratze der Federn war so laut, daß es an das Geräusch erinnerte, welches Reisigfuhren hervorrufen, wenn sie auf fußhoch mit trockenen Blättern bedeckten Waldwegen fahren.

Tschitschikow und Manilow traten an den ersten Tisch heran, an dem zwei noch jugendliche Beamte saßen und fragten: »Gestatten Sie, wo werden hier Kaufverträge erledigt?«

»Was wünschen Sie denn?« sagten die beiden wie aus einem Munde, indem sie sich gleichzeitig umwandten.

»Ich wünsche eine Eingabe zu machen.«

»Was haben Sie denn erworben?«

»Ich möchte zunächst wissen, wo die Grundbuchabteilung ist, hier oder anderswo?«

»Ja, sagen Sie doch nur, was Sie gekauft haben und zu welchem Preise, dann können wir Ihnen sagen, wohin Sie sich wenden müssen, sonst sind wir nicht in der Lage, Ihnen Auskunft zu geben.«

Tschitschikow begriff sogleich, daß die Beamten einfach neugierig waren und sich wichtig machen wollten wie alle jungen Beamten.

»Hören Sie mal, meine Teuersten«, sagte er, »ich weiß sehr gut, daß alle Grundbuch-Angelegenheiten ganz unabhängig vom Kaufpreis an ein und derselben Stelle behandelt werden, und bitte Sie daher, mir den allein in Frage kommenden Tisch zu zeigen. Wenn Sie aber nicht wissen, was hier vorgeht, so werden wir uns bei andren Leuten erkundigen.« Hierauf schwiegen die Beamten und einer von ihnen zeigte nur mit dem Finger in eine Ecke des Zimmers, wo ein alter Mann saß und irgendwelche Papiere registrierte. Tschitschikow und Manilow schlängelten sich zwischen den Tischen durch und gingen auf ihn zu. Der Alte war ganz von seiner Tätigkeit eingenommen.

»Gestatten Sie«, sagte Tschitschikow und verbeugte sich, »sind Sie für die Grundbuch-Angelegenheiten zuständig?«

Der Alte blickte auf und sagte gemessen: »Nein, Sie sind hier nicht an der richtigen Stelle.«

»Aber wo ist sie denn?«

»In der Abteilung für Kaufverträge.«

»Und wo ist diese Abteilung?«

»Bei Iwan Antonowitsch.«

»Und wo ist Iwan Antonowitsch?«

Der Greis wies mit den Fingern in eine andere Zimmerecke. Tschitschikow und Manilow begaben sich also zu Iwan

Antonowitsch. Iwan Antonowitsch hatte bereits mit einem Auge zu ihnen hinübergeschielt, aber sich sogleich wieder in seine Schreibarbeit vertieft.

»Gestatten Sie«, sagte Tschitschikow mit einer Verbeugung, »ist hier die Grundbuch-Abteilung?«

Iwan Antonowitsch tat, als hätte er nichts gehört, und vertiefte sich noch mehr in seine Arbeit, ohne zu antworten. Man sah auf den ersten Blick, daß er ein Mann in vorgerückten Jahren war und alles andre eher als ein junger Schwätzer und Wichtigtuer. Iwan Antonowitsch schien bereits weit über die Vierzig hinaus. Er hatte dichtes schwarzes Haar, und die ganze mittlere Partie seines Gesichts trat stark hervor und hatte sich gewissermaßen in der Nase gesammelt, kurz, es war eines von jenen Gesichtern, die man ganz allgemein als »Gießkannenrüssel« zu bezeichnen pflegt.

»Gestatten Sie«, wiederholte Tschitschikow, »ist hier die Abteilung für Kaufverträge?«

»Ganz recht«, sagte Iwan Antonowitsch, indem er seine Schnauze ein bißchen hob, dann aber gleich wieder senkte und zu schreiben fortfuhr.

»Mein Anliegen besteht in folgendem: ich habe bei einer Reihe von Gutsbesitzern dieses Kreises Bauern gekauft, um sie anderswo anzusiedeln. Die Kaufverträge sind fertig und brauchen lediglich beglaubigt zu werden.«

»Sind die Verkäufer ebenfalls zugegen?«

»Einige sind anwesend, von den anderen habe ich Vollmacht.«

»Haben Sie den Antrag bei sich?«

»Das Gesuch habe ich hier. Mir läge daran ... ich muß mich beeilen ... Wäre es nicht möglich, die Sache zum Beispiel heute schon zum Abschluß zu bringen?«

»Heute schon? Nein, heute ist es unmöglich«, erwiderte Iwan Antonowitsch. »Man muß noch Erkundigungen einziehen, ob nicht Sequestrierungen vorliegen.«

»Übrigens, was die Beschleunigung anbetrifft – der Gerichtspräsident Iwan Grigorjewitsch ist ein guter Bekannter von mir...«

»Das hängt ja nicht von Iwan Grigorjewitsch allein ab,

da haben auch noch andre ein Wort mitzureden«, sagte Iwan Antonowitsch mit Würde. Das war ein Wink mit dem Zaunpfahl. Tschitschikow begriff sofort und entgegnete: »Die anderen werden gewiß nicht zu kurz kommen, ich bin nicht umsonst selber Beamter gewesen ...«

»Wenden Sie sich an Iwan Grigorjewitsch«, sagte Iwan Antonowitsch sichtlich liebenswürdiger. »Möge er eine entsprechende Weisung geben, an uns soll es nicht liegen.«

Tschitschikow zog einen Geldschein aus der Tasche und legte ihn vor Iwan Antonowitsch auf den Tisch, der ihn absolut nicht zu bemerken schien und ihn doch sogleich mit einem Buche bedeckte. Tschitschikow wollte seine Aufmerksamkeit auf die Banknote lenken, aber Iwan Antonowitsch gab mit einer Bewegung seines Kopfes zu erkennen, daß das nicht nötig sei.

»Jener da wird Sie hinführen«, sagte Iwan Antonowitsch und nickte einem der in der Nähe befindlichen Themisjungen zu, welcher der Göttin so nachdrücklich geopfert hatte, daß nicht nur seine beiden Ärmel an den Ellbogen durchgerieben waren, sondern auch das Rockfutter zum Vorschein kam, wofür er zum Kollegienregistrator befördert worden war. Er bot sich unseren Freunden als Begleiter an, wie seinerzeit Vergil dem Dante, und führte sie in den Sitzungssaal, in welchem lediglich bequeme Lehnstühle standen. Auf einem von ihnen thronte vor einem Spiegeltisch mit zwei dicken Büchern majestätisch wie die Sonne der Präsident. An dieser feierlichen Stätte fühlte sich der neue Vergil von einer so frommen Scheu ergriffen, daß er sich überhaupt nicht erkühnte, seinen Fuß über die Schwelle zu setzen. Er drehte sich vielmehr um und ließ seinen Rücken sehen, der so abgewetzt war wie eine alte Fußmatte und an dem außerdem eine Hühnerfeder haftete. Als die Freunde eintraten, sahen sie, daß der Präsident nicht allein war, sondern neben ihm saß, fast ganz vom Spiegel verdeckt – Sobakewitsch. Das Erscheinen der Freunde verursachte schallende Ausrufe der Überraschung und die reichseigenen Lehnstühle wurden geräuschvoll zurückgeschoben. Auch Sobakewitsch erhob sich und wurde jetzt mit seinen überlangen Ärmeln und in ganzer Figur sichtbar. Der

Präsident schloß Tschitschikow in die Arme, und der Saal hallte von den Begrüßungsküssen wider. Man erkundigte sich gegenseitig nach der werten Gesundheit, wobei sich herausstellte, daß es beiden im Kreuz gelegentlich weh tat, was einstimmig der sitzenden Lebensweise zugeschrieben wurde. Der Präsident war anscheinend bereits von Sobakewitsch über das Kaufgeschäft informiert, denn er beglückwünschte Tschitschikow, was diesen anfangs ein wenig stutzig machte, zumal er bemerkte, daß Sobakewitsch und Manilow, die beiden Verkäufer, mit denen er das Geschäft ganz vertraulich und unter vier Augen besprochen hatte, jetzt einander Auge in Auge gegenüberstanden. Aber er ließ sich nichts merken, sondern dankte dem Präsidenten und wandte sich dann an Sobakewitsch mit der Frage: »Und wie steht es mit Ihrer Gesundheit?«

»Gott sei gelobt, ich bin zufrieden«, erwiderte Sobakewitsch, der in der Tat allen Grund hatte, zufrieden zu sein, denn eher konnte sich wirklich ein Stück Eisen erkälten und husten als dieser so erstaunlich robuste Gutsbesitzer.

»Sie haben sich von jeher einer guten Gesundheit rühmen können«, bemerkte der Präsident, »Ihr verstorbener Vater war ja auch schon eine besonders kräftige Natur.«

»Jawohl, er pflegte sogar allein auf die Bärenjagd zu gehen«, sagte Sobakewitsch.

»Mir scheint übrigens«, meinte der Präsident, »daß es notfalls auch Ihnen nicht schwerfallen würde, mit einem Bären fertig zu werden.«

»Kaum«, erwiderte Sobakewitsch, »der Verstorbene war stärker als ich.« Und mit einem Seufzer fuhr er fort: »Nein, solche Leute wie damals gibt es heute nicht mehr. Nehmen wir zum Beispiel mein eigenes Leben – was ist es schon wert?«

»Warum sollte es denn nichts wert sein?« fragte der Präsident.

»Nein, wirklich, es taugt nichts«, erwiderte kopfschüttelnd Sobakewitsch. »Sagen Sie doch selbst, Iwan Grigorjewitsch, schon habe ich das fünfte Jahrzehnt überschritten und war noch nicht ein einziges Mal krank. Ich habe niemals

Halsschmerzen, geschweige denn ein Geschwür oder auch nur einen Furunkel gehabt ... Das ist doch gewiß nicht gut! Es wird mir noch einmal teuer zu stehen kommen ...« und Sobakewitsch versank in eine melancholische Stimmung.

Nein, sowas! dachten gleichzeitig Tschitschikow und der Präsident. Auch ein Anlaß zum Klagen!

»Übrigens – ich habe ein Briefchen für Sie«, sagte jetzt Tschitschikow und zog ein Schreiben aus der Tasche.

»Von wem denn?« fragte der Präsident, entfaltete den Brief und rief aus: »Ah, von Pljuschkin! Er lebt also immer noch. Ist das aber ein Schicksal! Einst war er doch so ein ungewöhnlich gescheiter und reicher Mann und heute ...«

»Ein Hund«, sagte Sobakewitsch, »ein richtiger Gauner, der alle seine Leute verhungern läßt.«

»Aber bitte schön, bitte schön«, rief der Präsident, als er den Brief gelesen hatte, »bin gern bereit, sein Anwalt zu sein. Wann wollen wir den Kaufvertrag abschließen, gleich oder später?«

»Jetzt gleich«, antwortete Tschitschikow, »ich möchte sogar bitten, wenn möglich noch heute, weil ich morgen die Stadt verlassen will. Die Verträge und den Antrag habe ich mitgebracht.«

»Alles gut und schön, aber was Sie auch sagen mögen – so schnell kommen Sie hier nicht weg. Das Geschäftliche wird selbstverständlich noch heute erledigt, Sie aber müssen uns noch einige Tage schenken. Ich werde sogleich alles Nötige veranlassen«, sagte er und öffnete die Tür zur Kanzlei, in welcher zahllose Beamte wie Bienen um die Waben herumschwirrten, wenn man Kanzleiakten überhaupt mit Honigwaben vergleichen darf. »Ist Iwan Antonowitsch anwesend?«

»Anwesend!« meldete sich eine Stimme aus dem Hintergrunde.

»Man möge ihn herbeirufen!«

Der Gießkannenrüssel, Iwan Antonowitsch, den der Leser bereits kennengelernt hat, erschien im Sitzungssaal und verbeugte sich ehrerbietig. »Hier, Iwan Antonowitsch, nehmen Sie alle diese Kaufverträge ...«

»Aber vergessen Sie bitte nicht, Iwan Grigorjewitsch«,

unterbrach Sobakewitsch, »daß noch Zeugen erforderlich sind, mindestens zwei für jede Partei. Schicken Sie doch gleich zum Staatsanwalt, er hat nicht viel zu tun und ist sicher zu Hause: Solotucha, der Geschäftsführer, macht alles für ihn, übrigens der größte Halsabschneider, den man sich vorstellen kann. Der Inspektor des Gesundheitsamtes, auch ein Nichtstuer und vermutlich ebenfalls zu Hause, wenn er nicht gerade ausgegangen ist, um irgendwo Karten zu spielen, und schließlich wohnen ja hier in der Nähe noch andere Leute: Truchatschewskij, Beguschkin – sie alle legen die Hände in den Schoß und sind für die Allgemeinheit nur eine Belastung.«

»Sie haben recht, haben vollkommen recht!« sagte der Präsident und schickte einen Kanzleidiener nach ihnen.

»Ich habe noch eine Bitte«, bemerkte Tschitschikow, »lassen Sie auch den Bevollmächtigten einer Gutsbesitzerin holen, mit der ich ebenfalls ein Geschäftchen gemacht habe. Es ist der Sohn des Protopopen Kyrill, der hier bei Ihnen Dienst tut.«

»Warum nicht, auch er soll kommen!« entgegnete der Präsident, »alles wird pünktlich besorgt, aber geben Sie nichts den Beamten, ich bitte ausdrücklich darum – meine Freunde sollen keine Auslagen haben.« Als er das gesagt hatte, gab er Iwan Antonowitsch irgendeine Anweisung, die diesem offensichtlich durchaus nicht gefiel. Die Kaufverträge machten anscheinend einen ganz ausgezeichneten Eindruck auf den Präsidenten, besonders als er sah, daß die gesamte Kaufsumme fast hunderttausend Rubel betrug. Er blickte Tschitschikow längere Zeit mit dem Ausdruck höchster Genugtuung in die Augen und sagte dann schließlich: »So also ist das, Pawel Iwanowitsch, so also haben Sie diese Erwerbung gemacht!«

»Jawohl, so habe ich sie gemacht«, bestätigte Tschitschikow.

»Eine gelungene Sache, wahrhaftig, eine gelungene Sache!«

»Nicht wahr, ich sehe jetzt selbst, daß ich nichts Verständigeres hätte tun können. Sei's, wie es will – die Lebensaufgabe des Menschen bleibt eben immer unklar, solange er nicht auf fester Grundlage steht, sondern noch irgendwelchen freidenkerischen Jugendidealen nachläuft.« Und hier nahm er die Gelegenheit wahr, den Liberalismus aller jungen Leute zu verurteilen, was selbstverständlich ganz angebracht war.

Aber seltsam genug – in seinen Worten lag doch eine gewisse Unsicherheit, als sagte er im stillen zu sich selbst: Ach, Bruder, du lügst wie gedruckt! Aus lauter Angst, in ihren Mienen Gedanken lesen zu müssen, die sein Unbehagen möglicherweise noch verstärkt hätten, traute er sich nicht einmal, Sobakewitsch und Manilow anzublicken. Aber seine Befürchtung war unbegründet: Sobakewitschs Gesicht blieb unbeweglich, und Manilow, vollkommen überwältigt von Tschitschikows wohlgesetztem Redeschwall, nickte nur zustimmend mit dem Kopf und geriet dabei in einen Zustand, der an die Begeisterung eines Musikschwärmers erinnerte, wenn etwa eine Sängerin einen noch höheren Ton erreicht als die Geige, ja einen Ton, wie ihn selbst eine Vogelkehle nicht hervorzuschmettern vermag.

»Aber warum sagen Sie denn Iwan Grigorjewitsch nicht, was Sie eigentlich erworben haben?« fragte Sobakewitsch und fuhr, sich an den Präsidenten wendend, fort: »Und Sie, Iwan Grigorjewitsch, warum erkundigen Sie sich Ihrerseits gar nicht, worin die Erwerbung besteht? Es sind doch so hervorragende Leute! Gold, pures Gold! Ich habe ihm sogar den Wagenbauer Michejew verkauft.«

»Nicht möglich, sogar den Michejew?« rief der Präsident überrascht. »Ich kenne ja den Michejew, ein Meister in seinem Fach, er hat mir seinerzeit meine Kutsche umgebaut. Aber, erlauben Sie mal, wie ist denn das ... haben Sie mir nicht einmal erzählt, daß er gestorben sei?«

»Wer? Michejew gestorben?« sagte Sobakewitsch, ohne auch nur im geringsten unsicher zu werden. »Das ist ja sein Bruder. Er selbst ist lebendiger denn je, ja womöglich gesünder als früher. Noch in diesen Tagen hat er eine Kutsche fertiggestellt, wie man sie nicht einmal in Moskau bekommt. Von Rechts wegen sollte er überhaupt nur für den Kaiser arbeiten.«

»Sehr richtig, der Michejew ist ein ausgezeichneter Meister«, sagte der Präsident, »ich wundere mich nur, daß Sie sich von ihm haben trennen können.«

»Ja, wenn's nur der Michejew allein wäre! Aber auch der Schreiner Probka, Stepan, der Ziegelbrenner Miluschkin, der

Schuster Teljatnikow, Maxim – sie gehen ja ebenfalls fort, ich habe sie alle miteinander verkauft!«

Als der Präsident sich erkundigte, warum er denn das getan habe, da sie doch alle für den Haushalt und für die Werkstätten so unersetzliche Leute seien, erwiderte Sobakewitsch mit einer unbestimmten Handbewegung: »Nur so, aus irgendeiner törichten Laune. Ach was, verkaufen wir sie, habe ich mir gedacht, und dann habe ich sie dummerweise auch wirklich verkauft!« Bei diesen Worten ließ er den Kopf hängen, als reute ihn jetzt, daß er es getan hatte, und fügte hinzu: »Man kann grau und alt werden und wird doch niemals gescheit.«

»Aber hören Sie mal, Pawel Iwanowitsch«, sagte der Präsident, »wie kaufen Sie denn Bauern ohne Grund und Boden? Wollen Sie sie anderswo ansiedeln?«

»Jawohl, um sie anzusiedeln.«

»So, so, aber wo denn?«

»Im ... Gouvernement Cherson.«

»Oh, da ist guter Boden«, sagte der Präsident und äußerte sich sehr lobend über die Qualität des dortigen Graswuchses.

»Und reicht Ihr Grundbesitz aus?«

»Vollkommen für die Bauern, die ich gekauft habe.«

»Haben Sie dort einen Fluß oder nur einen Teich?«

»Einen Fluß, aber ein Teich ist ebenfalls vorhanden.« Als Tschitschikow diese Auskunft gab, fiel sein Blick zufällig auf Sobakewitsch, und obgleich der nach wie vor keine Miene verzog, schien ihm doch, daß in Sobakewitschs Gesicht zu lesen stand: Was du sagst, ist ja glatt gelogen. Der Fluß und der Teich sind in Wirklichkeit ebensowenig vorhanden wie der ganze Grundbesitz!

Während sich diese Unterhaltung noch fortspann, stellten sich die Zeugen allmählich ein: der dem Leser schon bekannte, ewig blinzelnde Staatsanwalt, der Inspektor des Gesundheitsamtes, Truchatschewskij, Beguschkin und jene anderen, die nach den Worten Sobakewitschs für die Allgemeinheit nur eine Belastung darstellten. Die meisten waren Tschitschikow völlig unbekannt. Was noch fehlte, wurde einfach aus der

Zahl der Gerichtsbeamten genommen. Ferner hatte man nicht nur den Sohn des Vaters Kyrill, sondern auch den Protopopen selber herbeigeschleppt. Jeder Zeuge fügte seiner Unterschrift auch seine sämtlichen Titel und Würden hinzu, der eine in runder, der andre in schräger Schrift oder gar in Buchstaben, die auf dem Kopf zu stehen schienen und die man im russischen Alphabet vergeblich suchen würde. Der uns bereits vertraute Iwan Antonowitsch machte seine Sache schnell und geschickt, die Verträge wurden registriert, numeriert und, wie es sich gehörte, in ein Buch eingetragen, wobei nur die Hälfte der Gebühren für die Beglaubigung und die Publizierung im Amtsblatt erhoben wurde, so daß Tschitschikow lächerlich wenig zu zahlen hatte. Der Präsident verfügte sogar, daß ihm bloß die Hälfte der Stempelsteuer abverlangt und der Rest, Gott weiß wie, irgendeinem anderen, an diesem Geschäft gänzlich unbeteiligten Klienten mit auf die Rechnung gesetzt würde.

»So«, sagte der Präsident, als alles erledigt war, »jetzt bleibt uns nur noch übrig, das Geschäftchen gehörig zu begießen.«

»Mit dem größten Vergnügen«, erwiderte Tschitschikow. »Bestimmen Sie die Zeit. Ich würde mich ja wahrhaftig versündigen, wenn ich nicht bereit wäre, für eine so angenehme Gesellschaft zwei oder drei Flaschen Champagner auffahren zu lassen.«

»O nein, Sie haben mich falsch verstanden: den Sekt stellen wir selber«, entgegnete der Präsident, »das ist unsre Pflicht und Schuldigkeit. Sie sind unser Gast: Sie zu bewirten ist unsere Sache. Wissen Sie was, meine Herrn? Wir machen die Sache folgendermaßen: ziehen wir doch alle, wie wir sind, zum Polizeimeister. Er ist ja der reine Wundertäter, der nur über den Fischmarkt oder bei einem Weinhändler vorüberzugehen und ein bißchen mit den Augen zu zwinkern braucht, und schon hat er ein Frühstück herbeigezaubert, wie man es sich prächtiger gar nicht vorstellen kann. Und für eine Partie Whist ergibt sich zugleich die beste Gelegenheit!«

Natürlich hatte niemand etwas gegen diesen Vorschlag einzuwenden. Schon allein bei der Erwähnung des Fischmarkts lief den Zeugen das Wasser im Munde zusammen. Sie griffen sofort nach ihren Hüten und Mützen, und die Sitzung war beendet. Als man die Kanzlei passierte, machte Iwan Antonowitsch, der Gießkannenrüssel, eine tiefe Verbeugung und zischte Tschitschikow zu: »Sie haben für hunderttausend Rubel Bauern gekauft, mir aber für meine Mühe nur ein lumpiges Scheinchen gegeben.«

»Was sind das aber auch für Bauern!« erwiderte Tschitschikow ebenso leise. »Ein nichtsnutziges und völlig unbrauchbares Pack, das nicht einmal halbsoviel wert ist.« Iwan Antonowitsch begriff, daß er es mit einem hartnäckigen Charakter zu tun hatte, von dem nichts mehr zu erwarten war.

»Wieviel haben Sie Pljuschkin pro Seele gegeben?« flüsterte ihm Sobakewitsch ins andere Ohr.

»Und Sie? Warum haben Sie das Frauenzimmer in die Liste hineingemogelt?« gab Tschitschikow zur Antwort.

»Welches Frauenzimmer?« fragte Sobakewitsch.

»Nun, die Jelisaweta Worobej, deren Namen Sie so undeutlich geschrieben haben, daß man sie für einen Mann hätte halten können.«

»Davon ist mir nichts bekannt«, brummte Sobakewitsch und wandte sich den übrigen Gästen zu.

Die Gäste begaben sich jetzt geschlossen zum Hause des Polizeichefs, der sich tatsächlich als Hexenmeister erwies. Als er gehört hatte, was geplant war, pfiff er sogleich einen Revierinspektor, einen besonders gerissenen Burschen in hohen Lackstiefeln, zu sich heran, dem er anscheinend nur zwei Worte zuflüsterte, um ihn dann mit einem »Hast du verstanden?« in Marsch zu setzen. Und schon stellten sich im Nebenzimmer, während die Gäste Whist spielten, so köstliche Dinge ein wie gekochter und gedörrter Stör, Sterlet, Lachs, frischer und gepreßter Kaviar, Heringe, Wels, mancherlei Arten von Käse und geräucherte Zunge. Während dieser ganze Segen vom Markt kam, lieferten Haushalt und Küche: eine Fischpirogge, die mit den Knorpeln und dem Schädelfleisch eines zentnerschweren Störs gefüllt war, eine weitere, mit Pfifferlingen gefüllte Pastete, ferner kleinere

Piroggen aus Butterteig, Butterpilze und verschiedene Kompotts.

Der Polizeimeister war in gewissem Sinn der Vater und Wohltäter der Stadt. Er bewegte sich unter den Einwohnern ganz wie im Kreise seiner engsten Familie und war über die Vorräte der Läden und Kaufhäuser genauso gut unterrichtet wie über den Inhalt seiner eigenen Speisekammer.

Überhaupt war er, wie man zu sagen pflegte, der richtige Mann am richtigen Platz und verstand seine Sache so ausgezeichnet, daß es schwer zu sagen war, ob er für seinen Posten oder sein Posten für ihn geschaffen war. Er legte bei der Wahrnehmung seiner Pflichten einen so unermüdlichen Eifer an den Tag, daß er im Vergleich zu seinen sämtlichen Vorgängern nicht nur mehr als das Doppelte verdiente, sondern sich auch noch die uneingeschränkten Sympathien der ganzen Bevölkerung erwarb. Vor allem die Kaufleute liebten ihn sehr, weil er so gar nicht hochmütig war, sondern bei ihnen Gevatter stand und die Patenschaft auf ihren Kindstaufen übernahm, und wenn er sie auch gehörig schröpfte, so machte er das doch auf eine außerordentlich leutselige Weise: er klopfte ihnen kameradschaftlich auf die Schulter, scherzte mit ihnen und lud sie zum Tee ein, er versprach, mit ihnen Dame zu spielen, erkundigte sich, wie die Geschäfte gingen, und schwatzte über dieses und jenes. Hörte er, daß ein Kind erkrankt war, sofort wußte er das einzig wirksame Mittel, kurz, er war ein patenter Bursche! Kam er angefahren, um irgendwo nach dem Rechten zu sehen, so hatte er für jeden ein passendes Wort, wie zum Beispiel: »Wie steht's, Michejitsch, sollten wir nicht einmal unser Partiechen zu Ende spielen?« Worauf dieser zur Antwort gab: »Gewiß, Alexej Iwanowitsch, das sollten wir wirklich.« Oder aber: »Wie wär's, Ilja Paramonytsch, wenn du mal zu mir kämst, um dir den Traber anzuschauen. Er wird hinter dem deinigen nicht zurückstehen. Lassen wir's mal auf eine Probe ankommen.« Und der Kaufmann, der ein richtiger Pferdenarr war, lächelte besonders geschmeichelt, strich sich den Bart und erwiderte: »Natürlich, Alexej Iwanowitsch, lassen wir's nur ruhig drauf ankommen!« Sogar alle Angestellten des Ladens, die diesen Zwiegesprächen, ihre Mützen in den Händen, beiwohnten, zwinkerten sich schmunzelnd zu, als wollten sie sagen: »Ist dieser Alexej Iwanowitsch nicht wirklich ein reizender Mensch?« Kurzum, er hatte es fertiggebracht, eine große Popularität zu erlangen, und die Kaufleute waren allesamt der Meinung, daß Alexej Iwanowitsch ihnen »zwar das Fell über die Ohren zieht, dafür aber niemand hinhängt«.

Als der Polizeimeister sah, daß das Frühstück fertig war, schlug er den Gästen vor, die Whistpartie bis nach dem Frühstück zu unterbrechen, und alle begaben sich ins Nebenzimmer, aus dem schon höchst angenehme Düfte herübergedrungen waren, die Nasen der Gäste verheißungsvoll kitzelnd. Sobakewitsch hatte bereits wiederholt durch die Tür gespäht und sich den riesigen Stör gemerkt, der ein wenig abseits auf einer entsprechend großen Schüssel lag. Die Gäste genehmigten sich zunächst ein Gläschen Schnaps von dunkelgrüner, olivenähnlicher Farbe, wie sie jene sibirischen Steine haben, die in Rußland zur Petschaftherstellung benutzt werden. Dann drängte man sich von allen Seiten, mit Gabeln bewaffnet, um den Tisch, wobei die Charaktereigenschaften und besonderen Neigungen jedes einzelnen zutage traten, indem sich dieser über den Kaviar, jener über den Lachs und wieder einer über den Käse hermachte. Sobakewitsch dagegen ließ alle diese Kleinigkeiten vollkommen unbeachtet, er widmete sich vielmehr ausschließlich dem Stör, und zwar mit dem Ergebnis, daß er, während die anderen tranken, aßen und plauderten, ganz mit ihm fertig wurde. Als nämlich der Polizeimeister, an den Stör erinnernd, sagte: »Nun, meine Herren, wie denken Sie über dieses Naturprodukt?« und, seine Gabel schwingend und von den anderen Gästen gefolgt, an die große Schüssel herantrat, zeigte sich, daß von dem ganzen Naturprodukt nur noch der Schwanz übriggeblieben war. Sobakewitsch jedoch spielte den völlig Ahnungslosen, wandte sich einem anderen, ebenfalls weiter weg stehenden Teller zu und begann mit seiner Gabel auf irgendeinen kleinen Dörrfisch loszustochern. Nachdem er den ganzen Stör vertilgt hatte, nahm er in einem Lehnstuhl Platz, aß und trank überhaupt nichts mehr, sondern kniff seine Augen zusammen und blinzelte nur ein wenig. Der Polizeimeister liebte es anscheinend nicht, seinen Wein zu schonen, ein Toast folgte dem andern. Der erste wurde, wie sich der Leser schon selber denken kann, auf die Gesundheit des neuen Chersonschen Gutsbesitzers ausgebracht, dann wurde auf das Wohl seiner Bauern und ihre glückliche Umsiedlung und schließlich auf Tschitschikows künftige Frau, die natürlich eine Schönheit sein würde, getrunken, was unserem Helden ein geschmeicheltes Lächeln entlockte. Man umdrängte und bestürmte ihn, doch mindestens noch vierzehn Tage in der Stadt zu bleiben: »Aber nein, Pawel Iwanowitsch! Was meinen Sie denn – nur über die Schwelle und gleich wieder hinaus? Das würde ja bedeuten, den Ofen anzünden, um ihn sofort wieder ausgehen zu lassen! Nein, nein, bleiben Sie noch bei uns! Wir werden Sie verheiraten. Nicht wahr, Iwan Grigorjewitsch, wir verheiraten ihn?«

»Natürlich, wir verheiraten ihn!« griff der Präsident diesen Gedanken auf. »Sträuben Sie sich mit Händen und Füßen dagegen, wir werden Sie dennoch verheiraten! Nachdem sie nun einmal hierherverschlagen sind, hilft Ihnen kein Gott. In dieser Sache verstehen wir keinen Spaß.«

»Warum sollte ich mich denn mit Händen und Füßen sträuben«, sagte Tschitschikow lachend. »Allerdings, zum Heiraten gehört eine Braut . . .«

»Das lassen Sie nur unsre Sorge sein! Warum sollte sich denn keine Braut auftreiben lassen? Die wird sich schon finden, alles, was Sie wollen, wird sich finden!«

»Sollte sich also eine finden . . .«

»Bravo, er bleibt!« schrien alle. »Vivat, hurra, ein Hurra für Pawel Iwanowitsch!« Und alle erhoben sich und umdrängten Tschitschikow, ihre Gläser in den Händen, um mit ihm anzustoßen. Er stieß mit jedem einzeln an. »Nein, nein, noch einmal!« riefen die, die am hartnäckigsten waren, und es wurde abermals angestoßen. Und dann drängte man zum drittenmal heran, um anzustoßen, und es wurde wiederum angestoßen. In kürzester Frist waren alle ungemein fröhlich. Der Präsident, der angeheitert ein sehr, sehr lieber Mensch war, umarmte Tschitschikow fortwährend und rief im Überschwang seiner Zuneigung: »Du mein Herzchen, du mein allerliebstes Mamachen!« Und dann begann er sogar, mit den Fingern schnalzend, das bekannte Komarinskij-Volkslied zu singen und dabei um Tschitschikow herumzutanzen. Nach dem Champagner wurde Ungarwein aufgefahren, was die Stimmung der Gesellschaft noch mehr anfeuerte. Die Whistpartie war ganz und gar in Vergessenheit geraten, man stritt sich, schrie aufeinander ein, kam vom Hundertsten ins Tausendste, auf die Politik, ja auf militärische Dinge, und schließlich äußerte man sogar freiheitliche Ansichten, für die man unter gewöhnlichen Umständen seinen Kindern eine Tracht Prügel verabreicht hätte. Im Handumdrehen wurden hier eine Menge der schwierigsten Probleme gelöst. Tschitschikow hatte sich noch nie in so aufgeräumter Stimmung befunden, er fühlte sich bereits als richtiger Chersonscher Gutsbesitzer, sprach von Verbesserungen, deren Durchführung er angeblich vorhatte, von der Dreifelderwirtschaft, von der Seligkeit und dem Liebesglück zweier Seelen und ließ sich sogar dazu hinreißen, Sobakewitsch einen in Versen abgefaßten Brief Werthers an Charlotte vorzudeklamieren, was dieser aber, der nach seiner Störmahlzeit keinen anderen Wunsch hatte, als seiner Schläfrigkeit nachgeben zu können, nur mit einem Blinzeln quittierte. Schließlich dämmerte es auch Tschitschikow, daß er sich wohl zu weit vorgewagt hatte. Er bat um einen Wagen und wählte den des Staatsanwalts, dessen geschickter Kutscher unterwegs bewies, daß er allerhand Erfahrungen gesammelt hatte, denn während er mit der einen Hand die Zügel führte, hielt er mit der anderen den schwankenden Tschitschikow hinter sich im Gleichgewicht. So gelangte dieser glücklich in seinen Gasthof, wo er noch lange ungereimtes Zeug vor sich hin schwatzte und von einer blonden Braut mit einem Grübchen auf der rechten rosigen Wange, von Gütern im Gouvernement Cherson und irgendwelchen Kapitalien phantasierte. Schließlich gab er sogar Selifan den Auftrag, die zur Umsiedlung bestimmten Bauern um sich zu versammeln und sie alle namentlich aufzurufen. Selifan hörte sich das alles schweigend an, ging dann hinaus und sagte zu

Petruschka: »Geh und zieh dem Herrn die Kleider aus!« Petruschka versuchte es zunächst mit den Stiefeln, wobei er seinen Herrn fast mit auf den Fußboden zerrte. Aber schließlich war es doch gelungen, Tschitschikow von seinen Stiefeln zu befreien, der sich dann selbst auszog, noch einige Zeit sich auf seinem mächtig knarrenden Bett hin und her warf und endlich in der festen Überzeugung, ein Chersonscher Gutsbesitzer zu sein, einschlief. Petruschka trug die Hosen und den preißelbeerfarbenen Frack seines Herrn auf den Korridor hinaus, hing die Kleidungsstücke auf und bearbeitete sie so energisch mit Ausklopfer und Bürste, daß er den ganzen Korridor in eine Staubwolke hüllte. Als er mit dieser Arbeit fertig war, warf er einen Blick von der Galerie hinunter und sah dort Selifan, der gerade aus dem Pferdestall zurückgekommen war. Sie brauchten sich nur anzusehen, um einer des anderen Gedanken sogleich zu erraten: der Herr hatte sich zum Schlafen aufs Bett geworfen – also konnte man sich ruhig eine kleine Zerstreuung gönnen und zu diesem Zweck irgendwo ein bißchen hineinschauen. Petruschka trug Frack und Hose wieder ins Zimmer zurück und begab sich dann hinunter, worauf beide zusammen ausgingen, ohne auch nur ein Wort über den Zweck dieses Ausflugs verlauten zu lassen. Der Spaziergang, auf dem sie über ganz fernliegende Dinge sprachen, war übrigens sehr kurz; denn sie gingen nur über die Straße zu einer Schenke, die dem Gasthaus gegenüberlag, öffneten eine niedrige, rauchgeschwärzte Glastüre und betraten einen kellerartigen Raum, wo an rohen Holztischen schon allerhand Volk saß: rasierte und unrasierte Leute, einige in Schafpelzen oder einfach nur in Hemden und solche, die dicke Mäntel anhatten. Was Petruschka und Selifan dort eigentlich machten, wußte nur Gott allein, aber als sie nach einer Stunde wieder herauskamen, gingen sie Hand in Hand, in tiefstem Schweigen, achteten aufmerksam aufeinander und führten einer den andern vorsichtig um die Hausecken herum. Arm in Arm, und ohne einander loszulassen, kletterten sie die Treppe hinauf, wobei sie mindestens eine Viertelstunde brauchten, bis sie oben ankamen. Petruschka verharrte eine Minute vor seinem niedrigen Bett und überlegte, wie er sich wohl am zweckmäßigsten niederlegen solle, worauf er dann eine so grundverkehrte Lage einnahm, daß die Füße sich auf den Fußboden stützten. Selifan legte sich auf das gleiche Bett, und zwar so, daß sein Kopf auf Petruschkas Bauch zu liegen kam. Er hatte dabei vollkommen vergessen, daß er seine Schlafstelle eigentlich in der Leutestube oder im Stall bei den Pferden hatte. Beide schliefen sofort ein und ließen dabei ein unerhört beharrliches Schnarchen vernehmen, welches Tschitschikow aus seinem Zimmer mit dünnen, nasalen Pfiffen beantwortete. Bald darauf trat im ganzen Gasthof Ruhe ein, und alles versank in tiefen Schlaf. Nur in einem Fensterchen war noch Licht. Dieses Zimmer bewohnte der Leutnant aus Rjasan, der offensichtlich eine Leidenschaft für Schuhe besaß, denn er hatte sich schon vier Paar machen lassen und probierte jetzt immer wieder das fünfte. Bereits mehrere Male war er wieder an sein Bett getreten, um sie endgültig auszuziehen und sich zur Ruhe zu begeben, aber er konnte es dann doch nicht übers Herz bringen: die Schuhe waren zu schön gearbeitet. Und noch lange hob er das eine oder das andere Bein in die Höhe und bewunderte den prächtigen Absatz.

8

Tschitschikows Kaufgeschäfte wurden zum Gegenstand des Stadtgesprächs. Man tauschte seine Meinungen darüber aus, ereiferte sich und erörterte insbesondere die Frage, ob es vorteilhaft sei, Bauern zur Ansiedelung zu kaufen. Viele von diesen Auseinandersetzungen wurden nicht ohne gründliche Sachkenntnis geführt. »Natürlich«, sagten manche, »es läßt sich nicht leugnen, daß der Boden in den südlichen Gouvernements gut und fruchtbar ist, aber wie werden sich Tschitschikows Bauern ohne Wasser behelfen? Es gibt dort keine Flüsse.« – »Das wäre noch das wenigste, Stepan Dmitrijewitsch, aber die Umsiedlung ist eine hoffnungslose Angelegenheit. Man weiß ja nur allzu gut, wie das geht, wenn der Bauer auf jungfräulichem Boden Ackerbau treiben soll und nicht einmal Haus und Hof vorfindet – so sicher wie zwei mal zwei vier ist, spannt er aus und geht, hast du's nicht gesehen, auf und davon.« – »Nein, Alexej Iwanowitsch, gestatten Sie mal, ich bin ganz und gar nicht Ihrer Meinung, wenn Sie glauben, daß Tschitschikows Bauern davonlaufen werden. Der russische Mensch ist zu allem fähig und gewöhnt sich an jedes Klima. Sie können ihn meinetwegen sogar nach Kamtschatka schicken, wenn Sie ihm nur warme Handschuhe mitgeben! Er wird die Arme ein paarmal gegeneinander schlagen und dann das Beil ergreifen und sich eine neue Hütte bauen.« – »Schon gut, Iwan Grigorjewitsch, aber einen wichtigen Umstand läßt du ganz außer acht, nämlich den, daß kein Gutsbesitzer seine wirklich guten Leute verkauft. Ich gebe meinen Kopf zum Pfande, daß Tschitschikows Bauern lauter Diebe, Säufer, Faulpelze und Raufbolde sind.« – »Ja so, das muß ich allerdings zugeben, es ist natürlich wahr, daß niemand seine bewährten Arbeitskräfte hergibt und daß daher Tschitschikows Leute hauptsächlich versoffene Subjekte sein werden; aber man muß in Betracht ziehen, daß dieselben Leute, die jetzt vielleicht noch Taugenichtse sind, sich in der neuen Umgebung plötzlich in musterhafte Untergebene verwandeln können. Dafür gibt es nicht nur im täglichen Leben, sondern auch in der Geschichte nicht wenig Beispiele.« – »Nie und nimmer«, sagte der Leiter der staatlichen Fabriken, »glauben Sie mir, das kann gar nicht sein, denn Tschitschikows Bauern werden von vornherein zwei mächtige Feinde haben. Der erste Feind, das ist die Nähe der ukrainischen Gouvernements, wo, wie jeder weiß, der Schnapsverkauf frei ist. Ich versichere Sie, in vierzehn Tagen sind sie hoffnungslose Säufer und werden nicht mehr an die Arbeit zu kriegen sein. Und der zweite Feind kommt mit der Umsiedlung ganz von selbst: die Bauern werden an das Herumstreunen gewöhnt. Es sei denn, daß Tschitschikow sie ständig im Auge behält, ein eisernes Regiment führt, sie für jede Kinderei unnachsichtlich bestraft und nicht nur das, sondern ihnen bei der geringsten Gelegenheit höchstpersönlich, und ohne sich auf andere zu verlassen, eins in die Zähne gibt oder kräftige Kopfnüsse verabreicht.« – »Ja, warum soll denn

Tschitschikow sich selbst mit ihnen herumschlagen und ihnen Kopfnüsse geben? Dazu könnte er ja auch einen Verwalter halten.« – »Einen brauchbaren Verwalter zu finden ist nicht so einfach, sie sind alle Betrüger.« – »Betrüger sind sie nur deshalb, weil sich die Herren um nichts kümmern.« – »Das ist nur allzu wahr«, stimmten viele zu. »Wenn die Gutsherrn selber nur etwas von der Wirtschaft verstünden und ein bißchen Menschenkenntnis hätten, würde an guten Verwaltern kein Mangel sein.« Aber der Leiter der Staatsbetriebe entgegnete, daß man für weniger als fünftausend Rubel keinen guten Verwalter auftreiben könne, worauf der Präsident erklärte, es gäbe sie auch schon für dreitausend Rubel. Darauf wiederum der Fabrikdirektor: »Woher denn einen nehmen, man kann ihn doch nicht herbeizaubern?« – »Nein«, erwiderte der Präsident, »man holt ihn sich aus unserem Kreise, nämlich – Pjotr Petrowitsch Samoilow. Das wäre für Tschitschikows Bauern der richtige Mann!« Manche versuchten sich ganz in Tschitschikows Lage zu versetzen, aber die Schwierigkeiten, die mit der Umsiedlung einer so ungeheuren Menge von Bauern verbunden waren, machten sie ganz ängstlich. Sie äußerten lebhafte Bedenken, daß es unter diesen unruhigen Elementen sogar zu richtigen Aufständen kommen könnte. Aber der Polizeimeister bemerkte, daß ein Aufruhr keineswegs zu befürchten sei. Zur Unterdrückung eines solchen habe man ja glücklicherweise die Macht des Chefs der Landpolizei, der sich nicht einmal selbst an Ort und Stelle zu begeben brauche. Es genüge vollkommen, wenn er nur seine Uniformmütze hinschicke, denn schon allein der Anblick dieser Mütze werde die Bauern zur Vernunft bringen und sie veranlassen, ruhig wieder nach Hause zu gehen. Viele äußerten ihre Ansichten darüber, wie der rebellische Geist ausgerottet werden könne, der in Tschitschikows Bauern gefahren sei. Die Meinungen gingen sehr auseinander: es gab da manche, die sich schon allzu übertrieben für militärische Strenge, ja Grausamkeit aussprachen, die doch in diesem Fall durchaus entbehrlich war, und dann wieder andere, die für milde Behandlung eintraten. Der Postmeister zum Beispiel bemerkte, daß Tschitschikow die heilige Pflicht habe, so etwas wie ein Vater seiner Bauern zu werden und, wie er sich ausdrückte, eine Art Aufklärung unter ihnen einzuführen, wobei der Postmeister der Lancasterschen Methode des gegenseitigen Unterrichts uneingeschränktes Lob spendete.

In dieser Weise beschäftigte man sich in der Stadt mit der Sache und viele gaben ihre persönliche Anteilnahme zu erkennen, indem sie Tschitschikow ihre Ansichten unterbreiteten und Ratschläge erteilten, ja sie boten ihm sogar Begleitmannschaften an, um die Bauern gefahrlos an ihre neuen Wohnorte zu bringen. Tschitschikow bedankte sich für alle guten Winke und erklärte, er werde gegebenenfalls nicht verfehlen, sie zu befolgen, lehnte jedoch die Begleitung entschieden ab mit der Begründung, sie sei absolut unnötig, denn die von ihm erworbenen Bauern seien ohne Ausnahme von friedfertiger Wesensart und stimmten der Umsiedelung durchaus freiwillig zu, so daß von einer Meuterei unter ihnen keinesfalls die Rede sein könne.

Alle diese Gespräche hatten indessen für Tschitschikow die angenehmsten Folgen, die er sich nur wünschen konnte, denn schon war das Gerücht entstanden, daß er nichts mehr und nichts weniger als ein Millionär sei. Die städtische Bevölkerung, deren Herz er, wie wir aus dem ersten Kapitel wissen, ohnehin schon im Sturm erobert hatte, war ihm jetzt infolge dieses Gerüchtes noch weit mehr zugetan. Übrigens, um die Wahrheit zu sagen, es waren lauter gutmütige Leute, die im besten Einvernehmen lebten und durchaus kameradschaftlich miteinander umgingen. Ihre Gespräche trugen den Stempel einer ganz besonderen Milde und Treuherzigkeit: »Lieber Freund, Ilja Iljitsch!« »Hör mal, Bruder Antipator Sacharjewitsch!« »Du hast dich vergaloppiert, Mütterchen, Iwan Grigorjewitsch.« Wurde der Postmeister, der Iwan Andrejewitsch hieß, angeredet, so fügte man auf scherzhafte Weise in deutscher Sprache hinzu: »Sprechen Sie deitsch, Iwan Andrejewitsch?« Kurzum, es ging hier immer sehr familiär zu. Viele Einwohner der Stadt waren nicht ohne Bildung: der Gerichtspräsident kannte Strukowskijs »Ludmilla«, die damals noch viel und gern gelesen wurde, auswendig und deklamierte einige Partien daraus. »Es schläft der Wald, es ruht das Tal«, trug er so meisterhaft vor, daß man wahrhaftig glaubte, das schlummernde Tal vor sich zu sehen, zumal er dabei, um den Eindruck des Schlafens noch deutlicher zu machen, die Augen zusammenkniff. Der Postmeister vertiefte sich mehr in die Philosophie und las fleißig und oft nächtelang Youngs »Nächte« und den »Schlüssel zu den Geheimnissen der Natur« von Eckartshausen. Er machte daraus lange Auszüge, wenn es auch unbekannt blieb, welcher Art diese Auszüge eigentlich waren. Übrigens witzelte er gern, bediente sich blumenreicher Ausdrücke und liebte es, wie er selbst sagte, seine Sprache »aufzutakeln«. Das tat er unter anderem mit einer Unmenge von Redewendungen, wie etwa: Nicht wahr, mein Herr, verehrtester Soundso, wissen Sie, verstehen Sie, stellen Sie sich das vor, beziehungsweise, sozusagen, gewissermaßen und dergleichen Ausdrücke mehr, die er reichlich gebrauchte, wobei er vor allem seinen satirischen Anspielungen durch vielsagendes Blinzeln oder bedeutungsvolles Zusammenkneifen des einen Auges einen besonders giftigen Ausdruck zu geben wußte. Auch die übrigen Honoratioren waren mehr oder weniger gebildete Leute: der eine las Karamsin, der andere die »Moskauer Zeitung« und wieder einer sogar überhaupt nichts. Es gab auch solche, die richtige Schlafmützen waren, das heißt Leute, die man nur durch einen Fußtritt auf die Beine bringen konnte, und schließlich ausgesprochene Faultiere, die ihr ganzes Leben lang auf der Bärenhaut lagen und die in Bewegung zu bringen von vornherein ein hoffnungsloses Beginnen war, denn sie dachten gar nicht daran, sich zu erheben. Was das Äußere dieser Leute betraf, so wissen wir bereits, daß sie allesamt einen durchaus vertrauenerweckenden Eindruck machten. Schwindsüchtige gab es unter ihnen überhaupt nicht. Ihr Aussehen machte es vielmehr begreiflich, daß sie von ihren Frauen bei zärtlichen Zwiegesprächen im verschwiegenen Kämmerlein allerhand Kosenamen erhielten, wie zum Beispiel: Mein Dickerchen, mein geliebtes Fettsäckchen, mein goldiges Herzchen, Kiki, Joujou, und was es dergleichen mehr gibt. Sie waren überhaupt brave und außerordentlich gastfreie Leute und schlossen jeden sogleich in ihr Herz, der einmal an ihrem Tisch gesessen oder eine Partie Whist mit ihnen gespielt hatte – um so mehr Tschitschikow mit seinen faszinierenden Eigenschaften und bezaubernden Manieren, denn wenn einer das Geheimnis kannte, sich beliebt zu machen, dann war er es. Sie waren ihm so zugetan, daß er einfach keine Möglichkeit sah, von der Stadt loszukommen. Er hörte immer wieder: »Ach bleiben Sie doch noch eine Woche, nur eine einzige kleine Woche noch, Pawel Iwanowitsch!« Mit einem Wort, er wurde, wie man zu sagen pflegt, auf Händen getragen. Aber unvergleichlich bemerkenswerter, ja geradezu überwältigend war der Eindruck, den Tschitschikow auf die Damen machte. Um diese erstaunliche Tatsache auch nur halbwegs begreiflich zu machen, müßte man viel über diese Damen selbst und über ihre gesellschaftlichen Veranstaltungen sagen. Man müßte ihre Vorzüge genau beschreiben und ihr ganzes Seelenleben sozusagen mit leuchtenden Farben malen, aber für den Autor ist das sehr schwer. Einerseits hindert ihn die unbegrenzte Hochachtung, die er den Gattinnen der Würdenträger gegenüber empfindet, und andererseits ... ja, andererseits übersteigt diese Aufgabe ganz einfach seine Fähigkeiten. Die Damen dieser Stadt waren ... ach nein, ich kann es auf keine Weise über die Lippen bringen – ich habe wahrhaftig Angst. An den Damen der Stadt war vor allem das bemerkenswert, daß sie ... aber nein, es ist wirklich sonderbar – meine Feder kommt nicht von der Stelle, als wäre sie schwer wie Blei. So bleibt mir nichts andres übrig, als die Schilderung ihrer Charaktere anderen zu überlassen, die eine größere Auswahl von hellen und lebhaften Farben auf ihren Paletten haben. Wir aber müssen uns mit ein paar Worten über ihr Aussehen und das, was mehr an der Oberfläche liegt, begnügen. Die Damen der Stadt N. waren, wie man sich ausdrückt, repräsentabel, und zwar in einem Maße, daß sie anderen Frauen mit Recht als Beispiel hingestellt werden konnten, denn in ihrer Art, sich zu geben, den guten Ton, die Etikette und die Gesetze des Anstandes bis in ihre letzten Feinheiten peinlich genau zu wahren und nicht zuletzt sich in ihrer Kleidung bis ins kleinste nach der neuesten Mode zu richten, übertrafen sie selbst die Petersburger und Moskauer Damen. Sie zogen sich mit äußerstem Geschmack an und zeigten sich in der Stadt, wie es die Mode vorschrieb, nur in ihren Kutschen, mit Lakaien in goldverbrämten Livreen hinter sich. Die Visitenkarte wurde selbst dann, wenn der Name auch nur auf eine Treff-Zwei oder auf ein Karo-As geschrieben war, geradezu heiliggehalten. Zwei Damen, die aufs engste befreundet und sogar miteinander verwandt waren, verfeindeten sich endgültig wegen einer solchen Visitenkarte – die eine der beiden hatte es nämlich versäumt, den fälligen Gegenbesuch zu machen, und sosehr sich die entsprechenden Ehemänner und die beiderseitigen Verwandten abmühten, eine Aussöhnung zustande zu bringen, es zeigte sich, daß nichts auf der Welt so hoffnungslos ist wie die Versöhnung zweier Damen, die sich wegen eines unterlassenen Gegenbesuches in die Haare geraten sind. So verblieben die beiden Damen »im Zustande gegenseitiger Abneigung«, wie man das in der guten Gesellschaft der Stadt nannte. Auch über die Frage, wem im gesellschaftlichen Leben der Vorrang gebühre und wem nicht, kam es nicht selten zu außerordentlich leidenschaftlichen Auseinandersetzungen, was zur Folge hatte, daß die Herren, die sich veranlaßt sahen, für ihre Frauen einzutreten, sich gelegentlich zu bemerkenswert ritterlichen und hochsinnigen Ehrbegriffen bekannten. Duelle gab es natürlich nicht unter ihnen, weil sie ja nur Zivilbeamte waren, aber dafür bemühten sie sich redlich, sich gegenseitig die Ehre abzuschneiden, den guten Ruf zu gefährden und tausend Schwierigkeiten zu bereiten, was bekanntlich noch weit unangenehmer ist als jedes Duell. In ihrem Lebenswandel hielten die Damen der Stadt N. auf allerstrengste Moral. Voll sittlicher Empörung verurteilten sie aufs schärfste jede Schwäche dieser Art. Ereignete sich unter ihnen dennoch etwas, was man »dieses oder jenes« zu nennen pflegt, so geschah das ganz im geheimen und man beobachtete das tiefste Stillschweigen darüber. Die Würde blieb unter allen Umständen gewahrt und selbst der Ehemann der betreffenden Dame wurde in einer Weise ins Bild gesetzt, daß er, selbst wenn er »dieses oder jenes« bemerkte oder auch nur gerüchteweise davon hörte, kurz und bündig mit dem Sprichwort antworten konnte: »Was ich nicht weiß, macht mich nicht heiß!« Auch muß noch ausdrücklich hervorgehoben werden, daß die Damen der Stadt N., ähnlich wie die Petersburger Damen, sich einer besonders gewählten und zurückhaltenden Ausdrucksweise befleißigten. Niemals sagten sie: »Ich habe mich geschneuzt«, »habe geschwitzt« oder »ausgespuckt«, sondern: »Ich habe meine Nase entlastet« oder »habe von meinem Tüchlein Gebrauch gemacht«. Unter gar keinen Umständen durfte man sagen: »Dieses Glas oder dieser Teller stinkt«, ja es durfte nicht einmal andeutungsweise auf etwas Ähnliches angespielt werden, sondern man mußte sich zum Beispiel folgendermaßen ausdrücken: »Dieses Glas benimmt sich nicht gut.« Um unsere Sprache noch mehr zu veredeln, war überhaupt fast die Hälfte aller russischen Worte in Acht und Bann getan, so daß man sehr häufig seine Zuflucht zum Französischen nehmen mußte, mit dem es sich ganz anders verhielt, hier war nämlich alles erlaubt, auch sehr viel derbere Worte als die oben erwähnten.

Das ist im wesentlichen alles, was über die Damen in N. zu sagen ist, wenn man diesen Gegenstand nur oberflächlich behandelt. Blickt man aber tiefer, so eröffnen sich ganz andere Perspektiven. Aber es ist außerordentlich gefährlich, tiefer in die weibliche Seele hineinzuleuchten. Wir werden uns daher auch weiterhin mit der Oberfläche begnügen. Bisher hatten die Damen sich nur wenig mit Tschitschikows Persönlichkeit beschäftigt, wenn sie seinen weltmännischen Manieren auch in vollem Maße gerecht geworden waren. Jetzt aber, als die Gerüchte von seinem millionenschweren Reichtum sich auszubreiten begannen, wurden auch noch andere Vorzüge bei ihm entdeckt. Übrigens waren die Damen durchaus nicht an seinem Gelde interessiert: es war vielmehr nur das Wort »Millionär« an sich und nicht etwa der Millionär selber, was sie faszinierte, wie ja überhaupt, ganz abgesehen vom großen Geldbeutel, lediglich der Klang dieses Wortes sowohl auf schlechte und gute Menschen wie auch auf solche, die weder das eine noch das andere sind, mit einem Wort: auf alle Arten von Menschen, eine faszinierende Wirkung ausübt. Der Millionär hat das vor anderen Leuten voraus, daß er die Niedrigkeit der menschlichen Gesinnung, so wie sie nun einmal von Natur ist, die reine und völlig ungeschminkte Gemeinheit zu sehen bekommt, denn viele wissen ja von vornherein genau, daß sie nichts von ihm erhalten werden und auch nicht den geringsten Anspruch darauf haben, aber dennoch laufen sie hinter ihm her, lächeln ihm zu, nehmen den Hut vor ihm ab und setzen alle Hebel in Bewegung, um ebenfalls zu einem Diner eingeladen zu werden, an dem, wie sie in Erfahrung gebracht haben, auch der Millionär teilnimmt. Man kann allerdings nicht sagen, daß diese zarte Neigung zur Gemeinheit auch die Damen ergriff, aber selbst in ihren Salons fing man bereits an, Betrachtungen darüber anzustellen, daß Tschitschikow zwar nicht gerade ein Adonis, aber doch ein Mann sei, wie er sein sollte, was er indessen schon nicht mehr wäre, wenn er auch nur ein ganz klein wenig zu- oder abnehmen würde. Hierbei fiel unter anderem die für dünne Männer sogar einigermaßen beleidigende Äußerung, daß sie nämlich eher wie Zahnstocher als wie Menschen aussähen.

Was übrigens die Toiletten der Damen betraf, so ließ sich neuerdings auch hier eine gewisse Veränderung feststellen: in den entsprechenden Kaufläden herrschte ein starker Andrang, ja fast ein Gedränge. Man konnte geradezu von einem Korso sprechen – soviel Kutschen stauten sich vor den Geschäften. Die Kaufleute waren sehr verwundert, als sie sahen, daß gewisse Stoffe, die sie auf den Jahrmärkten eingekauft hatten und die wegen ihrer hohen Preise bisher unverkäuflich geblieben waren, ihnen plötzlich aus den Händen gerissen wurden. Während der Messe sah man eines Tages bei einer Dame eine Schleppe, die so lang war, daß sie fast die Hälfte der Kirche einnahm, und der anwesende Polizeikommissar mußte dem niederen Volk befehlen, in die Vorhalle zurückzuweichen, damit die Toilette Ihrer Hochwohlgeboren nicht zerdrückt würde. Auch Tschitschikow selbst konnte schließlich das Interesse nicht verborgen bleiben, das er überall erregte. Als er eines Tages heimkehrte, fand er auf seinem Schreibtisch einen Brief. Von wem dieser

Brief kam und wer ihn gebracht hatte, ließ sich jedoch nicht feststellen, zumal der Zimmerkellner erklärte, daß er verpflichtet worden sei, darüber Stillschweigen zu bewahren. Der Brief fing sehr energisch an: »Nein, ich muß Dir schreiben!« Weiter war dann die Rede davon, daß es ein geheimes Einverständnis der Seelen gebe, und diese Wahrheit wurde durch vielsagende Punkte bekräftigt, die sich über eine halbe Zeile fortsetzten. Dann folgten einige Gedankensplitter von einer so bemerkenswerten Unwiderlegbarkeit, daß wir es für unumgänglich halten, sie hier wiederzugeben: »Was ist das Leben? Ein Tal, in welchem sich unsere Kümmernisse angesiedelt haben. Was ist die Welt? Eine Herde von Menschen, die nichts empfinden.« Weiter erwähnte die Briefschreiberin, daß sie die Briefe ihrer zärtlichen Mutter, die bereits seit fünfundzwanzig Jahren nicht mehr unter den Lebenden weile, mit Tränen benetze. Sie lud Tschitschikow ein, gemeinsam mit ihr in die Wüste zu gehen und der Stadt für immer den Rücken zu kehren, wo die Leute, in seelische Gefängnismauern eingeschlossen, aus Mangel an Luft erstikken. Der Brief, der mit einem unverkennbaren Verzweiflungsausbruch schloß, gipfelte in folgendem Verse:

Zwei Turteltäubchen führen dich, ach,
zu meinem frühen Grabe.
Die Tränenflut das Herz mir brach,
die ich deinetwegen vergossen habe.

Besonders in der letzten Zeile klappte das Versmaß nicht recht, aber darauf kam es nicht so sehr an, die Hauptsache war, daß der Brief ganz im Geiste der damaligen Zeit geschrieben war. Nicht nur die Unterschrift, sondern auch Datum und Jahreszahl fehlten, in einem Postskriptum hieß es lediglich, das eigene Herz des Empfängers müsse erraten, wer die Briefschreiberin sei. Das Original werde übrigens auf dem Ball anwesend sein, der morgen beim Gouverneur stattfinde.

Das interessierte Tschitschikow sehr. In der Anonymität lag so viel Lockendes und so viel, was seine Neugier reizte, daß er den Brief abermals und noch ein drittes Mal überflog und schließlich sagte: »Es wäre immerhin interessant zu erfahren, von wem der Brief stammt.« Kurzum, er fing an, die Sache ernst zu nehmen. Mehr als eine Stunde beschäftigte ihn das Erlebnis, dann ließ er die Arme sinken, neigte den Kopf und sagte zu sich selber: Aber der Brief ist doch sehr affektiert!

Dann wurde das Blatt sorgsam zusammengefaltet und selbstverständlich in die Schatulle gelegt, wo es zwischen ein Theaterprogramm und eine Hochzeitseinladung geriet, die hier schon sieben Jahre lang lagen. Gleich darauf wurde ihm in der Tat eine Einladung zum Ball beim Gouverneur gebracht. Das war in der Provinz so üblich: wo ein Gouverneur residierte, da gab es auch Bälle, denn woher sollte der Adel sonst die nötige Zuneigung und Verehrung für den Gouverneur gewinnen?

Tschitschikow ließ nun alles übrige beiseite und beschäftigte sich nur noch mit den Vorbereitungen zum Ball. Es gab ja genug Grund für ihn, soviel Zeit an seine Toilette zu wenden – wie das wohl seit Anbeginn der Welt noch niemals geschehen war. Eine ganze Stunde war allein der Betrachtung seines Gesichts im Spiegel gewidmet. Er studierte die verschiedenartigsten Ausdrucksmöglichkeiten seiner Gesichtszüge: bald versuchte er ein bedeutendes und gelassenes und bald ein achtungsvolles Gesicht mit und ohne Lächeln zu machen. Dann probierte er vor dem Spiegel verschiedene Arten von Verbeugungen, begleitet von unbestimmten Lauten, die teilweise an französische Worte erinnerten, obgleich Tschitschikow überhaupt nicht Französisch verstand. Bei diesen Übungen ergab sich für ihn selbst eine Reihe höchst angenehmer Überraschungen: er zwinkerte verheißungsvoll mit den Augen und erregte verblüffende Wirkungen, indem er seine Lippen bewegte oder mit der Zunge schnalzte. Kurz, was tut man nicht alles, wenn man sich für gutaussehend hält, sich allein im Zimmer befindet und fest überzeugt ist, daß niemand durchs Schlüsselloch blickt. Dann streichelte er noch zärtlich sein Kinn, ermunterte sich mit dem flotten Zuruf: »Ei, ei, mein Schnäuzchen«, und begann sich umzuziehen, wobei er sich in der zuversichtlichsten Stimmung befand.

Während er sich die Hosenträger anlegte und sich die Krawatte knüpfte, machte er besonders anmutige Kratzfüße und Verbeugungen und schließlich, obgleich er noch niemals getanzt hatte, allerhand ziemlich gewagte, hüpfende Tanzschritte, die übrigens recht harmlose Folgen hatten: nur die Kommode erbebte und seine Bürste fiel auf den Fußboden.

Tschitschikows Erscheinen auf dem Ball erregte eine ungewöhnliche Sensation. Sämtliche Anwesenden warfen sich ihm entgegen – manche hatten es so eilig, daß sie dabei ihre Spielkarten in der Hand behielten, und einer unterbrach sein Gespräch sogar am interessantesten Punkt, als er gerade gesagt hatte: »und darauf antwortete das Landgericht ...« Aber was es nun eigentlich geantwortet hatte, blieb unbekannt, denn der Sprecher lief mitten im Satz davon, um unseren Helden zu begrüßen. »Pawel Iwanowitsch!« »Ach mein Gott, Pawel Iwanowitsch!« »Teuerster Pawel Iwanowitsch!« »Verehrungswürdiger Pawel Iwanowitsch!« »Pawel Iwanowitsch, mein Herz!« »Da sind Sie ja, Pawel Iwanowitsch!« »Da haben wir ihn ja, unseren Pawel Iwanowitsch!« »Seien Sie umarmt, Pawel Iwanowitsch!« »Her mit ihm, ich werde ihn ordentlich abküssen, meinen teuren Pawel Iwanowitsch!« Und Tschitschikow fühlte sich von allen Seiten her umarmt. Kaum hatte er sich aus den Armen des Präsidenten frei gemacht, als ihn auch schon der Polizeimeister an sich drückte. Dieser gab ihn an den Inspektor des Gesundheitsamts weiter, der Inspektor an den Aufkäufer, der Aufkäufer an den Architekten und so fort. Als der Gouverneur, unterdessen bei den Damen stehend, in der einen Hand das Einwickelpapier eines Pralinés und in der anderen ein Bologneser Hündchen, Tschitschikow erblickte, warf er sogleich das eine wie das andere – das Hündchen winselte ein wenig – auf den Fußboden ... so groß war das Entzücken, das Tschitschikow allein durch seine Anwesenheit hervorgerufen hatte. Es gab kein Gesicht, in welchem nicht die persönliche Begeisterung oder mindestens die allgemeine Genugtuung deutlich zum Ausdruck gekommen wäre. So strahlen die Gesichter der Beamten, wenn bei der Inspizierung der ihnen unterstellten Dienststellen durch ihren Vorgesetzten der erste

Schreck überwunden ist und sich gezeigt hat, daß manches den Beifall des Chefs gefunden und er sich sogar herabgelassen hat, mit einem liebenswürdigen Lächeln ein paar freundliche Worte zu sagen. Dann lachen die unmittelbar neben ihm stehenden Beamten doppelt laut, von Herzen lachen diejenigen, die etwas weiter weg stehen und seinen Scherz nicht genau haben hören können, und der Polizist endlich, weit an der Tür, der noch nie in seinem Leben gelacht und soeben noch dem Volk die Faust gezeigt hat – auch er verzieht nach den unerschütterlichen Gesetzen der Rückwirkung sein starres Gesicht zu einem Lächeln, das allerdings mehr an die Grimasse eines Menschen erinnert, der nach einer Prise scharfen Tabaks gerade im Begriff ist zu niesen.

Unser Held hatte für alle und jeden ein passendes Wort und fühlte sich vollkommen frei und ungezwungen: er verbeugte sich nach rechts und links, ein wenig schief, wie es seine Gewohnheit war, aber doch so unbefangen, daß er alle bezauberte. Die Damen umringten ihn wie eine schillernde Girlande und hüllten ihn in eine Woge der verschiedenartigsten Wohlgerüche: eine war von Rosenduft umweht, eine andere duftete nach Frühling und Veilchen, von einer dritten strömte Resedaduft herüber. Tschitschikow hob die Nase und schnupperte. Die Toiletten der Damen zeigten eine Welt von Geschmack: die Musseline, Atlas- und Tüllstoffe ihrer Ballkleider waren von so zarten Modefarben, daß es schwer war, entsprechende Namen für die einzelnen Schattierungen zu finden – bis zu einer solchen Höhe hatte sich der Geschmack verfeinert! Bandschleifen und Blumensträuße schwebten an den Toiletten in malerischem Durcheinander, aber diese Unordnung war nur Schein, denn mancher durchaus ordentliche Kopf hatte sich lange um sie bemüht. Der leichte Kopfputz der Damen schien bloß an ihren Ohren befestigt zu sein, und zwar so, als wollte er sagen: Paßt auf, ich fliege davon! Schade nur, daß ich meine schöne Trägerin nicht mit mir nehmen kann! Die Taillen waren so fest geschnürt, daß sie dem Auge nur durchweg gefällige Formen darboten. (Hier muß übrigens erwähnt werden, daß sämtliche Damen der

Stadt N. einigermaßen füllig waren, sich aber so geschickt schnürten und eine so angenehme Art, sich zu bewegen, hatten, daß man ihnen ihre Leibesfülle gar nicht anmerkte.) Alles war bei ihnen wohlüberlegt und zeugte von einer ungewöhnlichen Umsicht und Vorsorge. Hals und Schultern waren nur so weit entblößt, als es unbedingt nötig war, und um keinen Finger breit tiefer. Jede ließ von ihren Schätzen gerade soviel sehen, als nach ihrem Gefühl und ihrer eigenen Überzeugung hinreichend war, um einen Mann zugrunde zu richten. Alles übrige blieb äußerst taktvoll verborgen: entweder hinter einem hauchzarten Halstüchlein, das noch leichter war als jenes unter dem Namen »Baiser« bekannte Gebäck, oder hinter einer schmalen, gezackten Halskrause aus ganz dünnem Batist, die damals »Schicklichkeitsrüsche« genannt wurde. Diese »Schicklichkeitsrüschen« verhüllten zwar vorn und hinten nur das, was ohnehin kein männliches Wesen aus der Fassung bringt, aber dadurch sollten sie die Männer ahnen lassen, daß gerade hier das Verderben schlummere. Die langen Ballhandschuhe reichten nicht ganz bis zu den kurzen Ärmeln und ließen wohlberechnet und höchst aufreizend die Arme oberhalb des Ellbogens frei, die vielfach von beneidenswerter Rundlichkeit waren. Bei einigen Damen hatten sich die Glacéhandschuhe sogar widersetzt, höher hinaufgezogen zu werden, und waren geplatzt – kurzum, alles und jedes schien ausdrücken zu wollen: Nein, schaut her, hier ist nicht etwa Provinz, sondern Hauptstadt, hier ist – Paris! Nur ganz vereinzelt stach plötzlich hie und da eine ganz unwahrscheinliche Haube oder gar so etwas wie eine Pfauenfeder hervor, die keineswegs der Mode, sondern nur dem ganz persönlichen und höchst eigenwilligen Geschmack ihrer Trägerin entsprach. Aber das war nun einmal nicht anders – dieses besondere Merkmal des Provinziellen macht sich schließlich doch irgendwie bemerkbar. Als Tschitschikow so vor den Damen stand, fragte er sich: Welche von ihnen ist nun wohl die Verfasserin des Briefes? und streckte seine Nase vor. Aber sogleich zog er sie wieder zurück vor dieser Unmenge von Ellbogen, Ärmeln, bunten Bändern, parfümierten Hemdchen und Kleidchen, die in ausgelassener

Galoppade an ihm vorüberstürmten: die Gattin des Postmeisters, der Gendarmeriehauptmann, die Dame mit der blauen Feder, die Dame mit der weißen Feder, der grusinische Fürst Tschipchaichilidse, der Beamte aus Petersburg, der Beamte aus Moskau, der Franzose Coucou, der Herr Perchunowskij, der Herr Berebendowskij – sie alle gerieten in Bewegung und brausten an ihm vorbei . . .

»Siehe da, die Provinz ist aus den Fugen!« murmelte Tschitschikow und wich vor diesem Ansturm zurück. Kaum hatten die Damen ihre Plätze wieder eingenommen, als er auch schon von neuem anfing, nach der Briefschreiberin Ausschau zu halten, aber es war unmöglich, sie am Ausdruck der Augen oder des ganzen Gesichts zu erkennen. Aus allen Gesichtern sprach etwas gleich Unausdeutbares, unendlich Verschlagenes – oh, wieviel Verschlagenes! . . . Nein, sagte Tschitschikow zu sich selbst, die Frauen sind doch ein allzu schwieriges Kapitel – er machte eine unbestimmte Handbewegung –, hierüber ist kein Wort weiter zu verlieren! Da soll nur einer versuchen, zu beschreiben oder auch nur annähernd wiederzugeben, was für Anzüglichkeiten und Andeutungen über ihre Gesichter huschen – es ist ganz unmöglich, das alles in Worte zu fassen. Allein schon ihre Blicke sind einem grundlosen Wasser vergleichbar – wer da hineingeraten ist, kommt nie mehr heraus! Keinen Haken gibt es, womit man ihn wieder herausziehen könnte. Man mache beispielsweise nur einmal den Versuch, den Glanz ihrer Augen zu schildern, diesen feuchten, samtenen, zuckersüßen Glanz, der hart bis zur Grausamkeit und vor Weichheit schmelzend sein kann, ja schmachtend und wollüstig oder – noch gefährlicher – sogar ohne Lüsternheit verlangend und begierig ist – kurz, ein Glanz, der ans Herz geht und wie ein Violinbogen über die Seele fährt. Nein, die Sprache reicht nicht aus: es ist einfach die amouröse Hälfte des menschlichen Geschlechts und sonst nichts!

Verzeihung! Hier scheint dem Munde unsres Helden ein Wörtchen entschlüpft zu sein, das er Gott weiß wo aufgeschnappt haben mag. Aber was läßt sich da machen? So geht es nun einmal dem Schriftsteller in Rußland! Übrigens, wenn ein solches aufgefangenes Wort mit ins Buch gerät, ist der Schriftsteller weniger schuld daran als die Leser selbst und zwar vor allem die Leser aus den obersten Gesellschaftsschichten, denn sie sind ja die ersten, von denen man beinahe kein einziges ordentliches russisches Wort mehr hört, sondern nur noch und bis zum Überdruß französische, deutsche und englische. Und zwar mit allen Besonderheiten der Aussprache: Französisch plappern sie schnarrend und durch die Nase, Englisch zwitschern sie wie die Vögel und schneiden richtige Vogelgesichter dazu und lachen obendrein noch jeden aus, der nicht ein solches Gesicht zu machen versteht. Aber einen ehrlichen russischen Ausdruck benutzen sie nie, höchstens lassen sie sich noch aus Patriotismus ein Landhaus im Stil einer russischen Hütte bauen. So sind sie, die Leser der höheren Stände und alle, die sich dazu rechnen! Aber auf der anderen Seite, welche Ansprüche! Sie fordern unbedingt, daß nur im allerstrengsten, allerreinsten und alleredelsten Stil geschrieben wird – mit einem Wort, sie halten es für selbstverständlich, daß die russische Sprache fix und fertig aus den Wolken und ihnen direkt auf die Zunge fällt; sie brauchen nichts andres zu tun, als den Mund aufzusperren und die Zunge herauszustrecken. Gewiß, die weibliche Hälfte des Menschengeschlechts ist schwierig genug, aber meine verehrlichen Leser sind – ich bekenne es – noch weit schwieriger zu behandeln.

Inzwischen geriet Tschitschikow immer mehr in Verlegenheit, wie er nun eigentlich die Verfasserin des Briefes herausfinden sollte. Er faßte die Damen noch schärfer ins Auge und entdeckte dabei, daß zwar auf seiten der Weiblichkeit etwas sichtbar wurde, was Hoffnung und süße Qual ins Herz eines armen Sterblichen senken konnte, aber schließlich mußte er sich doch sagen: Nein, es ist unmöglich, ich kann es auf keine Weise erraten! Das beeinträchtigte jedoch durchaus nicht die fröhliche Stimmung, in der er sich befand. Gewandt und ungezwungen tauschte er mit einigen Damen liebenswürdige Redensarten, eilte mit leichten, schnellen Schrittchen auf die eine oder andere zu, wie das jene kleinen, alten Schwerenöter auf hohen Absätzen zu tun pflegen, die man bei uns

»Mausböcke« nennt und die äußerst flink und behende um die Damen herumtrippeln. Sehr geschickt lavierte er mal rechts und mal links zwischen den tanzenden Paaren hindurch, wobei er mit den Schuhen scharrte und kleine schnörkelartige Kratzfüße machte. Die Damen waren sehr entzückt und entdeckten bei ihm nicht nur eine Menge angenehmer und liebenswürdiger Seiten, sondern auch etwas Majestätisch-Martialisches, ja sie fanden sogar, daß er geradezu wie ein Kriegsgott aussähe, was den Frauen bekanntlich ungeheuer imponiert. Und so fingen sie an, sich seinetwegen in die Haare zu geraten: es fiel nämlich auf, daß Tschitschikow sich mit Vorliebe an der Tür aufhielt, und schon starteten einige Damen zu einem Wettlauf, um einen freien Stuhl in nächster Nähe der Tür zu besetzen. Wie es nun einer derselben gelang, als erste das Ziel zu erreichen, wäre es beinahe zu einem peinlichen Zwischenfall gekommen, zumal alle übrigen, die nichts lieber gewollt hätten, als selbst die anderen zu überflügeln, das Vorgehen der erfolgreichen Konkurrentin jetzt plötzlich für eine schamlose Dreistigkeit erklärten.

Tschitschikow hatte sich bald in eine so lebhafte Unterhaltung mit den Damen verstrickt oder, genauer, die Damen hatten einen so festen Belagerungsring um ihn geschlossen, wobei sie ihn mit einer solchen Fülle von scharfsinnigen und raffinierten Anzüglichkeiten überschütteten, die alle erraten werden mußten, daß ihm der Schweiß auf der Stirn stand und er darüber sogar die erste Anstandspflicht, die Frau des Hauses zu begrüßen, vergaß. Diese Unterlassungssünde kam ihm erst zum Bewußtsein, als er plötzlich die Stimme der Gouverneurin vernahm, die schon mehrere Minuten dicht neben ihm gestanden hatte. Sie schüttelte den Kopf und sagte liebenswürdig, wenn auch nicht ohne leichte Schärfe: »So also sind Sie, Pawel Iwanowitsch ...« Ganz genau kann ich die Worte der Gouverneurin nicht mehr wiedergeben, aber ich erinnere mich, daß es jedenfalls etwas sehr Liebenswürdiges war, vollkommen in dem Geiste, wie die Damen und Herren in den Erzählungen unserer Salonschriftsteller sprechen oder jener Schriftsteller, die nichts so gern schildern wie das gesellschaftliche Leben und sich dabei schmeicheln, den guten

Ton in jeder Situation zu beherrschen. Was die Gouverneurin sagte, war ungefähr folgendes: »Hat man sich bereits so sehr Ihres Herzens bemächtigt, daß darin gar kein Plätzchen, ja nicht einmal ein kleiner Winkel für die frei geblieben ist, die Sie so erbarmungslos vergessen haben?« Unser Held wandte sich augenblicklich der Gouverneurin zu und war schon bereit, ihr eine Antwort zu geben, die sicherlich um nichts schlechter gewesen wäre als das, was an seiner Stelle in den Moderomanen alle die Swonskijs, Linskijs, Lidins, Tremins und andre weltgewandte Militärs geantwortet hätten, als er, unwillkürlich aufblickend, sich wie vom Schlage getroffen fühlte. Die Gouverneurin stand nämlich nicht allein vor ihm – sie hielt ein junges sechzehnjähriges Mädchen an der Hand, eine frische kleine Blondine mit feinen, regelmäßigen Zügen, einem etwas spitzen Kinn und einem entzückenden ovalen Gesichtchen, das einen Madonnenmaler hätte reizen können und wie es nur selten in Rußland anzutreffen ist, wo alles und jedes, Berge, Wälder und Steppen sowohl wie Gesichter, Lippen und Füße, eher zur Breite neigen. Es war jene kleine Blondine, der er unterwegs begegnet war, als er von Nosdrew kam und ihre beiden Wagen durch die Dummheit der Kutscher oder der Pferde so lächerlich zusammenstießen, die Geschirre sich verfilzten und Onkel Mitja und Onkel Minja das ganze Durcheinander wieder in Ordnung zu bringen versuchten. Tschitschikow kam so aus der Fassung, daß er nicht ein vernünftiges Wort hervorzubringen vermochte. Er stotterte weiß der Teufel was für einen Unsinn – einen Unsinn jedenfalls, den weder ein Tremin, noch ein Swonskij noch ein Lidin jemals gesprochen hätten.

»Sie kennen meine Tochter noch nicht?« sagte die Gattin des Gouverneurs. »Sie hat soeben das Pensionat verlassen.«

Er entgegnete, daß er schon einmal das unverhoffte Glück gehabt habe, ihre Bekanntschaft zu machen, und versuchte noch etwas hinzuzufügen, scheiterte aber vollkommen. Nach ein paar Worten entfernte sich die Gouverneurin mit ihrer Tochter ans gegenüberliegende Ende des Saales zu den übrigen Gästen und Tschitschikow blieb wie angewurzelt stehen. Er rührte sich nicht von der Stelle, wie ein Mensch, der bereit ist, sich allen Eindrücken hinzugeben, und in heiterer Stimmung das Haus verlassen hat, um einen Spaziergang zu machen, und plötzlich regungslos stehenbleibt, weil ihm einfällt, daß er etwas vergessen hat. Es gibt nichts Dümmeres als solch einen Menschen: im gleichen Augenblick ist der eben noch sorglose Ausdruck von seinem Gesicht verschwunden. Er macht die heftigsten Anstrengungen, um sich zu erinnern, was er denn eigentlich vergessen hat. Ist es das Taschentuch? Aber er hat es doch in der Tasche. Ist es das Geld? Aber das Geld hat er ebenfalls in der Tasche. Alles scheint er bei sich zu tragen und dennoch flüstert ihm irgendein unsichtbarer Kobold ins Ohr, daß etwas fehlt. Und schon starrt er verloren und abwesend in die vorüberwogende Menschenmenge, schaut er den vorbeifahrenden Kutschen nach und richtet seinen Blick, ohne in Wirklichkeit irgend etwas ins Auge zu fassen, auf die Mützen und Gewehre eines vorübermarschierenden Regiments oder auf das Aushängeschild eines Ladens. Geradeso sah auch Tschitschikow in diesem Augenblick nichts von alledem, was um ihn her vorging, während ihm von duftigen Frauenlippen eine Fülle der raffiniertesten und liebenswürdigsten Fragen und Anspielungen zuschwirrten: »Ist uns armen Erdenbewohnern wohl die kühne Frage erlaubt, worüber Sie grübeln?« »Wo mögen jene Gefilde der Seligen liegen, in welchen Ihre Gedanken jetzt weilen?« »Darf man wohl nach dem Namen derjenigen fragen, die Sie in dieses süße Tal der Nachdenklichkeit entführt hat?« Aber auf alle diese artigen Fragen antwortete er nur mit entschiedener Unaufmerksamkeit, so daß sie völlig leer ausgingen, ja er war sogar ungalant genug, die Damen einfach zu verlassen und nach der anderen Seite hinüberzugehen, um festzustellen, wo die Gouverneurin mit ihrer Tochter geblieben war. Aber die Damen waren anscheinend nicht bereit, ihn ungeschoren ziehen zu lassen, vielmehr war jede von ihnen entschlossen, sämtliche Waffen, die unserem Herzen so gefährlich werden können, ins Treffen zu führen.

Hier darf nicht unerwähnt bleiben, daß einige Damen – ich sage absichtlich, einige und nicht etwa alle Damen – eine kleine Schwäche haben: wenn sie etwas ihrer Meinung nach besonders Wohlgebildetes an sich bemerken – die Stirn zum Beispiel oder den Mund oder auch die Hände –, so meinen sie gleich, dieser ausnehmend schöne Körperteil werde sofort auch allgemein ins Auge fallen, so daß alle Männer wie aus einem Munde ausrufen müßten: Schaut doch nur, was sie für eine prachtvolle griechische Nase hat! oder: Was für eine bezaubernde, regelmäßige Stirn! Wenn eine gar ungewöhnlich hübsche Schultern hat, ist sie von vornherein überzeugt, daß alle jungen Leute, wenn sie an ihnen vorübergeht, hingerissen vor Begeisterung sogleich ausrufen werden: »Ach, welche wunderbaren Schultern!« Dagegen werden sie Gesicht, Haar und Stirn übersehen oder doch zumindest bloß als etwas ganz Nebensächliches empfinden.

So denken aber nur einige Damen. An diesem Abend hatten sich jedoch alle innerlich geschworen, beim Tanz so bezaubernd wie möglich zu sein und die Reize dessen, was an ihnen am reizvollsten war, im vollsten Glanze spielen zu lassen. Die gerade vorüberwalzende Postmeistersgattin hatte ihr Köpfchen so unsagbar schmachtend zur Seite geneigt, daß dieser Anblick geradezu Überirdisches ahnen ließ. Eine andere sehr reizende Dame, die eigentlich gar nicht in der Absicht zu tanzen erschienen war, weil ein unbedeutendes Hindernis oder, wie sie sich ausdrückte, eine kleine Incommodité in Gestalt eines erbsengroßen Hühnerauges am rechten Fuß sie gezwungen hatte, Plüschstiefelchen anzuziehen, konnte nicht länger untätig zusehen. Sie mußte trotz ihrer Plüschpantoffel wenigstens einige Walzerrunden mittanzen – nur um die Postmeisterin daran zu hindern, sich allzuviel einzubilden.

Aber alles dies hatte keineswegs die beabsichtigte Wirkung auf Tschitschikow. Er hatte nämlich überhaupt kein Auge für die Tanzschritte, welche die Damen um ihn her ausführten, sondern hob sich unentwegt auf die Zehenspitzen, um über alle Köpfe hinweg Ausschau zu halten, wohin die kleine Blondine entschwunden war, oder er ging sogar in die Hocke, um noch besser zwischen Rücken und Schultern hindurchspähen zu können. Auf diese Weise hatte er schließlich ihren Aufenthaltsort ausfindig gemacht: sie saß neben ihrer

Mutter, über deren mit einem orientalischen Turban geziertem Haupt sich majestätisch eine Feder wiegte. Fast schien es, als wollte er die Festung im Sturme erobern. War es die frühlingshafte Stimmung, die so stark auf ihn einwirkte, oder fühlte er sich von hinten geschoben und gestoßen – genug, er drängte sich, koste es, was es wolle, vor. Der Schnapsaufkäufer erhielt dabei von ihm einen so kräftigen Stoß, daß er taumelte und sich gerade noch auf einem Bein halten konnte, was übrigens ein wahres Glück war, denn hätte er das Gleichgewicht verloren, er hätte sicherlich eine ganze Reihe von Tänzerinnen und Tänzern mit sich gerissen. Der Postmeister, dem Tschitschikow gleichfalls ins Gehege gekommen war, wich noch rechtzeitig vor ihm zurück und blickte ihn dabei mit einem Erstaunen an, in das sich eine feine Ironie mischte. Tschitschikow aber würdigte weder den einen noch den anderen eines Blickes: er starrte nur auf die Blondine in der Ferne, die gerade ihre langen Handschuhe anzog und ohne Zweifel vor Verlangen glühte, im Tanz über das Parkett dahinzuschweben. Denn drüben, etwas abseits, brachte bereits die ersten vier Paare eine Mazurka in Schwung, wobei sie den Fußboden mit ihren Absätzen fast in Stücke schlugen. Ein Infanteriehauptmann arbeitete sozusagen mit Leib und Seele, mit Armen und Füßen und gefiel sich in Figuren, die auch im Traum noch nie ein menschliches Auge geschaut hat. Tschitschikow aber wand sich fast unter den Absätzen der Tanzenden mitten durch die Mazurka hindurch und schoß unmittelbar auf die Stelle zu, wo die Gouverneurin mit ihrer Tochter saß. Aber schließlich kam er doch ziemlich zaghaft bei ihnen an, scharrte gar nicht mehr so flott und galant mit den Füßen, sondern war sogar einigermaßen verlegen und alle seine Bewegungen machten einen recht unsicheren Eindruck.

Es läßt sich nicht mit Sicherheit sagen, ob im Herzen unseres Helden wirklich die Liebe erwacht war. Es ist sogar zweifelhaft, ob Herren seines Schlages, das heißt solche, die nicht gerade dick, aber auch nicht dünn sind, überhaupt zur Liebe begabt sind. Und doch ging hier so Merkwürdiges, so Ungewöhnliches vor, daß nicht einmal er selbst es sich zu erklären vermochte: ihm schien nämlich, wie er selbst später zugab, als ob der ganze Ball mit all seinem Lärm und Tumult für einige Minuten wie in die Ferne gerückt war, die Geigen und Trompeten ganz weit hinter irgendwelchen Bergen erklangen und alles sich plötzlich hinter einem Nebel verbarg, der etwa an einen nur angedeuteten Acker auf einer Gemäldeskizze erinnerte. Und vor diesem achtlos und undeutlich skizzierten Feld hoben sich, klar und bis in die feinsten Einzelheiten ausgeführt, die zarten Züge der reizenden Blondine ab, das süße Oval ihres Gesichts, die unendliche Schlankheit der Gestalt, wie man sie nur bei jungen Mädchen sieht, die das Pensionat erst einige Monate hinter sich haben, und ihr fast schlichtes weißes Kleid, das die anmutigen Linien ihrer jungen Glieder so schmiegsam umwallte. Einem schneeweiß schimmernden, kunstvoll aus Elfenbein geschnitzten Spielzeug gleichend, trat einzig sie, hell und durchsichtig, aus dem undurchdringlichen Dunkel der Menschenmasse hervor.

So ist es nun einmal auf dieser Welt, daß sich im Nu selbst die Tschitschikows, wenigstens für einige Minuten ihres Lebens, in Dichter verwandeln. Wenn auch das Wort Dichter hier vielleicht ein bißchen zu hoch ist – jedenfalls fühlte er sich ganz wie ein Jüngling, ja fast wie ein draufgängerischer Husar. Als er neben Mutter und Tochter einen unbesetzten Stuhl bemerkte, nahm er sogleich darauf Platz. Das Gespräch wollte zuerst nicht recht von der Stelle rücken, aber dann kam es in Gang, und er fing sogar an, geradezu schneidig zu werden, doch ... Hier muß ich zu meinem größten Leidwesen einschalten, daß würdige Leute, die wichtige Posten bekleiden, in der Unterhaltung mit Damen ein wenig schwerfällig sind, während die Herren Leutnants dieses Gebiet geradezu meisterhaft beherrschen – eine Fähigkeit, die übrigens schon beim Hauptmann wieder merklich abzunehmen pflegt. Wie die Leutnants das eigentlich fertigbringen, weiß nur der liebe Gott. Dabei sind es ganz gewiß keine besonders gescheiten Dinge, die sie da vorbringen, aber die jungen Damen winden sich vor Vergnügen auf ihren Stühlen. Der Staatsrat dagegen erzählt Gott weiß was alles: er lenkt das Gespräch zum Beispiel auf die Tatsache, daß Rußland ein ungeheuer großes Reich ist, er bringt ein Kompliment an, das sicherlich nicht ohne Geist ersonnen ist, aber doch allzu angelesen wirkt, oder er sagt etwas Komisches, worüber er selbst unvergleichlich viel lauter und länger lachen wird als die Dame, die ihm zuhört. Das alles muß an dieser Stelle erwähnt werden, damit der Leser versteht, warum die kleine Blondine im Gespräch mit Tschitschikow zu gähnen anfing. Aber unser Held merkte nichts davon und fuhr fort, über die verschiedensten und angenehmsten Dinge zu plaudern, mit denen er schon öfter bei ähnlichen Gelegenheiten und an anderen Orten die Unterhaltung bestritten hatte. So im Gouvernement Simbirsk bei Sofron Iwanowitsch Bespetschnyj in Anwesenheit seiner Tochter Adelaida Sofronowna und dreier Schwägerinnen, Marja Gawrilowna, Alexandra Gawrilowna und Adelaida Gawrilowna; bei Fjodor Fjodorowitsch Perekrojew im Gouvernement Rjasan; bei Frol Wasiljewitsch Pobedonosnyj im Gouvernement Pensa und bei seinem Bruder Pjotr Wasiljewitsch, wobei seine Schwägerin Katarina Michailowna und deren Kusinen dritten Grades Rosa Fjodorowna und Emilia Fjodorowna zugegen waren, im Gouvernement Wjatka bei Pjotr Warsonofjewitsch, bei dem sich gerade die Schwester seiner Schwiegertochter Pelageja Jegorowna, ihre Nichte Sofja Rostislawna und deren beide Stiefschwestern Sofja Alexandrowna und Maklatura Alexandrowna aufhielten ...

Tschitschikows Verhalten mißfiel allen Damen aufs höchste. Um ihn das fühlen zu lassen, ging eine von ihnen in herausfordernder Weise so dicht an ihm vorbei, daß die lange Schleppe ihres Kleides die Blondine streifte und der Zipfel des Schals, der ihre Schultern umflatterte, dem Mädchen direkt ins Gesicht wehte. Gleichzeitig äußerte in nächster Nähe ein veilchenduftender Damenmund eine ziemlich spitze und giftige Bemerkung. Aber entweder hörte er diese boshafte Anzüglichkeit wirklich nicht, oder er tat nur so, als wäre sie ihm entgangen, was zumindest recht ungeschickt war, denn die Meinung der Damen darf man nicht ungestraft außer acht lassen. Das bereute er auch tief, allerdings erst zu einem Zeitpunkt, als es längst zu spät dazu war.

Die Empörung über sein Benehmen, übrigens in jeder Beziehung nur allzu berechtigt, war jetzt deutlich in vielen Gesichtern zu lesen. So groß auch das Ansehen war, das Tschitschikow in der Gesellschaft genoß, und wenn er gleich Millionär war, ein majestätisch-martialisches Gesicht hatte und wie ein Kriegsgott aussah – es gibt eben Dinge, welche die Damen niemandem, wer er auch immer sei, verzeihen, und dann ist alles verloren! Es gibt Fälle, wo das Weib, so charakterschwach und ohnmächtig es im Vergleich zum Manne auch sein mag, sich plötzlich härter und zäher erweist, nicht nur als die Männer, sondern als alles und jedes in der Welt. Die Geringschätzung, die Tschitschikow, wenn auch fast unbewußt, den Damen gegenüber gezeigt hatte, stellte sogar die Eintracht unter ihnen wieder her, die bei dem Zwischenfall mit dem unbesetzten Stuhl an der Tür schon bedenklich erschüttert worden war. In einzelnen ganz nebensächlichen und gar nicht ungewöhnlichen Äußerungen, die er, ohne sich dabei irgend etwas zu denken, getan hatte, erblickte man jetzt allerhand hämische Bemerkungen und Anspielungen. Um das Unglück vollzumachen, hatte einer von den jungen Leuten auf die tanzende Gesellschaft satirische Verse gemacht, ohne die es ja auf Provinzbällen nun einmal nicht geht. Natürlich wurde dieses Gedicht sogleich Tschitschikow in den Mund gelegt. Die Entrüstung wuchs noch mehr, die Damen fingen bereits an, sich in allen Ecken des Saales sehr unfreundlich über ihn zu äußern, und der arme Pensionatszögling wurde vollkommen vernichtet – ihr Todesurteil war sozusagen schon unterschrieben.

Unterdessen bereitete sich für unseren Helden eine weitere, im höchsten Grade peinliche Überraschung vor: während nämlich die kleine Blondine dauernd gähnte und er trotzdem fortfuhr, ihr allzu bekannte Begebenheiten aus längst vergangenen Tagen zu erzählen, wobei er unter anderem sogar auf den griechischen Philosophen Diogenes zu sprechen kam, erschien ganz unerwartet aus einem der hinteren Zimmer – Nosdrew auf der Bildfläche. Ob er sich nun endlich vom Büfett getrennt hatte oder vom kleinen grünen Salon, wo ein weit spannenderes Kartenspiel als das unschuldige

Whist im Gange war, ob er freiwillig kam oder dort an die Luft gesetzt worden war – jedenfalls erschien er in heiterster Stimmung und Arm in Arm mit dem Staatsanwalt, den er offenbar schon längere Zeit mit sich herumschleppte, denn der Arme blickte sich flehentlich und mit hochgezogenen Augenbrauen nach allen Seiten um, als suchte er nach einem Mittel, sich von diesem allzu freundschaftlichen Weggenossen wieder loszumachen. Es war aber auch wirklich unerträglich, denn Nosdrew, der sich durch zwei Tassen Tee, in denen an Rum kein Mangel gewesen war, Mut angetrunken hatte, log wieder einmal auf die unverschämteste Weise. Als Tschitschikow ihn von weitem erblickte, entschloß er sich sogar zu dem Opfer, seinen vielbeneideten Platz zu räumen und sich so schnell wie möglich davonzumachen, denn eine Begegnung mit Nosdrew versprach nichts Gutes. Aber ausgerechnet in diesem Augenblick trat der Gouverneur auf Tschitschikow zu, gab seiner großen Freude darüber Ausdruck, daß er Pawel Iwanowitsch endlich gefunden habe, und hielt ihn mit der Bitte zurück, sein Schiedsrichter in einer kleinen Meinungsverschiedenheit mit zwei Damen zu sein, die über die Frage, ob Frauenliebe von Dauer sei oder nicht, entstanden war. Darüber hatte auch Nosdrew seinerseits Tschitschikow bemerkt und schoß direkt auf ihn zu.

»Sieh da, der Chersoner Gutsbesitzer, der Chersoner Gutsbesitzer!« rief er im Näherkommen und lachte dabei so schallend, daß seine frischen Backen, die rot waren wie Rosen im Frühling, nur so zitterten. »Na, hast du tüchtig Tote eingekauft? Was, Sie wissen das nicht, Exzellenz?« grölte er, zum Gouverneur gewandt. »Bei Gott! Er handelt mit toten Seelen! Paß auf, Tschitschikow, paß auf, ich sag dir's in aller Freundschaft, wir sind hier allesamt deine Freunde, auch Seine Exzellenz ist dein Freund – ich ließe dich aufhängen! Bei Gott, ich ließe dich aufhängen!«

Tschitschikow wußte nicht, wo ihm der Kopf stand.

»Wollen Sie's glauben oder nicht, Exzellenz«, fuhr Nosdrew fort, »als Tschitschikow mir sagte, ich solle ihm meine toten Seelen verkaufen, bin ich vor Lachen fast geplatzt. Dann sagte man mir bei meiner Ankunft in der Stadt, er habe drei Millionen Bauern gekauft, um sie anderswo anzusiedeln. Aber wie denn das? Er wollte ja nur tote Bauern von mir! Hör mal, Tschitschikow, du bist ein gemeines Vieh! Bei Gott, ein ganz gemeines Vieh! Nicht wahr, Exzellenz, nicht wahr, Herr Staatsanwalt, Tschitschikow ist ein ganz gemeines Vieh?«

Der Staatsanwalt und Tschitschikow, ja selbst der Gouverneur waren so verlegen geworden, daß sie auch nicht ein Wort zu antworten imstande waren, was aber den halb betrunkenen Nosdrew in keiner Weise anfocht. Unerschütterlich fuhr er fort: »Nein, Bruder ... ich weiche nicht von der Stelle, bevor ich nicht erfahre, zu welchem Zweck du die toten Seelen gekauft hast. Aber du solltest dich wirklich schämen, du weißt ja selbst ganz genau, daß du keinen besseren Freund hast als mich – nicht wahr, Exzellenz, nicht wahr, Herr Staatsanwalt? Sie werden es nicht glauben, Exzellenz, wie sehr wir beide aneinander hängen, das heißt zum Beispiel, wenn Sie mich so, wie ich hier stehe, fragen würden: ‚Nosdrew, Hand aufs Herz, wer ist dir teurer, dein eigner Vater oder der Tschitschikow?' so würde ich antworten: ‚Bei Gott, der Tschitschikow!' ... Laß mich, mein Herzchen, dir einen Kuß geben. Gestatten Sie, Exzellenz, daß ich ihn küsse. Geh, Tschitschikow, tu doch nicht so, erlaube mir, dir ein Küßchen auf deine schneeweiße Backe zu drücken!«

Nosdrew wurde mit seinem Kuß derart abgeblitzt, daß er beinahe zu Fall gekommen wäre. Alles kehrte ihm den Rükken und hörte nicht mehr auf ihn. Aber die ganze Sache mit dem Kauf der toten Seelen hatte er so aus vollem Halse zum besten gegeben und dazu so dröhnend gelacht, daß er damit sogar die Aufmerksamkeit all derer erregt hatte, die sich in den entferntesten Ecken des Saales befanden. Diese Neuigkeit erschien sehr sonderbar und alle Gäste horchten mit einem geradezu hölzernen, dummfragenden Gesichtsausdruck auf. Tschitschikow bemerkte, wie einige Damen mit giftigem Lächeln vielsagende Blicke tauschten, und entdeckte in manchen Gesichtern ein höchst zweideutiges Mienenspiel, was die allgemeine Verlegenheit noch weiter steigerte. Daß Nosdrew ein unverbesserliches Lügenmaul war, wußte die ganze Stadt, und es war daher durchaus nichts Ungewöhnliches, daß er irgendeinen blühenden Unsinn zum besten gab. Aber wir Sterblichen – wahrhaftig, es ist schon schwer zu begreifen, wie wir Sterblichen denn nun eigentlich beschaffen sind: eine Neuigkeit kann noch so unsinnig und lächerlich sein – wenn es nur eben eine Neuigkeit ist, so trägt sie ein Sterblicher unbedingt dem anderen zu, und sei es auch bloß, um dabei sagen zu können: Hören Sie doch nur, was da wieder für Lügen verbreitet werden! Und der andre Sterbliche wird mit dem größten Vergnügen die Ohren spitzen, um freilich nachher zu sagen: Ja natürlich, das ist nur albernes Geschwätz, das man am besten überhaupt nicht beachten sollte! Dann aber wird er hingehen und einen dritten Sterblichen aufsuchen, um ihm brühwarm das Ganze weiterzuerzählen, worauf sie beide in edler Empörung miteinander ausrufen werden: »Was ist das doch für eine infame Lüge!« Und so wird das lächerliche Gerede sich wie ein Lauffeuer in der ganzen Stadt ausbreiten und alle Sterblichen ohne Ausnahme werden sich so lange damit beschäftigen, bis sie es satt haben und schließlich erklären, die ganze Sache sei es nicht wert, daß man auch nur ein Wort darüber verliere.

Dieser anscheinend vollkommen unsinnige Vorfall hatte jedoch unseren Helden merklich beunruhigt. Wie töricht das Geschwätz eines offenkundigen Dummkopfes auch sein mag – es kann manchmal dazu führen, daß selbst ein verständiger Mensch in tödliche Verlegenheit gebracht wird. Tschitschikow begann sich in seiner Haut höchst unbehaglich zu fühlen, so etwa wie einer, der mit einem blankgeputzten Schuh unversehens in eine schmutzige, stinkende Pfütze getreten ist. Kurz, er fühlte sich nicht wohl, nein, ganz und gar nicht wohl! Er bemühte sich, nicht mehr daran zu denken, versuchte sich zu zerstreuen, setzte sich an den Whisttisch – aber alles ging schief: zweimal spielte er eine fremde Farbe aus, vergaß sogar, daß man aus der dritten Hand nicht stechen darf, holte mit großer Geste aus und stach versehentlich seine eigene Karte. Der Präsident konnte absolut nicht begreifen, wie Pawel Iwanowitsch, der doch ein so gewiegter, ja man konnte sagen, feiner Spieler war, derartige Fehler machen und sogar seinen Piquekönig übertrumpfen lassen konnte, auf den er nach seinen eigenen Worten seine ganze Hoffnung gesetzt hatte, wie auf den lieben Gott. Natürlich machten sich der Postmeister, der Präsident und sogar der Polizeimeister, wie das so üblich ist, über unseren Helden lustig. Sie fragten, ob er wohl verliebt sei, deuteten an, daß Pawel Iwanowitsch ein leicht verwundbares Herz habe, und meinten, daß man ja wüßte, wer es verwundet habe. Aber das alles konnte Tschitschikow durchaus nicht beruhigen, sosehr er sich auch bemühte, zu lächeln und zu scherzen. Auch beim Abendessen wollte es ihm auf keine Weise gelingen, aus sich herauszugehen, obgleich die Tischgesellschaft sehr ansprechend war und man Nosdrew schon längst wieder an die Luft gesetzt hatte, denn selbst die aufgebrachten Damen hatten schließlich einsehen müssen, daß er sich mehr als skandalös aufgeführt hatte. Während des Kotillons nämlich hatte er sich auf dem Fußboden niedergelassen und sich damit amüsiert, nach den Schleppen und Frackschößen der Tanzenden zu haschen, was die Damen für ein unmögliches Betragen erklärten. Das Souper verlief sehr angeregt und ausgelassen: alle Gesichter, zwischen einer Fülle von Blumen und Konfektschalen, dreiarmigen Leuchtern und ganzen Batterien von Flaschen hindurchschimmernd, strahlten vor ungezwungener Heiterkeit. Offiziere, Damen und Herren im Frack – alles gefiel sich in einer beinahe schon allzu zwanglosen Liebenswürdigkeit. Die Herren sprangen von ihren Stühlen auf und beeilten sich, den Dienern die Schüsseln abzunehmen, um sie eigenhändig und mit unglaublicher Geschicklichkeit den Damen zu servieren. Ein Oberst ging gar so weit, seiner Dame eine Saucière auf der Spitze seines gezogenen Degens darzubieten. Die Herren gesetzten Alters, unter denen Tschitschikow saß, diskutierten lebhaft und begleiteten jedes verständige Wort mit einem tüchtigen Bissen Fisch oder Braten in einer barbarisch scharfen Senfsauce. Man behandelte Gegenstände, an denen er immer Anteil genommen hatte, jetzt aber glich er einem Menschen, der gerade von einer langen Reise heimgekehrt ist, dem, von den Strapazen übermüdet und zerschlagen, nichts einfällt und der überhaupt nicht mehr imstande ist, auf irgendeine Frage einzugehen. So wartete er nicht einmal das Ende des Soupers ab, sondern fuhr viel früher nach Hause, als es sonst seine Gewohnheit war.

Aber dort in jenem Gasthauszimmer, das der Leser gut kennt, mit der Kommode vor der Tür zum Nebenzimmer und den hier und da aus den Ecken lugenden Schaben, wollten seine Gedanken ebensowenig zur Ruhe kommen wie der knarrende Lehnstuhl, in dem er saß. In seiner Seele sah es leer und finster aus. Mit dem Fluch: »Möge doch alle, die diese Bälle erfunden haben, der Teufel holen!« suchte er seinem Herzen Luft zu machen. »Wie kommen sie überhaupt dazu, sich zu amüsieren? Im Gouvernement herrschen Mißernte und Teuerung, sie aber haben nichts Besseres zu tun, als von einem Ball auf den anderen zu laufen! Ach, diese Weibsbilder! Takeln sich mit allerhand Flitter auf und brüsten sich, wenn sie mit mehr als tausend Rubeln behängt sind! Und für das alles muß natürlich der Bauer mit seinen Abgaben aufkommen, wenn nicht letzten Endes noch unsereiner den ganzen Rummel bezahlen muß. Man kennt das ja zur Genüge: aus welchem Grunde läßt du dich schmieren und belastest dein Gewissen damit? Um deiner Frau einen teuren Schal und eine kostbare Robe, oder weiß der Teufel, wie man das nennt, zu kaufen! Und wozu das alles? Nur damit irgendein liederliches Frauenzimmer nicht sagen kann, die Postmeisterin habe ein teureres Kleid angehabt, wirft man tausend Rubel glatt aus dem Fenster hinaus. Da schreit man: ‚Ein Ball, o wie herrlich, ein Ball!' Für mich aber ist ein Ball ein Dreck. Entspricht denn ein Ball dem russischen Geist, der russischen Natur? Weiß der Kuckuck, was das überhaupt ist: ein erwachsener, volljähriger Mensch kommt da ganz in Schwarz wie der Satan angesprungen und schlenkert mit seinen Beinen wie ein Verrückter herum. Andere wieder stehen paarweise da, reden Gott weiß was für ein Zeug zusammen und zappeln dabei wie junge Ziegenböcke mit ihren Beinen nach rechts und nach links. Was ist denn das anders als reine Nachäfferei? Nur weil der Franzose mit vierzig Jahren noch genauso ein Kind ist wie mit fünfzehn, müssen wir auch so sein! Nein wahrhaftig, nach jedem Ball ist einem so, als hätte man eine Sünde begangen, an die man überhaupt nicht mehr denken mag. Der Kopf ist so leer wie nach einem Gespräch mit einem Salonlöwen: er spricht dir über alles und jedes, streift alles nur ganz obenhin, bringt lauter bunte und hübsche Dinge vor, die er offensichtlich nur aus Büchern zusammengetragen hat, und hinterher stehst du mit ebenso leeren Händen da wie vorher und bist obendrein überzeugt, daß dir eine Unterhaltung mit einem ganz gewöhnlichen Kaufmann, der aber ein tüchtiger Fachmann ist, weit mehr gegeben hätte als dieses ganze Gefasel. Was springt also heraus bei so einem Ball? Nehmen wir einmal an, ein Schriftsteller hätte den Einfall gehabt, diese Ballszene genau so zu beschreiben, wie sie sich tatsächlich abgespielt hat – sie würde im Buch um nichts weniger albern und töricht wirken, als sie in Wirklichkeit war, und du würdest auch weiterhin im Zweifel sein, ob sie moralisch oder unmoralisch war. Was würdest du tun? Zum Teufel noch einmal: du würdest ausspucken und das Buch zumachen!«

So scharf verurteilte Tschitschikow die Bälle im allgemeinen, aber aller Wahrscheinlichkeit nach hatte er noch einen anderen Anlaß zu seinem Mißvergnügen. Der Hauptgrund seines Ärgernisses war, daß er plötzlich vor aller Welt in Gott weiß welchem Licht dagestanden war, daß er sich blamiert hatte, daß er eine höchst zweideutige und anrüchige Rolle gespielt hatte. Natürlich, in den Augen eines vernünftigen Menschen war das alles Unsinn – was konnte ein törichtes Wort besonders jetzt noch bedeuten, wo doch die Hauptsache schon glücklich unter Dach und Fach gebracht war? Aber so sonderbar ist nun einmal der Mensch: ihn bekümmerte aufs tiefste, daß er sich die Geringschätzung ausgerechnet derjenigen Menschen zugezogen hatte, die er selbst nicht achtete, über die er sich so ablehnend geäußert und über deren Eitelkeit und Putzsucht er so unnachsichtig geschimpft hatte. Das kränkte ihn um so mehr, als er bei näherer Überlegung bekennen mußte, daß er nicht zuletzt selbst daran schuld war. Sich selbst war er allerdings nicht böse, aber wir haben ja alle die kleine Schwäche, uns selber ein bißchen zu schonen und uns lieber irgendeinen lieben Nächsten auszusuchen, um unseren Ärger an ihm auszulassen. Zum Beispiel einen Dienstboten, einen uns unterstellten Beamten, der uns gerade in die Arme läuft, oder die Gattin oder gar einen Stuhl, den wir ergreifen und gegen die Tür oder weiß der Teufel wohin schleudern, so daß die Rückenlehne zerbricht und die Armstützen in der Luft herumfliegen – damit wenigstens dieser Stuhl einmal die ganze Macht unsres Zornes zu spüren bekommt. So fand auch Tschitschikow bald den Nächsten, der alles auf seine Schultern nehmen mußte, was ihm nur irgend Ärger bereitete. Und dieser Nächste war Nosdrew, der – es muß zugegeben werden – so tüchtig hergenommen wurde, wie kaum ein betrügerischer Dorfältester oder ein Postknecht jemals von einem Reisenden, einem vielerfahrenen Hauptmann abgekanzelt worden ist oder sogar von einem General, welcher zu der ganzen Liste der klassischen Schimpfworte noch eine Fülle unbekannter hinzufügt, auf die ihm das unbestreitbare persönliche Urheberrecht zusteht. Nosdrews ganzer Stammbaum wurde gründlich zerpflückt und viele Mitglieder seiner Familie in aufsteigender Linie hatten wahrhaftig nichts zu lachen.

Aber während Tschitschikow schlaflos und gepeinigt von trüben Gedanken in seinem steinharten Lehnstuhl hockte und an Nosdrew und seiner ganzen Sippe kein gutes Haar ließ, schmolz das Talglicht, dessen Docht schon ganz verkohlt war, immer mehr dahin und drohte bereits zu verlöschen. Noch blickte die nächtliche Finsternis zum Fenster herein, aber sie war im Begriff, vor der Morgendämmerung zu weichen, hier und da begannen schon die Hähne zu krähen und durch die stillen Straßen der verschlafenen Stadt schlich eine vereinsamte Gestalt, in einen dicken Friesmantel gehüllt. Es war einer jener trübseligen Gesellen, unbekannt welchen Standes und Ranges, die nur allzu gut Bescheid wissen auf den ach so ausgetretenen Wegen unseres liederlichen und zu Ausschweifungen neigenden russischen Volksgenossen. Zu dieser nächtlichen Stunde ging am anderen Ende der Stadt etwas vor, was die heikle Lage unsres Helden noch verwickelter machen sollte. Durch die entlegensten Gassen und Gäßchen rasselte nämlich ein höchst sonderbares Fuhrwerk, das näher zu bestimmen nicht ohne weiteres möglich gewesen wäre. Es war weder einem Reisewagen noch einer Kutsche oder Droschke ähnlich, sondern glich eher einer pausbäckigen, ausgebauchten Wassermelone, die man auf Räder gesetzt hatte. Die Backen dieser Melone, das heißt die Wagentüren, die noch Spuren eines gelben Anstrichs zeigten, schlossen nur mangelhaft infolge des verwahrlosten Zustandes der Türklinken und Schlösser, die nur von Schnüren notdürftig zusammengehalten wurden. Die Wassermelone war mit Kattunkopfkissen, die an Tabaksbeutel, Polster oder Walzen erinnerten, und mit Säcken voll Brot, Semmeln, Wecken, Kipfeln, Kringeln und anderem Hefegebäck beladen. Ganz oben guckten sogar zwei große Piroggen heraus – eine gesalzene und eine mit gebratenem Huhn gefüllte. Das Trittbrett wurde von einem schon ergrauten, unrasierten Subjekt eingenommen, das offenbar aus dem Lakaienstande hervorgegangen war, eine hausgewebte Jacke trug und zu jenen Geschöpfen gehörte, die einfach »junger Mann« genannt wurden. Das Rasseln und Klirren der verrosteten Schrauben und sonstigen eisernen Bestandteile des Fuhrwerks weckten den Nachtwächter am entgegengesetzten Ende der Stadt, der noch ziemlich verschlafen nach seiner Hellebarde griff und dann aus Leibeskräften »Wer da?« brüllte. Als er jedoch niemand sehen konnte, aber das Geräusch unverändert anhielt, beruhigte er sich wieder, erwischte ein Tierchen, das auf seinem Mantelaufschlag saß, und vollzog auf der Stelle im Scheine einer Laterne die Hinrichtung des Insekts mit seinem Daumennagel, worauf er die Hellebarde befriedigt wegstellte und nach den Gepflogenheiten seiner Zunft sogleich wieder einschlief. Die Pferde stolperten über ihre Beine, weil sie unbeschlagen und an das Pflaster nicht gewöhnt waren. Das Gefährt bog wiederholt aus einer Straße in die andere und schließlich in ein finsteres Gäßchen ein, rollte an der kleinen Pfarrkirche des heiligen Nikolaj vorbei und hielt vor dem Hause der Frau des Protopopen. Ein Mädchen in Kopftuch und Leibwärmer stieg aus und donnerte mit seinen beiden Fäusten, die nicht weniger derb als Männerfäuste waren, gegen das Tor. (Der »junge Mann« in der hausgewebten Jacke wurde erst später an den Beinen aus der Wassermelone herausgezerrt, denn er schlief fest wie ein Toter.) Hunde fingen an zu bellen, das Tor sperrte seinen Rachen auf und verschluckte, wenn auch nur mit einiger Mühe, dieses mißgestaltete Ungetüm von einer Reisechaise. Es fuhr in einen engen Hof, der mit Brennholz vollgestopft war und allerhand Vorratskammern, Hühnerställe und andere Verschläge enthielt. Hier endlich kroch die gnädige Frau selbst aus dem Gefährt. Es war die Gutsbesitzerin und Kollegiensekretärswitwe Korobotschka. Die Alte war bald nach der Abreise unsres Helden in die heftigste Unruhe darüber geraten, daß sie möglicherweise doch von Tschitschikow betrogen worden sei, und hatte nach drei schlaflosen Nächten beschlossen, in die Stadt zu fahren, ohne Rücksicht darauf, daß ihre Pferde unbeschlagen waren. Hier wollte sie sich genau nach den zur Zeit gültigen Marktpreisen für tote Seelen erkundigen und feststellen, ob sie nicht doch, was Gott verhüten möge, hintergangen worden sei und ihre Ware für ein Butterbrot verkauft habe. Welche Folgen ihre Ankunft hatte, wird der Leser aus einer Unterhaltung erfahren, welche bald darauf zwischen zwei Damen stattfand. Diese Unterhaltung ... aber wir wollen sie uns doch lieber für das nächste Kapitel aufsparen.

9

Eines Morgens in aller Frühe, noch lange vor Beginn der in der Stadt N. üblichen Besuchszeit, flatterte aus der Tür eines orangefarbenen Holzhauses mit Zwischengeschoß und hellblau angestrichenen Säulen eine Dame heraus in elegant kariertem Umhang, gefolgt von einem Lakaien in einem Mantel mit mehreren Kragen übereinander und einem lackierten Hut mit goldenen Tressen. Die Dame hüpfte ungewöhnlich eilfertig über das aufgeklappte Trittbrett in die an der Auffahrt wartende Kalesche. Der Lakai schlug hinter ihr den Wagenschlag zu, klappte das Trittbrett wieder zurück, schwang sich hinten hinauf und rief dem Kutscher »Vorwärts!« zu. Die Dame war im Besitz einer soeben gehörten Neuigkeit und brannte darauf, sie weiterzugeben. Sie blickte fortwährend aus dem Fenster und mußte zu ihrem unsagbaren Ärger feststellen, daß sie noch immer mindestens die Hälfte des Weges vor sich hatte. Jedes Haus, an dem sie vorüberkam, schien ihr länger als sonst. Das weiße steinerne Armenhaus mit seinen schmalen Fenstern zog sich so unerträglich lang hin, daß sie schließlich nicht umhin konnte auszurufen: »Verfluchtes Gebäude, nimmst du denn noch immer kein Ende!« Der Kutscher hatte schon wiederholt den Befehl erhalten: »Schneller, schneller, Andrjuschka! Du kommst ja heute überhaupt nicht vom Fleck!« Endlich war das Ziel erreicht. Die Kutsche hielt vor einem einstöckigen, dunkel gestrichenen Hause, mit kleinen weißen Basreliefs unter den Fenstern, hölzernen Gittern vor ihnen und einem schmalen Vorgarten, in welchem dürftige Bäumchen standen, die immer mit Straßenstaub bedeckt waren und so aussahen, als wären sie mit Mehl bestreut. In den Fenstern blühten Blumenstöcke, ein Papagei turnte in seinem Käfig und zwei Hündchen schliefen in der Sonne.

In diesem Hause wohnte die beste Freundin der soeben vorgefahrenen Dame. Der Autor ist in größter Verlegenheit, welche Namen er den beiden Damen geben soll, damit sie sich nicht über ihn ärgern, was früher oft in solchen Fällen geschehen ist. Erfundene Familiennamen sind gefährlich. Zu welchem Namen er sich auch immer entschließen würde – sicher fände sich in irgendeinem Winkel unsres Vaterlandes, groß genug ist es ja, irgend jemand, der gerade so heißt, ihm die Wahl dieses Namens tödlich übelnehmen und behaupten würde, er, der Autor, sei ausgerechnet angereist gekommen, um in aller Stille auszukundschaften, was für einen Pelz er trägt, bei welcher Agrafena Iwanowna er aus und ein geht und was er am liebsten zu Mittag ißt. Hält man sich dagegen nur an Rang und Titel, so ist, Gott behüte, die Sache noch weit gefährlicher. Gegenwärtig sind ja alle, die zu einem Berufsstand gehören oder irgendeinen Titel haben, so empfindlich und reizbar, daß sie einfach alles, was in einem Buch steht, persönlich nehmen und auf sich selber beziehen – das liegt heutzutage in der Luft. Die Bemerkung, daß in einer beliebigen Stadt ein Dummkopf lebt, genügt daher schon, daß plötzlich irgendein Herr von durchaus achtbarem Äußeren aufspringt und schreit: »Auch ich bin ein Mensch, also bin ich wohl ebenfalls ein Dummkopf!« Kurz, er ist sofort im Bilde und fühlt sich getroffen. Wir werden daher, um derartige Unannehmlichkeiten von vornherein zu vermeiden, die Dame, der der frühe Besuch galt, so nennen, wie sie übrigens in der ganzen Stadt genannt wurde, nämlich – die in jeder Beziehung anziehende Dame. Diese Benennung war ihr durchaus zu Recht verliehen worden, denn sie hatte ja keine Opfer gescheut, um sich im höchsten Grade beliebt zu machen, wenn auch natürlich hie und da durch ihre Liebenswürdigkeit etwas von der listigen Wendigkeit des weiblichen Charakters hindurchschimmerte und hinter ihren gewinnenden Worten eine, ach, so gefährliche Spitze verborgen lag! Aber Gott bewahre! wie es in ihrem Herzen gekocht haben würde gegen eine, die sich angemaßt hätte, in irgendeiner Hinsicht die erste Rolle in der Stadt spielen zu wollen! Es versteht sich jedoch von selbst, daß bei alledem die Regeln des feinsten Anstands, wie sie nur in der Provinz zu finden sind, in keiner Weise verletzt wurden. Jede ihrer Bewegungen zeugte von kultiviertestem Geschmack, sie liebte zum Beispiel Verse und wußte gegebenenfalls sogar ihr Köpfchen versonnen sinken zu lassen, und alle waren sich darüber einig, daß sie tatsächlich eine in jeder Beziehung anziehende Dame war. Die andre Dame dagegen, das heißt jene, die zu Besuch gekommen war, hatte keinen so vielseitigen Charakter und darum werden wir sie einfach – die anziehende Dame nennen. Ihr unerwartetes Erscheinen weckte die in der Sonne schlafenden Hündchen, die wollige Adèle, die sich fortwährend in ihr eigenes Fell verwickelte, und den dünnbeinigen Potpourri, die beide laut kläffend und mit hocherhobenen Schwänzen in den Flur stürzten, wo die soeben Angekommene sich ihres Umhangs entledigte und in einem Kleide von neuestem Schnitt und modernster Farbe und einer Boa um den Hals erschien. Sofort erfüllte ein starker Jasminduft das Zimmer. Kaum war der in jeder Beziehung anziehenden Dame die Ankunft der anziehenden Dame gemeldet worden, als sie auch schon selbst ins Vorzimmer gelaufen kam. Die beiden Damen fielen sich in die Arme, küßten sich und ließen kleine Aufschreie hören, wie das bei Pensionatsfreundinnen üblich ist, die sich bald nach ihrer Entlassung aus dem Institut wieder begegnen, und zwar noch bevor die beiderseitigen Mamachen Zeit gehabt haben, ihren Töchtern klarzumachen, daß der Vater der einen weniger vermögend ist und keinen so hohen Rang hat wie der Vater der anderen. Sie küßten sich so schallend, daß die Hündchen von neuem zu bellen anfingen, wofür sie mit einem Taschentüchlein bedroht wurden, und beide Damen begaben sich in den natürlich blau tapezierten Salon, in dem es ein Sofa, einen ovalen Tisch und efeuumrankte spanische Wände gab. Knurrend folgten die wollige Adèle und der hochbeinige Potpourri. »Hierher, bitte hierher in dieses Winkelchen!« sagte die Hausfrau und geleitete ihren Besuch zu einer Ecke des Sofas. »So ist's recht und hier haben Sie auch noch ein Kissen!« Mit diesen Worten schob sie dem Gast ein mit Seide gesticktes Sofakissen in den Rücken. Die Stickerei stellte den üblichen Ritter dar, der mit Kreuzstichen auf Stramin gestickt zu werden pflegte und dessen Nase lebhaft an eine Treppe erinnerte und dessen Lippen viereckig waren.

»Ach, ich bin froh, daß Sie da sind ... also ich höre, daß jemand vorfährt, und überlege, wer wohl so früh ... da meint Parascha, daß es die Vizegouverneurin sein könnte, und ich sage, ist denn die dumme Pute schon wieder da, um mich zu langweilen. Ich will mich gerade verleugnen lassen ...«

Der Besuch wollte unverzüglich zur Sache kommen und mit der großen Neuigkeit herausrücken – da nahm das Gespräch durch einen Ausruf der in jeder Beziehung anziehenden Dame plötzlich eine ganz andre Wendung. »Was für ein auffallend hübscher Kattun!« rief nämlich die in jeder Beziehung anziehende Dame und heftete ihren Blick auf das Kleid der bloß anziehenden Dame.

»Nicht wahr, sehr hübsch! Aber Pelageja Fjodrowna hätte es noch schöner gefunden, wenn die Karos kleiner und das Punktmuster nicht braun, sondern hellblau wäre. Meiner Schwester habe ich einen bezaubernden Stoff geschickt, so herrlich, daß es mit Worten gar nicht auszudrücken ist. Denken Sie sich mal: Streifen, die so unglaublich schmal sind, daß menschliche Phantasie sich das überhaupt nicht mehr vorstellen kann, und zwischen den Streifen auf hellblauem Grunde Äuglein und Pfötchen und immer wieder lauter Äuglein und Pfötchen ... kurz, unvergleichlich! Man kann ruhig sagen, es gibt nichts Ähnliches auf der Welt.«

»Ach, Liebste – das ist doch viel zu unruhig.«

»Nein, durchaus nicht unruhig.«

»O doch, sicher zu unruhig.«

Hier muß allerdings gesagt werden, daß die in jeder Beziehung anziehende Dame allzu skeptisch und kritisch veranlagt war und sich zu vielem im Leben ablehnend verhielt.

Die bloß anziehende Dame wiederholte jetzt nochmals, daß der Stoff keineswegs zu bunt und zu unruhig wirke, worauf sie ausrief: »Im übrigen, ich gratuliere – Falbeln werden nicht mehr getragen!«

»Wieso nicht getragen?«

»Statt dessen nur noch kleine Festons.«

»Das ist aber schade, Festons sind nicht schön!«

»Und dennoch: nur noch Festons, nichts als Festons! Pelerinchen mit Festons, an den Ärmeln und Schultern Festons, unten Festons, überall Festons.«

»Gar nicht schön, Sofja Iwanowna, gar nicht schön.«

»Im Gegenteil, Anna Grigorjewna, es ist sogar entzückend, mehr als entzückend. Die Festons werden doppelt besäumt, der breitere Saum kommt nach oben ... aber das alles ist ja noch gar nichts. Sie werden staunen. Was sagen Sie dazu: die Taillen werden noch länger und laufen jetzt vorn spitz zu, das mittlere Fischbein steht ein ganzes Stück vor. Und der Rock wird neuerdings rundherum gerafft, genauso wie bei den ehemaligen Reifröcken, und hinten sogar ein bißchen wattiert, ganz à la belle femme.«

»Aber das ist ja wirklich, ich muß schon sagen!« rief die in jeder Beziehung anziehende Dame entrüstet und warf den Kopf mit Würde zurück.

»Gewiß, das ist ... ich muß schon sagen ...« echote jetzt auch die bloß anziehende Dame.

»Wie Sie wollen, da mache ich einfach nicht mit!«

»Ich natürlich auch nicht ... wahrhaftig, wenn man sich überlegt, welche Übertreibungen sich die Mode schon geleistet hat, das ist ja wirklich allerhand! Selbstverständlich nur so zum Spaß habe ich mir von meiner Schwester einen Schnitt ausgebeten und meine Melanie ist bereits an der Arbeit.«

»Nicht möglich, Sie haben tatsächlich schon einen Schnitt?« rief die in jeder Beziehung anziehende Dame nicht ohne heftige Gemütsbewegung.

»Gewiß, meine Schwester hat ihn mir mitgebracht.«

»Ach, Liebste, bei allem, was Ihnen heilig ist, flehe ich Sie an – überlassen Sie mir den Schnitt!«

»Leider habe ich ihn schon Praskowja Iwanowna versprochen. Aber vielleicht könnte sie nachher ...«

»Wo denken Sie hin, wer wird denn das gleiche tragen, was man schon an Praskowja Iwanowna gesehen hat? Ich würde es wirklich sehr merkwürdig von Ihnen finden, wenn Sie eine Fremde Ihrer besten Freundin vorziehen würden.«

»Aber wieso denn eine Fremde? Sie ist doch meine Tante zweiten Grades.«

»Und was nicht noch! Gott weiß, was das für eine Verwandte von Ihnen ist, doch bestenfalls nur eine angeheiratete Tante ... Nein, Sofja Iwanowna, davon will ich nichts hören. Das sieht ja wirklich so aus, als wollten Sie mich beleidigen ... aber genug davon – ich sehe ja schon, daß Sie meiner überdrüssig geworden sind und die freundschaftlichen Beziehungen zu mir abbrechen wollen.«

Die arme Sofja Iwanowna war völlig ratlos. Sie fühlte deutlich, daß sie sich zwischen zwei Stühle gesetzt hatte. Das hatte sie nun davon, daß sie sich so wichtig gemacht hatte. Sie hätte sich am liebsten ihre vorwitzige Zunge mit Nadeln durchstochen.

»Und wie steht es mit unserem Don Juan?« fragte jetzt ganz unvermittelt die in jeder Beziehung anziehende Dame.

»Ach du lieber Gott, ich sitze so da und Sie wissen noch immer nicht, Anna Grigorjewna, was mich eigentlich hergeführt hat!«

Hier blieb ihr einfach der Atem weg, denn wie fliegende Habichte, die sich in ihrer Schnelligkeit zu überbieten versuchen, überstürzten sich ihre Worte und es gehörte schon die ganze Unmenschlichkeit der besten Freundin dazu, um diesen Redefluß brutal zu unterbrechen.

»Sie können ihn loben und in den Himmel heben, soviel Sie Lust haben«, erklärte sie viel lebhafter, als es sonst ihre Art war, »aber ich sage Ihnen gleich und würde es ihm auch selbst ins Gesicht sagen, daß er ein niederträchtiger Mensch ist, ein niederträchtiger, niederträchtiger, niederträchtiger Mensch!«

»Aber hören Sie doch nur, was ich Ihnen zu sagen habe ...«

»Da wird überall versichert, daß er gut aussehe, aber er ist gar nicht hübsch, alles andre eher als hübsch, und eine Nase hat er, eine geradezu abstoßende Nase!«

»Aber gestatten Sie, Liebste, lassen Sie mich doch zu Wort kommen – das ist ja eine ganz verrückte Geschichte, verstehen Sie, Anna Grigorjewna, eine Geschichte ce qu'on appelle histoire«, sagte der Besuch mit weinerlicher Stimme und ganz verzweifelt.

Hier kann übrigens die Zwischenbemerkung nicht schaden, daß im Zwiegespräch der Damen eine Menge Fremdwörter, ja stellenweise sogar ganze französische Sätze vorkamen. Aber wie groß auch die Verehrung ist, die der Autor der französischen Sprache und dem schätzungswerten Nutzen gegenüber empfindet, den sie Rußland bringt, und wie sehr er die löbliche Gewohnheit der Angehörigen unsrer höheren Gesellschaftskreise achtet, sich zu jeder Tageszeit untereinander auf Französisch zu verständigen, was selbstverständlich nur aus Liebe zum eigenen Vaterland geschieht – er kann sich doch nicht entschließen, auch nur noch einen einzigen Satz, gleichviel in welcher Fremdsprache, in diese seine russisch geschriebene Dichtung aufzunehmen. So wollen wir denn unsre Erzählung ausschließlich in russischer Sprache fortsetzen.

»Stellen Sie sich vor – wie ein Rinaldo Rinaldini steht er bis an die Zähne bewaffnet vor ihr und brüllt: ‚Heraus mit Ihren Seelen, die gestorben sind!‘ Korobotschka erwidert ganz verständig: ‚Ich kann sie nicht verkaufen, weil sie tot sind.‘ – ‚Nein‘, sagt er, ‚sie sind gar nicht tot und überhaupt‘, sagt er, ‚es ist meine Sache zu entscheiden, ob sie tot oder lebendig sind. Sie sind nicht tot‘, schreit er, ‚nicht tot, nicht tot, nicht tot!‘ Kurz, es gibt einen Riesenskandal im Dorf: die ganze Bevölkerung läuft zusammen, die Kinder fangen an zu weinen, alles schreit durcheinander, kein Mensch versteht sein eigenes Wort – ach, Liebste, Sie können sich gar nicht vorstellen, was ich durchgemacht habe, als ich das alles hörte! ‚Gnädige Frau, mein Täubchen‘, sagte meine Maschka, ‚werfen Sie doch nur einen Blick in den Spiegel, Sie sind ja ganz bleich!‘ – ‚Was soll ich jetzt mit dem Spiegel‘, antwortete ich, ‚ich muß sofort zu Anna Grigorjewna, um ihr alles zu erzählen‘, und lasse unverzüglich anspannen. Der Kutscher Andrjuschka fragt mich, wohin er fahren soll, aber ich kann kein Wort hervorbringen, sondern – können Sie sich das vorstellen? – starre ihm nur so blöde ins Gesicht, daß er mich wohl für eine Verrückte gehalten hat. Ach, Anna Grigorjewna, wenn Sie sich doch nur ein Bild davon machen könnten, wie ich mich aufgeregt habe!«

»Das ist in der Tat höchst merkwürdig«, sagte die in jeder Beziehung anziehende Dame, »was haben denn diese toten Seelen zu bedeuten? Ich gestehe, daß ich überhaupt nichts begreife. Jetzt ist es schon das zweite Mal, daß ich von diesen toten Seelen höre. Mein Mann sagt zwar, daß Nosdrew lügt, aber es muß doch etwas Wahres dran sein.«

»Gewiß, Anna Grigorjewna, aber versuchen Sie doch nur, sich in meine Lage hineinzuversetzen, als ich das alles hörte. ‚Und jetzt‘, sagt die Korobotschka, ‚weiß ich überhaupt nicht, was ich tun soll. Er hatte mich‘, sagt sie, ‚gezwungen, irgend etwas Gefälschtes zu unterschreiben, und mir dann fünfzehn Papierrubel hingeschmissen. Ich‘, sagt sie, ‚bin eine unerfahrene, hilflose Witwe und habe von nichts eine Ahnung ...‘ So also ist das gewesen ... aber wenn Sie sich doch nur ein ganz klein wenig vorstellen könnten, wie ich gezittert habe vor Aufregung ...«

»Wie dem auch sei – hier dreht es sich gar nicht um die toten Seelen, sondern um etwas ganz andres.«

»Ja, ich gestehe gleichfalls«, sagte die bloß anziehende Dame nicht ohne Überraschung und empfand augenblicklich den lebhaften Wunsch zu erfahren, was sich denn eigentlich hinter diesen toten Seelen verberge. Ja, sie stellte sogar mit besonderer Betonung die Frage: »Was meinen Sie denn, was dahinter steckt?«

»Und was glauben Sie?«

»Was ich glaube ... nun, ich gestehe, daß ich völlig ratlos bin.«

»Ich bin trotzdem gespannt, wie Sie darüber denken.«

Aber der nur anziehenden Dame fiel nicht das geringste ein. Sie war nur imstande, sich mächtig aufzuregen, aber zu irgendwelchen Vermutungen reichte ihre Phantasie ganz und gar nicht, weshalb sie auch mehr als jede andere Dame das Bedürfnis nach zärtlicher Liebe und verständnisinniger Beratung und Führung hatte.

»Dann hören Sie also zu, was es mit diesen toten Seelen in Wirklichkeit auf sich hat«, sagte die in jeder Beziehung anziehende Dame und der Besuch lauschte mit gespanntester Aufmerksamkeit. Ihre kleinen Ohren spitzten sich ganz von selber, sie richtete sich im Sitzen auf, so daß sie den Diwan gar nicht mehr berührte, und wurde, obgleich sie teilweise ziemlich füllig war, plötzlich so schmächtig, daß sie einem leichten Federchen glich, das beim geringsten Lufthauch hätte davonfliegen können. Man dachte bei dieser Veränderung, die mit ihr vorgegangen war, unwillkürlich an einen russischen Aristokraten, der auf der Treibjagd an einen Waldrand herangeritten ist, aus dem gerade ein müdegehetzter Hase herauskommt, worauf sich der Jäger mitsamt seinem Pferde und seiner hocherhobenen Hetzpeitsche augenblicklich in ein Pulverfaß verwandelt, welches im nächsten Moment mit dem zündenden Funken in Berührung kommen wird. Sein Blick bohrt sich in die dicke Schneeluft, schon hat er das Wild gestellt, schon ist es ihm, dem Unentrinnbaren, verfallen, den nichts, ja nicht einmal der wütende Schneesturm der Steppe aufhalten kann, der ihm einen Schwall von silbernen Sternchen entgegenwirbelt und ihm Mund, Augen und Schnurrbart, Brauen und Bibermütze mit Schneeflocken überschüttet.

»Die toten Seelen ...« begann die in jeder Beziehung anziehende Dame.

»Was? Was?« fiel ihr der Besuch, ganz aufgeregt vor Erwartung, ins Wort.

»Die toten Seelen ...«

»Ach, sprechen Sie doch um Gottes willen!«

»... sind nur ein Ablenkungsmanöver, bestimmt, den eigentlichen Sachverhalt zu verschleiern. Die Wahrheit ist: er will die Tochter des Gouverneurs entführen.«

Diese Schlußfolgerung kam in der Tat sehr unerwartet und war in jeder Hinsicht außergewöhnlich. Als die anziehende Dame das hörte, erstarrte sie auf der Stelle zu Stein, wurde leichenblaß und war zu Tode erschrocken. Sie rief: »Ach, du lieber Himmel, darauf wäre ich niemals gekommen!« und schlug vor Schreck die Hände vors Gesicht.

»Und ich gestehe, Sie hatten kaum den Mund aufgemacht, da wußte ich schon genau, was los war«, erwiderte die in jeder Beziehung anziehende Dame.

»Aber Liebste, was soll man jetzt noch von der Institutserziehung halten? Wo bleibt denn die liebe Unschuld?«

»Sprechen Sie mir nicht von Unschuld! Ich habe sie Dinge sagen hören, Dinge, die ich selber niemals gewagt hätte auszusprechen.«

»Wissen Sie, Anna Grigorjewna, es zerreißt einem einfach das Herz, wenn man sieht, wie weit es bereits mit der Sittenlosigkeit gekommen ist.«

»Und die Männer sind verrückt nach ihr. Aber was mich betrifft, so muß ich gestehen, daß ich nichts an ihr finden kann ... sie ist unausstehlich affektiert.«

»Ach, Liebste, und kalt wie eine Marmorstatue, ohne Spur von Leben im Gesicht.«

»Ach, wie affektiert! Mein Gott, wie affektiert! Wer mag

sie das wohl gelehrt haben? Ich wenigstens habe noch nie ein Frauenzimmer mit so viel Geziertheit gesehen.«

»Eine Statue, Liebste, und blaß wie der Tod!«

»Wo denken Sie hin, Sofja Iwanowna, sie legt ja in der schamlosesten Weise Rot auf.«

»Aber was haben Sie denn, Anna Grigorjewna, sie besteht ja nur aus Kreide, Kreide und nichts als Kreide!«

»Woher denn, Liebste, ich habe doch neben ihr gesessen, die rote Schminke klebt ihr ja fingerdick an den Backen und bröckelt stückweise ab wie Stukkatur von den Wänden. Das hat sie von der Mutter gelernt, dieser alten Kokette. Aber die Tochter ist der Alten noch über.«

»Nun, erlauben Sie mal, verlangen Sie von mir jeden beliebigen Schwur. Ich bin bereit, meine Kinder, meinen Mann und alles, was ich besitze, herzugeben, wenn auch nur das winzigste Tröpfchen roter Farbe an ihr zu entdecken ist!«

»Aber wie können Sie nur so etwas sagen, Sofja Iwanowna!« rief die in jeder Beziehung anziehende Dame aus und schlug jetzt ihrerseits die Hände zusammen.

»Ach, wie können Sie nur so sein, Anna Grigorjewna! Ich erkenne Sie gar nicht wieder, so erstaunt bin ich!« sagte die anziehende Dame und schlug abermals die Hände zusammen.

Der Leser hat keinen Grund, sich darüber zu wundern, daß die beiden Damen so widersprechende Ansichten über das äußerten, was sie fast gleichzeitig mit ihren eigenen Augen gesehen hatten. Es gibt in der Tat viele Dinge auf der Welt, die so beschaffen sind, daß sie, wenn eine Dame sie ins Auge faßt, schneeweiß sind, während sie in den Augen einer anderen rot wie Preißelbeeren erscheinen.

»Hier haben Sie gleich noch einen weiteren Beweis dafür, daß sie bleich ist«, fuhr die bloß anziehende Dame fort, »ich erinnere mich noch so genau, als wäre es heute gewesen, daß ich neben Manilow saß und zu ihm sagte: ‚Schauen Sie doch nur, wie bleich sie ist.‘ Wahrhaftig, man muß schon so über alle Maßen kritiklos sein wie unsre Männer, um sich für sie zu begeistern. Und unser Don Juan ... Ach, wie abstoßend habe ich ihn doch gefunden! Sie können sich gar nicht vorstellen, Anna Grigorjewna, bis zu welchem Grade er mir ekelhaft war.«

»Ja, und dennoch haben sich gewisse Damen gefunden, denen er durchaus nicht gleichgültig war.«

»Meinen Sie mich, Anna Grigorjewna? Nein, das können Sie wirklich nicht von mir sagen. Niemals, niemals können Sie das sagen!«

»Aber ich spreche doch gar nicht von Ihnen, als ob es außer Ihnen nicht auch noch andre Damen gegeben hätte.«

»Niemals, niemals, Anna Grigorjewna! Gestatten Sie mir die Bemerkung, daß ich mich selbst sehr genau kenne: das trifft mich in keiner Weise, möglich aber, daß es auf gewisse andre Damen zutrifft, die die Unnahbaren spielen ...«

»Entschuldigen Sie, Sofja Iwanowna! Gestatten Sie mir, Ihnen meinerseits zu sagen, daß ich mit dergleichen Skandalgeschichten noch nie etwas zu schaffen gehabt habe. Andere mögen in solche Dinge verwickelt gewesen sein, ich aber jedenfalls nicht – Sie müssen mir schon erlauben, Ihnen das mit allem Nachdruck deutlich zu machen.«

»Warum sind Sie denn so beleidigt? Es waren doch auch noch andre Damen zugegen, darunter auch solche, die den Stuhl an der Tür durchaus als erste besetzen wollten, um in seiner nächsten Nähe Platz zu nehmen.«

Eigentlich war es nach diesen Worten unvermeidlich, daß ein furchtbarer Sturm losbrach, aber erstaunlicherweise verstummten die Damen plötzlich und es geschah nichts dergleichen. Die in jeder Beziehung anziehende Dame erinnerte sich nämlich, daß der neue Kleiderschnitt noch nicht in ihren Händen war, während die nur einfach anziehende Dame sich plötzlich bewußt wurde, daß sie noch gar keine Einzelheiten über die Entdeckung ihrer besten Freundin hatte erfahren können, und so kam es sehr schnell zum Friedensschluß.

Übrigens war es nicht etwa so, daß die beiden Damen von Natur das Bedürfnis gehabt hätten, einander Unannehmlichkeiten zuzufügen, man konnte überhaupt nicht sagen, daß sie boshafte Charaktere gewesen wären; im Laufe des Gesprächs stellte sich so ganz von selbst, und ohne daß sie es selber gemerkt hätten, der leise Wunsch ein, sich gegenseitig kleine Nadelstiche zu versetzen. Gelegentlich bereitete es der einen oder anderen einfach einen kleinen, harmlosen Genuß, der Freundin mit einem etwas deutlicheren Wörtchen zu kommen, etwa in folgendem Sinn: »Hier diese kleine Pille – nimm sie und schluck sie hinunter!« Wie verschieden sind doch die Herzensbedürfnisse des männlichen und des weiblichen Geschlechts!

»Eines kann ich aber doch nicht begreifen«, sagte die bloß anziehende Dame, »wie Tschitschikow, der doch nur auf der Durchreise ist, sich zu so einem gewagten Unternehmen hat entschließen können. Es ist doch ganz undenkbar, daß er keine Helfershelfer hat?«

»Glauben Sie wirklich, daß das möglich ist?«

»Was meinen Sie denn, wer könnte ihm dabei helfen?«

»Nun, mindestens Nosdrew.«

»Ich bitte Sie, Nosdrew?«

»Ja, warum nicht? Das würde doch gut zu ihm passen! Wissen Sie denn nicht, daß er einmal drauf und dran gewesen ist, seinen eigenen Vater zu verkaufen oder gar am Kartentisch zu verspielen?«

»Mein Gott, was für interessante Neuigkeiten ich von Ihnen höre! Ich hätte niemals gedacht, daß auch Nosdrew in diese Affäre verwickelt sein könnte.«

»Und ich habe es mir gleich gedacht.«

»Wahrhaftig, wenn man bedenkt, was alles in der Welt vorgeht! Wer hätte zum Beispiel damals, als Tschitschikow in unsre Stadt kam, auch nur im entferntesten ahnen können, was er hier für merkwürdige Dinge anstellt. Ach, Anna Grigorjewna, wenn Sie nur wüßten, wie ich mich aufgeregt habe! Wenn ich nicht Ihre Zuneigung und Freundschaft besäße – in der Tat, ich stände am Rande des Abgrunds. Maschka sieht, daß ich bleich wie der Tod bin. ‚Gnädigste, mein Herzchen', sagt sie, ‚Sie sind ja bleich wie der Tod.' Und ich meinerseits sage: ‚Maschka', sage ich, ‚das ist jetzt nicht wichtig.' So also liegen die Dinge und auch Nosdrew – ich bitte Sie – ist mit in diese Sache verwickelt.«

Die anziehende Dame konnte es kaum erwarten, nähere Einzelheiten über die Entführung, das heißt, wann, wo und um wieviel Uhr sie stattfinden würde, und dergleichen mehr zu erfahren, aber die in jeder Beziehung anziehende Dame sagte ganz einfach, daß ihr alles Weitere unbekannt sei. Lügen – o nein, das tat die in jeder Beziehung anziehende Dame niemals, sie vermutete nur; was natürlich etwas ganz anderes war. Und auch dies tat sie nur dann, wenn sie von der Richtigkeit ihrer Kombinationen innerlich absolut überzeugt war. Und war das wirklich der Fall, dann stand sie auch voll und ganz dafür ein. Ja, der größte und bedeutendste Rechtsanwalt, weit und breit berühmt wegen seiner Fähigkeit, andrer Leute Meinungen Punkt für Punkt zu widerlegen, hätte es nur einmal wagen sollen, sich mit ihr in einen Wortstreit einzulassen – hier wäre ihm unweigerlich zu Gemüte geführt worden, was das eigentlich ist: eine absolute innere Überzeugung.

Darüber, daß beide Damen schließlich felsenfest das glaubten, was anfangs nur Vermutung und Kombination gewesen war, braucht man sich durchaus nicht zu wundern. Wir Männer, die wir uns für gescheite und gelehrte Leute halten, machen es ja fast ebenso; denn als schlüssige Beweise dienen uns unsre eigenen wissenschaftlichen Theorien. Der Gelehrte macht sich nicht viel anders als ein Gauner an eine Aufgabe heran; zunächst beginnt er ganz vorsichtig, ja ängstlich mit der allerbescheidensten Frage: Woher stammt eigentlich dieser Name? Hat das Land ihn nicht von jenem Erdenwinkel? Oder: Gehört diese Urkunde nicht am Ende einer ganz anderen und sehr viel späteren Epoche an? Oder: Sollte statt dieses Volkes in Wirklichkeit nicht jenes gemeint sein? Und sogleich führt er Zitate aus diesem oder jenem Schriftsteller der Antike an, findet dabei allerhand Hinweise oder zumindest Stellen, die er für Hinweise hält, wird immer kühner, kommt richtig in Schwung, fängt an, mit den alten Schriftstellern wie mit seinesgleichen zu verkehren und ihnen Fragen zu stellen, die er dann selbst an ihrer Stelle beantwortet. Dabei hat er längst vergessen, daß er mit einer schüchternen Hypothese begonnen hat, glaubt plötzlich alles sonnenklar vor sich zu sehen und schließt seine Überlegungen mit den Worten ab: So ist es! Um dieses Volk und kein anderes hat es sich gehandelt! Nur von diesem Gesichtspunkt aus muß die Frage behandelt werden! Und schon wird das Ergebnis vom Katheder herab verkündet, die frisch entdeckte Wahrheit nimmt ihren Weg in die Welt und gewinnt Verehrer und Anhänger.

Während unsre beiden Damen diese verworrene Frage auf eine so glückliche und scharfsinnige Weise lösten, erschien im Salon der Staatsanwalt mit seinem immer starren Gesicht, seinen dichten Brauen und seinem zwinkernden Auge. Die Damen fingen unverzüglich an, ihn über alle Begebenheiten zu unterrichten. Sie erzählten ihm vom Kauf der toten Seelen, von der Absicht, die Tochter des Gouverneurs zu entführen, und brachten es im Handumdrehen dahin, daß er überhaupt nicht mehr wußte, wo ihm der Kopf stand. Obgleich er sich nicht von der Stelle rührte, fortwährend mit seinem linken Auge zwinkerte und sich mit dem Taschentuch den Tabak aus dem Bart wischte, verstand er nicht das geringste. Völlig konfus, wie er war, ließen ihn die Damen schließlich stehen und brachen in verschiedenen Richtungen auf, um die Stadt rebellisch zu machen. Zur erfolgreichen Durchführung dieses Vorhabens brauchten sie nicht mehr und nicht weniger als eine halbe Stunde: die ganze Stadt war in Aufruhr, alles geriet in wilde Erregung und kein Mensch begriff, was los war. Die Damen hatten es fertiggebracht, den Leuten so viel blauen Dunst vorzumachen, daß alle und insbesondere die Beamten längere Zeit ganz verwirrt und wie benommen waren. Ihre Lage erinnerte im ersten Augenblick an diejenige eines schlafenden Schulknaben, dem seine Kameraden einen sogenannten »Husaren«, das heißt, ein Tütchen Schnupftabak, in die Nase gesteckt haben und der den Tabak in vollen Zügen und mit der ganzen Unbekümmertheit des Schnarchenden einzieht, erwacht, seine Augen erschrocken aufreißt, mit dem blöde glotzenden Ausdruck eines Schwachsinnigen um sich blickt und absolut nicht versteht, wo er sich befindet und was mit ihm geschehen ist. Dann dauert es noch eine ganze Weile, bis er die sonnenbeleuchtete Mauer erkennt und begreift, daß die Kameraden, die sich hinter einer Hausecke versteckt haben, ihn auslachen. Und jetzt wird ihm langsam klar, daß es Tag ist, er sieht den von Vogelstimmen erfüllten Wald, das in der Sonne blinkende, hie und da von dünnem Röhricht verdeckte Flüßchen, in welchem nackte Knaben baden und sich tummeln, und dann erst geht ihm ein Licht auf: er hat ja einen »Husaren« in der Nase. Gerade so war im ersten Augenblick die Gemütsverfassung der Bevölkerung und der Beamten der Stadt. Jeder stand da wie ein Hammel und starrte mit hervortretenden Augen auf den anderen. Die toten Seelen, die Tochter des Gouverneurs und Tschitschikow – dies alles schwirrte in ihren Köpfen herum, und erst später, als sie anfingen, sich von ihrer Betäubung zu erholen, versuchten sie, sich in diesem Wirrwarr zurechtzufinden, die einzelnen Umstände voneinander zu trennen und sich Rechenschaft über sie zu geben. Aber als sie sahen, daß sich die Sache auf keine Weise aufklären ließ, wurden sie wütend: Was ist das eigentlich für ein lächerliches Geschwätz über diese toten Seelen? Wo steckt die Logik in diesem Unsinn? Wie kann man überhaupt Seelen kaufen, die schon tot sind? Muß das ein Trottel sein, der sein Geld für so einen Schwindel hinauswirft! Was kann man überhaupt mit toten Seelen anfangen? Und was hat die Tochter des Gouverneurs mit der ganzen Geschichte zu tun? Wenn Tschitschikow sie entführen will – warum kauft er zu diesem Zweck tote Seelen? Wenn er aber tote Seelen kauft, warum braucht er dann die Tochter des Gouverneurs zu entführen? Will er ihr etwa die toten Seelen schenken? Was ist denn das wieder für ein Blödsinn, der in der Stadt verbreitet wird? Man braucht sich ja wahrhaftig nur umzudrehen, und schon werden die unglaublichsten Gerüchte ausgestreut, die auch nicht den geringsten Sinn haben! Aber da sie trotzdem verbreitet werden, muß doch irgendein Grund dazu vorhanden sein. Was aber steckt hinter den toten Seelen? Da ist auch nicht der mindeste Grund zu erkennen. Es ist, hol's der Teufel, nur dummes Zeug!

Kurz, man steckte die Köpfe zusammen, tuschelte und klatschte und die ganze Stadt sprach nur noch über die toten Seelen und die Tochter des Gouverneurs, über Tschitschikow und die toten Seelen, über die Tochter des Gouverneurs und Tschitschikow, und sämtliche Zungen waren in Bewegung. Es war, als raste ein Wirbelsturm durch die bisher so verschlafene Stadt. Aus ihren Höhlen und Löchern krochen alle Faultiere und Schlafmützen heraus, die jahrelang in ihren Flauschröcken daheim herumgelegen waren und für ihren Müßiggang bald den Schuster verantwortlich machten, der ihnen zu enge Schuhe geliefert hatte, bald den Schneider oder den ständig besoffenen Kutscher. Auch alle die erschienen jetzt auf der Bildfläche, die schon längst sämtliche Beziehungen zu ihren Bekannten abgebrochen hatten und nur noch mit den sprichwörtlichen Gutsbesitzern »Sawalischin« und »Poleschajew« verkehrten (deren berühmte Namen, von den russischen Ausdrücken für »auf der Bärenhaut liegen« und »hinter dem Ofen sitzen« abgeleitet, in Rußland ebenso gebräuchlich sind wie die Redensarten »die Herren Sopikow und Chrapowizkij besuchen«. Durch diese Namen soll jener totenähnliche Schlaf auf der Seite, auf dem Rücken und in anderen Körperlagen angedeutet werden, der mit dröhnendem Schnarchen, säuselndem Pfeifen durch die Nase und ähnlichen Geräuschen verbunden zu sein pflegt).

Es tauchten sogar Leute auf, die man bisher nicht einmal durch eine Einladung zu einer höchst kostspieligen Fischsuppe, zu einem zwei Meter langen Sterlet und zu den verschiedenartigsten, schon auf der Zunge zergehenden Kohlpiroggen aus dem Hause locken konnte – mit einem Wort, es zeigte sich, daß die Stadt riesig groß und überaus bevölkert war und daß in ihr ein Verkehr herrschte, wie es sich für so eine Stadt gehörte. Zum Vorschein kamen schließlich noch ein gewisser Sysoj Pafnutjewitsch und ein Herr Macdonald Karlowitsch, von denen man noch nie etwas gehört hatte, und in den Salons stand plötzlich ein Mensch mit einem durchschossenen Arm herum, ein Mensch von einer geradezu unglaublichen Länge. Auf den Straßen sah man eine Menge geschlossener Reisewagen, altertümlicher Chaisen, unwahrscheinlich rumpelnder Droschken und andrer mehr oder weniger phantastischer Fuhrwerke. Kurz, die Suppe war eingebrockt ...

Zu einer anderen Zeit und unter veränderten Umständen

wären dergleichen Gerüchte vielleicht gar nicht beachtet worden, aber die Stadt N. war schon eine ganze Weile ohne Neuigkeit geblieben. Im Lauf von drei Monaten hatte sich auch nicht das geringste ereignet, was man in den Hauptstädten eine »Commérage« oder eine Klatschgeschichte nennt und was für eine Stadt bekanntlich ebenso wichtig ist wie die rechtzeitige Zufuhr der Lebensmittel. Die Öffentlichkeit teilte sich plötzlich in zwei Parteien, die einander völlig entgegengesetzte Meinungen vertraten: die männliche und die weibliche. Die männliche wandte – ganz kurzsichtig und albern – ihre Aufmerksamkeit nur den toten Seelen zu, während die weibliche sich ausschließlich mit der Entführung der Gouverneurstochter befaßte. In dieser Partei – das muß zur Ehre der Damen ausdrücklich hervorgehoben werden – herrschte unvergleichlich viel mehr Disziplin und Überlegung, was ja kein Wunder war, denn die Hausfrauen sind nun einmal dazu geschaffen, umsichtig und vorsorglich zu sein. Bei ihnen nahm alles sehr rasch lebhafte Umrisse und bestimmte, eindeutige Formen an. Alles klärte und vereinfachte sich – kurz, es ergab sich ein deutliches und abgerundetes Bildchen. Demnach war Tschitschikow schon geraume Zeit verliebt und die Liebenden pflegten sich bei Mondschein im Garten zu treffen. Der Gouverneur hätte ihm seine Tochter ohne weiteres zur Frau gegeben, da Tschitschikow reich wie ein Jude war, wenn es da nicht ein Hindernis gegeben hätte, nämlich Tschitschikows Frau, die von ihrem Manne verlassen worden war. (Woher die Damen wußten, daß er bereits verheiratet war, blieb ihr Geheimnis.) Nun hatte die hoffnungslos an unglücklicher Liebe leidende Frau Tschitschikow dem Gouverneur einen unglaublich rührenden Brief geschrieben, worauf sich Tschitschikow, fest überzeugt, daß die Eltern seiner Erwählten unter diesen Umständen niemals ihre Zustimmung zur Heirat geben würden, zur Entführung entschlossen hatte. In einigen Häusern wurde dieser Tatbestand allerdings in etwas abweichender Form erzählt. Hier versicherte man nämlich, daß Tschitschikow durchaus nicht verheiratet sei. Aber als überaus feinsinniger Mann, der außerdem immer bestrebt war, ganz sicher zu gehen, habe er, um die

Tochter zur Frau zu erhalten, ein heimliches Techtelmechtel mit der Gouverneurin angefangen und dann erst um die Hand der Tochter angehalten. Die Mutter habe jedoch in der Befürchtung, es könnte zu einem Verbrechen wider die Religion kommen, und gefoltert von Gewissensbissen, den Antrag rundweg abgelehnt, worauf Tschitschikow dann den Plan zur Entführung gefaßt habe. Diese Darstellung erfuhr freilich noch mancherlei Ergänzungen und Ausschmückungen, die um so zahlreicher wurden, je mehr die Gerüchte schließlich auch bis in die entlegensten und obskursten Gassen drangen, wie ja überhaupt in Rußland die niederen Volksschichten eine besondere Vorliebe für den Klatsch der höheren Gesellschaftskreise haben. So fing man auch in den kleinsten und ärmlichsten Hütten an, über die Sache zu reden und sie noch weiter auszuschmücken. Das skandalöse Thema, von Minute zu Minute interessanter und sensationeller geworden, wurde schließlich in vollendeter Gestalt der Gouverneurin selber hinterbracht. Als Familienmutter und erste Dame der Stadt war sie, zumal sie nichts dergleichen hätte vermuten können, aufs tiefste gekränkt und empört, was gewiß nur allzu berechtigt war. Das arme Blondinchen mußte ein Verhör im peinlichsten tête-à-tête über sich ergehen lassen, das wohl je einem sechzehnjährigen Mädchen beschieden gewesen ist. Eine ganze Flut von unangenehmen Fragen, Rügen, Vorwürfen, Drohungen und Ermahnungen ergoß sich über sie, so daß sie in Tränen ausbrach und laut weinte, ohne von der ganzen Geschichte auch nur ein Wort zu verstehen. Der Portier erhielt den strengen Befehl, Tschitschikow nie wieder und unter gar keinen Umständen vorzulassen.

Nachdem die Damen ihr Ziel bei der Gouverneurin erreicht hatten, machten sie sich an die Männerpartei heran und versuchten, sie für ihre Sache zu gewinnen. Sie versicherten, daß die ganze Affäre mit den toten Seelen nur ein Ablenkungsmanöver sei, erfunden lediglich zu dem Zweck, keinen Verdacht aufkommen zu lassen und das Mädchen um so leichter und sichrer entführen zu können. Viele Männer traten tatsächlich zur Damenpartei über, obgleich sie sich dadurch der Geringschätzung ihrer Genossen aussetzten und »alte

Weiber« und »Pantoffelhelden« gescholten wurden, was bekanntlich für das männliche Geschlecht äußerst kränkend ist.

Aber sosehr sich auch die Männer zur Wehr setzten, in ihrer Partei fehlte es ganz und gar an jener Disziplin, welche die Frauenpartei auszeichnete. Alles war bei ihnen derb, primitiv, ungeschickt, undiplomatisch, unfein und entbehrte jeglichen Raffinements. In ihren Köpfen herrschte eitel Unklarheit und Unsicherheit, in ihren Gedanken Unordnung und Verwirrung – mit einem Wort, in allem und jedem zeigte sich eben die ganze Unzulänglichkeit der männlichen Natur, dieser groben und schwerfälligen Natur, gleich unfähig zur Leitung des Hauswesens wie zu aufrichtigen Regungen des Herzens, dieser kleingläubigen, trägen, mißtrauischen und von ewigen Zweifeln und dauernder Ängstlichkeit gehemmten Natur der Männer. Sie beharrten dabei, daß alles Unsinn sei, vertraten die Ansicht, daß die Entführung einer Gouverneurstochter weit eher Sache eines draufgängerischen Husaren als eines Zivilisten sei, versicherten, daß Tschitschikow so etwas niemals tun werde, daß alle Weiber lögen, wie Säcke seien, in denen alles herumgeschleppt werde, was einmal hineingestopft sei. Die Hauptsache, auf die man sein Augenmerk richten müsse, seien die toten Seelen, von denen übrigens nur der Teufel wisse, was es eigentlich für eine Bewandtnis mit ihnen habe. Eines allerdings sei sicher, nämlich, daß etwas sehr Übles und Bösartiges dahinterstecke.

Warum es den Männern so schien, daß etwas Übles und Bösartiges dahinterstecke, werden wir sogleich erfahren. Für die Provinz war ein neuer Generalgouverneur ernannt worden – ein Ereignis, das, wie man weiß, die gesamte Beamtenschaft in einen Zustand höchster Aufregung und Beunruhigung versetzt, denn in solchen Fällen gibt es immer Revisionen, Untersuchungen, Verweise und überhaupt allerhand versalzene und gepfefferte Suppen, welche die Vorgesetzten ihren Untergebenen vorsetzen und die diese dann auslöffeln müssen. Du lieber Gott, dachten die Beamten, wenn dem Generalgouverneur auch nur die Gerüchte, die in der Stadt umgehen, zu Ohren kommen, wird er schon von vornherein gegen uns aufgebracht sein! Der Inspektor des Gesundheitsamtes wurde plötzlich ganz bleich: er bildete sich Gott weiß warum ein, daß mit den toten Seelen die Kranken gemeint sein könnten, die bei der Typhusepidemie, gegen die er nicht die vorgeschriebenen Maßnahmen ergriffen hatte, in den Lazaretten und Privathäusern wie die Fliegen gestorben waren. War nicht am Ende Tschitschikow als Beamter für besondere Aufträge von der Kanzlei des Generalgouverneurs abkommandiert worden, um eine geheime Untersuchung dieser Angelegenheit durchzuführen? Der Gesundheitsinspektor teilte seine Besorgnis dem Gerichtspräsidenten mit, der das alles für Unsinn erklärte. Aber dann erblaßte er plötzlich selber bei dem Gedanken: Was dann, wenn die von Tschitschikow gekauften Seelen tatsächlich tot sind? Hatte der Gerichtspräsident doch den Abschluß des Kaufvertrags zugelassen, ja sogar selbst die Rolle von Pljuschkins Bevollmächtigtem gespielt! Was wird geschehen, wenn der Generalgouverneur das alles erfährt? Der Präsident hatte lediglich diesem oder jenem gegenüber seine Befürchtungen gerade nur angedeutet, und schon war dieser und jener ebenfalls bleich geworden: die Angst ist eben ansteckender als die Pest und ist im Augenblick übertragbar. Alle entdeckten plötzlich bei sich selber Sünden, die sie überhaupt nicht begangen hatten. Der Ausdruck »tote Seelen« war so unbestimmt und so dehnbar, daß vielfach sogar der Verdacht aufkam, es könnten hier jene zwei noch gar nicht lange zurückliegenden Begebenheiten gemeint sein, bei denen einige Leichen mit allzu großer Hast und Eilfertigkeit verscharrt worden waren.

Im ersten Fall hatte es sich um irgendwelche Solwytschegodsker Kaufleute gehandelt, die zum Jahrmarkt in die Stadt gekommen waren und mit ihren Geschäftsfreunden, den Ustsysolsker Kaufleuten, ein kleines Gelage veranstaltet hatten – ein Gelage nach russischem Geschmack, aber mit einigen deutschen Verfeinerungen in Gestalt von Punsch, Grog, Bowle und dergleichen. Wie üblich endete das kleine Gelage mit einer großen Prügelei. Die Ustsysolsker wurden von den Solwytschegodskern totgeschlagen, obgleich auch die letzteren in die Seiten, Rippen und in die Blasengegend gewaltige Hiebe erhielten, die von den ungeheuren Dimensionen der Fäuste Zeugnis ablegten, mit welchen die Verblichenen ausgestattet gewesen waren. Einem der Sieger war sogar, wie sich die wackren Kämpen ausdrückten, die »Luftpumpe« eingeschlagen worden, das heißt, man hatte ihm die Nase so gründlich zermalmt, daß von ihr nur ein Rest übriggeblieben war, kaum größer als eine Fingerspitze. Die Kaufleute bekannten sich schuldig, erklärten aber, sie hätten sich nur einen kleinen Scherz erlaubt. Man erzählte sich, daß sie sich mit je vier Hundertrubelbanknoten für jeden Abgeschiedenen freigekauft hätten. Übrigens blieb die Sache ziemlich dunkel. Aus den Nachforschungen und Untersuchungen war zu entnehmen, daß die Ustsysolskeir Raufbolde ganz einfach infolge von Ofendunst das Zeitliche gesegnet hatten, und als auf diese Weise ums Leben gekommen begrub man sie auch.

Der andere Fall, der sich erst ganz kürzlich ereignet hatte, war folgender: die Domänenbauern des Dörfchens Wschiwaja-Spes hatten sich mit den Bauern von Borowka und Sadirailowo zusammengetan und die Landpolizei in der Person ihres Beisitzers, eines gewissen Drobjaschkin, vom Erdboden vertilgt. Diese Landpolizei, das heißt der Beisitzer Drobjaschkin, hatte es sich nämlich einfallen lassen, allzuoft in ihre Dörfer zu kommen, was mitunter noch lästiger sein kann als eine Typhusepidemie. Der Grund dieser häufigen Besuche war (so meinten die Bauern), daß die Landpolizei, die an einer eigentümlichen »Schwäche«, des Herzens nämlich, gelitten, ein ungewöhnliches Interesse für die dörflichen Frauen und Mädchen bekundet hatte. Näheres darüber war unbekannt, wenngleich die Bauern in ihren Aussagen geradeheraus erklärt hatten, daß die Landpolizei lüstern wie ein Kater gewesen sei, daß man sie wiederholt gewarnt habe und daß man sie einmal sogar völlig nackt aus einer Hütte habe hinausjagen müssen. Natürlich hatte die Landpolizei für diese ihre »Schwäche« Strafe verdient, aber andererseits konnte man auch den Bauern von Wschiwaja-Spes und denen von Sadirailowo ihre Eigenmächtigkeit nicht einfach hingehen lassen, wenn sie tatsächlich an der Mordtat beteiligt gewesen sein sollten. Indessen, auch diese Sache blieb dunkel. Man hatte die Landpolizei mit völlig zerfetzter Uniform auf der Landstraße gefunden, und eine Physiognomie war überhaupt nicht mehr zu erkennen gewesen. Die Sache beschäftigte die Gerichte und kam schließlich ans Oberlandesgericht, wo zunächst in geheimer Sitzung beraten und dann folgender Spruch gefällt wurde: Weil es unbekannt ist, wer von den Bauern beteiligt ist, ihrer aber überhaupt sehr viele sind, weil andrerseits Drobjaschkin ein toter Mann ist, er also nichts mehr davon haben würde, selbst wenn er den Prozeß gewönne, die Bauern jedoch noch leben und daher ein Urteil zu ihren Gunsten für sie von größter Wichtigkeit wäre, wird vom Gericht beschlossen: Der Beisitzer Drobjaschkin ist selbst an seinem Tode schuld, da er die Bauern von Wschiwaja-Spes und Sadirailowo in ungerechter Weise bedrückt hat. Er ist auf der Heimfahrt im Schlitten an einem apoplektischen Gehirnschlag gestorben. – Damit erschien die Angelegenheit rundweg erledigt und abgetan, aber nichtsdestoweniger glaubten plötzlich die Beamten, daß es sich jetzt um die toten Seelen dieser beiden Fälle handelte.

Ausgerechnet um die gleiche Zeit, als die Herren Beamten sich ohnehin mancherlei Schwierigkeiten gegenübergestellt sahen, gingen beim Gouverneur zwei amtliche Schreiben ein. Das eine enthielt die Mitteilung, daß einer Reihe von Anzeigen und Meldungen zufolge im Gouvernement ein Banknotenfälscher aufgetaucht sei, der sich hinter verschiedenen falschen Namen verstecke. Es solle daher unverzüglich die strengste Untersuchung eingeleitet werden. Das andere Schreiben war ein Bericht des benachbarten Gouverneurs über einen Räuber, welcher sich der gerichtlichen Aburteilung durch die Flucht aus dem Gewahrsam entzogen habe. Für den Fall, daß sich im Nachbargouvernement ein verdächtiges Subjekt ohne Ausweis und Paß zeigen sollte, möge man es sogleich verhaften. Diese beiden Schreiben riefen eine allgemeine Bestürzung hervor. Die bisherigen Schlüsse und Vermutungen waren mit einem Schlage über den Haufen geworfen. Nicht daß man jetzt etwa glaubte, diese Schreiben könnten irgendwie mit Tschitschikow im Zusammenhang stehen, aber jedem, der sich die Sache genau überlegte, kam ganz unwillkürlich zum Bewußtsein, daß sie doch alle miteinander überhaupt nicht wußten, wer eigentlich dieser Tschitschikow war. Man erinnerte sich, daß er sich selbst nur höchst unbestimmt über seine eigene Person geäußert hatte. Gewiß hatte er gelegentlich gesagt, daß er in seiner dienstlichen Laufbahn um der Wahrheit willen Schiffbruch erlitten habe, aber das alles war doch reichlich verschwommen und unklar. Und wenn er weiter angedeutet hatte, daß er viele Feinde habe, die ihm sogar nach dem Leben trachteten, so gab das noch mehr Veranlassung zum Nachdenken: also war sein Leben in Gefahr; also wurde er verfolgt; also mußte er doch wohl irgend etwas auf dem Kerbholz haben ... Ja, aber wer war er denn nun eigentlich? Natürlich konnte man nicht annehmen, daß er falsche Banknoten fabrizierte oder sogar ein Räuber war – dazu sah er doch viel zu solide und rechtschaffen aus, aber dennoch ... wer war er nun eigentlich? Kurzum, die Herren Beamten stellten sich jetzt allerhand Fragen, die sie sich besser von vornherein hätten stellen sollen, das heißt, schon im ersten Kapitel unsrer Erzählung. Man beschloß, jene Personen, bei denen die Seelen gekauft worden waren, auszuforschen, um zumindest in Erfahrung zu bringen, was es mit diesen Käufen überhaupt auf sich habe, was eigentlich unter toten Seelen zu verstehen sei und ob Tschitschikow nicht am Ende, sei es ganz zufällig oder auch nur so beiläufig, irgendwelche Andeutungen über seine wirklichen Absichten gemacht und irgend etwas über sich selbst habe verlauten lassen.

Ganz zuerst wandte man sich an die Korobotschka, aber hier war nicht viel zu holen. Er habe – sagte sie – für fünfzehn Rubel tote Seelen gekauft, nehme auch Daunen und habe versprochen, ihr noch mancherlei anderes abzukaufen. Auch liefere er Schmalz an den Fiskus und sei daher sicher ein Gauner, denn es habe hier ja schon einmal ein solches Subjekt gegeben, das Daunen aufgekauft, Schmalz an den Staat geliefert und dabei die Frau des Protopopen um mehr als hundert Rubel betrogen habe. Alles, was sie sonst noch sagte, war lediglich eine Wiederholung ein und desselben, und die Beamten ersahen daraus nur, daß die

Korobotschka eine dumme alte Schachtel war. Manilow gab zur Antwort, daß er immer bereit sein werde, für Pawel Iwanowitsch geradezustehen wie für sich selbst, daß er mit Freuden sein ganzes Vermögen hergeben würde, wenn er auch nur den zehnten Teil der Eigenschaften Pawel Iwanowitschs dafür eintauschen könnte, und sprach überhaupt in der allerschmeichelhaftesten Weise von Tschitschikow, wobei er die Augen zusammenkniff und noch einige Bemerkungen über die Freundschaft im allgemeinen hinzufügte. Diese Gedanken kennzeichneten zwar die zärtlichen Regungen seines Herzens in durchaus befriedigender Weise, waren aber keineswegs geeignet, zur Aufklärung der Sache selbst beizutragen. Sobakewitsch versicherte, daß Tschitschikow seines Erachtens ein vollkommen anständiger Mensch sei, daß er, Sobakewitsch, ihm nur ausgesuchte Bauern verkauft habe, die übrigens allesamt in jeder Beziehung munter und wohlauf seien, doch könne er natürlich keinerlei Garantie für das übernehmen, was diesen Leuten in Zukunft zustoßen würde. Wenn sie zum Beispiel bei der Umsiedelung infolge erlittener Strapazen sterben sollten, so sei das nicht seine Schuld, das liege vielmehr in Gottes Hand, es gebe ja genug Epidemien und andre tödliche Krankheiten in der Welt und man kenne nicht wenig Beispiele, daß sogar ganze Dörfer ausgestorben seien ...

Die Herren Beamten nahmen ihre Zuflucht noch zu einem anderen Mittel, das zwar nicht sehr würdig ist, von dem aber trotzdem gelegentlich Gebrauch gemacht wird: sie nutzten gewisse Lakaienbeziehungen aus und forschten auf diesem Umwege hintenherum die Bedienten Tschitschikows über seine Vergangenheit und seine ganzen Lebensumstände aus, aber auch hier stellten sie nur zweierlei fest: bei Petruschka lediglich den muffigen Geruch, der ihm anhaftete, und bei Selifan, daß Tschitschikow »dem Kaiser gedient und Zollbeamter gewesen« sei – und sonst gar nichts. Diese Art Leute haben ja merkwürdige Gewohnheiten. Stellt man ihnen irgendeine direkte, unzweideutig formulierte Frage, so weichen sie aus, erinnern sich an gar nichts, haben keinen Gedanken im Kopf und beteuern nur, daß sie nichts wüßten; kommt man aber im Gespräch mit ihnen auf etwas ganz Nebensächliches, dann fangen sie sofort an zu schwatzen und packen eine ganze Menge Einzelheiten aus, die man gar nicht hören will.

So ergaben alle Nachforschungen der Beamten mit absoluter Sicherheit nur folgendes: einerseits, daß sie nicht wußten, wer Tschitschikow war, und auf der anderen Seite wußten sie doch, daß er bestimmt irgendwer sein mußte. Schließlich kamen sie überein, endgültige Beschlüsse über diesen Gegenstand zu fassen oder sich wenigstens darüber zu einigen, was zu tun sei, welche Maßnahmen ergriffen werden sollten und was für ein Mensch Tschitschikow eigentlich sei: einer, den man als unzuverlässige und zweifelhafte Persönlichkeit festnehmen und hinter Schloß und Riegel setzen solle, oder einer, der umgekehrt sie selbst, nämlich die Beamten, als unzuverlässige und zweifelhafte Persönlichkeiten festnehmen und hinter Schloß und Riegel setzen könne. Um sich darüber klarzuwerden, beschlossen sie, beim Polizeimeister zusammenzukommen, den der Leser ja schon als Vater und Wohltäter der Stadt kennengelernt hat.

10

Als die Beamten beim Polizeimeister, dem bekannten Vater und Wohltäter der Stadt, versammelt waren, hatten sie Gelegenheit, sich gegenseitig darauf aufmerksam zu machen, wie sehr sie inzwischen vor lauter Sorgen und Aufregungen abgemagert waren. Die Ernennung des neuen Generalgouverneurs, der besorgniserregende Inhalt der eingegangenen Schriftstücke und die vielen Gerüchte, die Gott weiß wie zustande gekommen waren – alles das hatte merkliche Spuren in ihren Gesichtern zurückgelassen und vielen waren, wie man deutlich sehen konnte, die Fräcke zu weit geworden. Allesamt machten sie einen stark reduzierten Eindruck: der Präsident war mager geworden, der Sanitätsinspektor und der Staatsanwalt waren ebenfalls abgemagert, und ein gewisser Semjon Iwanowitsch – sein Familienname wurde niemals genannt –, der bloß dadurch bemerkenswert war, daß er am Zeigefinger einen Ring trug, den er den Damen zur Besichtigung hinzuhalten pflegte, war sogar entschieden abgemagert. Natürlich fand sich, wie überall, so auch hier ein Häuflein Unverdrossener, die nie den Mut verlieren, aber es waren nur sehr wenige, genau genommen, nur ein einziger, nämlich der Postmeister. Er allein bewahrte seine Gelassenheit und sagte, wie immer in solchen Fällen: »Na, euch kennt man schon, ihr Herren Generalgouverneure! Ihr löst euch fortwährend ab, aber ich, meine Lieben, bekleide schon dreißig Jahre ein und denselben Posten.« Worauf die anderen Beamten gewohnheitsmäßig erwiderten: »Ja, du – du hast es gut, sprechen Sie deitsch, Iwan Andrejitsch! Kunststück auf deinem Postamt, wo du nur Briefe anzunehmen und abzuschicken brauchst. Welche Versuchungen kann es für dich schon geben? Höchstens, daß du mal deinen Laden ein Stündchen zu früh absperrst, um dem Kaufmann, der mit seinem Brief zu spät kommt, etwas für die eigene Tasche abzunehmen, oder daß du zum gleichen Zweck eine unzulässige Postsendung passieren läßt. Unter solchen Umständen kann jeder ein Heiliger sein! Aber gewöhne dich erst mal daran, daß dir, wie unsereinem, jeden Tag der leibhaftige Versucher selber begegnet! Er steckt dir fortwährend etwas zu, und da läßt du es eben geschehn, selbst wenn du es nicht einmal willst ... Auch sonst hast du es leichter als wir, du mit deinem einzigen Söhnchen. Aber stell dir bloß so eine gottgesegnete Praskowja Iwanowna vor: alljährlich ein weiteres Kind, mal ist's eine kleine Praskuschka, mal kommt ein kleiner Petruschka an ... da würdest auch du, Bruder, ein ganz anderes Lied pfeifen!« Das war die Meinung der Beamten, die sie dem Postmeister entgegenhielten, aber ob es wirklich unmöglich ist, sich dem Teufel zu widersetzen – das zu beurteilen ist nicht Sache des Autors.

Bei der hier zusammengekommenen Versammlung trat der Mangel dessen, was das einfache Volk gesunden Menschenverstand nennt, besonders deutlich hervor. Überhaupt scheinen wir Russen uns für repräsentative Sitzungen nicht recht zu eignen. In allen unsren Versammlungen, von den bäuerlichen Dorfgemeinden bis zu den Zusammenkünften wissenschaftlicher und sonstiger Komitees, herrscht, wenn nicht ein tüchtiger Präsident an der Spitze steht, ein heilloses Durcheinander. Eigentlich schwer zu sagen, warum das so ist. Unser Volk ist nun einmal nur für solche Zusammenkünfte geschaffen, bei denen gutes Essen und schwere Getränke die Hauptsache sind, wie in Klubs oder Vereinen nach deutschem Muster. Allerdings, wir sind auch sonst zu allem bereit. In Windeseile gründen wir Wohltätigkeitsgesellschaften, Unterstützungsvereine und Gott weiß was für Fördererkreise, aber wenn der Zweck wirklich gut ist, kommt nichts dabei heraus. Vielleicht rührt das daher, daß wir schon am Anfang vollkommen befriedigt und der Meinung sind, daß mit der Gründung allein schon alles getan ist. Wenn zum Beispiel die Stiftung eines Hilfsvereins für die Armen geplant wird und zu diesem Zweck bereits erhebliche Summen gespendet wurden, muß unverzüglich ein Diner zur Feier dieses löblichen Beginnens veranstaltet werden mit den Spitzen der Behörden, was selbstverständlich mindestens die Hälfte der gespendeten Gelder verschlingt. Für die andere Hälfte mietet sich das Komitee eine luxuriöse Wohnung mit Beheizung, Portier und Bedienung, worauf dann nur noch ein Rest von fünfeinhalb Rubeln für die Armen übrigbleibt, über dessen Verwendung das Komitee sich jedoch absolut nicht einigen kann, weil jedes Mitglied irgendeine eigene Verwandte vorzuschieben versucht.

Übrigens war die Versammlung, die sich hier zusammengefunden hatte, ganz anderer Art: ein dringendes Bedürfnis hatte die Teilnehmer zusammengeführt. Es handelte sich nicht etwa um Arme und Bedürftige, sondern die Angelegenheit, die besprochen werden sollte, betraf jeden Beamten persönlich. Es ging um eine Gefahr, die jeden einzelnen in gleicher Weise bedrohte, und infolgedessen mußte eine um so vollkommenere Einmütigkeit erzielt werden. Dennoch kam bei der Beratung weiß der Teufel was heraus. Ganz abgesehen von den Unstimmigkeiten, die nun einmal bei allen Beratungen unvermeidlich sind, trat in den Meinungen der Anwesenden eine merkwürdige Unentschiedenheit zutage:

einer zum Beispiel versicherte, daß Tschitschikow ein Banknotenfälscher sei, fügte aber sofort selbst hinzu: »Möglicherweise ist er auch kein Banknotenfälscher.« Ein anderer beteuerte, daß er als Beamter der Kanzlei des Generalgouverneurs angehöre, schwächte aber diese Behauptung gleich wieder ab, indem er fortfuhr: »Im übrigen mag der Teufel wissen, ob das stimmt, es steht ihm ja nicht im Gesicht geschrieben.« Gegen die Vermutung, daß Tschitschikow ein verkleideter Räuber sei, wehrten sich alle. Man war einhellig der Auffassung, daß weder in seinem ehrlichen und vertrauenerweckenden Äußeren noch in seinen Worten irgend etwas zu finden sei, was auf einen zu Gewalttaten neigenden Menschen schließen lasse. Der Postmeister hatte einige Minuten in Gedanken verloren dagesessen. Sei es, daß eine unerwartete Erleuchtung über ihn gekommen war, oder daß ihn irgend etwas anderes dazu veranlaßte – genug, er rief ganz plötzlich: »Wissen Sie, meine Herren, wer Tschitschikow ist?« Die Stimme, mit der er diese Frage hinausschleuderte, hatte etwas so Aufrüttelndes, daß alle wie aus einem Munde riefen: »Ja, wer denn?« – »Das ist, meine Lieben, niemand anders als der Hauptmann Kopejkin!« Und als nun alle ebenfalls wie aus einem Munde fragten: »Wer ist denn dieser Hauptmann Kopejkin?« sagte der Postmeister: »Was, Sie wissen nicht, wer der Hauptmann Kopejkin ist?«

Alle erwiderten, daß sie das absolut nicht wüßten.

»Der Hauptmann Kopejkin«, sagte der Postmeister, indem er den Deckel seiner Tabakdose nur ein ganz klein wenig lüftete, aus Furcht, einer seiner Nachbarn könnte seine Finger gleichfalls hineinstecken, gegen deren Sauberkeit er ein starkes Mißtrauen hatte. Dieses Mißtrauen war so stark, daß er in solchen Fällen zu sagen pflegte: »Das kennt man schon, Bruder, wer kann wissen, was Sie mit Ihren Fingern schon alles angefaßt haben, aber Tabak, müssen Sie wissen, ist etwas, was äußerste Sauberkeit verlangt.« – »Der Hauptmann Kopejkin«, wiederholte er dann und nahm eine Prise, »ja, das ist übrigens, wenn ich Ihnen davon erzählen soll, eine ganze Geschichte, die selbst für einen Schriftsteller hochinteressant sein würde, in gewisser Weise ein richtiges Poem.«

Alle Anwesenden äußerten den Wunsch, diese Geschichte oder, wie der Postmeister sich ausgedrückt hatte, dieses selbst für einen Schriftsteller hochinteressante, in gewisser Weise sogar wahrheitsgetreue Poem zu hören, und er fing folgendermaßen an:

Die Geschichte vom Hauptmann Kopejkin

»Nach dem Feldzug von 1812, Verehrtester«, so begann der Postmeister seine Erzählung ungeachtet dessen, daß im Zimmer nicht nur ein Verehrtester, sondern ihrer nicht weniger als sechs beisammen saßen, »nach dem Feldzug des Jahres 1812 wurde mit anderen Verwundeten auch der Hauptmann Kopejkin eingeliefert. Ein Luftikus, unbeständig und streitsüchtig wie der Teufel, war er, und das nicht nur einmal, auf die Hauptwache abgeführt worden und hatte in den unterschiedlichsten Arrestlokalen gesessen, kurz, er war mit allen Hunden gehetzt. Ob es nun bei Krasnoje oder bei Leipzig war – jedenfalls, stellen Sie sich das vor, hatte es ihm einen Arm und ein Bein weggerissen. Wie Sie wissen, gab es zur damaligen Zeit noch keinerlei Vorkehrungen für die Verwundeten. So etwas wie ein Invalidenfond oder dergleichen wurde, Sie können sich das ja denken, in gewissem Sinne erst sehr viel später gegründet. Der Hauptmann Kopejkin sah also: jetzt wird nichts übrigbleiben, als an die Arbeit zu gehen, aber nun hatte er ja, Sie verstehen, nur noch den linken Arm. So kommt er also zu seinem Vater zurück. Dieser sagt: ‚Ich kann dich nicht durchfüttern, ich' – können Sie sich das vorstellen? – ‚habe selbst nichts zu beißen.' So entschloß sich denn, verehrtester Herr, mein Hauptmann Kopejkin, nach Petersburg zu reisen, um bei den Behörden vorstellig zu werden, ob es da nicht am Ende so eine kleine Unterstützung für ihn gäbe, da er doch, die Sache sei so und so, in gewissem Sinne sozusagen sein Leben aufs Spiel gesetzt und sein Blut vergossen habe ... Nun, Sie wissen ja selbst, wie das mit Trainwagen und Staatstransporten so ist, mit einem Wort, lieber Herr, er schlug sich mit Ach und Krach bis nach Petersburg durch. Und jetzt, Sie können sich das denken, steht dieser Irgendwer, dieser Hauptmann Kopejkin, mitten in der Hauptstadt, die sozusagen auf der Erde nicht ihresgleichen hat! Plötzlich öffnet sich ihm eine Welt, hat er da, indirekt ausgedrückt, so ein Feld des Lebens vor sich, gewissermaßen eine märchenhafte Scheherazade, Sie verstehen schon, wie ich es meine. Und auf einmal liegt da, stellen Sie sich das bloß vor, der Newskijprospekt oder, wissen Sie, eine Gorochowaja, hol's der Teufel, oder so irgendeine Litejnaja. Hier erhebt sich eine Turmspitze in die Wolken, und dort – können Sie sich das vorstellen? – hängen mehrere Brücken so mir nichts, dir nichts und weiß der Teufel wie ganz ohne Pfeiler und Stützen in der Luft, mit einem Wort, die reine Semiramis, mein lieber Herr! Zunächst lief er in den Straßen herum, um sich eine Wohnung zu suchen, aber die Mietforderungen jagten ihm einen gewaltigen Schreck ein: Gardinen, Vorhänge und ähnliches Teufelswerk, verstehen Sie, und all die Teppiche – ein vollkommenes Persien, Verehrtester, ein ganzes Vermögen, das man da in Gestalt von Teppichen sozusagen mit Füßen tritt. Du brauchst nur über die Straßen zu gehen und schon schnuppert die Nase die Tausender, aber die ganze Assignatenbank meines Hauptmannes Kopejkin besteht nur aus höchstens zehn blauen Scheinen und ein paar Silberlingen ... Ein Landgut kannst du dir natürlich damit nicht kaufen, das heißt, du könntest es vielleicht, wenn du noch vierzigtausend Rubelscheine hinzufügtest, aber diese müßtest du vom König von Frankreich pumpen. Schließlich hatte er im ‚Gasthaus zur Stadt Reval' eine Unterkunft für einen Rubel täglich gefunden, wo es zu Mittag Kohl mit einem Stück Suppenfleisch gab. Aber wie lange kann man so leben? Also fragte er herum, wohin er sich wenden solle. ‚Wohin du dich wenden könntest?' sagte man. ‚Nun, die Regierung ist jetzt nicht in der Hauptstadt, alles ist, verstehen Sie, in Paris und die Truppen sind auch noch nicht heimgekehrt, aber', sagte man, ‚es gibt eine Provisorische Kommission. Versuchen Sie mal, vielleicht kann die Ihnen helfen.' – ‚Also gut, ich gehe zur Kommission', sagte Kopejkin, ‚und werde erklären, so und so liegt die Sache, habe in gewissem Sinn mein Leben aufs Spiel gesetzt, sozusagen mein Blut vergossen.‘ So stand er denn, verehrter Herr, ein bißchen früher auf, kratzte sich mit der linken Hand die Bartstoppeln weg, denn wäre er zum Friseur gegangen, so wäre das in gewissem Sinn wieder eine Ausgabe gewesen, legte seine Uniform an und hinkte mit seinem Stelzfuß, stellen Sie sich das vor, direkt zum Chef der Kommission. Er erkundigte sich nach der Wohnung des Vorsitzenden. ‚Dort‘, sagte man ihm, ‚jenes Haus am Kai.‘ Was meinen Sie wohl, was das für eine Bauernhütte war – denken Sie bloß, Verehrtester, riesige Fensterscheiben, drei Meter hohe Spiegel, Marmor, Lack, mit einem Wort, es drehte sich einem alles! Ein wahres Wunder von einer Metallklinke an der Tür, der allerfeinste, erstklassige Luxus, so daß man zuerst, verstehen Sie, im Kramladen für einen Groschen Seife kaufen muß, um sich gewissermaßen zwei Stunden lang die Hände zu schrubben, bevor man es überhaupt wagen kann, diesen Türgriff anzufassen. Am Eingang ein Portier mit einem Degen: eine geradezu gräfliche Physiognomie über einem Batistkrägelchen, ganz wie ein fettleibiger, vollgefressener Mops ... Kopejkin schleppte sich mit seinem Stelzfuß ins Vorzimmer, drückte sich dort in eine Ecke, um nur nicht mit dem Ellbogen irgendein, indirekt ausgedrückt, Amerika oder Indien, das heißt, Sie wissen schon, so eine vergoldete Vase umzuwerfen. Es versteht sich von selbst, daß er dort eine Ewigkeit herumstehen mußte, denn er war zu einer Zeit gekommen, als der Vorsitzende gewissermaßen eben erst aufgestanden war und der Kammerdiener ihm gerade irgendeine silberne Schüssel für verschiedene Waschungen, verstehen Sie, gereicht hatte. Mein Kopejkin wartet also nicht weniger als vier Stunden, bis endlich der diensthabende Beamte eintritt und sagt: ‚Sogleich wird der Chef erscheinen.‘ Und im selben Augenblick wimmelt es im Zimmer von Epauletten und Achselbändern, daß es einem bis zum Rande mit Bohnen gefüllten Teller glich. Endlich, Verehrtester, tritt der Vorsitzende wirklich in Erscheinung. Nun, Sie können sich das vorstellen, ein vollendeter Vorgesetzter! Im Gesicht, sozusagen, seinem Stande und, Sie verstehen mich schon, seinem Range entsprechend ein Ausdruck, na, Sie kennen das ja! Kurz, vom

Scheitel bis zur Sohle ein Weltmann. Er geht von einem zum anderen: ‚Mit welchem Anliegen?‘ ‚In welcher Sache?‘ ‚Was führt Sie zu mir?‘ Und endlich, lieber Herr, tritt er auch an Kopejkin heran. Dieser stottert: ‚So und so‘, sagt er, ‚habe mein Blut vergossen, in gewissem Sinn Arm und Bein verloren, bin arbeitsunfähig – erkühne mich zu fragen, ob nicht am Ende irgendeine Unterstützung gewährt werden könnte oder unter Umständen eine kleine Verfügung, sozusagen indirekt ausgedrückt, betreffend Gratifikation, Pension oder dergleichen, verstehen Sie ...‘ Der Vorsitzende begreift: ein Stelzfuß – und der rechte Ärmel baumelt leer am Uniformrock. ‚Gut‘, sagt er, ‚fragen Sie mal in einigen Tagen wieder nach.‘ Mein Kopejkin ist im siebenten Himmel: Nun, denkt er, die Sache ist gemacht. Und vor Ihrem geistigen Auge können Sie ihn gewissermaßen über das Trottoir hüpfen sehen. Er geht direkt zu Palkin, mein Lieber, um sich ein Schnäpschen zu genehmigen. Zu Mittag aß er dann – können Sie sich das vorstellen? – sogar im Restaurant ‚Stadt London‘, bestellt sich ein Schnitzel mit Kapern, eine Poularde mit allerhand Finessen und ließ sich eine Flasche Wein kommen und abends begab er sich tatsächlich ins Theater – kurzum, er ließ sich sozusagen nichts entgehen. Auf der Straße bemerkte er eine Engländerin, denken Sie bloß, eine Engländerin, schlank wie ein Schwan. Mein Kopejkin – sein Blut, wissen Sie, war in Wallung geraten – rennt trach, trach, trach auf dem Stelzfuß hinter ihr her. Aber nein, denkt er, vorläufig hol noch der Teufel die Kurmacherei! Warten wir mal lieber, bis wir die Pension in der Tasche haben, für den Augenblick langt's mit den Ausgaben. Er hatte ja in der Tat – ich bitte das zu beachten – schon an einem einzigen Tage die Hälfte seines Geldes ausgegeben ...

Nach drei, vier Tagen, verehrter Herr, geht er abermals zur Kommission und läßt sich beim Vorsitzenden melden. ‚Jawohl, ich bin gekommen‘, sagt er, ‚mich zu erkundigen, wegen der empfangenen Wunden, der erlittenen Schmerzen ... habe in gewissem Sinne mein Blut vergossen ...‘ und so fort, verstehen Sie, im Amtsstil. ‚Schon gut‘, erwidert der Vorsitzende, ‚vor allem muß ich Ihnen sagen, daß ich ohne

Zustimmung der Regierung nichts machen kann. Sie sehen ja selber, wie die Zeitverhältnisse jetzt sind. Die militärischen Operationen sind, indirekt ausgedrückt, noch nicht abgeschlossen. Warten Sie nur die Rückkehr der Herren Minister ab, fassen Sie sich in Geduld, aber seien Sie versichert, man wird Sie bestimmt nicht im Stich lassen. Für den Fall jedoch, daß Sie nichts zum Leben haben', sagt er, ‚nehmen Sie dieses hier, es ist alles, was ich Ihnen geben kann ...' Nun, meine Herren, Sie werden verstehen, daß es natürlich nur wenig war, doch gleichwohl genug, um bis zur endgültigen Entscheidung damit zu reichen. Aber es war trotzdem durchaus nicht nach Kopejkins Geschmack. Er hatte vielmehr damit gerechnet, daß man ihm mindestens gleich einen Tausender ausbezahlen würde: ‚Hier, mein Täubchen, nimm hin und amüsiere dich!' Statt dessen aber hieß es nur – fasse dich in Geduld! Und die Wartezeit war nicht einmal abzusehen. Und dabei hatte er, verstehen Sie, die Engländerin und die unterschiedlichsten Schnitzel und Koteletts im Kopf! So kam er denn beim Vorsitzenden wie ein Uhu heraus oder wie ein Pudel mit eingezogenem Schwanz und hängenden Ohren, den der Koch mit Wasser begossen hat. Das Petersburger Leben hatte er schon hinreichend gekostet, um Gefallen daran zu finden. Nun aber hieß es: Lebe weiß der Teufel wie und ohne die geringsten Genüsse! Und er war doch, wissen Sie, ein Mensch voller Frische und Leben, mit einem Appetit, den man schon einen Wolfshunger nennen konnte. Kommt er da zum Beispiel an einem Restaurant vorüber: der Koch, Sie können sich das ausmalen, ein Ausländer, ein Franzose vermutlich, mit einem Gesicht, das vor Wohlwollen nur so strahlt, von Kopf bis Fuß in holländische Wäsche gekleidet und mit einer Schürze, die gewissermaßen schneeweiß ist. So steht er da und ist gerade mit der Zubereitung eines Koteletts mit feinem Gemüse und Trüffeln beschäftigt – mit einem Wort, es ist eine solche Delikatesse, daß man vor lauter Appetit am liebsten sozusagen sich selbst auffressen möchte. Oder er passiert die Reihenläden des Miljutinschen Kaufhofs. Dort schaut gewissermaßen so ein Lachs aus dem Schaufenster und Kirschen zu fünf Rubel das Stück, oder eine gewaltige Wassermelone, so groß wie ein Omnibus, lächelt ihn verführerisch an, als warte sie nur auf den Dummkopf, der einen Hundertrubelschein auf den Ladentisch legt – mit einem Wort, auf Schritt und Tritt neue Verlockungen, indirekt gesagt, das Wasser läuft dir im Munde zusammen, du aber – warte und fasse dich in Geduld! Versetzen Sie sich mal in seine Lage: auf der einen Seite sozusagen der Lachs und der Omnibus von einer Wassermelone und auf der anderen eine bittere Pille, serviert unter der Bezeichnung ‚morgen'. Und wenn schon, denkt er, mögen sie tun, was sie wollen, ich gehe ganz einfach hin, setze Himmel und Hölle in Bewegung und sage der ganzen Kommission mitsamt ihrem Vorsitzenden: So geht das nicht weiter! Und tatsächlich – er tut das auch, dieser zudringliche Frechling, der, verstehen Sie, nichts im Kopf, aber um so mehr Schneid hat. So kommt er also zur Kommission. ‚Was denn schon wieder', ruft man ihm entgegen, ‚man hat Ihnen doch schon alles gesagt!' – ‚Was soll das heißen', entgegnet er, ‚nur so irgendwie kann ich unmöglich durchkommen. Ich muß', sagt er, ‚mein Kotelett, meine Flasche französischen Rotwein, meinen Theaterplatz haben, verstehen Sie mich!' – ‚Na, gestatten Sie schon', erwidert der Vorsitzende, ‚was das betrifft, werden Sie wohl sozusagen gewissermaßen noch Geduld haben müssen. Zu ihrem Lebensunterhalt haben Sie das Nötigste erhalten, bis die Entscheidung in Ihrer Sache gefallen ist, und Sie werden ohne Zweifel ausreichend entschädigt werden, denn noch nie ist bei uns in Rußland ein Mensch, der sich um das Vaterland, indirekt ausgedrückt, verdient gemacht hat, unversorgt geblieben. Freilich, wenn Sie sich jetzt schon mit Koteletts einen guten Tag machen und das Theater besuchen wollen, dann, entschuldigen Sie mal, müssen Sie sich die Mittel dazu selber verschaffen.' Aber was meinen Sie wohl, mein Kopejkin zuckte nicht mit der Wimper. Diese Worte prallten einfach an ihm ab wie die Erbsen an der Wand. Er machte einen Radau und erhob ein Geschrei, daß sich allen die Haare sträubten. Er ließ ein wahres Hagelwetter auf alle Vorsitzenden und sämtliche Sekretäre herunterprasseln. ‚Ja, ihr', schrie er, ‚ja', schrie er, ‚ihr', schrie er, ‚kennt eure Pflichten nicht, seid alle miteinander Gesetzesübertreter!‘ Und dann putzte er sie allesamt herunter, sogar ein General war dabei, verstehen Sie, der zufällig aus einem ganz anderen Ressort herübergekommen war. Auf diese Weise verursachte er ein heilloses Durcheinander. Ja, was soll man mit so einem Teufel anfangen? Der Vorsitzende sah ein, daß nichts anderes übrigblieb, als, indirekt ausgedrückt, zu den allerstrengsten Maßnahmen zu greifen. ‚Gut‘, sagt er, ‚wenn Sie sich also mit dem nicht begnügen wollen, was man Ihnen gegeben hat, und gewissermaßen die Entscheidung nicht ruhig hier in der Hauptstadt abwarten wollen, lasse ich Sie zwangsweise an Ihren Wohnort zurückschaffen. Man rufe‘, sagt der Vorsitzende, ‚den Feldjäger, damit er ihn an seinen Wohnort zurückbringe!‘ Und der Feldjäger, können Sie sich denken, wartet schon hinter der Tür: ein über zwei Meter großer Bursche mit Fäusten, verstehen Sie, die schon von Natur für seinen Beruf wie geschaffen sind, kurz, ein richtiger Dentist ... Und schon hockt unser Knecht Gottes mitsamt seinem Feldjäger im Wagen. Auch gut, dachte Kopejkin, wenigstens spar ich das Reisegeld, herzlichen Dank dafür! Und während sie beide, er und der Feldjäger, so Seite an Seite losfahren, führt Kopejkin sozusagen gewissermaßen ein kurzes Zwiegespräch mit sich selber: ‚Schon recht‘, sagt er, ‚wenn du also verlangst, daß ich mir die Mittel selber verschaffe, dann werde ich sie mir‘, sagt er, ‚auch tatsächlich selber verschaffen!‘ Auf welche Weise er dann an seinen Bestimmungsort gelangte und wohin er eigentlich gebracht worden war – darüber ist auch nicht das geringste bekannt geworden. Und daher sind denn auch, verstehen Sie, alle weiteren Nachrichten über den Verbleib des Hauptmanns Kopejkin im Strom der Vergessenheit untergegangen, in jener Lethe, wissen Sie, wie die Poeten sich ausdrücken. Aber gestatten Sie, meine Herren, gerade an diesem Punkt schürzt sich erst der Knoten des Romans. Also, wo eigentlich der Hauptmann Kopejkin geblieben ist, weiß keine Menschenseele. Nichtsdestoweniger – es waren kaum zwei Monate vergangen, als plötzlich in den Wäldern des Gouvernements Rjasan eine Räuberbande auftauchte, deren Ataman, Verehrtester, wahrhaftig niemand anderer war als ...«

»Aber erlaube mal, Iwan Andrejewitsch«, fiel ihm der Polizeimeister ins Wort, »dem Hauptmann Kopejkin fehlten doch, wie du ja selbst gesagt hast, ein Arm und ein Bein, während Tschitschikow ...«

Hier stieß der Postmeister einen kleinen Schrei aus und schlug sich mit der flachen Hand gegen die Stirn, indem er sich selber vor der ganzen Versammlung einen Narren nannte. Er konnte überhaupt nicht begreifen, daß ihm dieser Umstand nicht schon gleich zu Beginn seiner Erzählung eingefallen war, und gab zu, daß das Sprichwort: Der Verstand des russischen Menschen ist hinterher am schärfsten, vollauf gerechtfertigt sei. Aber schon einen Augenblick später fing er an, allerhand Winkelzüge zu machen. Er versuchte sich damit herauszureden, daß besonders in England, wie man aus den Zeitungen wisse, die Technik äußerst vervollkommnet sei. So habe dort einer hölzerne Beine erfunden, die so eingerichtet seien, daß sie selbst bei der leichtesten Berührung einer winzigen Feder einen Menschen Gott weiß wohin forttrügen, so daß es vollkommen unmöglich sei, ihn jemals wieder aufzufinden.

Doch bezweifelten alle, daß Tschitschikow und der Hauptmann Kopejkin ein und dieselbe Person seien, und waren der Meinung, die Vermutung des Postmeisters sei doch allzu weit hergeholt. Übrigens waren sie ihrerseits keineswegs abgeneigt, die scharfsinnige Kombination des Postmeisters womöglich noch zu übertreffen. Aus der stattlichen Anzahl der in der Versammlung geäußerten Mutmaßungen, jede in ihrer Art geistreich genug, war eine besonders bemerkenswert. So verblüffend es auch klingen mag, es wurde die Vermutung ausgesprochen, daß Tschitschikow – Napoleon sei, der sich verkleidet in Rußland aufhalte. Die Engländer seien ja von jeher auf Rußland eifersüchtig, das sie seiner Größe und Macht wegen beneideten, so daß schon wiederholt Karikaturen veröffentlicht worden seien, welche einen Russen im Gespräch mit einem Briten darstellten. Der letztere führe dabei einen Hund hinter sich an der Leine, der Napoleon vorstellen solle. »Gib nur acht«, sagt der Engländer zum Russen, »wenn mir etwas nicht in den Kram paßt, hetze ich sofort den Hund auf dich!« Und jetzt haben sie möglicherweise den Hund von St. Helena losgelassen. Er stürzt sich als Tschitschikow verkleidet auf Rußland und ist eben gar nicht Tschitschikow.

Natürlich fand diese Theorie bei den Beamten gar keinen Glauben, aber sie wurden trotzdem nachdenklich und fanden, wenn sie sich die Sache genau überlegten, daß Tschitschikows Gesicht, besonders von der Seite her gesehen, dem Profil Napoleons entschieden ähnlich sehe. Selbst der Polizeimeister, der den Feldzug des Jahres 1812 mitgemacht und Napoleon persönlich gesehen hatte, mußte zugeben, daß dieser keineswegs größer sei als Tschitschikow und eine ähnliche Figur gehabt habe, auch könne man nicht sagen, daß Napoleon besonders dick oder besonders dünn gewesen sei. Es kann natürlich sein, daß einige Leser das alles unwahrscheinlich finden werden, und auch der Autor ist, um ihnen nach dem Munde zu reden, durchaus bereit, sich dieser Ansicht anzuschließen, aber unglücklicherweise hat sich nun einmal alles genauso abgespielt, wie es hier erzählt wird, was übrigens um so überraschender ist, als die Stadt nicht etwa irgendwo am Ende der Welt lag, sondern im Gegenteil ziemlich nah den beiden Hauptstädten. Im übrigen muß man nicht vergessen, daß sich alles dies bald nach der glorreichen Vertreibung der Franzosen ereignet hat. Damals waren nämlich alle unsre Gutsbesitzer, Beamten, Kaufleute, Ladenschwengel, Gebildeten und sogar Ungebildeten mindestens für acht volle Jahre leidenschaftliche Politiker geworden. Die »Moskauer Zeitung« und der »Sohn des Vaterlandes« wurden so zerlesen, daß sie in die Hände der letzten Zeitungsleser nur noch in Gestalt von kleinen Papierfetzen gelangten, die überhaupt zu gar nichts mehr zu brauchen waren. Statt zu fragen: »Zu welchem Preise, Väterchen, haben Sie Ihren Hafer verkauft?« oder: »Wie haben Sie den gestrigen Schneefall für die Hasenjagd ausgenützt?« fragte man sich jetzt: »Und was schreiben die Zeitungen?« und: »Hat man Napoleon am Ende von St. Helena wieder entwischen lassen?«

Die Kaufleute fürchteten sich sehr davor, denn sie glaubten felsenfest an die Weissagung eines Propheten, der schon drei Jahre hinter Schloß und Riegel saß. Dieser Prophet war eines Tages, unbekannt woher, in Bastschuhen und in ein Schafsfell gehüllt, das fürchterlich nach verfaulten Fischen stank, aufgetaucht und hatte verkündet, daß Napoleon der Antichrist sei. Dieser schmachte jetzt, an eine steinerne Kette geschmiedet, hinter sechs Mauern und sieben Meeren, werde sich aber später von seinen Fesseln befreien und sich die ganze Welt unterwerfen. Für diese Weissagung kam der Prophet, wie das recht und billig war, ins Gefängnis, aber nichtsdestoweniger hatte er seinen Zweck erreicht und in den Köpfen sämtlicher Kaufleute einen fürchterlichen Wirrwarr angerichtet. Noch lange Zeit, und sogar wenn sie nach den lohnendsten Abschlüssen ins Gasthaus gingen, um miteinander ein Glas Tee zu trinken, redeten sie immer noch über den Antichrist. Auch viele Beamte und nicht wenige Edelleute machten sich unwillkürlich Gedanken darüber und glaubten, angesteckt von der Neigung zum Mystizismus, der damals die große Mode war, daß in jedem einzelnen Buchstaben des Namens »Napoleon« ein besonderer Sinn oder sogar eine apokalyptische Zahl verborgen sei. So war es durchaus kein Wunder, daß die Beamten nachdenklich wurden. Sie beruhigten sich aber bald wieder, als sie einsahen, daß ihre Phantasie übers Ziel hinausgeschossen war und daß es sich doch wohl nicht ganz so verhielt. Sie zerbrachen sich die Köpfe, überlegten hin und her und beschlossen schließlich, daß es nicht übel wäre, Nosdrew einmal gründlich auszuhorchen. Da er doch als erster die Geschichte von den toten Seelen aufgebracht und, wie man sich auszudrücken pflegt, in engen Beziehungen zu Tschitschikow stand, werde er zweifellos auch einiges über seine Lebensumstände wissen. So wollte man also noch hören, was er zu sagen habe.

Die Herren Beamten sind doch merkwürdige Leute! Und die Angehörigen der übrigen Berufe nicht minder. Sie wußten ja allesamt genau, daß Nosdrew ein abgefeimter Lügner war, daß man ihm kein Wort glauben und ihm selbst in der geringsten Kleinigkeit nicht trauen konnte, und dennoch wollten sie sich ausgerechnet an ihn wenden. Aber wer kann aus den Menschen klug werden! An Gott glauben sie nicht, aber juckt ihnen bloß die Nase, so sind sie schon fest überzeugt, daß ihr letztes Stündlein geschlagen hat. Die Schöpfung des wahren Dichters, klar wie das Licht der Sonne, durchdrungen von innerer Harmonie und erfüllt von der Einfalt und Lauterkeit des Weisen, läßt sie völlig unberührt. Gleichgültig gehen sie an dem echten Kunstwerk vorüber, um sich desto gieriger auf das Machwerk des Dilettanten zu stürzen, der die Wahrheit vergewaltigt und ihnen ein Zerrbild des Lebens vor Augen führt, das ihrem Geschmack entspricht. Das gefällt ihnen und entzückt rufen sie aus: »Schaut mal her, hier findet ihr die wahre Kenntnis der menschlichen Seele!« Ihr ganzes Leben lang haben sie nichts mit dem Arzt zu tun haben wollen, um sich dann schließlich an irgendeine alte Quacksalberin zu wenden, die alle Krankheiten mit Handauflegen oder gar mit Spucke behandelt, oder sie kurieren sich selbst mit Gott weiß was für einem selbstgebrauten Dreck. Natürlich hätte man den Herren Beamten zum Teil wenigstens ihre schwierige Lage zugute halten können. Der Ertrinkende, sagt man ja, klammert sich an den Strohhalm, ohne zu überlegen, daß selbst eine Fliege sich auf diese Weise kaum über Wasser halten kann, geschweige denn er selbst mit seinen anderthalb, wenn nicht gar zwei Zentner Körpergewicht. Aber im Augenblick der Gefahr ist er weit davon entfernt, sich das zu überlegen, und greift eben einfach nach dem Strohhalm, wie auch unsere Herren schließlich gedankenlos zu Nosdrew ihre Zuflucht nahmen. Der Polizeimeister schrieb sogar eine Einladung zum Abendessen und ein Polizist in hohen Stiefeln und mit freundlichen roten Backen nahm unverzüglich seinen Säbel in die Hand und rannte im Galopp zu Nosdrews Quartier.

Nosdrew war gerade mit einer ungemein wichtigen Angelegenheit beschäftigt. Schon volle vier Tage hatte er keinen Schritt aus seinem Zimmer getan, niemand eingelassen und sich das Mittagessen durch das Fenster servieren lassen – mit einem Wort, er war sogar mager und grün im Gesicht geworden. Die Sache erforderte seine volle Aufmerksamkeit.

Sie bestand aus einer aus Dutzenden von Kartenspielen zusammengestellten und bis ins kleinste ausgetiftelten Taille, auf die er sich unter allen Umständen wie auf den besten und zuverlässigsten Freund sollte verlassen können. Diese Arbeit würde noch mindestens zwei Wochen in Anspruch nehmen, und während dieser ganzen Zeit sollte Porfirij Nosdrews Bulldogge mit einer besonderen kleinen Bürste den Nabel putzen und das Tier dreimal täglich abseifen. Nosdrew war wütend, daß er in seiner Einsamkeit gestört wurde, und schickte den Polizisten zum Teufel; als er aber dem Briefchen des Polizeimeisters entnahm, daß bei diesem Abend möglicherweise etwas herauszuholen sein würde, zumal unter den Gästen auch ein Neuling sein würde, war er gleich milder gestimmt, zog an, was ihm gerade in die Hände fiel, sperrte sein Zimmer ab und begab sich zum Polizeimeister.

Nosdrews Aussagen und Angaben waren den Vermutungen der Beamten so schroff entgegengesetzt, daß sie wie vor den Kopf geschlagen waren. Er war ein Mensch, für den es überhaupt keine Zweifel gab; und so vorsichtig und zaghaft ihre Vermutungen waren, so sicher und entschieden waren die seinen. Punkt für Punkt beantwortete er alle ihre Fragen. Ohne auch nur einen Augenblick zu schwanken, erklärte er zum Beispiel, Tschitschikow habe für mehrere tausend Rubel tote Seelen gekauft, und auch er selber habe ihm welche verkauft, denn er habe nicht einsehen können, warum er das nicht habe tun sollen. Auf die Frage, ob Tschitschikow nicht ein Spitzel sei, der überall herumspioniere, erwiderte Nosdrew, daß das selbstverständlich der Fall sei. Schon in der Schule, die sie miteinander besucht hätten, sei er ein Denunziant gewesen, wofür ihn die Kameraden, darunter auch er selber, so gründlich verprügelt hätten, daß man ihm an den Schläfen allein zweihundertvierzig Blutegel habe ansetzen müssen – das heißt, eigentlich hätte er sich mit vierzig Blutegeln begnügen wollen, aber ganz unversehens war ihm die Zahl zweihundertvierzig herausgerutscht. Auch auf die Frage, ob Tschitschikow Banknoten fälsche, antwortete er, ohne sich auch nur einen Augenblick zu besinnen, daß er natürlich Banknoten fälsche. Dabei erzählte er eine Geschichte von Tschitschikows unglaublicher Schlauheit: als es eines Tages ruchbar geworden sei, daß er gefälschte Banknoten im Werte von zwei Millionen Rubel bei sich versteckt halte, habe man sein Haus verriegelt, einen Wachtposten davor und vor jede Tür in der Wohnung je zwei Soldaten gestellt und trotzdem habe Tschitschikow es fertiggebracht, im Lauf der Nacht alle Banknoten umzuwechseln, so daß man am nächsten Morgen lauter echte Scheine vorgefunden habe. Auf die weitere Frage, ob Tschitschikow tatsächlich die Absicht gehabt habe, die Tochter des Gouverneurs zu entführen, und ob es wahr sei, daß er selbst bereit gewesen sei, dabei zu helfen und sich überhaupt an diesem Unternehmen zu beteiligen, erwiderte Nosdrew, daß das vollkommen richtig sei und daß bei der ganzen Geschichte nicht das geringste herausgekommen wäre, wenn er nicht mitgemacht hätte. Hier erschrak er zwar ein bißchen, als ihm zum Bewußtsein kam, wie sinnlos er drauflosgelogen hatte und welche Unannehmlichkeiten ihm daraus erwachsen könnten, aber trotzdem konnte er seine Zunge nicht im Zaume halten. Ja, es war ihm ganz unmöglich, da sich ihm sogleich eine Menge interessanter Einzelheiten aufdrängten, die unter gar keinen Umständen zu unterdrücken waren. Er nannte sogar den Namen des Dorfes, wo sich die Kirche befand, in welcher angeblich die Trauung stattfinden sollte. Das Dorf hieß, wie er behauptete, Truchmatschewka und der Pope Vater Sidor. Die Trauung sollte fünfundsiebzig Rubel kosten, aber selbst für dieses Sündengeld wäre der Priester nicht bereit gewesen, sie zu vollziehen, wenn Nosdrew ihn nicht durch die Drohung eingeschüchtert hätte, ihn anzuzeigen, weil er den Mehlhändler Michail mit einer nahen Verwandten getraut habe. Nosdrew behauptete weiter, er habe für die Entführung seine Kutsche zur Verfügung gestellt und auf allen Poststationen für ausgesuchte Pferde gesorgt. Bei der Angabe der Einzelheiten ging er so weit, daß er bereits die Namen der Postkutscher herzuzählen begann.

Zu guter Letzt versuchten es die Beamten sogar mit Napoleon, aber sie wurden dessen nicht froh, denn Nosdrew schwatzte jetzt einen so himmelschreienden Unsinn, daß man wahrhaftig glauben mußte, einen komplett Verrückten vor sich zu haben. Die Beamten seufzten und kehrten ihm den Rücken. Nur der Polizeimeister hörte ihm noch eine Weile zu in der Meinung, es könnte sich doch noch irgend etwas ergeben, aber schließlich winkte auch er ab und sagte: »Weiß der Teufel, was das alles bedeutet«, und alle waren sich darüber einig, daß man auf den Ochsen losdreschen könne, solange man will – er gibt doch keine Milch. Am Ende waren die Beamten noch schlimmer dran als vorher, und man kam zu dem Schluß, daß es ganz unmöglich sei, herauszufinden, wer Tschitschikow nun eigentlich war. Und wieder einmal offenbarte sich deutlich das Wesen des Menschen: verständig, klug, ja weise ist er nur in solchen Dingen, die andre Leute angehen, aber nicht ihn selbst. Mit was für vernünftigen und unbedingt verläßlichen Ratschlägen kommt er dir nicht in den schwierigsten Lebenslagen! Welch ein klarer Kopf! ruft die Menge. Was für ein unerschütterlicher Charakter! Aber laßt diesen klaren Kopf nur einmal selbst in eine schwierige Situation geraten – wo ist dann sein Charakter geblieben? Wie mit einem Schlage ist dieser unbeugsame Mann ganz klein und häßlich geworden und hat sich in einen kläglichen Schwächling, in ein hilfloses Kind oder, wie Nosdrew sagen würde, in einen Waschlappen verwandelt!

All dieses Gerede und alle diese Gerüchte beeindruckten aus unbekannten Gründen am meisten den armen Staatsanwalt. Er nahm sich dieses ganze Geschwätz so sehr zu Herzen, daß er nach Hause ging, zu grübeln anfing und mir nichts, dir nichts seinen Geist aufgab. Sei es, daß er vom Schlage gerührt wurde, oder daß irgend etwas anderes seinem Leben ein Ziel setzte – jedenfalls fiel er, so wie er saß, vom Stuhl und war tot. Man schrie: Ach, mein Gott! fuchtelte mit den Händen herum, schickte nach dem Arzt, um ihn zur Ader zu lassen, überzeugte sich schließlich, daß er nur noch ein lebloser Körper war, und erfuhr mit dem größten Bedauern erst jetzt, daß der Entseelte eine Seele gehabt hatte, die er, bescheiden wie er war, niemals gezeigt hatte. Indessen war das plötzliche Eingreifen des Todes genauso erschütternd bei einer unbedeutenden wie bei einer bedeutenden Persönlichkeit: auch dieser Mensch, der eben noch umhergegangen war, Whist gespielt, verschiedene Schriftstücke unterzeichnet hatte und mit seinen dichten Brauen und seinem zwinkernden Auge unter den andren Beamten zu treffen gewesen war, lag jetzt regungslos auf dem Tisch, das linke Auge zwinkerte überhaupt nicht mehr, aber die Braue war noch emporgezogen, was seinem Gesicht einen fragenden Ausdruck verlieh. Ob der Tote fragte, warum er gestorben, oder gar, warum er eigentlich gelebt hatte, wußte nur Gott allein.

»Aber da stimmt doch etwas nicht! Das ist doch ganz unmöglich und absolut nicht zu verstehen, daß die Beamten sich selbst so eine Angst einjagen, so eine Verwirrung stiften und sich so weit von der Wahrheit entfernen konnten, wo doch jedes Kind begreifen mußte, was los war!« So werden sicherlich viele Leser sagen und dem Autor alle diese Unwahrscheinlichkeiten zum Vorwurf machen; sie werden die bedauernswerten Beamten einfach für Dummköpfe erklären, weil der Mensch bekanntlich mit dem Wort »Dummkopf« sehr freigebig umgeht und zwanzigmal am Tage bereit ist, seinem lieben Nächsten diesen Ehrentitel zu verleihen. Es genügt ja, unter zehn guten Eigenschaften eine einzige weniger gute zu haben, so daß man schon allein wegen dieser einen für einen kompletten Esel gehalten wird. Der Leser in seinem stillen Winkel hat es leicht, Kritik zu üben. Von seiner hohen Warte, von welcher er den ganzen Horizont überblickt, kann er alles sehen, was unten geschieht, während man dort unten nur das erkennt, was direkt vor den Augen ist. Es gibt in der Geschichte der Menschheit so manches Jahrhundert, das man für überflüssig hält und am liebsten ausstreichen möchte, und wieviel Irrtümer sind nicht im Lauf der Zeit in der Welt begangen worden, die heute jedes Kind vermeiden würde. Welche krummen, engen, beschwerlichen und abseitigen Wege hat die Menschheit nicht gewählt, um zur ewigen Wahrheit vorzudringen, statt jenen geraden Weg einzuschlagen, der offen vor aller Augen liegt wie jene breite und ebene Straße, die zum prächtigen königlichen Palast führt und, tagsüber von der Sonne und nachts vom Licht unzähliger Fackeln erleuchtet, schöner ist als alle übrigen Straßen.

Aber die Menschen eilen an ihr vorüber in tiefer Finsternis; sie bringen es sogar am hellichten Tage fertig, obgleich die heilige Vernunft des Himmels ihnen immer wieder den rechten Weg zeigt, sich im undurchdringlichen Dickicht zu verlieren. Fortwährend irren sie ab, hüllen einander in undurchsichtigen Nebel und jagen Irrlichtern nach, bis sie sich am Rande des Abgrunds schreckensbleich fragen: »Wo ist ein Ausweg?« Die Gegenwart ist zwar aufgeklärt genug, das alles deutlich zu sehen. Sie wundert sich über die Verirrungen der Vergangenheit, ja sie verspottet die Unvernunft der Vorfahren, aber dennoch – eines ist auch sie nicht imstande zu sehen, nämlich, daß die Chronik der Menschheit mit der Flammenschrift des Himmels geschrieben ist, daß jedes einzelne Schriftzeichen zum Himmel schreit und Gottes mahnender Finger auch auf sie, die heutige Generation, gerichtet ist. Aber sie lächelt überlegen und stürzt sich stolz und selbstbewußt in ihre eigenen Verirrungen, für die sie sich wiederum den Spott und die Verachtung ihrer Nachfahren verdienen wird.

Tschitschikow hatte von alledem auch nicht die blasseste Ahnung. Ausgerechnet zu dieser Zeit hatte er sich erkältet, litt an einer leichten Halsentzündung und an einer geschwollenen Backe, das heißt, an Unpäßlichkeiten, mit denen das Klima unsrer Provinzstädte ihre Einwohner freigebig beschenkt. Um – was Gott verhüten möge – nicht ohne Nachkommen das Zeitliche zu segnen, hütete er einige Tage das Zimmer, gurgelte unausgesetzt mit heißer Milch, in welche eine Feige hineingetan war, die er hinterher aufaß, und ließ sich ein Leinensäckchen mit Kamillen und Kampfer um die Backe binden. Zum Zeitvertreib fertigte er einige neue und ausführliche Verzeichnisse der gekauften Bauern an, schmökerte in einem Memoirenband der Herzogin von Lavallière, den er in seinem Koffer gefunden hatte, kramte in seiner Schatulle und las noch einmal den einen oder den anderen Theaterzettel durch, bis ihm auch das langweilig wurde. Er konnte absolut nicht begreifen, warum kein einziger der städtischen Beamten bei ihm hereinschaute, um sich nach seiner Gesundheit zu erkundigen, nachdem doch noch vor kurzem immer irgendeine Kutsche vor seinem Gasthaus gehalten hatte – bald war es die des Polizeimeisters, bald die des Staatsanwalts oder des Gerichtspräsidenten gewesen. Er ging im Zimmer auf und ab und zuckte die Achseln. Endlich fühlte er sich besser und freute sich über die Aussicht, wieder ausgehen zu können. Schnell machte er sich an die Toilette, füllte ein Glas mit heißem Wasser, öffnete seine Schatulle, entnahm ihr Pinsel und Seife und fing an, sich zu rasieren. Es war übrigens höchste Zeit dazu, denn als er sein Kinn befühlte und in den Spiegel schaute, rief er aus: »Der reine Urwald!« Und tatsächlich, wenn's auch kein Urwald war, so war doch die Saat auf Kinn und Wangen emporgeschossen. Nachdem er mit dem Rasieren fertig war, zog er sich so eilig an, daß er aus seinen Hosen beinahe wieder herausgefahren wäre. Dann war er auch damit fertig, besprengte sich mit Kölnisch Wasser, hüllte sich in einen warmen Mantel und verließ das Haus, nicht ohne sich aus Vorsicht noch ein Tuch um die Wange gebunden zu haben. Sein erster Ausgang hatte, wie bei jedem Rekonvaleszenten, etwas durchaus Feiertägliches. Alles, was er auf der Straße sah, schien ihm freundlich zuzulächeln, sowohl die Häuser wie auch die vorübergehenden Bauern, von denen sich manche gerade eins hinter die Ohren gegeben hatten und die daher in Wirklichkeit ziemlich finster dreinblickten. Seinen ersten Besuch beabsichtigte er dem Gouverneur abzustatten. Unterwegs ging ihm mancherlei durch den Kopf: vor allem dachte er an das Blondinchen, wobei er über die heitren Bilder lächelte, die ihm seine Phantasie vorgaukelte, ja er fing sogar an, sich über sich selbst lustig zu machen. So war er bald in der vergnüglichsten Stimmung beim Hause des Gouverneurs angelangt, in den Flur getreten und schon im Begriff, seinen Mantel abzuwerfen, als der Portier ihn mit den Worten überraschte: »Ich habe Anweisung, Sie nicht vorzulassen!«

»Was fällt dir ein? Hast du mich denn nicht erkannt? Schau dir doch mal die Leute ordentlich an!« sagte Tschitschikow ärgerlich.

»Wie sollte ich Sie denn nicht erkennen, ich sehe Sie ja nicht zum erstenmal«, erwiderte der Türsteher. »Gerade Sie allein darf ich nicht vorlassen, jeden anderen, nur Sie nicht.«

»Da schau her! Wieso? Warum nicht?«

»So lautet nun mal der Befehl, also wird es wohl seine Richtigkeit haben«, erwiderte der Portier und fügte noch das Wort »Jawohl« hinzu, worauf er in ungezwungener Haltung vor Tschitschikow stehenblieb, ganz ohne jene Beflissenheit, mit der er sich bisher beeilt hatte, ihm aus dem Mantel zu helfen. Dabei sah er Tschitschikow so geringschätzig an, als dächte er: Aha, wenn dich die Herrschaft auf diese Weise hinauswirft, bist du offenbar ein ganz popliger Kerl!

Unbegreiflich! dachte Tschitschikow und begab sich zum Gerichtspräsidenten, aber der Präsident wurde, als er ihn sah, so verlegen, daß er keine zwei vernünftigen Worte hervorzubringen vermochte und einen derartigen Unsinn zusammenschwatzte, daß sie beide ganz verwirrt wurden. Als Tschitschikow fortging, konnte er, sosehr er sich auch anstrengte, absolut nicht herausfinden, was der Präsident gemeint und worauf er seine Worte bezogen hatte – er begriff überhaupt nichts. Dann ging er zu den anderen: zum Polizeimeister, zum Vizegouverneur, zum Postmeister, aber alle empfingen ihn, wenn überhaupt, so merkwürdig, führten so krampfhafte und so unverständliche Reden, wurden so verlegen und benahmen sich so sonderbar, daß er nicht umhin konnte, an ihrem gesunden Menschenverstand zu zweifeln. Er versuchte noch bei dem einen oder dem anderen vorzusprechen, um wenigstens den Grund dieser plötzlichen allgemeinen Sinnesänderung zu erfahren, aber es war nicht das geringste herauszubringen. Wie im Halbschlaf irrte Tschitschikow ziellos in der Stadt herum, vollkommen außerstande, sich darüber klarzuwerden, ob er selbst den Verstand verloren hatte oder ob die Beamten nicht mehr bei Trost waren, ob dies alles im Traum geschah oder ob tatsächlich der hellichte Tag diese Sinnestäuschung, die noch verworrener und verrückter als ein Traum war, hervorgebracht habe. Erst als es schon zu dämmern begann, kehrte er in sein Gasthaus zurück, das er in so muntrer Stimmung verlassen hatte, und ließ sich aus Langeweile Tee bringen. Versunken in ein hoffnungsloses Grübeln über das Sonderbare seiner Lage, goß er sich gerade Tee ein, als sich plötzlich seine Zimmertür öffnete: ganz unerwartet stand Nosdrew vor ihm.

»Für den Freund ist kein Weg zu weit – sagt das Sprichwort!« rief er aus und warf seine Mütze hin. »Gehe ich da gerade vorüber und sehe Licht in deinem Fenster. Muß doch mal hineinschauen, denke ich, vermutlich ist er noch wach. Das ist aber nett, daß du Tee hast, werde mit Vergnügen ein Täßchen trinken. Habe heute zu Mittag allerhand durcheinandergefressen und fühle schon, wie es in meinem Magen rumort. Laß mir doch von deinem Burschen eine Pfeife stopfen. Wo hast du sie denn?«

»Ich rauch ja gar nicht Pfeife«, sagte Tschitschikow verdrossen.

»Unsinn, als ob ich nicht wüßte, daß du ein passionierter Raucher bist. Wie heißt er doch gleich, dein Bursche? Heda, paß mal auf, Wachramej!«

»Nicht Wachramej – er heißt Petruschka!«

»Wieso denn? Du hattest doch früher den Wachramej?«

»Keine Spur – einen Wachramej habe ich niemals gehabt.«

»Richtig, das war ja Derebin, der den Wachramej hatte. Stell dir mal vor, was dieser Derebin für ein Glück gehabt hat: seine Tante hat sich mit ihrem Sohn überworfen, weil er eine Leibeigene geheiratet hat, und vermacht jetzt Derebin ihr ganzes Vermögen. Wer doch auch so eine Erbtante hätte, das wäre was für die Zukunft! Aber hör doch mal, was ist das mit dir, du hast dich ja ganz zurückgezogen, bist nirgends zu sehen? Freilich, ich weiß ja, daß du dich mit Lektüre und andren gelehrten Dingen beschäftigst. (Woraus Nosdrew das schloß, können wir, offen gestanden, zu unsrem lebhaften Bedauern genauso wenig sagen wie Tschitschikow selbst.) Ach, Bruder Tschitschikow, wenn du das alles bloß selber gesehen hättest ... das wär mal was für deinen satirischen Geist gewesen! (Wieso Tschitschikow einen satirischen Geist haben sollte, ist ebenfalls unbekannt.) Denk dir mal, Bruder, beim Kaufmann Lichatschow wurde Karten gespielt, mein Gott, haben wir uns vor Lachen gebogen. Der Perependew, der mit mir da war, hat immer wieder gesagt: ‚Du', hat er gesagt, ‚wenn jetzt bloß der Tschitschikow hier wäre – das ist so recht was für ihn', hat er gesagt. (Und dabei kannte Tschitschikow überhaupt keinen Perependew!) Aber Bruder, gib's jetzt nur zu, damals, als wir miteinander Dame spielten, hast du wahrhaftig mir gegenüber niederträchtig gehandelt, ich hatte ja doch gewonnen ... Du hast mich einfach beschummelt. Aber weiß der Teufel warum, ich kann dir trotzdem nicht böse sein. Neulich beim Präsidenten ... ach ja, das muß ich dir sagen ... die ganze Stadt ist aufgebracht über dich. Sie sind überzeugt, daß du Geldscheine fälschst. Auch zu mir sind sie gekommen, aber natürlich, ich habe mich wie ein Berg vor dich gestellt, habe ihnen erzählt, daß ich mit dir zur Schule gegangen sei und deinen Vater gekannt habe und überhaupt – es ist gar nicht zu sagen, was ich ihnen für einen blauen Dunst vorgemacht habe ...«

»Ich – ein Banknotenfälscher?« rief Tschitschikow und sprang von seinem Stuhl auf.

»Ja, warum hast du ihnen aber auch so einen Schreck eingejagt?« fuhr Nosdrew fort. »Sie haben ja, weiß der Teufel, alle miteinander vor Angst den Verstand verloren, sie glauben, daß du ein Spion und ein Räuber bist, und der Staatsanwalt ist vor Schreck sogar gestorben, morgen wird er beerdigt. Du kommst doch ebenfalls hin? Die Wahrheit zu sagen, sie fürchten sich vor dem neuen Generalgouverneur, und daß deinetwegen noch irgendwelche Geschichten entstehen. Was den Generalgouverneur betrifft, so bin ich übrigens der Meinung, daß er mit dem Adel nicht zurechtkommen wird, wenn er so hochmütig ist und sich allzu wichtig macht. Der Adel will mit Samthandschuhen angefaßt sein. Hab ich nicht recht? Natürlich, man könnte sich zu Hause verkriechen und nicht einen einzigen Ball geben, aber was hat man davon? Schließlich ist damit niemand gedient. Aber du, Tschitschikow, hast in der Tat ein gewagtes Spiel getrieben!«

»Wieso ein gewagtes Spiel?« fragte Tschitschikow unruhig.

»Nun ja, die Entführung der Tochter des Gouverneurs. Aber, offen gestanden, ich hab es erwartet, bei Gott, ich hab es erwartet! Gleich als ich euch beide auf dem Ball sah, hab ich mir gedacht, na, hab ich gedacht, der Tschitschikow wird schon wissen, warum er hier ist ... Übrigens, deine Wahl ist nicht gut, ich kann nichts an ihr finden. Da gibt es eine Verwandte von dem Bikusow, Tochter seiner Schwester – ist das ein Mädchen! Da kann man wirklich sagen: ein Wunder von einem Mädchen!«

»Ja, was schwatzt du eigentlich für einen Unsinn? Wer will denn die Tochter des Gouverneurs entführen? Was fällt dir überhaupt ein?« rief Tschitschikow, und die Augen traten ihm aus dem Kopf.

»Laß nur gut sein, Bruder, was bist du doch für ein Geheimniskrämer! Ich bin ja, ehrlich gesagt, nur deshalb zu dir gekommen, weil ich dir beistehen will. Also, es bleibt dabei: ich werde Trauzeuge sein, werde dir Pferde und Kutsche leihen, aber nur unter einer Bedingung: du mußt mir dreitausend Rubel pumpen. Ich muß sie haben, Bruder, schlag mich tot, ich muß sie unter allen Umständen haben!«

Während Nosdrew so drauflosschwatzte, rieb sich Tschitschikow wiederholt die Augen, um sich zu vergewissern, ob er wache oder träume. Die gefälschten Banknoten, die Entführung der Gouverneurstochter, der Tod des Staatsanwalts, dessen Ursache er sein sollte, die Ankunft des Generalgouverneurs – alles dies jagte ihm eine gehörige Angst ein. Wenn die Dinge so stehen, dachte er, ist keine Zeit zu verlieren, es bleibt kein andrer Ausweg, als sich schleunigst aus dem Staube zu machen!

Er bemühte sich, Nosdrew so schnell wie möglich loszuwerden, ließ Selifan rufen und wies ihn an, sich in aller Frühe bereit zu halten, damit man schon um sechs Uhr morgens die Stadt verlassen könnte. Er befahl ihm, alles gründlich nachzusehen, den Wagen zu schmieren und so weiter. Selifan sagte nur: »Wie's beliebt, Pawel Iwanowitsch«, und verharrte dann eine ganze Weile unbeweglich an der Tür. Tschitschikow trug Petruschka auf, den Koffer, der schon dick mit Staub bedeckt war, unter dem Bett hervorzuziehen, und begann gemeinsam mit dem Burschen ziemlich wahllos Strümpfe, Hemden, reine und schmutzige Wäsche, Schuhleisten, einen Kalender und so fort einzupacken. Alle diese Gegenstände wurden, wie sie ihm gerade in die Hände kamen, hineingeworfen, denn er wollte ja unbedingt schon an diesem Abend reisefertig sein, damit es am nächsten Morgen auch nicht die geringste Verzögerung gäbe. Selifan hatte mehrere Minuten an der Tür gestanden und war dann zögernd und sehr langsam aus dem Zimmer hinausgegangen. So langsam, wie man sich das kaum vorstellen kann, ging er, auf den ausgetretenen Stufen nasse Stiefelspuren hinterlassend, die Treppe hinunter, wobei er sich unaufhörlich hinter den Ohren kratzte. Was bedeutete dieses Kratzen hinter dem Ohr und was bedeutet Kratzen hinterm Ohr überhaupt? Bedeutete es vielleicht Mißmut darüber, daß unter diesen Umständen die für morgen verabredete Zusammenkunft mit einem Kollegen in einem gleich schäbigen und auf gleiche Weise umgürteten Schafspelz bei einem Gläschen Monopolschnaps in irgendeiner Gassenschenke ins Wasser fiel? Oder hatte sich an diesem neuen Aufenthaltsort bereits eine Liebesaffäre angesponnen, und schon sollte es ein Ende haben mit dem abendlichen Herumstehen am Hoftor und mit dem bedeutungsvollen Drücken der weißen Händchen in jener Dämmerstunde, wenn die Burschen in ihren roten Hemden vor dem Hausgesinde auf der Balalaika klimpern und sich das Volk, müde von der Arbeit, zu einem Plauderstündchen zusammenfindet? Oder bedauerte Selifan einfach nur, sein warmes Ofenplätzchen in der Gesindestube und die weichen, städtischen Kohlpiroggen verlassen zu müssen, um sich wieder in den Regen und Dreck der Landstraße und in alle Strapazen der Reise hinauszubegeben? Gott allein weiß es – wer kennt sich da aus! Denn gar manches und gar vieles hat es zu bedeuten, wenn das russische Volk sich hinterm Ohr kratzt ...

11

Nichts kam indessen so, wie Tschitschikow angenommen hatte. Zunächst wachte er später auf, als er sich vorgenommen hatte – das war die erste Unannehmlichkeit. Als er aufgestanden war, schickte er sogleich hinunter, um feststellen zu lassen, ob angespannt und alles fertig sei, aber er erfuhr, daß die Kutsche keineswegs vorgefahren und überhaupt nichts fertig war – das war die zweite Unannehmlichkeit. Er ärgerte sich sehr, war sogar im Begriff, unserm Freunde Selifan eine gehörige Rüge zu erteilen, und wartete mit Ungeduld, was dieser zu seiner Rechtfertigung vorbringen würde. Selifan erschien gleich darauf an der Tür, und sein Herr hatte das Vergnügen, alles das anhören zu müssen, was man gewöhnlich von Bedienten in solchen Fällen zu hören bekommt, wenn man abreisen muß und keinen Augenblick zu verlieren hat.

»Aber, Pawel Iwanowitsch, die Pferde müssen doch noch beschlagen werden.«

»Ach du Tölpel, du Hundesohn, warum hast du das denn nicht früher gesagt? Du hattest doch Zeit genug dazu!«

»Hm ... Zeit hatte ich allerdings ... Ja, und dann das Rad, Pawel Iwanowitsch, ein neuer Reifen wird notwendig sein, die Straßen sind so ausgefahren und voller Löcher ... und außerdem der Kutschbock ... gestatten Sie, Ihnen zu melden, daß er ganz schadhaft geworden ist, spätestens bei der zweiten Poststation bricht er bestimmt auseinander.«

»Du Taugenichts!« schrie Tschitschikow, schlug die Hände zusammen und trat so dicht an Selifan heran, daß dieser aus Furcht, er könnte ein wenig angenehmes Präsent erhalten, seinem Herrn auswich und einige Schritte zurücktrat.

»Willst du mich umbringen? Wolltest du mir unterwegs den Hals abschneiden, du Räuber, du verfluchtes See-Ungeheuer? Drei volle Wochen rühren wir uns nicht vom Fleck! Hättest du mir einen Ton gesagt, du verkommenes Luder, aber jetzt, im letzten Augenblick, kommt er daher! Ausgerechnet jetzt, wo man schon auf dem Sprung ist, einzusteigen und loszufahren! Du hast das doch schon vorher gewußt? Hast du es gewußt oder nicht? Antworte, hast du es gewußt?«

»Ja«, sagte Selifan und ließ den Kopf sinken.

»Na, und warum hast du nichts gesagt?«

Auf diese Frage gab Selifan keine Antwort. Er stand bloß da mit hängendem Kopf, als wollte er bei sich selber sagen: Schau mal, wie komisch: ich habe es gewußt und trotzdem nichts gesagt.

»Jetzt mach aber, daß du weiterkommst, hol den Schmied, damit die Sache in spätestens zwei Stunden in Ordnung ist. Hast du verstanden? Unbedingt in zwei Stunden, und wenn nicht, dann werde ich dich wie ein Hufeisen zusammenbiegen und einen Knoten aus dir machen!« Unser Held war außer sich vor Zorn.

Selifan wandte sich schon der Tür zu, um diesen Befehl auszuführen, drehte sich dann aber wieder um und sagte: »Ja, noch eins, Pawel Iwanowitsch, den Schecken, den Spitzbuben, sollte man wirklich verkaufen, weil er, Gott behüte, einfach nur ein Hindernis ist.«

»Da soll ich wohl gleich im Galopp auf den Markt laufen und ihn losschlagen.«

»Bei Gott, Pawel Iwanowitsch, der sieht nur so stattlich aus, aber in Wirklichkeit ist er ein ganz hinterlistiges Biest, so einen Gaul gibt es sonst nirgends . . .«

»Dummkopf! Wenn ich ihn verkaufen will, tu ich das schon selbst. Hält der Trottel hier noch lange Reden! Aber du, das sage ich dir: wenn du mir nicht gleich den Schmied herbeiholst, kannst du dich darauf gefaßt machen, daß du deine eigene Visage nicht wiedererkennst! Also los, mach, daß du fortkommst!« Selifan ging hinaus.

Tschitschikow war so verärgert, daß er seinen Säbel – der ihn, wenn er unterwegs war, immer begleitete, um die Leute, wenn es nötig sein sollte, in Furcht und Schrecken zu halten – auf den Fußboden schleuderte. Fast eine Viertelstunde lang zankte er sich mit den Schmieden herum, bis er mit ihnen einig wurde; denn sie sind allesamt ausgemachte Gauner. Als sie merkten, daß Tschitschikow es eilig hatte, forderten sie ihm glatt das Sechsfache des gewöhnlichen Preises ab. Sosehr er sich auch ereiferte, sie abwechselnd Halsabschneider, Diebe, Räuber und Wegelagerer nannte und auf das Jüngste Gericht anspielte – sie blieben bei ihrer Charakterfestigkeit und ließen nicht nur nichts von ihrer Forderung nach, sondern zogen auch absichtlich die Arbeit in die Länge und brauchten auf diese Weise statt zwei Stunden volle fünfeinhalb. Während dieser Wartezeit kostete er alles aus, was jeder Reisende durchmacht, wenn die Koffer schon gepackt sind und im

Zimmer nur noch allerhand Bindfäden, Papierchen und ähnliches unnützes Zeug herumliegt, wenn der Mensch sich noch nicht richtig als Reisender, aber andererseits auch nicht mehr als zu den seßhaften Hausbewohnern gehörig fühlt, durchs Fenster zu den Vorübergehenden hinausschaut, die über ihre Pfennige reden und mit stumpfsinnigem Interesse zu ihm hinaufblicken, um dann wieder ruhig ihrer Wege zu gehen, was den armen verhinderten Reisenden womöglich noch mehr erbittert. Alles, was er draußen sieht: den Kramladen auf der gegenüberliegenden Straßenseite, den Kopf der Alten drüben im Hause, der sich immer wieder erhebt und über die kurzen Scheibengardinen herüberspäht – das alles ist ihm in der Seele zuwider, und doch kann er sich nicht entschließen, seinen Fensterplatz zu verlassen. Glotzend steht er da, wobei er, sich ganz vergessend, alles, was sich draußen bewegt oder auch nicht bewegt, mit irgendeiner blöden Anteilnahme beobachtet und schließlich verdrossen eine Fliege zwischen seinen Fingern zerdrückt, die immerfort summend gegen die Fensterscheiben stößt. Aber alles hat einmal ein Ende, und so kam auch hier der ersehnte Augenblick: der Kutschbock war hergerichtet, wie sich's gehört, das Rad hatte einen neuen Reifen bekommen, die Pferde waren getränkt und die betrügerischen Schmiede hatten die empfangenen Rubelstücke nachgezählt, gute Reise gewünscht und sich entfernt. Auch die Pferde waren eingespannt und zwei soeben eingekaufte und noch ganz warme Brezeln im Wagen verstaut. Selifan schob noch schnell etwas Privates in die am Bock angebrachte Tasche und unser Held stieg ein. Mit der versammelten Dienerschaft des Gasthofs und zwischen einer ganzen Reihe von fremden Kutschen, die bei jeder Abreise ebensowenig wie bei anderen Gelegenheiten fehlen, stand der Zimmerkellner in seinem unvermeidlichen baumwollenen Rock als Zuschauer da und schwenkte seine Mütze. So rollte endlich die bekannte Junggesellenkutsche, die schon so lange in der Stadt eingestellt gewesen war und dem Leser möglicherweise schon ziemlich langweilig geworden ist, zum Tor des Gasthauses hinaus.

Gott sei gelobt! dachte Tschitschikow und bekreuzigte sich.

Selifan knallte mit der Peitsche, Petruschka, der eine Zeitlang auf dem Trittbrett gestanden hatte, setzte sich neben ihn und unser Held machte es sich auf einem kleinen grusinischen Teppich bequem, der das Sitzpolster bedeckte, schob sich ein Lederkissen in den Rücken, wobei die beiden warmen Semmelwecken kräftig zusammengedrückt wurden, und die Kutsche begann von neuem auf dem Pflaster zu hüpfen und zu schaukeln, dem bekanntlich eine nicht unerhebliche Schleuderkraft innwohnte. Mit ziemlich unbestimmten Gefühlen faßte Tschitschikow die Häuser, Mauern, Zäune und Straßen ins Auge, welche sich ihrerseits ebenfalls auf und nieder zu bewegen schienen und langsam hinter ihm zurückblieben. Gott weiß, ob es ihm beschieden sein würde, sie noch einmal im Leben wiederzusehen. Als man im Begriff war, in eine andere Gasse einzubiegen, mußte die Kutsche plötzlich haltmachen, weil ihr ein endloser Leichenzug entgegenkam, der die ganze Mitte der Straße einnahm. Tschitschikow beugte sich aus dem Wagen und gab Petruschka den Auftrag, sich zu erkundigen, wer denn eigentlich beerdigt würde. Es erwies sich, daß es der Staatsanwalt war. Von dieser Auskunft höchst unangenehm berührt, verkroch er sich in die Wagenecke, nachdem er das Schutzleder so weit wie möglich hinauf- und die Vorhänge zugezogen hatte. Selifan und Petruschka nahmen andächtig ihre Mützen ab, bemühten sich aber zugleich, festzustellen, wer an der Beerdigung teilnahm, wobei sie genau nachzuzählen versuchten, wieviel Leidtragende es im ganzen waren und wer von ihnen fuhr und wer zu Fuß ging, während Tschitschikow selbst, der ihnen untersagt hatte, sich zu erkennen zu geben und befreundeten Kollegen zuzunicken, ängstlich durch ein winziges Fensterchen im Verdeck sich die Prozession ebenfalls ansah. Entblößten Hauptes folgten alle Beamten dem Sarge. Er fürchtete, sie könnten am Ende seinen Wagen erkennen, aber sie beachteten ihn überhaupt nicht und beschäftigten sich nicht einmal mit der Erörterung jener praktischen Fragen, die meistens das Gesprächsthema der Leidtragenden bei Beerdigungen zu bilden pflegen. Ihre Gedanken waren vielmehr nur auf ihre eigenen Angelegenheiten gerichtet: sie überlegten, wie der neue

Generalgouverneur sein möge, wie er seine Aufgabe anfassen und sich ihnen gegenüber verhalten werde. Den zu Fuß gehenden Beamten folgte eine ganze Reihe von Wagen, aus denen Damen in Trauerschleiern herausschauten. Aus den Bewegungen ihrer Lippen und Hände war zu ersehen, daß sie in lebhafter Unterhaltung begriffen waren. Wahrscheinlich sprachen sie ebenfalls über die Ankunft des neuen Generalgouverneurs, stellten Vermutungen über die Bälle an, die er geben würde, und besprachen ihre ewigen Rüschen, Biesen und Paspeln. Dann kamen, eine hinter der anderen, leere Kutschen und schließlich kam gar nichts mehr und unser Held konnte weiterfahren. Er zog die ledernen Vorhänge wieder zurück, seufzte und sagte aus tiefster Seele: »Das also war der Staatsanwalt! Lebte, lebte – und dann war er tot! Und jetzt werden sie in den Zeitungen schreiben, daß er zum größten Kummer seiner Untergebenen und der ganzen Menschheit gestorben sei, ein angesehener Bürger, seltener Vater, vorbildlicher Gatte und dergleichen. Manche werden möglicherweise noch hinzufügen, daß ihm die Tränen der Witwen und Waisen nachfolgen, aber geht man der Sache ganz auf den Grund, so ergibt sich, daß außer seinen dichten Augenbrauen eigentlich nichts an ihm dran war.« Und nach dieser Feststellung befahl Tschitschikow Selifan, schneller zu fahren, wobei er dachte: Gut übrigens, diese Begegnung mit dem Leichenzug, sagt man doch, daß so etwas Glück bringt!

Inzwischen war die Kutsche in einen weniger belebten Stadtteil gelangt und bald zogen sich zu beiden Seiten der Straße nur noch lange, lange Bretterzäune hin, die das Ende der Stadt ankündigten. Das Pflaster hörte auf, der Schlagbaum kam in Sicht, die Stadt blieb zurück, und schon gab es nichts mehr als die Landstraße mit ihren Kilometerpfählen, ihren Stationsvorstehern, Ziehbrunnen und Lastfuhren. Wieder erlebte man, was man hier immer erlebt: graue Dörfer, eine Herberge mit Samowar, Bauernweibern und einem kraftstrotzenden, bärtigen Wirt, der einem schon von weitem mit einem Sack Hafer entgegengelaufen kommt, einen Wandersmann in durchgetretenen Sandalen, der schon gut und gern seine achthundert Kilometer hinter sich hat, lebhafte

Städtchen mit hölzernen Kramläden, Mehlfässern, Bastschuhen, Brezeln und ähnlichen Dingen, buntgestreifte Schlagbäume, reparaturbedürftige Brücken und zu beiden Seiten der Straße unabsehbare Felder. Dann wieder herrschaftliche Reisewagen, einen berittenen Artilleristen, der einen grünen Munitionswagen mit der Aufschrift »An die soundsovielte Batterie« seiner Bestimmung entgegenfährt. Ackerstreifen, die sich grün, gelb und schwarz von der Steppe abheben und wieder zurückbleiben, ein irgendwo aufklingendes Lied, Fichtenwipfel, die sich im Nebel wiegen, ein in weiter Ferne verhallendes Glockengeläut, Krähen, die wie Fliegenschwärme vorüberziehen, und endlose Horizonte ...

O Rußland, mein Rußland! Fern von der Heimat, sehe ich dich, sehe dich deutlich vor mir in meiner wundersamen, herrlichen Fremde. Wie ärmlich gegen diese, wie einsam und freudlos lebt sich's doch in dir! Keine kühnen Wunder der Natur, gekrönt von noch kühneren Wunderwerken der Kunst, erfreuen oder erschrecken den Blick, keine Städte mit vielfenstrigen Palästen, deren Mauern wie Felswände emporragen, keine malerischen Bäume und efeuumsponnenen Häuser, umsprüht vom Wasserstaub unaufhörlich brausender Kaskaden. Nicht muß man in Rußland den Kopf in den Nacken zurückwerfen, um himmelhoch aufgewuchtete Felsblöcke zu sehen, nicht leuchten durch dunkel aufeinandergetürmte Bögen, die mit Weinlaub und Efeu umrankt und mit ungezählten Millionen von wilden Rosen bestreut sind, zarte Linien ewiger Berge, die sich in silberhellen Himmeln verlieren. Wie offen und öde ist doch alles in dir, russische Tiefebene, und wie Pünktchen, wie kleine, kaum sichtbar hingestrichelte Zeichen sind deine niedrigen Städte auf der unendlichen Fläche. Nichts lockt und entzückt das Auge. Aber dennoch, welch unbegreiflich geheimnisvolle Macht zieht mich zu dir? Warum klingt mir dein melancholisches, nie verstummendes Lied, dessen sehnsuchtsvoller Ruf von Meer zu Meer deine ganze Weite durchdringt, unaufhörlich im Ohr? Was atmet und schluchzt in diesem Liede? Warum greifen diese Töne mir so seltsam ans Herz und erfüllen meine Seele mit einem schmerzlich liebkosenden Zauber? Ach, russisches Land, was willst du von mir? Welch geheimnisvolles Band fesselt uns aneinander? Wie schaust du mich an und warum hältst du mit allem, was in dir ist, deinen Blick so erwartungsvoll auf mich gerichtet? Das Haupt wie von einer regenschweren Wolke beschattet, stehe ich unbeweglich und kaum noch eines Gedankens mächtig vor der Unendlichkeit deiner Ausdehnung. Was verheißt diese unermeßliche Weite? Ist es hier, ist es in deinem Schoß – da du doch selber keine Grenzen kennst –, wo der unbegrenzte Gedanke, der mächtige Held zu freier, unbeschränkter Entfaltung geboren werden wird? Und erschreckend umfängt mich die Maßlosigkeit deiner riesenhaften Ausbreitung und erschüttert mich mit unheimlicher Kraft bis ins Innerste meiner Seele. Meine Augen leuchten in übernatürlichem Feuer ... O du wundersame, rätselhafte, weltweite Ferne des russischen Landes!

»Halt, Selifan, halt doch an, du Idiot!« schrie Tschitschikow.

»Ich haue dir gleich mit dem Säbel eins über den Schädel!« brüllte ein vorüberkommender Feldjäger mit einem ellenlangen Schnurrbart. »Der Teufel hole deine Seele! Siehst du denn nicht, daß dies ein Dienstwagen ist?« Und wie eine Vision entschwand die Troika donnernd in einer Staubwolke.

Was für ein seltsam lockender und erhebender Zauber steckt doch in dem Wort »Landstraße«! Und wie wunderbar ist sie selber, diese Straße! Klares Wetter, herbstliches Laub, kühle Luft ... fester wickeln wir uns in den Reisemantel, ziehen die Mütze über die Ohren, tiefer und wohliger drücken wir uns in die Wagenecke. Noch einmal läuft uns ein Kälteschauer über den Rücken – dann umfängt uns behagliche Wärme. Die Pferde fliegen nur so dahin ... Wie ein Verführer stiehlt sich der Schlummer heran, die Augen fallen zu, im Halbschlaf glaubst du das Lied vom weißen Schnee, das Schnauben der Pferde, das Rollen der Räder zu hören, und schon schnarchst du und drängst im Schlaf deinen Nachbarn immer mehr zur Seite. Bist du wieder erwacht – liegen fünf Poststationen hinter dir, der Mond steht am Himmel, du passierst eine unbekannte Stadt und kommst an Kirchen mit altertümlichen, hölzernen Kuppeln und geschwärzten Turmspitzen, an dunklen, aus Balken zusammengefügten Häusern und weißen Steingebäuden vorüber. Und überall breite Streifen flimmernden Mondlichts: es ist, als wären weiße Leintücher über die Mauern gehängt und über das Pflaster und die Straßen gebreitet, und schräg legen sich kohlschwarze Schlagschatten darüber. Wie funkelndes Metall glitzern die mondbelichteten Schindeldächer. Nirgends eine Menschenseele zu sehen. Alles schläft. Nur hie und da blinkt einsam ein Lichtlein in einem Fenster: ist es ein Kleinbürger, der seine Schuhe flickt, oder ein Bäcker, der sich an seinem Ofen zu schaffen macht? Aber gleichviel – was ist das doch für eine herrliche Nacht, die ihr, himmlische Mächte, von oben herabgesandt habt! Welch eine klare und klingende Luft, welch ein ferner, hoher Himmel, der sich in seiner unausschöpfbaren Tiefe über uns wölbt! Kalt weht dir der Atem der Nacht in die Augen und schläfert dich ein. Schon schlummerst du wieder, vergißt dich selbst und schnarchst. Und ärgerlich rührt sich dein armer Reisegefährte von neuem, von deinem Körpergewicht bedroht und abermals in die Ecke gezwängt.

Wenn du wiederum aufwachst, hast du nichts vor dir als Felder, öde Steppe und Kilometerpfähle, die an dir vorüberzufliegen scheinen. Der Morgen dämmert. Am kalten, erblassenden Horizont zeigt sich ein mattgoldener Streifen. Frischer und schärfer bläst der Wind. Du wickelst dich fester in deinen warmen Mantel ... Welche köstliche Kälte! Wie wunderbar umfängt dich von neuem der Schlummer! Ein Stoß – und abermals bist du erwacht. Die Sonne steht jetzt hoch am Himmel. »Langsam! Langsam!« warnt eine Stimme. Der Wagen rollt einen steilen Abhang hinunter. Unten liegt eine Fähre bereit. Ein breites, klares Gewässer, das wie eine kupferne Scheibe in der Sonne glänzt. Ein Dorf, dessen Hütten über die Hänge verstreut sind. Wie ein Stern blitzt das Kreuz der ein wenig abseits liegenden Dorfkirche. Stimmengewirr schwatzender Bauern und ein Heißhunger, der sich stürmisch bemerkbar macht ... Ach mein Gott, wie schön kann doch manchmal so eine Reise auf der Poststraße sein! Wie oft habe ich schon, einem Ertrinkenden gleich, nach ihr gegriffen und jedesmal noch hat sie mich großmütig errettet. Und geradeso auf der Reise: wieviel wahrhaft schöpferische Ideen, wieviel wunderbare, dichterische Träume wurden da nicht geboren, wieviel unvergeßliche Eindrücke habe ich nicht unterwegs erlebt ...

Indessen waren auch die Reiseträume unseres Freundes Tschitschikow keineswegs alle durchweg prosaisch. Sehen wir einmal zu, welcher Art denn eigentlich seine Gefühle waren. Anfangs empfand er überhaupt nichts, sondern sah sich nur immerfort um, weil er sich vergewissern wollte, ob er richtig aus der Stadt herausgekommen sei. Als er sich aber überzeugt hatte, daß sie tatsächlich weit hinter ihm lag und weder eine Mühle noch eine Schmiede oder sonst etwas von dem zu sehen war, was es in der Nähe von Städten zu geben pflegt, und sogar die weißen Türme der steinernen Kirchen spurlos in der Erde versunken waren, beschäftigte ihn nur noch die Straße. Er blickte nach rechts und nach links und die Stadt N. war wie ausgelöscht aus seinem Gedächtnis, als wäre er nur einmal vor ewig langer Zeit, vielleicht in seiner Kindheit, dort durchgekommen. Schließlich hatte auch die Straße jedes Interesse für ihn verloren – er schloß die Augen und lehnte den Kopf ans Polster. Der Autor ist, offen gestanden, sehr glücklich darüber, denn auf diese Weise erhält er endlich einmal Gelegenheit, über seinen Helden zu sprechen. Bisher wurde er immer – der Leser weiß das ja selber – entweder von Nosdrew oder von den Bällen, den Damen, dem Stadtklatsch und schließlich von tausend Kleinigkeiten davon abgehalten, welche erst, wenn sie im Buch registriert sind, als solche erscheinen, aber solange sie noch in der Welt vor sich gehen, für ungemein wichtige Angelegenheiten gehalten werden. Jetzt schieben wir das alles einfach beiseite und kommen endlich zur Sache.

Es ist höchst zweifelhaft, ob der Held, den wir uns erkoren haben, dem Leser gefällt. Den Damen jedenfalls – das kann man mit Sicherheit sagen – wird er bestimmt nicht gefallen, denn sie fordern ja, daß der Held die Vollkommenheit selber sei, und schon der kleinste seelische oder körperliche Schönheitsfehler macht ihn in ihren Augen unmöglich.

Der Autor mag ihm noch so tief ins Herz hineingeschaut und sein Bild klarer wiedergegeben haben, als es ein Spiegel vermag – er ist und bleibt für die Damen ohne jeglichen Wert. Schon die Neigung zur Körperfülle und das mittlere Alter Tschitschikows werden ihm ungemein schaden: Korpulenz wird man dem Helden niemals verzeihen und sehr viele Damen werden sich von ihm abwenden und ausrufen: »Fi donc, wie ist er doch abstoßend!« Das ist dem Autor nur allzu bekannt, und dennoch – es ist ihm ganz unmöglich, sich einen wahrhaft tugendhaften Helden zu wählen. Aber ... vielleicht wird man finden, daß in dieser Erzählung andere, bisher noch nicht angeschlagene Saiten erklingen und der unerschöpfliche Reichtum des russischen Geistes uns zum Bewußtsein gebracht wird. Vielleicht wird man hier einem mit göttlichen Tugenden begabten Manne begegnen oder einem wundersamen russischen Mädchen, wie kein zweites auf der ganzen Welt zu finden ist, ausgestattet mit allen Schönheiten der weiblichen Psyche, voll großmütigen Strebens und zu den höchsten Opfern bereit. Und neben diesen beiden edlen Gestalten werden alle hochherzigen Menschen andrer Völker und Stämme geradezu wie tot erscheinen, wie der Buchstabe gegenüber dem lebendigen Wort! Alle Regungen der russischen Seele werden sich offenbaren, und man wird deutlich sehen, wie tief in der slawischen Seele alles das verwurzelt ist, was andere Völker nur oberflächlich berührt ... Aber warum soll der Autor von dem reden, was noch vor uns liegt? Für ihn, der schon längst das Mannesalter erreicht hat, durch die harte Schule eines inneren Lebens gegangen ist und die erfrischende Nüchternheit der Einsamkeit geschmeckt hat, würde es nicht mehr schicklich sein, sich wie ein Jüngling zu vergessen. Alles hat seine Ordnung, seinen Platz und seine Zeit! Aber trotz alledem – einen Tugendbold wähle ich mir nicht als Helden. Und ich kann auch sagen, warum: weil es längst an der Zeit ist, dem armen Tugendhaften seine Ruhe zu lassen, weil das Wort »tugendhaft« in aller Munde zur Phrase geworden ist, weil man den Tugendhaften zu einem Allerweltsgaul gemacht hat, auf dem jeder Schriftsteller herumjagt und den er mit seiner Peitsche und allem, was ihm gerade in die Hände kommt, antreibt, weil man den tugendhaften Menschen so abgehetzt hat, daß von seiner ganzen Tugend auch nicht ein Schatten mehr übrig ist und von seinem Körper bloß Haut und Knochen, weil das ganze Gerede vom tugendhaften Menschen nur noch eitel Heuchelei ist und man längst jede Achtung vor ihm verloren hat. Nein, es ist wahrhaftig an der Zeit, endlich den Gauner vorzuspannen. Also, spannen wir mal den Gauner vor!

Dunkel und bescheiden ist die Herkunft unsres Helden. Seine Eltern waren zwar von Adel, ob von altem oder nur von persönlichem Adel – das weiß Gott allein. Äußerlich sah er ihnen durchaus nicht ähnlich: wenigstens hatte eine Tante, die bei seiner Geburt zugegen gewesen war, eine jener Personen von niedrigem Wuchs und geduckter Haltung (die im Volksmund »Kiebitz« genannt wurden), das Kind in den Arm genommen und ausgerufen: »Der sieht ja ganz anders aus, als ich ihn mir vorgestellt habe! Er hätte lieber an seine Großmutter mütterlicherseits erinnern sollen, das wäre viel besser gewesen, statt dessen ist er, wie das Sprichwort sagt, weder nach der Mutter noch nach dem Vater, sondern wohl nach irgendeinem zufällig dahergekommenen Wandersburschen geraten!« Schon zu Beginn seines Daseins hatte das Leben recht sauer und verdrossen durch ein trübes, schneeverwehtes Fenster zu ihm hereingeblickt: kein Freund, kein Spielkamerad in der Kindheit! Ein kleines Stübchen mit winzigen Fenstern, die weder im Sommer noch im Winter geöffnet wurden. Der Vater – ein kränklicher Mensch in einem langen, lammfellgefütterten Rock und in gehäkelten Pantoffeln an den bloßen Füßen. Unaufhörlich ging er im Zimmer umher, seufzte und spie in einen mit Sand gefüllten Spucknapf, der in der Ecke stand. Unentwegt mußte der Junge auf der Bank sitzen, wobei er, den Federhalter in der Hand und Tinte an den Fingern und sogar an den Lippen, dauernd die Vorlage vor Augen hatte: »Lüge nicht, gehorche den Erwachsenen und hab Tugend im Herzen.« Hierzu die ewig über den Fußboden schlurfenden und schlappenden Pantoffel, die bis zum Überdruß bekannte strenge Stimme: »Treib keinen Unfug!« die jedesmal erklang, wenn das Kind, gelangweilt durch die Eintönigkeit der Beschäftigung, einen Buchstaben mit irgendeinem Schnörkelchen oder Häkchen verzierte, und das nach dieser Zurechtweisung immer wiederkehrende Angstgefühl, daß lange, spitze Fingernägel sein Ohrläppchen von hinten fassen und auf äußerst schmerzhafte Weise zusammenkneifen würden – das war das traurige Bild seiner frühesten Kindheit, an die ihm jedoch nur eine blasse Erinnerung geblieben war.

Aber im Leben wandelt sich alles schnell und oft unerwartet: eines sonnigen Tages, als die Frühlingsbäche rauschend anschwollen, bestieg der Vater mit dem Sohn ein Wägelchen, das von einem jener braungescheckten Pferdchen mit gelblicher Schnauze gezogen wurde, die von den Pferdehändlern »Elstern« genannt werden. Der Gaul wurde von einem kleinen, buckeligen Kutscher gelenkt, der im Hause Mädchen für alles und Stammvater der einzigen Leibeigenenfamilie war, die Tschitschikows Vater gehörte. Fast anderthalb Tage dauerte die Reise, man übernachtete unterwegs, passierte einen Fluß, aß kalte Piroggen und aufgewärmtes Hammelfleisch und erreichte schließlich in der Morgenfrühe die Stadt. Der Knabe war so geblendet von dem unerwarteten Glanz der Straßen, daß er für Minuten den Mund weit aufriß. Dann geriet die »Elster« mitsamt dem Fuhrwerk in eine Grube, welche die Einfahrt zu einem schmalen, steil abfallenden und äußerst schmutzigen Gäßchen bildete. Lange strampelte sie darin aus aller Kraft mit den Beinen, immer wieder angefeuert vom Buckligen und dem Herrn selber, bis sie den Wagen schließlich aus dem Loch heraus- und in einen kleinen, an einem Abhang gelegenen Hof hineinzog. Hier standen zwei blühende Apfelbäume vor einem alten Häuschen, hinter dem sich ein Gärtchen befand mit einigen Ebereschen, Holunderbüschen und einer hölzernen, schindelgedeckten Kate im Hintergrunde, die nur ein winziges, trübes Fenster hatte. Darin wohnte eine Verwandte der Tschitschikows, ein altes, gebrechliches Frauchen, das aber noch jeden Morgen auf den Markt ging und dann seine Strümpfe am Samowar trocknete. Die Alte tätschelte dem Knaben die Wangen und freute sich über sein rundliches, wohlgenährtes

Aussehen. Hier sollte er nun wohnen und die städtische Schule besuchen. Der Vater blieb über Nacht und brach erst am anderen Morgen wieder auf. Beim Abschied, bei welchem nicht eine einzige väterliche Träne floß, gab es noch einen halben Rubel in Kupfermünzen für kleine Ausgaben und Süßigkeiten, und was viel wichtiger war – einige weise Lehren: »Paß auf, Pawluscha, lerne fleißig, treib keinen Unfug und mach keine dummen Streiche, aber vor allem, versuch immer, dich bei deinen Lehrern und Vorgesetzten einzuschmeicheln. Wenn du das fertigbringst, wirst du auch dann deinen Weg machen und alle andern in den Schatten stellen, wenn Gott dir kein Talent gegeben hat und du in der Wissenschaft keine Fortschritte machst. Und gib dich nicht zuviel mit den Kameraden ab – sie werden dich nichts Gutes lehren. Aber wenn es dennoch sein muß, suche dir immer die Wohlhabenden aus, damit sie dir notfalls nützlich sind. Halte niemand frei, sondern benimm dich lieber so, daß andere dich freihalten, aber vor allem sei sparsam und ehre den Pfennig, er ist das Verläßlichste, was es überhaupt gibt. Deine Freunde und Kameraden werden dich betrügen und die ersten sein, die dich in der Not im Stich lassen, aber der Pfennig wird dich nie im Stich lassen, wie groß dein Unglück auch sein mag. Mit seiner Hilfe wirst du alles in der Welt erreichen und durchsetzen.« Nachdem der Vater ihn auf diese Weise belehrt hatte, nahm er Abschied und ließ sich von seiner »Elster« wieder nach Hause ziehen. Der Sohn hat ihn niemals wiedergesehen, aber die väterlichen Lehren hat er tief in seiner Seele bewahrt. Schon am folgenden Tage nahm Pawluscha den Schulbesuch auf. Eine besondere Begabung für diese oder jene Wissenschaft kam bei ihm nicht zum Vorschein, er zeichnete sich mehr durch Fleiß und Sauberkeit aus. Dafür legte er aber eine andere Fähigkeit an den Tag: einen bemerkenswerten praktischen Verstand. Er hatte sofort heraus, worauf es vor allem ankam, und verhielt sich seinen Schulkameraden gegenüber genauso, daß sie ihn einluden und beschenkten, während er seinerseits das nicht nur nicht tat, sondern die empfangenen Gaben aufhob und sogar gelegentlich wieder an die Geber verkaufte. Obgleich noch ein Kind, war er ohne weiteres imstande, sich alles und jedes zu versagen. Von dem halben Rubel, den er vom Vater erhalten hatte, gab er nicht eine einzige Kopeke aus, sondern brachte es schon im selben Jahr fertig, seine Ersparnisse zu vermehren, wobei er eine ungewöhnliche Geschäftstüchtigkeit an den Tag legte: er knetete aus Wachs einen Dompfaff, malte ihn an und zog aus dem Verkauf bedeutenden Gewinn. Bald darauf verlegte er sich auf eine andere Spekulation: er kaufte auf dem Markt verschiedene Lebensmittel, setzte sich in der Klasse neben die reicheren Kameraden, und sobald er bemerkte, daß dem einen oder dem anderen vor Hunger schlecht wurde, ließ er ihn unter der Bank heimlich und wie aus Versehen die Ecke einer Semmel oder eines verlockenden Pfefferkuchens erblicken, reizte seine Eßlust noch weiter an, um dann schließlich seine Schätze für einen Preis zu verkaufen, welcher der Größe des erregten Appetits entsprach. Zwei Monate lang mühte er sich mit einer Maus ab, die er in einem kleinen Käfig hielt, bis er schließlich erreicht hatte, daß sie sich auf die Hinterbeine stellte, sich auf Befehl hinsetzte und wieder aufrichtete, worauf er sie dann ebenfalls ungewöhnlich günstig verkaufte. Als er auf diese Weise fünf Rubel zusammengescharrt hatte, nähte er das Geld in ein Säckchen und fing an, für ein weiteres Säckchen zu sparen. Seinen Vorgesetzten in der Schule gegenüber verhielt er sich noch klüger. Niemand konnte so unbeweglich wie er auf der Bank sitzen. Es muß hier betont werden, daß der Lehrer auf Ruhe und gutes Betragen den allergrößten Wert legte und daher die gescheiten und gelehrigen Knaben nicht mochte, denn er glaubte immer, daß sie sich über ihn lustig machten. Es brauchte nur einer, auf den er einen Verdacht hatte, witzig zu sein, sich ein bißchen zu rühren oder mit der Wimper zu zucken, schon war er dem Zorn des Lehrers verfallen. Er verfolgte und bestrafte ihn ohne Erbarmen. »Ich, Bruder«, sagte er, »werde dir schon deine Überheblichkeit und deinen Ungehorsam austreiben! Ich kenne dich durch und durch, viel besser, als du dich selber kennst. Auf die Knie mit dir und hungern laß ich dich auch!« Und das arme Opfer mußte mit wundgeriebenen Knien vierundzwanzig Stunden hungern, ohne überhaupt zu wissen, warum. »Begabung und Fähigkeiten – das ist alles Unsinn!« pflegte er zu sagen. »Ich sehe nur auf gutes Betragen. Bei mir bekommt jeder Schüler, wenn er sich lobenswert beträgt, selbst in Fächern, in welchen er nicht die geringsten Kenntnisse hat, einen Einser. Spüre ich aber bei einem den bösen Geist der Unbotmäßigkeit und der Spottsucht, so erhält er glatt einen Fünfer, selbst wenn er Solon an Weisheit übertreffen sollte!« So äußerte sich dieser Lehrer, der den Dichter Krylow tödlich haßte, weil dieser einmal gesagt hatte: »Wenn du nur deinen Kram verstehst, so macht's nichts, wenn du saufen gehst.« Auch erzählte er gern, wobei sein Gesicht und seine Augen vor Befriedigung strahlten, daß es in einer Schule, in der er früher unterrichtet habe, so still gewesen sei, daß man eine Fliege habe fliegen hören, daß kein Schüler im Lauf eines ganzen Jahres auch nur ein einziges Mal gehustet oder sich geschneuzt habe und daß man bis zum Glockenzeichen auf keine Weise habe herausfinden können, ob jemand in der Klasse gewesen sei oder nicht. Der kleine Tschitschikow hatte sofort den Geist des Lehrers erkannt und begriffen, was unter gutem Betragen zu verstehen war. Er blinzelte nicht und zuckte nicht mit der Wimper, sosehr er auch von hinten gezwickt und geknufft wurde. Sobald die Glocke ertönte, lief er in Windeseile an die Tür, um allen anderen zuvorzukommen und dem Lehrer seine Mütze (er trug immer eine Bauernmütze) zu reichen. Dann rannte er als erster hinter dem Lehrer aus dem Klassenzimmer hinaus und versuchte diesem auf der Straße wiederholt zu begegnen, wobei er jedesmal ehrerbietig seinen Hut zog. Dieses Verhalten war vom schönsten Erfolg gekrönt. Während seiner ganzen Schulzeit war er vorzüglich angeschrieben und erhielt bei seinem Abgang die besten Noten in allen Fächern und ein glänzendes Zeugnis. Außerdem wurde ihm noch ein Buch überreicht, das mit einer Widmung in goldener Schrift versehen war. Sie lautete: »Für vorbildlichen Fleiß und musterhaftes Betragen.« Als er die Schule hinter sich hatte, war er ein Jüngling von ziemlich gewinnendem Äußeren, dessen Kinn schon des Rasiermessers bedurfte. Um diese Zeit starb sein Vater und hinterließ ihm neben völlig abgetragenen und unbrauchbaren Jacken und zwei alten lammfellgefütterten Röcken eine ganz geringfügige Geldsumme. Offenbar war der Vater nur im Erteilen von guten Ratschlägen, wie man sparen soll, groß gewesen, nicht aber auch im Sparen selbst. Tschitschikow verkaufte unverzüglich das vernachlässigte Höfchen mit dem kümmerlichen Grundstück, das dazugehörte, für tausend Rubel und überführte die Leibeigenenfamilie in die Stadt, wo er sich niederzulassen und in den Staatsdienst einzutreten beabsichtigte. Zu gleicher Zeit wurde der arme Lehrer, der Ruhe und lobenswertes Betragen so sehr geschätzt hatte, wegen Beschränktheit oder irgendeiner anderen Verfehlung Knall und Fall aus dem Schuldienst entlassen. Vor Kummer ergab er sich dem Trunk. Krank, ohne einen Bissen Brot und ohne jegliche Hilfe, verkam er mehr und mehr irgendwo in einer ungeheizten Dachkammer. Als seine ehemaligen Schüler, eben jene gescheiten und witzigen, hinter deren Aufgewecktheit er immer Überheblichkeit und Ungehorsam gewittert hatte, von seiner bemitleidenswerten Lage erfuhren, veranstalteten sie für ihn eine Geldsammlung, wobei sie vielfach sogar Gegenstände zu Geld machten, auf die sie selbst nur schwer verzichten konnten. Nur Pawluscha Tschitschikow suchte sich damit herauszureden, daß er mittellos sei, und opferte schließlich nur ein silbernes Fünfkopekenstück, das die Kameraden ihm dann mit den Worten: »Ach, du elender Geizkragen!« vor die Füße warfen. Der arme Lehrer bedeckte sein Gesicht mit den Händen, als er von der Handlungsweise seiner früheren Schüler hörte. Die Tränen flossen ihm, wie einem hilflosen Kinde, aus den erlöschenden Augen. »Noch auf dem Sterbelager bringt Gott mich zum Weinen«, sagte er mit schwacher Stimme. Er seufzte schmerzlich auf, als er erfuhr, wie Tschitschikow sich verhalten hatte, und klagte: »Ach, Pawluscha! Wie kann sich ein Mensch doch verändern! So wohlgesittet warst du, sanft wie Seide und ohne alle Wildheit. Und wie hast du mich enttäuscht, wie sehr hast du mich betrogen ...«

Man kann indessen nicht sagen, daß unser Held von Natur roh und hart und seine Empfindungen so abgestumpft waren, daß ihm Mitleid und Mildtätigkeit fremd gewesen wären. Er kannte sowohl das eine wie das andere, ja er wäre auch in diesem Falle zu einer Unterstützung bereit gewesen, nur durfte sie nicht in einem so fühlbaren Geldopfer bestehen, daß er die Summe hätte angreifen müssen, die er nun einmal beschlossen hatte unter keinen Umständen anzutasten. Kurz, die väterliche Lehre: »Sei sparsam und ehre den Pfennig!« hatte gut angeschlagen. Aber dennoch, er hing nicht am Gelde nur um des Geldes willen und war nicht eigentlich geizig und habgierig. Nein, nicht das waren seine Beweggründe, sondern was ihm für die Zukunft vorschwebte, war vielmehr ein Leben in Saus und Braus, in Wohlstand und Überfluß. Wagen und Pferde, ein wohlgeordneter Hausstand, luxuriöse Diners – das war es in Wirklichkeit, worauf seine Wünsche unausgesetzt gerichtet waren. Zu diesem Zweck sparte und geizte er mit den Pfennigen, die er auch anderen versagte, um schließlich einmal alles dies in vollen Zügen genießen zu können. Wenn ein reicher Mann in elegantem, leichtem Wagen mit prachtvollen Pferden und blitzendem Geschirr an ihm vorüberflog, blieb er wie angenagelt stehen und sagte dann, wie aus einem tiefen Traum erwachend und nur ganz allmählich wieder zur Besinnung kommend: »Und er war doch nur ein Handlungsgehilfe mit gekräuselten Haaren!« Alles, was nur immer von Reichtum und Überfluß zeugte, hinterließ bei ihm einen so tiefen Eindruck, daß er sich selbst manchmal nicht mehr verstand. Als er die Schule verließ, gönnte er sich nicht einmal eine kurze Erholung, derart übermächtig war sein Verlangen, so schnell wie möglich ans Werk zu gehen und mit dem Staatsdienst zu beginnen. Indessen gelang es ihm, ungeachtet seiner hervorragenden Zeugnisse, doch nur mit großer Mühe, im Oberfinanzamt unterzukommen, denn selbst im entlegensten Krähwinkel geht nichts ohne Protektion. Das Pöstchen, das er dort ergattert hatte, war armselig genug: das Jahresgehalt betrug nur dreißig oder vierzig Rubel. Dennoch beschloß er, im Dienst sein möglichstes zu tun, sich mit voller Kraft ins Zeug zu legen und alle Schwierigkeiten siegreich zu überwinden. Und in der Tat, er legte eine unerhörte

Selbstverleugnung und Geduld an den Tag und schränkte sich in allen seinen Bedürfnissen bis zum äußersten ein. Vom frühen Morgen bis zum späten Abend wich er nicht von der Stelle; ohne körperlich oder geistig zu erlahmen, schrieb er unermüdlich, ganz vergraben in seine Akten. Er ging überhaupt nicht nach Hause, schlief auf einem Tisch in der Kanzlei, aß zuweilen sogar mit den Bürodienern zusammen und verstand es trotzdem, immer sauber und gepflegt auszusehen, sich ordentlich anzuziehen, ein einnehmendes Gesicht zu machen und seinen Bewegungen sogar etwas Vornehmes zu geben.

Es muß gesagt werden, daß die Beamten seiner Dienststelle allesamt zumindest unscheinbar, vielfach aber sogar mißgestaltet waren. Einige von ihnen hatten Gesichter, die an schlecht aufgegangene Semmeln erinnerten, eine Backe seitwärts gedunsen, das Kinn nach der gegenüberliegenden Seite hin aufgetrieben, die Oberlippe geschwollen wie eine Blase, die obendrein noch geplatzt war – kurzum, gar nicht sehr hübsch. Und dabei drückten sich alle so grob und unfein aus und sprachen mit so rauhen Stimmen, als wären sie gerade im Begriff, jemand totzuschlagen. Auch brachten sie dem Gott Bacchus reichliche Opfer und bewiesen damit, daß sich in der slawischen Seele noch beträchtliche Reste von Heidentum erhalten haben. Häufig erschienen sie sogar angeheitert zum Dienst, so daß es in den Amtsräumen nicht zum Aushalten war, weil die Luft dort keinen sehr aromatischen Eindruck machte. Unter solchen Beamten mußte ja Tschitschikow um so mehr auffallen, als er in allem ihr direktes Gegenteil war, und zwar nicht nur infolge seines sympathischen Gesichts und seiner angenehmen Stimme, sondern weil er sich auch aller starken Getränke enthielt. Dennoch war sein Weg keineswegs leicht. Er bekam nämlich als unmittelbaren Vorgesetzten einen uralten Abteilungsleiter, der geradezu als das Musterbild einer steinernen Gefühllosigkeit und Unerschütterlichkeit gelten konnte. Er blieb immer gleich unnahbar, nie umspielte auch nur das leiseste Lächeln seine Lippen, ja, es war nicht ein einziges Mal vorgekommen, daß er jemand mit der üblichen Frage nach dem Stande der werten Gesundheit begrüßt hätte. Überall war er derselbe, auf der Straße ebenso wie zu Hause. Wenn er doch nur hie und da ein ganz klein wenig Interesse für irgend etwas gezeigt, sich wenigstens einmal betrunken und dann heiter gelacht oder sich im Rausch einem wilden Freudentaumel hingegeben hätte, wie das in diesem Zustande sogar jeder Halsabschneider tut – aber von alledem war auch nicht die geringste Spur bei ihm zu entdecken! Es war ganz einfach nichts da: weder Bosheit noch Güte und es lag etwas Grauenerregendes in diesem absoluten Fehlen von allem und jedem. Sein marmorgleiches Gesicht und die vollkommene Gleichförmigkeit seiner starren Gesichtszüge hatte nichts Menschliches mehr. Und die vielen Pockennarben und Runzeln, die es durchfurchten, machten sein Antlitz zu einem jener Gesichter, auf denen, wie der Volksmund sagt, der Teufel nachts Erbsen drischt. Es schien, als müßte es alle Menschenkraft übersteigen, einem solchen Manne näherzukommen und seine Zuneigung zu gewinnen, aber Tschitschikow versuchte es.

Anfangs war er bemüht, ihm in allerhand Kleinigkeiten gefällig zu sein: er beobachtete aufmerksam, wie die Federn geschnitten waren, die er beim Schreiben benutzte, richtete einige nach diesem Muster her und legte sie ihm griffbereit hin, er blies und wischte den Streusand und Tabak von seinem Arbeitstisch fort, er sorgte für einen neuen Federwischer, er suchte die Mütze des Alten hervor, übrigens die scheußlichste Mütze, die es jemals auf der Welt gegeben hat, und legte sie jeden Tag genau eine Minute vor Schluß der Arbeitszeit neben ihn hin, er bürstete ihm die Rückseite seines Rokkes ab, wenn er damit die gekalkte Wand gestreift hatte – aber alle diese Handreichungen blieben so unbeachtet, als wären sie niemals geschehen.

Schließlich steckte Tschitschikow seine Nase auch in die privaten Verhältnisse des alten Mannes, durchschnüffelte sein Familienleben und stellte fest, daß er eine erwachsene Tochter hatte mit einem Gesicht, das dem des Vaters auf ein Haar glich und auf welchem daher der Teufel ebenfalls nächtlicherweise Erbsen drosch. Und nun versuchte er, sich von dieser Seite her an den Abteilungschef heranzupirschen. Er fand heraus, welche Kirche die Tochter an den Sonn- und Feiertagen besuchte, und stellte sich dort immer gerade ihr gegenüber auf, ungemein sauber gekleidet und mit einem besonders schön gestärkten Vorhemd. Und sieh da – er hatte Erfolg: der unzugängliche Abteilungsleiter ging auf den Leim und lud ihn zum Tee ein! Und in der Kanzlei hatte man noch nicht einmal Zeit gefunden, Lunte zu riechen, als die Angelegenheit schon so weit gediehen war, daß Tschitschikow ganz zu dem Alten übersiedelte und sich im Hause unentbehrlich machte. Er kaufte das Mehl und den Zucker ein, ging mit der Tochter wie mit seiner Braut um, nannte den Abteilungschef »Papachen« und küßte ihm die Hand.

Im Oberfinanzamt wurde allgemein angenommen, daß die Hochzeit bereits Ende Februar vor Beginn der Großen Fasten stattfinden werde. Der Alte fing sogar an, sich bei seinem Vorgesetzten für Tschitschikow zu verwenden, und es dauerte nicht lange, da saß dieser selbst als Abteilungschef auf einem gerade vakant gewordenen Platz. Damit hatte er, so schien es, den Hauptzweck seiner Annäherung vollkommen erreicht, denn am gleichen Tage ließ er seinen Koffer heimlich aus dem Hause des Alten schaffen und schon am nächsten Tage bezog er eine neue Wohnung. Er hörte auf, seinen bisherigen Vorgesetzten »Papachen« zu nennen und ihm die Hand zu küssen, und die Hochzeit fiel einfach unter den Tisch, als wenn überhaupt nichts geschehen wäre. Aber jedesmal, wenn er dem Alten begegnete, drückte er ihm liebenswürdig die Hand und lud ihn zum Tee ein, so daß dieser ungeachtet seiner ewigen Unerschütterlichkeit und seines starren Gleichmuts den Kopf schüttelte und murmelte: »Hereingelegt hat er mich, dieser Satansbraten, einfach hereingelegt!«

Dies war die erste und zugleich schwierigste Klippe, die Tschitschikow zu überwinden gehabt hatte. Von nun an ging alles leichter und glatter. Man fing an, ihn zu beachten, zumal er alle Eigenschaften besaß, die notwendig sind, um sich in dieser Welt durchzusetzen, nämlich angenehme Umgangsformen, gewandtes Auftreten und Geschäftstüchtigkeit. Ausgerüstet mit all diesen Fähigkeiten, erlangte er in kürzester Zeit das, was man ein »warmes Plätzchen« nennt, und nützte es vorzüglich aus. Man muß nämlich wissen, daß gerade damals damit begonnen wurde, gegen die Bestechlichkeit mit äußerster Strenge vorzugehen. Diese Verfolgungen machten ihm indessen nicht die geringsten Sorgen, denn er verstand es ausgezeichnet, sie zu seinem persönlichen Nutzen auszubeuten und dabei eine schöne Probe jenes echt russischen Erfindungsgeistes abzulegen, der besonders in Zeiten eines verstärkten Druckes zutage zu treten pflegt. Er verfuhr dabei folgendermaßen: sobald ein Bittsteller erschien und die Hand in die Tasche steckte, um, wie man sich bei uns in Rußland ausdrückt, die berüchtigten »Empfehlungsschreiben des Fürsten Chowanskij« herauszuziehen, sagte er mit gewinnendem Lächeln, indem er die Hand des Bittstellers zurückschob: »Sie glauben wohl, daß ich ... aber ich bitte Sie, nein, nein! Das ist ja doch unsre Pflicht und Schuldigkeit, das müssen wir ohne jede Vergütung tun! Seien Sie in dieser Beziehung ganz ohne Sorge: bis morgen ist alles erledigt. Darf ich nach Ihrer Adresse fragen? Sie brauchen sich nicht selber herzubemühen, es wird Ihnen alles ins Haus geschickt.« Der entzückte Bittsteller kehrte in höchster Begeisterung nach Hause zurück und dachte: »Endlich mal ein brauchbarer Mensch! Von dieser Sorte können wir nicht genug haben, das ist ja ein wahres Juwel!« Aber der Bittsteller wartete vergeblich. Er wartete einen Tag, er wartete zwei Tage – nichts wird ihm ins Haus gebracht. Am dritten Tag ist es nicht anders. Er begibt sich abermals in die Kanzlei: in seiner Sache ist nicht das geringste geschehen. Er wendet sich wieder an sein wahres Juwel. »Ach, entschuldigen Sie vielmals«, sagt Tschitschikow äußerst entgegenkommend und drückt ihm dabei beide Hände, »wir haben so furchtbar viel Arbeit, aber morgen bestimmt. Wahrhaftig, es ist mir sehr peinlich!« Und das alles war von den bestrickendsten Handbewegungen begleitet. Wenn der Bittsteller hierbei seinen Rock aufmachte, um wiederum in die Tasche zu greifen, so wurde er sofort wieder an diesem Fehlgriff gehindert. Aber weder am nächsten noch am übernächsten noch am dritten Tage kamen die Akten. Der Bittsteller faßte sich an den Kopf: Ja, was ist denn? Stimmt denn da etwas nicht? Er fragt herum und erfährt: »Man muß eben den Schreibern etwas geben.« – »Warum auch nicht?

Fünfundzwanzig Kopeken gern, auch auf fünfzig soll's mir nicht ankommen.« – »O nein, fünfundzwanzig Kopeken genügen nicht, jedem einen weißen Schein.« – »Was, fünfundzwanzig Rubel für jeden Schreiber!« ruft der Bittsteller. »Kein Grund, sich so zu ereifern«, erwidert man ihm, »es kommt ja auf das Gleiche heraus: die Schreiber erhalten je fünfundzwanzig Kopeken und das übrige fließt in die Taschen der Vorgesetzten.« Der nicht gerade erleuchtete Bittsteller schlägt sich mit der Hand vor die Stirn und schimpft in allen Tonarten über alles und jedes in der Welt, die neue Ordnung der Dinge, die Maßnahmen gegen die Bestechlichkeit und die verfeinerten Umgangsformen der Beamten. »Früher wußte man doch wenigstens, wie man sich zu verhalten hatte: man schob dem Kanzleichef einfach einen roten Zehnrubelschein hin und die Sache war gemacht, jetzt muß man jedem einen weißen Schein in die Hand drücken und braucht eine ganze Woche, um überhaupt erst herauszufinden, was da eigentlich gespielt wird ... der Teufel hole die ganze Selbstlosigkeit und Anständigkeit der Beamten!« Der Bittsteller hat natürlich ganz recht, aber dafür gibt es jetzt keine Bestechungen mehr: alle Geschäftsführer sind die redlichsten und edelsten Leute, und nur noch die Sekretäre und Schreiber sind Gauner und Halsabschneider.

Bald eröffnete sich unsrem Helden ein neues, viel weiteres Betätigungsfeld: es wurde eine Kommission für die Errichtung irgendeines großen Dienstgebäudes ernannt. In diese Kommission schlüpfte auch er hinein und wurde eines ihrer aktivsten Mitglieder. Die Kommission nahm ihre Arbeit unverzüglich auf. Sie befaßte sich sechs Jahre lang mit dem Gebäude, aber ob es nun das Klima war, das Schwierigkeiten bereitete, oder das mangelhafte Baumaterial – jedenfalls kam der Neubau in dieser Zeit nicht über das Fundament hinaus. Dafür aber ließen sich die Mitglieder der Kommission in anderen Stadtteilen ungemein ansehnliche Privathäuser im bürgerlichen Stil erbauen: offensichtlich war der Boden dort günstiger. Die Kommissionsmitglieder fingen bereits an, wohlhabend zu werden und sich Familien zuzulegen. Jetzt und erst unter diesen glücklichen Umständen begann auch

Tschitschikow seine unerbittlichen Selbstkasteiungen langsam aufzulockern. Jetzt erst wurde das langjährige Fasten, das er sich selbst auferlegt und aufs strengste eingehalten hatte, gemildert, wobei sich zeigte, daß er verschiedenen Genüssen durchaus nicht abgeneigt war, deren er sich gerade in der Zeit der feurigen Jugend, wo sich doch sonst kein Mensch vollkommen beherrschen kann, peinlich enthalten hatte. Er gestattete sich sogar einen gewissen Luxus, nämlich einen guten Koch und feine holländische Hemden. Auch kaufte er Tuche, wie sie von dieser Qualität im ganzen Gouvernement nicht getragen wurden, und bevorzugte dabei bräunliche und rötliche Stoffe mit Seidenglanz. Schon schaffte er sich einen Wagen und ein Paar auffallend schöne Gäule an und pflegte beim Ausfahren einen Zügel selbst in der Hand zu halten und eines der Pferde tänzeln und sich bäumen zu lassen. Schon hatte er die Gewohnheit angenommen, sich mit einem mit Wasser und Eau de Cologne angefeuchteten Schwamm abzureiben, schon benutzte er eine übrigens alles andre als billige Seife, um seiner Haut eine sammetweiche Glätte zu verleihen, schon ...

Aber plötzlich wurde an Stelle der bisherigen Schlafmütze ein neuer Vorgesetzter ernannt, ein ehemaliger Militär, streng, erklärter Feind jeder Art von Bestechlichkeit und alles dessen, was man unter der Bezeichnung »Durchstecherei« versteht. Gleich am folgenden Tage jagte er allen Beamten bis zum letzten einen fürchterlichen Schrecken ein, verlangte Rechenschaftsberichte, fand sofort Mißbräuche, deckte Unterschlagungen auf, bemerkte zugleich jene ansehnlichen Privathäuser im bürgerlichen Stil und – leitete unverzüglich eine Untersuchung ein. Die kompromittierten Beamten mußten den Dienst quittieren, und die bewußten Häuser im bürgerlichen Stil wurden eingezogen und verschiedenen Schulen und gottgefälligen Anstalten zur Verfügung gestellt. Alles flog an die Luft – und vor allem Tschitschikow. Dem Vorgesetzten mißfiel sein Gesicht, obgleich es doch so angenehm war – warum eigentlich, war nur Gott allein bekannt. Für solche Antipathien gibt es ja zuweilen überhaupt keine Gründe – er konnte ihn einfach in den Tod nicht leiden, der neue

Vorgesetzte. Da dieser aber, wie gesagt, nur ein alter Soldat war, der sich in allen Feinheiten und Kniffen der Zivilisten offenbar nicht genügend auskannte, brachten es die neuen Beamten dank ihrer Anpassungsfähigkeit und eines vorgetäuschten biederen Aussehens fertig, sich bei ihm lieb Kind zu machen, und der General geriet bald in die Hände noch viel abgefeimterer Gauner, die er niemals für solche gehalten hätte. Ja, er rühmte sich sogar, daß er endlich die Richtigen gefunden hätte, und tat sich im Ernst noch viel auf seinen feinen Instinkt zugute, begabte und geeignete Leute ausfindig zu machen. Die Beamten aber hatten seinen Geist und Charakter schnell durchschaut. Alle, die ihm unterstellt waren, verwandelten sich auf einmal in leidenschaftliche Verfolger der Unredlichkeit. Überall und in allem und jedem rückten sie ihr zu Leibe, ähnlich wie der Fischer dem fetten Stör mit seiner Harpune nachstellt, und zwar mit so großem Erfolg, daß jeder von ihnen bereits im Handumdrehen einige tausend Rubel in der Tasche hatte. Aber auch manche der früheren Beamten lenkten reumütig in den Weg der Rechtschaffenheit ein und wurden wieder in Gnaden aufgenommen und eingestellt. Nur Tschitschikow gelang das auf keine Weise, sosehr auch der erste Sekretär des Generals, mit entsprechenden »Empfehlungsschreiben des Fürsten Chowanskij« dazu willig gemacht, sich für ihn bemühte und einsetzte – er konnte nicht das geringste erreichen, obgleich er sonst den General vollkommen an der Nase herumführte. Dieser war nämlich ein Mensch, den man zwar (ohne sein Wissen natürlich) an der Nase herumführen konnte, aber hatte sich einmal irgendeine Idee in seinem Kopfe festgesetzt, so saß sie für alle Zeit fest, wie ein eiserner Nagel, den keine Macht der Erde wieder herausbringen kann. Das einzige, was der pfiffige Sekretär für Tschitschikow tun konnte, war die Vernichtung der seinen Namen befleckenden Führungsliste, aber selbst zu dieser Genehmigung konnte er seinen Chef nur dadurch bewegen, daß er an sein Mitleid appellierte und ihm in lebhaften Farben das traurige Schicksal der unglücklichen Familie Tschitschikows schilderte, die es ja zum Glück überhaupt nicht gab.

»Na, wenn schon!« sagte Tschitschikow. »Eingefädelt, genäht und zerrissen – aber sei's drum, mit Tränen wird nichts wieder heil gemacht, jetzt heißt es, wieder von vorne anfangen.« Und er beschloß, das auch wirklich zu tun, sich von neuem mit Geduld zu wappnen und sich wieder in allem einzuschränken, so behaglich und schön es auch gewesen sein mochte, sich ein wenig gehen zu lassen. Er mußte jetzt in eine andre Stadt übersiedeln und sich dort neu einführen, um die Aufmerksamkeit auf sich zu lenken. Aber nichts wollte so recht klappen. Zwei-, dreimal wechselte er in kurzer Zeit seinen Posten, weil die damit verbundene Tätigkeit äußerst unsauber und ekelhaft war. Man muß nämlich wissen, daß Tschitschikow der wohlanständigste Mensch von der Welt war. Wenn er sich auch anfangs in einer schmierigen Gesellschaft herumdrücken mußte, blieb seine Seele doch immer rein und fleckenlos, und er liebte es daher, wenn die Tische in den Kanzleien aus lackiertem Holz waren und überhaupt alles anständig und nobel aussah. Niemals erlaubte er sich ein unfeines Wort und immer fühlte er sich tief verletzt, wenn andre in ihrer Ausdrucksweise die schuldige Achtung vor Rang und Titel vermissen ließen. Dem Leser wird es gewiß angenehm zu hören sein, daß er jeden zweiten Tag seine Wäsche wechselte und daß er es während der sommerlichen Hitze sogar täglich tat, denn jeder irgendwie unangenehme Geruch beleidigte ihn. Aus diesem Grunde schob er sich jedesmal, wenn Petruschka hereinkam, um ihm beim Auskleiden zur Hand zu gehen und ihn von seinen Schuhen zu befreien, ein Gewürznägelchen in die Nase. In vielen Fällen erwiesen sich seine Nerven sensibler als die eines jungen Mädchens. Deshalb wurde es ihm auch so schwer, von neuem in jene Atmosphäre zurückzukehren, wo es nach Fusel stank und unanständiges Benehmen die Regel war. Wie sehr er sich auch beherrschte, er magerte ab und sah infolge dieser Widrigkeit ganz grün im Gesicht aus. Hatte er doch schon angefangen, Fett anzusetzen und jene schicklichen runden Körperformen anzunehmen, die auch der Leser an ihm kennengelernt hat, und nicht nur einmal hatte er, vor dem Spiegel stehend, an mancherlei Angenehmes gedacht: an eine liebende Gattin, an eine volle Kinderstube, und jedesmal war dabei ein Lächeln über seine Züge gehuscht. Aber wenn er sich jetzt im Spiegel betrachtete, konnte er gar nicht anders, als »Heilige Mutter Gottes, wie abstoßend sehe ich aus!« zu rufen, worauf ihm für lange Zeit jede Lust verging, in den Spiegel zu blicken. Dennoch – unser Held ertrug alles, ertrug es gefaßt und geduldig – und wechselte schließlich zum Zolldienst hinüber. Hier muß eingeflochten werden, daß gerade diese Art von Dienst schon lange der Gegenstand seiner geheimen Wünsche gewesen war. Er hatte nämlich bemerkt, daß sich die Zollbeamten so viele preziöse Sächelchen zulegten. Ach, was war das doch für ein herrliches Porzellan, was für ein phantastischer Batist, den sie ihren Tanten, Vettern und Schwestern zu schenken pflegten! Oft schon hatte er seufzend ausgerufen: »Das wäre so etwas nach meinem Geschmack, die Grenze ist nicht fern, man ist in der Nähe gebildeter und aufgeklärter Leute, und mit was für feinen holländischen Hemden könnte man sich versehen!« Es muß hinzugefügt werden, daß er dabei auch noch eine besondere französische Seife im Auge hatte, welche der Haut eine unwahrscheinliche Weiße und den Wangen eine ganz besondere Frische verlieh. Wie diese Seife hieß, wußte nur der liebe Gott, aber Tschitschikow war überzeugt, daß sie nur an der Grenze zu haben sei. Und so strebte er denn schon seit langem in den Zolldienst. Was ihn bisher noch davon abgehalten hatte, waren die verschiedenen laufenden Profite von der Baukommission, und er überlegte ganz richtig, daß das Zollamt, wie verlockend es auch immer sein mochte, zunächst nur eine Taube auf dem Dach, die Baukommission aber ein Sperling in der Hand sei. Jetzt aber beschloß er, koste es, was es wolle, in den Zolldienst hineinzukommen, und er kam hinein.

Mit ungewöhnlichem Eifer stürzte sich Tschitschikow in die Arbeit. Das Schicksal selbst schien ihn zum Zollbeamten bestimmt zu haben: soviel Scharfblick und Geschicklichkeit hatte man bisher weder gesehen, noch hatte man jemals davon gehört. In drei, vier Wochen war er im Zollwesen schon so zu Hause, daß er buchstäblich alles wußte: er brauchte nichts mehr abzuwiegen oder nachzumessen, auch ohne das konnte er einfach nach der Faktur sagen, wieviel Meter von diesem oder jenem Stoff ein beliebiger Ballen enthielt. Wenn er ein Paket anfaßte, wußte er sofort, wieviel es wog. Aber am erstaunlichsten war er bei den Nachprüfungen und Durchsuchungen – hier ließ er, wie sogar seine Kollegen zugeben mußten, erkennen, daß er einfach die Witterung eines Spürhundes hatte. Es war tatsächlich überraschend, mit welcher Geduld er jeden Knopf beschnüffelte, und das alles ging mit einer wahrhaft mörderischen Kaltblütigkeit und einer fast unwahrscheinlichen Höflichkeit vor sich. Während die Opfer seiner Durchsuchungen vor Wut und Ingrimm außer sich waren und die allergrößte Lust verspürten, ihm seine einnehmende Visage in Stücke zu schlagen, verzog er keine Miene und sagte nur mit unveränderter Liebenswürdigkeit: »Darf ich Sie wohl bitten, sich ein wenig zu rühren und sich von Ihrem Platz zu erheben?« Oder: »Wollen Sie wohl die Güte haben, Gnädigste, sich für einen Augenblick ins Nebenzimmer zu bemühen. Dort wird die Gattin eines unsrer Beamten einige Worte mit Ihnen wechseln.« Oder: »Gestatten Sie, daß ich mit diesem Messerchen das Futter Ihres Mantels ein bißchen auftrenne.« Und schon beförderte er allerhand Tücher, Schals und dergleichen aus dem Mantelfutter ans Tageslicht, was er so gleichmütig tat, als ob er diese Gegenstände seinem eigenen Koffer entnähme. Sogar seine Vorgesetzten erklärten, daß er kein Mensch, sondern ein Teufel sei. Überall suchte und fand er etwas: in den Rädern und Deichseln der Reisekutschen, ja sogar in den Ohren der Pferde und an anderen ganz unwahrscheinlichen Stellen, wo es keinem einzigen Autor jemals einfallen würde nachzuschauen und wo es überhaupt nur dem Zollbeamten gestattet war, seine Nase hineinzustecken, so daß der bedauernswerte Reisende, nachdem er die Grenze passiert hatte, lange Zeit brauchte, bis er wieder zur Besinnung kam. Er wischte sich den Angstschweiß von der Stirn, der aus allen Poren seines Körpers wie ein feiner Ausschlag zutage trat, bekreuzigte sich und murmelte: »Na, na ...« Seine Lage hatte eine verzweifelte Ähnlichkeit mit derjenigen eines soeben dem Lehrer entwischten Schulbuben, dem jener, statt ihm den erwarteten Rüffel zu erteilen, die Hosen gehörig strammgezogen hat.

In kürzester Frist war Tschitschikow der Schrecken und die Heimsuchung aller Schmuggler geworden. Das Leben hatte für sie vollkommen seinen Sinn verloren. Seine Rechtschaffenheit und Unbestechlichkeit waren unüberwindlich, fast übernatürlich. Ja, er verzichtete sogar darauf, auf dem Wege über verschiedene konfiszierte Waren und beschlagnahmte Kleinigkeiten, die, um unnütze Schreibereien zu vermeiden, nicht an die öffentliche Hand abgeliefert wurden, zu einem geringfügigen Kapital zu kommen. Dieser leidenschaftlich-selbstlose Diensteifer mußte natürlich allgemeines Erstaunen hervorrufen und schließlich auch zur Kenntnis der Vorgesetzten kommen. Er erhielt einen Titel und eine Rangerhöhung und reichte darauf der Regierung ein Projekt ein, wie man dem ganzen Schmuggel einen Riegel vorschieben könnte, und bat nur um Anweisung der für die praktische Durchführung seiner Vorschläge erforderlichen Mittel. Sogleich wurde ihm die Leitung und die unbegrenzte Vollmacht übertragen, alle möglichen Ermittlungen und Untersuchungen selber vorzunehmen. Das aber hatte er nur im Auge gehabt. Gerade um diese Zeit hatte sich eine große Schmugglervereinigung gebildet, die sehr überlegt und planmäßig arbeitete. Die freche Bande rechnete mit Millionengewinnen. Tschitschikow hatte schon längst Kenntnis von diesem Unternehmen und einmal bereits Abgesandte desselben, die ihn hatten bestechen wollen, mit der lakonischen Erklärung: »Die Zeit ist noch nicht reif«, abgewiesen. Als er es jedoch so weit gebracht hatte, daß alle Fäden in seiner Hand zusammenliefen, ließ er die Bande sofort wissen: »Jetzt ist der Augenblick gekommen.« Die Rechnung stimmte nur allzu genau. Hier konnte er im Laufe eines einzigen Jahres mehr gewinnen als in zwanzig Jahren angestrengtester Arbeit im Dienst. Bisher hatte er nichts mit den Schmugglern zu tun haben wollen, weil er sozusagen nur zum einfachen Fußvolk gehörte, jetzt aber war die Lage ganz anders, jetzt war er es, der die Bedingungen diktieren konnte. Um der Sache einen reibungslosen Verlauf zu sichern, gewann er noch einen anderen Beamten, einen Kollegen, welcher der Versuchung nicht widerstehen konnte, obgleich er schon graue Haare hatte. Die Bedingungen waren schnell festgelegt, die Bande ging ans Werk, und die ersten Erfolge waren glänzend.

Der Leser wird ohne Zweifel die schon oft wiederholte Geschichte von der spitzfindigen Rußlandreise jener spanischen Hammel gehört haben, die in doppelten Pelzen die Grenze überschritten und zwischen ihren beiden Fellen für eine Million Brabanter Spitzen herüberbrachten. Diese Begebenheit ereignete sich gerade damals, als Tschitschikow beim Zoll angestellt war. Wäre er nicht selber an diesem kühnen Unternehmen beteiligt gewesen, so hätte er eine derartige Sache niemals durchführen können. Schon nach drei oder vier Hammelzügen über die Grenze erwies sich, daß jeder von den beiden Beamten ein Kapital von vierhunderttausend Rubel in der Tasche hatte. Ja, man erzählte sich, daß Tschitschikow sogar gegen fünfhunderttausend ergattert habe, weil er von beiden der Gerissenere war. Gott weiß, bis zu welcher astronomischen Höhe diese gesegneten Profite noch angewachsen wären, wenn ihnen nicht eines Tages irgendeine schwarze Katze über den Weg gelaufen wäre. Der Teufel verwirrte ihnen die Köpfe: um nichts und wieder nichts gerieten sie sich in die Haare. In der Hitze des Wortgefechts – vielleicht hatten sie auch ein bißchen über den Durst getrunken – nannte Tschitschikow seinen Kollegen »Popensohn«, worüber dieser aus unbekannten Gründen – er war nämlich wirklich der Sohn eines Popen – aufs tiefste beleidigt war und auf der Stelle ungewöhnlich heftig und scharf erwiderte: »Du lügst, ich bin ein Staatsrat und kein Popensohn, ein Popensohn bist du selbst!« Und um Tschitschikow noch mehr zu ärgern, setzte er hinterher mit besonderer Betonung hinzu: »Jawohl, so liegen die Dinge!« Obwohl er es Tschitschikow auf diese Weise gehörig gegeben und die Beleidigung mit der nachgeschleuderten Bekräftigung »Jawohl, so liegen die Dinge!« noch weiter verschärft hatte, war er davon so wenig befriedigt, daß er Tschitschikow außerdem noch durch eine geheime Denunziation bei der vorgesetzten Behörde verdächtigte. Übrigens munkelte man, daß es ohnehin zwischen den beiden zu Zwistigkeiten gekommen sei, und zwar wegen eines jugendfrischen und handfesten Weibsbilds, das, wie die Zollbeamten sich ausdrückten, so saftig wie eine Rübe war. Auch erzählte man sich, daß Leute gedungen waren, unsren Helden während der abendlichen Dämmerung in einem dunklen Gäßchen eine tüchtige Tracht Prügel zu verabfolgen, schließlich seien aber die Rivalen in gleicher Weise an der Nase herumgeführt worden, denn ein gewisser Stabskapitän namens Schamscharow habe ihnen das Mädchen weggeschnappt. Doch wie es damit in Wirklichkeit bestellt gewesen war, weiß Gott allein, der Leser mag sich das selber ausmalen. Die Hauptsache ist, daß die geheimen Beziehungen zu den Schmugglern jetzt offenkundig geworden waren. Der Staatsrat hatte, wenn er dabei auch selber zu Fall gekommen war, seinen Kollegen gründlich hereingelegt. Die beiden wurden vor Gericht gestellt und alles, was sie besaßen, versiegelt, beschlagnahmt und eingezogen. Das alles traf sie wie ein Blitz aus heitrem Himmel, und als sie aus ihrer Betäubung wieder zur Besinnung kamen, sahen sie mit Schrekken, was sie angerichtet hatten.

Der Staatsrat widerstand diesem Schicksalsschlage nicht, sondern ging in irgendeinem einsamen Winkel zugrunde, aber der Kollegienrat Tschitschikow hielt stand. Er hatte es verstanden, einen Teil seines Profits zu verheimlichen, so fein die Spürnasen der zur Untersuchung angereisten Vorgesetzten auch waren. Er hatte alle Kniffe angewandt, die ihm als einem nur allzu erfahrenen Manne, der über eine gute Menschenkenntnis verfügte, zu Gebote standen: hier führte er seine angenehmen Umgangsformen ins Feld, dort suchte er durch rührende Äußerungen Eindruck zu machen, den einen war er mit Schmeicheleien zu gewinnen bemüht, die ja unter keinen Umständen schaden können, dem anderen steckte er einige Geldscheine zu – kurzum, er führte seine Sache zumindest so geschickt, daß seine Entfernung aus dem Dienst lange nicht so schmählich ausfiel wie die seines Kollegen und daß er der strafrechtlichen Verfolgung entging. Allerdings: von seinem Kapital und den verschiedenen ausländischen Sächelchen war kaum noch etwas übriggeblieben: für alle diese

Dinge hatten sich andre Liebhaber gefunden. Immerhin – es war ihm gelungen, noch zehntausend Rubel für den Notfall, zwei Dutzend holländische Hemden, eine kleine Junggesellenkutsche und zwei Leibeigene, den Kutscher Selifan und den Diener Petruschka, aus dem ganzen Zusammenbruch zu retten. Dazu kamen noch – zur Pflege seiner zarten Wangen – fünf oder sechs Riegel Seife, welche ihm die übrigen Zollbeamten aus lauter Herzensgüte zum Abschied überreicht hatten. Das war aber auch alles.

So also war die Lage, in welcher sich unser Held von neuem befand. So sah das ungeheure Mißgeschick aus, das über sein Haupt hereingebrochen war und das er »im Dienst um der Wahrheit willen leiden« zu nennen pflegte. Nun hätte man eigentlich annehmen sollen, daß er sich nach solchen Stürmen, Heimsuchungen, Schicksalsschlägen und soviel Kummer im Leben mit seinen restlichen zehntausend Rubeln, die er mit so blutiger Mühe gerettet hatte, in irgendein friedliches Kreisstädtchen zurückziehen würde, um dort zu versauern. Da hätte er dann wohl tagaus, tagein, in einen Kattunschlafrock gehüllt, im Fenster eines niedrigen Häuschens gelegen und von hier aus an Sonn- und Festtagen Bauernstreitigkeiten auf der Straße geschlichtet oder wäre, um sich ein wenig zu erfrischen, in den Hühnerstall hinübergegangen, um das für die Suppe vorgesehene Huhn zu begutachten, und hätte auf diese Weise sein Dasein zwar ohne viel Lärm, aber in seiner Art doch auch nicht ganz nutzlos verbracht. Indessen, so kam es nicht. Man muß vielmehr seiner unerschütterlichen Charakterstärke Gerechtigkeit widerfahren lassen. Nach alledem, was genügt hätte, einen Menschen, wenn auch nicht umzubringen, so doch für den Rest seines Lebens abzukühlen und zu besänftigen, war in ihm das Feuer der Leidenschaft durchaus nicht erstickt. Er war bekümmert, verärgert, er schimpfte über die ganze Welt, empörte sich gegen die Ungerechtigkeit des Schicksals, fluchte über die Niedertracht der Menschen und konnte es dennoch nicht lassen, immer wieder Versuche zu machen. Mit einem Wort, er legte eine Unbeirrbarkeit an den Tag, der gegenüber die hölzerne Geduld des Deutschen, die bekanntlich in seinem langsamen und trägen Blutumlauf ihren Grund hat, rein gar nichts ist. Tschitschikows Blut dagegen pulsierte stürmisch in seinen Adern und es bedurfte schon eines eisernen Willens, alles das im Zaum zu halten, was immerfort hervorbrechen wollte, um sich in Freiheit auszuleben. Er grübelte viel, und es war nicht von der Hand zu weisen, daß in seinen Überlegungen auch mancherlei Richtiges steckte: Warum denn ich? Warum mußte gerade mich das Unglück ereilen? Wer schläft denn heute noch in seinem Dienst – jeder sieht zu, daß er gut verdient! Hab ich denn eine Witwe beraubt, jemand zum Bettler gemacht? Hab mich doch nur am Überfluß schadlos gehalten, nur dort genommen, wo's jeder andere gleichfalls getan hätte. Hätt ich die Gelegenheit nicht am Schopfe gepackt, hätten's andre statt meiner getan. Warum glückt's andern, während ich allein wie ein Wurm getreten werde? Wie stehe ich jetzt da? Wozu tauge ich noch? Kann ich einem ehrbaren Familienvater überhaupt noch ins Auge sehen? Muß ich nicht Gewissensbisse haben, da ich doch weiß, daß ich die Erde nutzlos belaste? Und was werden meine Kinder sagen? »Schaut euch mal unsren Vater an«, werden sie sagen, »er war ein Lump, er hat uns nichts hinterlassen!«

Wie wir bereits wissen, war Tschitschikow sehr besorgt um seine Nachkommenschaft. Eine heikle Angelegenheit! Schwerlich würde ein anderer seine Hand so tief in fremde Brieftaschen stecken, wenn sich ihm die Frage: »Und was werden meine Kinder sagen?« Gott weiß warum immer wieder aufdrängen würde. Und so greift denn der künftige Stammvater, vorsichtig wie ein Kater, der nach allen Seiten schielt, ob ihn der Hausherr nicht sieht, schnell nach allem, was gerade in greifbarer Nähe ist. Ganz gleich, ob es sich um ein Stück Seife handelt, eine Kerze, eine Speckschwarte oder um den Kanarienvogel, der seiner Pfote erreichbar ist – er nimmt alles und läßt überhaupt nichts liegen. Unser Held klagte zwar und jammerte, aber gleichzeitig arbeitete es in seinem Kopfe beharrlich weiter. Unaufhörlich wollte da irgend etwas Gestalt annehmen und wartete nur auf einen entsprechenden Plan. Wieder zog Tschitschikow sich wie ein Igel zusammen, bereit, von neuem ein mühseliges Arbeitsleben zu beginnen; wieder fing er an, sich in allem und jedem einzuschränken; wieder mußte er auf einen bequemen Lebenszuschnitt verzichten und sich in ein unsauberes und elendes Dasein schicken. So war er in der Hoffnung auf etwas Besseres gezwungen, sich sogar als Winkeladvokat zu betätigen – ein Beruf, der sich damals in Rußland noch nicht recht eingebürgert hatte. Von allen Seiten gestoßen, getreten und schlecht behandelt, von dem niedersten Beamtenvolk, ja selbst von seinen eigenen Klienten mißachtet, sah er sich dazu verurteilt, in den Vorzimmern zu antichambrieren und dabei Grobheiten und andere Demütigungen widerspruchslos hinzunehmen. Aber die Not trieb unsren Helden dazu, sich auf alles einzulassen.

Unter den Geschäften, die ihm übertragen wurden, fiel ihm auch der Auftrag zu, beim Vormundschaftsgericht die Verpfändung einiger hundert Bauern zu betreiben. Das Gut, zu dem die Bauern gehörten, war völlig heruntergewirtschaftet. Viehseuchen, betrügerische Verwalter, Mißernten, Epidemien, welche die besten Arbeitskräfte dahinrafften, und endlich der Leichtsinn des Gutsbesitzers selbst hatten es zugrunde gerichtet. Der Besitzer hatte sich in Moskau ein nach der neuesten Mode eingerichtetes Haus gebaut und dabei sein ganzes Vermögen bis auf die letzte Kopeke vergeudet, so daß er kaum noch etwas zu essen hatte. Daher blieb ihm nichts andres übrig, als das letzte Gut, das er noch besaß, dem Fiskus zu verpfänden. Dies war damals noch etwas Neues, wozu man sich nicht ohne Besorgnis bereit fand. Nachdem Tschitschikow in seiner Eigenschaft als Bevollmächtigter alle Beteiligten in die nötige Stimmung versetzt hatte (ohne diese Vorbereitung ist bekanntlich nicht einmal die simpelste Auskunft zu erhalten – man muß mindestens eine Flasche Madeira in jede Kehle hineinfließen lassen!), nachdem er also auf diese Weise für gutes Wetter gesorgt hatte, erklärte er, daß unter anderem folgender Umstand in Betracht gezogen werden müsse, damit hinterher keine Klagen laut würden, nämlich die Hälfte der in Frage kommenden Bauern sei tot ... »Ihre Namen stehen aber doch alle in der Revisionsliste?« fragte der Sekretär. »Ganz recht«, erwiderte Tschitschikow.

»Na also, was fürchten Sie denn?« sagte der Sekretär, »der eine stirbt, der andre wird geboren, somit ist unsre Sache nicht verloren.« Wie man sieht, konnte der Sekretär sogar in Versen sprechen. In diesem Augenblick kam unsrem Helden der genialste Einfall, der jemals in einem menschlichen Hirn aufgeblitzt ist. »Ach, ich Grützkopf«, sagte er zu sich selbst, »suche ich meine Handschuhe und habe sie doch am Gürtel hängen! Hätte ich nur all diese Bauern, die schon gestorben sind, aufgekauft, bevor die neuen Revisionslisten eingereicht werden, hätte ich, sagen wir mal, tausend Seelen gekauft, und angenommen, das Vormundschaftsgericht hätte mir zweihundert pro Stück gegeben – da hätte ich gleich meine zweihunderttausend Rubel beisammen gehabt! Der Zeitpunkt ist günstig: erst kürzlich noch hat es Epidemien gegeben, an denen, dem Himmel sei Dank, nicht wenig Leute gestorben sind! Die Gutsbesitzer haben ihr Geld verspielt, gehörig herumgesoffen und schließlich ihren ganzen Besitz verjubelt. Alles hat sich nach Petersburg in den Staatsdienst geflüchtet. Die verlassenen Güter werden, wie's grade kommt, verwaltet, von Jahr zu Jahr wird's schwerer, die Steuern zu bezahlen, und jeder wird mir seine toten Bauern mit Freuden abtreten, schon um keine Kopfsteuer mehr für sie zahlen zu müssen, ja, in manchen Fällen werde ich sogar noch ein paar Kopeken draufgezahlt bekommen. Gewiß, es wird schwierig sein, allerhand Scherereien machen und die Gefahr mit sich bringen, daß wieder mal eine Affäre daraus entsteht. Aber zu irgendeinem Zweck hat der Mensch doch seinen Verstand! Auf alle Fälle ist gut an der Sache, daß sie so unwahrscheinlich ist – kein Mensch wird sie ernstlich glauben. Allerdings – ohne Land kann man weder kaufen noch pfänden. Aber natürlich, ich werde zu Ansiedlungszwecken kaufen, jawohl, zu Ansiedlungszwecken! Im Gouvernement Cherson und im Taurischen Gouvernement erhält man jetzt Land umsonst, wenn man nur ansiedelt. Also: ich siedle dort an. Auf nach Cherson! Dort mögen sie leben! Die Ansiedlung kann auf legalem Wege erfolgen durch die Behörden. Und sollte man sich bemüßigt fühlen, die Bauern in Augenschein zu nehmen – o bitte sehr! Warum auch nicht? Ich habe nicht das geringste dagegen. Ich lege einfach ein Zeugnis mit der eigenhändigen Unterschrift irgendeines Hauptmanns der Landpolizei vor. Und das Dorf könnte Tschitschikowo oder nach meinem Taufnamen Pawlowskoje heißen ...« Und dergestalt formte sich im Kopf Tschitschikows dieser denkwürdige Einfall, von dem ich freilich nicht weiß, ob die Leser dafür dankbar sein werden. Der Autor dagegen ist es, und zwar in einem Maß, wie es in Worten überhaupt nicht auszudrücken ist, denn sagt, was ihr wollt, hätte Tschitschikow diesen Einfall nicht gehabt – diese Dichtung wäre niemals erschienen!

Nachdem Tschitschikow sich nach russischer Sitte bekreuzigt hatte, machte er sich daran, seinen Plan in die Tat umzusetzen. Indem er vorgab, er sei auf der Suche nach einem Wohnsitz, und unter anderen Vorwänden machte er sich auf, um sich diese oder jene Winkel im Reich anzusehen, vor allem solche, die mehr als andre unter Mißernten, großer Sterblichkeit und anderen Heimsuchungen zu leiden gehabt hatten, mit einem Wort, Gegenden, wo man am leichtesten und billigsten die erwünschten Seelen würde kaufen können. Er wandte sich nicht etwa aufs Geratewohl an jeden beliebigen Gutsbesitzer, sondern suchte sich die Leute, die mehr nach seinem Geschmack waren, aus, nämlich solche, mit denen sich Geschäfte dieser Art ohne besondere Schwierigkeiten würden abschließen lassen. Zu diesem Zweck bemühte er sich, zunächst ihre Bekanntschaft zu machen und ihre Sympathien zu gewinnen, um die Seelen, wenn möglich, nicht für Geld, sondern umsonst und lediglich aus Freundschaft zu bekommen. Deshalb darf der Leser es dem Autor nicht verübeln, wenn die Personen, die bisher in Erscheinung getreten sind, nicht gerade nach seinem Geschmack waren: es ist nicht seine, sondern Tschitschikows Schuld. Hier ist er allein der Herr und wir müssen ihm eben folgen, wohin es ihm gefällt uns zu führen. Wir unsrerseits, wenn man uns dafür verantwortlich machen sollte, daß die Personen und Charaktere allzu blaß und undurchsichtig ausgefallen sind, können nur immer sagen, daß man nicht schon gleich zu Beginn einer Sache ihren breiten Verlauf und ganzen Umfang zu übersehen vermag. Auch die Einfahrt in gleichviel welche Stadt, und sei es sogar die Hauptstadt, wird immer irgendwie farblos sein. Alles wird grau und eintönig wirken; endlos ziehen sich rauchgeschwärzte Fabriken dahin. Erst später heben sich dann die sechsstöckigen Häuser, Läden und Firmenschilder ab und die eindrucksvollen Straßenperspektiven mit ihren Glockentürmen, Kolonnaden und Denkmälern in dem ganzen städtischen Glanz und Lärm und alle Wunder, die Menschenhand und Menschengeist geschaffen haben, kommen zur Geltung.

Wie die ersten Seelenkäufe zustande kamen, hat der Leser bereits gesehen. Welche Erfolge und Niederlagen unsren Helden noch erwarten, wie er noch weit schwierigere Hindernisse wird aus dem Wege räumen und überwinden müssen, welche großartigen Bilder sich enthüllen, welche verborgenen inneren Triebkräfte unsrer breit ausladenden Erzählung sich offenbaren, welche Horizonte sich über ihr öffnen werden und in was für einem erhabenen lyrischen Pathos sie schließlich noch dahinströmen wird – das alles wird der Leser später erfahren. Es ist ja ein weiter Weg, den die Reisegesellschaft noch vor sich hat, die aus einem Herrn in den besten Jahren, dem Diener Petruschka und dem Kutscher Selifan besteht, allesamt in einer Kutsche sitzend, wie sie mit Vorliebe von Junggesellen benutzt wird, bespannt mit den uns bekannten drei Gäulen, vom »Beisitzer« bis zum nichtswürdigen Schekken. Und da haben wir ihn also vor Augen, unsren Helden, wie er leibt und lebt! Aber vielleicht wird man sich noch eine letzte Ergänzung seines Charakterbildes wünschen durch die Beantwortung der Frage: »Was ist er nun eigentlich für ein Mensch in moralischer Hinsicht?« Daß er kein mit allen Tugenden und Vollkommenheiten ausgestatteter Held ist – das weiß man genau. Aber was ist er denn sonst? Ist er vielleicht ein schlechter, ein verworfener Mensch? Doch warum gleich mit einem so scharfen Tadel zur Hand sein! Jetzt gibt's ja keine verworfenen Leute mehr, sondern nur noch wohlgesinnte und angenehme; solche, die an den Schandpfahl gehörten, um dort in aller Öffentlichkeit den wohlverdienten Backenstreich entgegenzunehmen, sind kaum mehr zu finden. Höchstens, daß man noch zwei oder drei auftreiben könnte, und selbst die führen nur noch die Tugend im Munde. Um ihm Gerechtigkeit widerfahren zu lassen, müßte man ihn eher einen »haushälterischen Spießbürger«, einen »meisterlichen Profitjäger« nennen. Die Erwerbsgier ist an allem schuld. Sie ist die eigentliche Ursache jener Geschäfte, denen die Welt die Bezeichnung »nicht ganz sauber« gibt. In einem solchen Charakter steckt in der Tat etwas Abstoßendes, und der gleiche Leser, der sich auf seinem Lebenswege mit einem solchen Menschen befreundet, ihn in seinem Hause empfängt und in seiner Gesellschaft die Zeit verbringt, wird ihn gleichwohl schief ansehen, wenn er ihm in einem Drama oder einer erzählenden Dichtung als Helden begegnet. Aber weise ist der, der sich an einem Charakter überhaupt nicht stößt, sondern ihn unter die Lupe nimmt und die innersten Beweggründe seines Handelns zu erforschen und zu verstehen sucht. Wie schnell kann sich doch alles im Menschen wandeln! Ehe man sich's versieht, ist in sein Inneres ein Wurm eingedrungen, der immer größer und größer wird und rücksichtslos alle Lebenssäfte aufsaugt. Und immer wieder ist es vorgekommen, daß bei einem Menschen, der zu ungewöhnlichen Taten geboren schien, durchaus nicht nur eine große Leidenschaft so übermächtig erstarkte, daß sie alle andren Regungen erstickte, sondern oft schon ließ ihn irgendeine minderwertige Neigung seine heiligsten Verpflichtungen vergessen und in armseligen Nichtigkeiten etwas Hohes und Anbetungswürdiges erblicken. Unzählig wie die Sandkörner am Meeresstrande sind die menschlichen Leidenschaften und nicht eine ist der andren gleich, aber alle, die edlen wie die unwürdigen, sind zunächst dem Menschen untertan und werden erst später zu seinen grausamen Beherrschern. Beneidenswert ist derjenige, der sich von allen die edelste auswählt: täglich und stündlich mehrt und vervielfältigt sich sein Glück, und immer tiefer dringt er in das unermeßliche Paradies seiner Seele ein. Aber es gibt auch Leidenschaften, deren Wahl nicht in die Hand des Menschen gelegt ist. Sie wurden ihm schon bei seiner Geburt auf den Lebensweg mitgegeben und es steht nicht bei ihm, sich ihnen zu entziehen. Einer höheren Macht gehorchend, haben sie etwas ewig Ruhendes und Lockendes, das zeit seines Lebens nicht verstummt. Gleichviel, ob sie als düstere oder als lichtvolle, weltbeglückende Erscheinungen an uns vorüberziehen – sie sind bestimmt, ihre Mission hier auf Erden zu erfüllen, dem Menschen das ihm unbekannte Heil zu bringen. So ist es gut möglich, daß die Leidenschaft, die Tschitschikow beseelte und fortriß, nicht aus ihm selber kam und daß in seinem kalten Wesen etwas beschlossen war, was einmal den Menschen in den Staub und auf die Knie niederzwingen wird vor der Weisheit des Himmels. Und es ist noch ein Geheimnis, warum seine Gestalt gerade in dieser Dichtung erscheinen mußte, die jetzt in das Licht der Welt tritt.

Aber nicht das ist bitter, daß man mit diesem Helden unzufrieden sein wird. Bitter ist, daß in der Seele die unerschütterliche Gewißheit lebendig ist, die Leser hätten sich dennoch mit demselben Helden, dem gleichen Tschitschikow, zufriedengegeben. Hätte nämlich der Autor ihm nicht so tief ins Herz geblickt, hätte er nicht alles das aufgedeckt, was sich auf dem Grunde seines Herzens lichtscheu vor den Augen der Welt verbirgt, hätte er nicht die geheimsten Gedanken, die kein Mensch einem andren gegenüber preisgibt, bloßgelegt, sondern sich damit begnügt, ihn so darzustellen, wie er der ganzen Stadt, Manilow und anderen Leuten erschienen war – alle Welt wäre höchst befriedigt gewesen und hätte Tschitschikow für einen ungemein interessanten Menschen gehalten. Allerdings wäre uns dann sein Gesicht und seine ganze Gestalt nicht so lebendig vor Augen getreten, dafür aber wäre der Leser bei der Lektüre nicht aus dem inneren Gleichgewicht gebracht worden und man hätte sich seelenruhig wieder an den Kartentisch gesetzt, der ja der Tröster von ganz Rußland ist. Ja, meine verehrten Leser, ihr wollt nun einmal die ungeschminkte menschliche Armut nicht sehen. »Warum sollten wir auch«, werdet ihr fragen, »wozu soll das eigentlich dienen? Wissen wir denn nicht selber, daß es viel Törichtes und Verächtliches gibt auf der Welt? Wir haben ja ohnehin Gelegenheit genug, Dinge zu sehen, die alles andre eher als tröstlich sind. Führen Sie uns doch lieber nur

Schönes und Anziehendes vor! Lassen Sie uns doch uns selber vergessen!« – »Warum, Bruder, erzählst du mir, daß es schlecht um meine Wirtschaft bestellt ist?« sagt ein Gutsbesitzer zu seinem Verwalter. »Es ist mir nichts Neues. Hast du mir denn gar nichts andres zu sagen? Laß mich das alles vergessen – nur dann bin ich glücklich.« Und alles Geld, das ausgereicht hätte, diese Mißstände zu beseitigen und der Wirtschaft wieder ein wenig aufzuhelfen, wird für allerhand Mittel verausgabt, die dazu dienen sollen, sich selbst zu vergessen. So wird der Geist eingeschläfert, der möglicherweise eine Quelle reicher Hilfsmittel entdeckt hätte, und schon kommt das Gut unter den Hammer und der Besitzer muß zum Bettelstab greifen – er, der sich jetzt so weit vergessen hat, daß er zu jeder Gemeinheit fähig ist, vor der er früher mit Abscheu zurückgeschreckt wäre.

Noch weitere Anklagen werden gegen den Autor erhoben, und zwar von den sogenannten Patrioten, die ruhig in ihren warmen Winkeln sitzen und sich mit ganz untergeordneten Dingen beschäftigen. Sie häufen Kapitalien an und schaffen sich ein bequemes Leben auf Kosten anderer. Wenn jedoch irgend etwas geschieht, was nach ihrer Meinung dem Vaterland abträglich ist, sobald zum Beispiel ein Buch erscheint, das eine bittre Wahrheit enthält, kommen sie aus allen Ecken herbei wie die Spinnen, wenn sich eine Fliege in ihrem Netz verfangen hat, und erheben ein lautes Geschrei. »Ist es denn notwendig«, zetern sie, »das offen auszusprechen und an die große Glocke zu hängen? Ist denn das alles, was hier beschrieben wird, nicht unsre ureigenste Angelegenheit? Ist es also gut und zweckmäßig, es hier auszuposaunen? Und was werden die Ausländer sagen? Ist es vielleicht angenehm, eine geringschätzige Meinung über sich selbst zu hören?« Und sie denken: »Ist das nicht schmerzlich? Sind wir nicht Patrioten?« Auf solche weise Bemerkungen, besonders hinsichtlich der Ausländer, habe ich, offen gestanden, keine Antwort, es sei denn folgende Geschichte: In einem ganz entlegenen Winkel Rußlands lebten zwei Einwohner. Der eine von ihnen hieß Kifa Mokjewitsch. Er war Familienvater und ein gutmütiger Bursche, der sein Leben im Schlafrock verbrachte und sich gar nicht mit seiner Familie, aber um so mehr mit philosophischen Grübeleien, insbesondere mit folgender Frage befaßte: »Da ist«, sagte er, im Zimmer umhergehend, »zum Beispiel das Tier. Es wird nackt geboren. Warum gerade nackt? Warum kriecht es nicht wie der Vogel aus dem Ei? Tatsächlich ... man versteht die Natur um so weniger, je mehr man sich in sie vertieft!« So dachte der Einwohner Kifa Mokjewitsch. Aber das ist noch nicht die Hauptsache. Der andre Einwohner hieß Mokij Kifowitsch, war der Sohn des ersteren und das, was man in Rußland einen Recken nennt. Während der Vater sich mit der Art, wie Tiere zur Welt kommen, befaßte, drängte die zwanzigjährige breitschultrige Natur des Sohnes dazu, sich zu entfalten und auszuleben. Nichts konnte er leicht und vorsichtig anfassen: sogleich ging jemandem der Arm entzwei, oder einer hatte plötzlich eine Beule auf der Nase. Alle im Hause und in der Nachbarschaft, vom Hofmädchen bis zum Hofhund, ergriffen die Flucht, sobald er sich zeigte, selbst sein eigenes Bett schlug er in Stücke. So war Mokij Kifowitsch, übrigens ebenfalls ein herzensguter Bursche. Aber auch das ist noch nicht die Hauptsache. Diese besteht in folgendem: »Um Gottes willen, Väterchen, gnädiger Herr, Kifa Mokjewitsch«, sagten die Hausleute und die Dienstboten der Nachbarn, »was ist das eigentlich mit deinem Mokij Kifowitsch? Er ist so zudringlich und läßt keinen Menschen in Ruhe!« – »Freilich ist er ein Spaßvogel«, meinte dann gewöhnlich der Vater, »aber was läßt sich dagegen tun? Verprügeln kann ich ihn nicht mehr, dazu ist es zu spät, alle würden mir Grausamkeit nachsagen. Er ist ja ein so zartbesaiteter Mensch, Vorhaltungen in Gegenwart anderer würde er sich wohl kaum zu Herzen nehmen – aber die Öffentlichkeit, das ist eben der Jammer. Wenn die Stadt es erfährt, wird sie ihn gleich einen Hundesohn nennen. Denkt man vielleicht, daß mir das nicht schmerzlich sein würde? Bin ich denn nicht der Vater? Wenn ich mich auch mit der Philosophie befasse und für anderes ab und zu keine Zeit habe – bin ich deshalb etwa nicht der Vater? Natürlich bin ich's, hol's der Teufel, ich bin es. Und hier im väterlichen Herzen trage ich meinen Mokij Kifowitsch!«

Und Kifa Mokjewitsch schlug sich mit der Faust kräftig vor die Brust und war ganz außer sich: »Wenn er schon ein Hundesohn sein und bleiben soll, so möge man es wenigstens nicht aus meinem Munde hören, nicht ich will es sein, der ihn preisgegeben hat!« Und nachdem er auf diese Weise seine väterlichen Gefühle zum Ausdruck gebracht hatte, ließ er ruhig Mokij Kifowitsch seine Heldentaten fortsetzen und wandte sich selbst wieder seiner Lieblingsbeschäftigung zu, indem er sich zum Beispiel folgende Frage vorlegte: »Angenommen, die Elefanten legten Eier, müßten in diesem Falle die Eierschalen nicht so dick sein, daß selbst Kanonenkugeln sie nicht zertrümmern könnten? Wahrhaftig, es wird Zeit, daß eine neue Feuerwaffe erfunden wird.« So verbrachten ihr Leben zwei Bewohner eines geruhsamen Erdenwinkels, die unerwartet am Schluß unsrer Erzählung wie aus einem Fenster herausblicken, um in ihrer bescheidenen Weise auf die Vorwürfe einiger glühender Patrioten zu erwidern, die sich bisher seelenruhig mit irgendeiner Philosophie oder mit der Vermehrung ihres Wohlstandes auf Kosten des von ihnen so heiß geliebten Vaterlandes beschäftigt und keinerlei Wert darauf gelegt haben, nichts Böses zu tun, sondern lediglich darauf, daß man nicht etwa sage, sie täten Böses. Doch nein, im Grunde ist gar nicht der Patriotismus die Ursache dieser Beschuldigungen – es ist etwas ganz anderes, was sich dahinter verbirgt. Warum es verschweigen, denn wer, wenn nicht der Autor, ist verpflichtet, mit der heiligen Wahrheit herauszurücken? Ihr fürchtet den scharfen, durchdringenden Blick, ihr scheut euch, selbst eure Aufmerksamkeit auf die Dinge zu richten, ihr zieht es vor, gedankenlos und mit leerem Blick über alles hinwegzugleiten. Vielleicht lacht ihr auch von Herzen über Tschitschikow, ja, es ist möglich, daß ihr sogar den Autor loben und sagen werdet: »Wie fein hat er doch manches beobachtet! Er muß wohl ein Mensch von heitrer Sinnesart sein!« Und nachdem ihr das alles geäußert habt, werdet ihr euch mit verdoppeltem Stolz euch selber zuwenden und mit selbstzufriedenem Lächeln hinzufügen: »Man muß wirklich sagen, in einigen Provinzen gibt es doch höchst merkwürdige und mehr als komische Leute und große Gauner dazu!« Wer aber von euch wird sich in wahrhaft christlicher Demut, nicht öffentlich, sondern im stillen Kämmerlein, in einer Stunde einsamer Selbstbesinnung die schwere Frage vorlegen: »Steckt nicht auch in mir etwas von Tschitschikow? Ist das nicht wirklich der Fall?« Laßt dagegen an einem beliebigen Menschen irgendeinen Bekannten, gleichviel ob von höherem oder niederem Rang, vorübergehen – sogleich wird er seinen Nachbarn in die Seite stoßen und, während er sich vor Lachen fast ausschüttet, sagen: »Schau mal, da geht Tschitschikow vorüber, der leibhaftige Tschitschikow!« Und dann wird er sich wie ein Kind benehmen, jeden Anstand, den er seiner Stellung und seinem vorgeschrittenen Alter schuldig ist, vergessen, hinter ihm herrennen und ihm höhnend und spottend nachrufen: »Tschitschikow! Tschitschikow!«

Aber wir sprechen viel zu laut und vergessen vollkommen, daß unser Held, der während der Erzählung seiner Lebensgeschichte geschlafen hat, schon wieder aufgewacht ist und seinen so häufig wiederholten Namen gehört haben kann. Er ist ja sehr empfindlich und wird verstimmt, wenn man sich unehrerbietig über ihn äußert. Dem Leser kann es zwar gleichgültig sein, ob Tschitschikow sich über ihn ärgert oder nicht, aber was den Autor betrifft, so darf er sich unter gar keinen Umständen mit seinem Helden entzweien: er muß ja noch eine nicht geringe Wegstrecke Arm in Arm mit ihm zurücklegen, zwei umfangreiche Teile dieser Erzählung liegen ja noch vor ihm – und das ist wahrhaftig keine Kleinigkeit!

»Heda, was machst du?« rief Tschitschikow Selifan zu.

»Was denn?« fragte Selifan verschlafen zurück.

»Wieso, was denn? Was ist da noch zu fragen, du Schwachkopf, rühr dich, fahr zu!«

Tatsächlich fuhr Selifan schon längere Zeit mit fast geschlossenen Augen und klopfte im Halbschlaf nur hin und wieder mit den Zügeln den gleichfalls schlafenden Pferden auf den Rücken. Petruschka war schon längst, Gott weiß wo, die Mütze vom Kopfe gefallen. Er selbst war hintenüber gesunken und stützte seinen Kopf gegen Tschitschikows Knie, so daß dieser ihm einen ordentlichen Stoß geben mußte.

Selifan wurde munter und versetzte dem Schecken einige tüchtige Hiebe, bis dieser anfing zu traben. Dann schwenkte er seine Peitsche über allen drei Pferden und rief mit dünner, singender Stimme: »Nur keine Angst!« Die Gäule zogen kräftig an und das leichte Gefährt flog wie eine Flaumfeder dahin. Selifan fuchtelte mit der Peitsche und schrie: »He, he, he!« wobei er gleichmäßig auf dem Bock hin und her schaukelte, während die Troika die Hügel hinauf- und hinabsauste, über welche die Poststraße hinwegführte. Tschitschikow lächelte vergnügt, denn er liebte ein hurtiges Tempo. Welcher Russe hat das schnelle Fahren nicht gern? Wie sollte auch derjenige, dessen Herz sich immer nach Rausch und pulsierendem Leben sehnt und der oft laut ausrufen möchte: »Hol doch alles der Teufel!« das schnelle Fahren nicht lieben, da doch etwas so Wunderbares und Begeisterndes darin liegt? Es ist ja, als höbe dich eine unbekannte Macht auf ihre Flügel, du fliegst dahin und alles fliegt mit dir: die Kilometerpfähle, die Kaufleute samt ihren halbverdeckten Wagen, der Wald zu beiden Seiten der Straße mit seinen Reihen dunkler Tannen und Fichten, seinem Holzhackerlärm und seinem Krähengekrächze. Es fliegt die ganze Poststraße, Gott weiß wohin, in ungewisse Fernen. Und etwas Erschreckendes liegt in diesem Aufzucken und ebenso plötzlichen Wiederverschwinden, ohne daß Formen und Umrisse deutlich erkennbar werden. Nur der Himmel über deinem Haupt, die leichten Wölkchen, die ihn bedecken, und der aus ihnen hervortretende Mond scheinen dir unbeweglich stillzustehen. Ach, meine Troika, mein Dreigespann, das wie ein Vogel dahinfliegt, wer mag es wohl gewesen sein, der dich erdacht hat? Nur von einem lebhaften, phantasiebegabten Volk konntest du ersonnen werden und nur in einem Lande, das ernst genommen werden will und sich einförmig und beharrlich über die halbe Welt ausbreitet – versuch's doch nur, die Kilometerpfähle zu zählen, ohne daß es dir vor den Augen flimmert! Du bist kein spitzfindig ausgeklügeltes, mit eisernen Schrauben zusammengehaltenes Gebilde, sondern irgendein gewitzigter Jaroslawscher Bauer hat dich einfach mit Beil und Stemmeisen gleichsam aus dem Handgelenk gezimmert und hergerichtet. Dein Kutscher trägt keine feinen deutschen Stulpenstiefel – mit Bart und Fausthandschuhen sitzt er weiß der Teufel wie da, und wenn er sich aufrichtet, seine Peitsche knallen läßt und sein Lied, das kein Ende hat, anstimmt, stürmen die Gäule dahin wie ein Wirbelwind, die Radspeichen fließen zu einer glatten, runden Scheibe ineinander, die Straße donnert, der Fußgänger stößt einen Schreckensruf aus und starrt wie angewurzelt der davonfliegenden Troika nach. Sie fliegt und fliegt und schon sieht man nichts mehr als nur noch in der Ferne eine Staubwolke.

Stürmst nicht auch du, Rußland, so dahin, wie eine kühne Troika, die niemand einholen kann? Der Boden dampft, die Funken sprühen, die Brücken dröhnen und weit und immer weiter bleibt alles hinter dir zurück. Wie von einem göttlichen Wunder angerührt, steht der Beschauer betroffen da: ist das ein Blitz, der vom Himmel herabzuckt? Was bedeutet dieses schreckenerregende Ungestüm und was für unbekannte Kräfte treiben diese nie gesehenen Rosse an? Oh, ihr Rosse, was seid ihr doch für seltsame, verzauberte Rosse! Wohnen Wirbelstürme in euren Mähnen? Lebt und bebt eine feine Witterung in Ohren, Nerven und Adern? Ihr erlauscht das vertraute Lied, das euch von oben her erreicht, und wie aus Erz gegossen fliegt ihr, brüderlich Brust an Brust und den Boden kaum noch mit euren Hufen berührend, durch die Lüfte dahin wie eine einzige langgestreckte Front, vom Anhauch Gottes entflammt ... Wohin stürmst du, Rußland? Gib Antwort! Du schweigst. Wundersam tönt das Glöckchen. Die vor deinem Ansturm zurückflutende Luft wird zum heulenden Sturm. Alles auf Erden weicht dir aus und es geben dir den Weg frei alle anderen Völker und Reiche.

ZWEITER TEIL

1

Warum denn die Armut, die Armut und die Unvollkommenheit unsres Lebens schildern, warum die Menschen aus den einsamsten und entlegensten Winkeln unsres Vaterlandes hervorziehn? Aber was soll man da machen, wenn nun mal der Autor, unter seiner eigenen Unzulänglichkeit leidend, gar nicht anders kann, als eben die Armut und Unvollkommenheit unsres Lebens darzustellen und die Bewohner jener abgelegenen Gebiete des Reiches aufzuspüren? Und so sehen wir uns denn wieder in eine (und was für eine!) gottverlassene Gegend und einen richtigen Krähwinkel verschlagen.

Wie der gigantische Wall einer unübersehbaren, mit Türmen und Bastionen bewehrten Festung zieht sich ein mehr als tausend Kilometer langer Höhenzug hin. Großartig ragen die Berge über der endlosen Ebene auf, bald als zackige Kalksteinklippen, bald als jäh abfallende Felswände, zerklüftet von Spalten und Rissen, bald wieder als anmutig grünende Bergkuppen, bewachsen mit jungem Buschwerk, das aus den Wurzeln gefällter Baumriesen hervorsprießt und aus der Ferne wie zarter Flaum aussieht, bald endlich mit dichtem, dunklem Wald bedeckt, der wie ein Wunder von der Axt verschont geblieben ist. In steile Ufer eingezwängt, folgt ein Fluß den Biegungen der Gebirgskette. Zuweilen entfernt er sich von ihr, um sich, von der Sonne beglänzt, durch die weiten Wiesen zu winden, dann in Birken-, Espen- und Erlenhainen zu verschwinden und schließlich triumphierend aus dem Waldesdunkel wieder aufzutauchen, begleitet von Brükken, Wassermühlen und Dämmen, die seinem Lauf bei jeder Biegung Einhalt zu gebieten scheinen.

An einer Stelle hüllte sich die steile Anhöhe besonders dicht in die grünen Laubfahnen der Bäume. Begünstigt von der Unebenheit des steinigen, von tiefen Schluchten zerrissenen Geländes hatte man hier die verschiedenartigsten Gewächse aus Nord und Süd angepflanzt: Eichen. Tannen, Ahorn, Holzbirnen, Kirschbäume, Schlehen, Goldregen und hopfenumsponnene Ebereschen kletterten, eng zusammengedrängt und einander stützend oder fast erstickend, den Hang von unten bis oben hinauf, wo sich das Grün der Bäume der roten Farbe der Dächer eines Gutshauses und seiner Nebengebäude hinzugesellte. Hinter diesen Baulichkeiten waren die Giebel und Dachfirste der Bauernhütten sichtbar, auch schimmerte durch das Laub das oberste, mit einem halbrunden Fenster und einem holzgeschnitzten Balkongeländer geschmückte Geschoß des Herrenhauses, und alle diese Dächer und Baumwipfel überragte eine altertümliche Kirche mit ihren fünf vergoldeten Kuppeln. Diese waren von goldenen, durchbrochenen Kreuzen gekrönt, die mit ebensolchen Ketten an den Kuppeln befestigt waren, so daß es aus der Ferne schien, als ob funkelndes, gemünztes Gold frei in der Luft schwebte. Und das umgekehrte Bild aller Baumwipfel, Dächer und Kreuze zeichnete sich tief unten auf der Spiegelfläche des Flusses ab, an dem hohle, phantastisch geformte Weidenstämme, die teils vereinzelt am Ufer, teils im Wasser standen, ihre herabhängenden, schlammbedeckten Zweige und Blätter neben gelben Wasserrosen in der Flut treiben ließen und in die Betrachtung dieser anmutigen Bilder versunken schienen.

Dieses Bild war auch wirklich sehr schön, aber der Fernblick von oben, vom Balkon des Hauses, war noch viel schöner. Kein Gast und kein Besucher konnte diesem Anblick gegenüber gleichgültig bleiben: der Atem stockte ihm in der Brust vor Entzücken und staunend rief er aus: »Mein Gott, diese unermeßliche Weite!« Unbegrenzt und ohne Ende breitete sich die Landschaft vor dem Beschauer aus. Die mit kleinen Gehölzen und Wassermühlen übersäten Wiesen waren von mehrfachen, unmittelbar hintereinanderliegenden Waldgürteln umgeben. Jenseits dieser grünen Waldstreifen leuchtete sandiges Gelände unter dem dunstigen Himmel, dann folgten wiederum Wälder, die an blaue Nebelbänke erinnerten oder an weite Meeresflächen, welche, von blaßgelb schimmernden Dünen umsäumt, sich in der Ferne verloren. Am Horizont zog sich ein hoher Bergrücken hin, dessen kreidige Gipfel sogar bei trübem Wetter hell leuchteten, als würden sie von einer ewigen Sonne beschienen. Am Fuße dieses Höhenzuges zeichneten sich gegen den weißen Hintergrund dunkle Stellen ab, die wie rauchige Nebelflecken aussahen. Das waren Dörfer, so weit entfernt, daß das menschliche Auge sie schon nicht mehr erkennen konnte. Nur die bei klarer Witterung vom Sonnenstrahl getroffenen vergoldeten Spitzen der Kirchen, die zuweilen wie Funken aufblitzten, ließen ahnen, daß hier große, dichtbevölkerte Siedlungen lagen. Und das alles war in eine tiefe Stille getaucht, in der sich selbst das Gezwitscher der Singvögel verlor. Kurz, der Gast, der, völlig versunken in diesen Anblick, längere Zeit auf dem Balkon verweilte, konnte, wie gesagt, nur ausrufen: »Mein Gott, diese unermeßliche Weite!«

Wer aber war der Bewohner und Besitzer jenes Herrensitzes, der, wie eine uneinnehmbare Festung, von dieser Seite her überhaupt nicht zugänglich war? Man konnte das Gut nur von der entgegengesetzten Seite erreichen, wo verstreut stehende Eichen den Besucher freundlich empfingen, als wollten sie ihn mit ihren breit ausladenden Ästen wie einen guten Freund umarmen und zum Eingang des Hauses geleiten, dessen rückwärtiges Dachgeschoß wir von der Anhöhe her schon sahen und das jetzt frei und offen dalag. Auf der einen Seite reihten sich die Bauernhütten mit ihren geschnitzten Dachgiebeln aneinander, auf der anderen lag die Kirche mit ihren goldfunkelnden Kreuzen und durchbrochenen, frei in der Luft schwebenden Ketten. Welchem Glücklichen gehörte dieser weltentlegene Winkel?

Dem Gutsbesitzer des Tremalachansker Kreises Andrej Iwanowitsch Tentetnikow, einem jungen dreiunddreißigjährigen Glückspilz, der obendrein noch unverheiratet war.

Was war er für ein Mensch und welche Charaktereigenschaften bestimmten sein Wesen? Bei den Nachbarn muß man herumfragen. Hier, liebe Leserinnen, werden wir es am sichersten erfahren. Einer der Nachbarn, der zur gewitzigten

Gattung pensionierter Stabsoffiziere und Draufgänger gehörte, die jetzt schon fast ausgestorben ist, hatte für ihn nur die eine lakonische Bezeichnung: »Ein ganz gewöhnlicher Hundesohn!« Ein General, der zehn Kilometer weiter wohnte, äußerte sich folgendermaßen: »Ein junger Mann, der nicht dumm ist, aber allzuviel Flausen im Kopf hat. Ich könnte ihm nützlich sein, denn ich habe Verbindungen in Petersburg und sogar bei ...« Der General pflegte nie einen Satz zu beenden. Der Chef der Landpolizei antwortete ausweichend: »Ich fahre morgen zu ihm hinaus, um die rückständigen Steuern einzukassieren!« Und ein Bauer gab auf die Frage, was sein Herr für ein Mensch sei, überhaupt keine Antwort. So war also die Meinung über ihn ziemlich ungünstig.

Ging man ohne Vorurteile an die Sache heran, so mußte man zur Überzeugung kommen, daß Tentetnikow kein schlechter Mensch war, sondern einfach nur in den Tag hinein lebte. Es gab ja ohnehin genug Müßiggänger auf der Welt – warum also sollte nicht auch er auf der faulen Haut liegen? Übrigens wollen wir einen Tag aus seinem Leben schildern, der allen andern Tagen haargenau glich, damit der Leser sich selbst ein Bild davon machen kann, was er für einen Charakter hatte und inwieweit seine Lebensführung den ihn umgebenden Naturschönheiten entsprach.

Tentetnikow pflegte am Morgen sehr spät zu erwachen und, nachdem er sich erhoben hatte, sich wieder auf den Bettrand zu setzen und sich die Augen zu reiben, was, da seine Augen unglücklicherweise sehr klein waren, ungebührlich viel Zeit in Anspruch nahm. Unterdessen stand der Diener Michailo mit der Waschschüssel und dem Handtuch an der Tür. Er wartete eine Stunde oder manchmal sogar zwei und ging inzwischen in die Küche, aber wenn er zurückkam, saß sein Herr noch immer da und rieb sich die Augen. Endlich rührte er sich doch, wusch sich, zog seinen Schlafrock an und begab sich in den Salon, um Tee, Kaffee, Kakao oder gelegentlich auch nur heiße Milch zu trinken, wobei er rücksichtslos Brot zerkrümelte und Tabakasche herumstreute. Nachdem er auf diese Weise etwa zwei Stunden am Frühstückstisch verbracht hatte, trat er mit seiner Tasse, in welcher der Tee unterdessen kalt geworden war, ans Fenster, das nach der Hofseite hin lag. Draußen spielte sich jeden Tag folgende Szene ab:

Zunächst schrie der Hausdiener Grigorij die Haushälterin Perfiljewna an: »Ach, du widerliches, nichtsnutziges Geschöpf. Du solltest lieber den Mund halten, du abscheuliches Weibstück!«

»Das könnte dir so passen!« rief das abscheuliche Weibstück und hielt ihm die geballte Faust unter die Nase – sie war ein grobes und handfestes Frauenzimmer, trotz ihrer Vorliebe für Rosinen, Marmelade und Süßigkeiten, die sie unter Verschluß hielt.

»Hast du dich schon wieder mit dem Verwalter in die Haare gekriegt, du nichtswürdiger Drache!« schrie Grigorij.

»Der Verwalter ist genauso ein Dieb wie du selbst! Du meinst wohl, der Herr wüßte das nicht? Er ist ja hier und hört alles mit an.«

»Wo ist er denn?«

»Da steht er am Fenster und sieht alles.«

Das war richtig, er stand hier am Fenster und sah alles.

Und als ob es nicht ohnehin schon ein rechtes Sodom und Gomorrha gewesen wäre, schrie ein Bengel, der soeben von seiner Mutter eine Ohrfeige bekommen hatte, aus vollem Halse und winselte gleichzeitig wie ein Windhund, der sich vor Schreck auf sein Hinterteil gesetzt hat, weil der Koch, gerade aus dem Küchenfenster schauend, ihn mit einem Guß kochenden Wassers verbrühte. Kurz, es war ein fürchterliches Gebrüll auf dem Hof. Der Herr sah und hörte das alles, aber erst als das Geschrei derart unerträglich geworden war, daß es ihn sogar in seinem Nichtstun störte, schickte er hinunter und ließ sagen, man möge doch etwas weniger geräuschvoll lärmen.

Für die zwei Stunden, die noch bis zum Mittagessen blieben, begab er sich in sein Arbeitszimmer, um sich ernstlich mit einer Schrift zu befassen, in welcher er ganz Rußland von allen Gesichtspunkten, vom bürgerlichen, politischen, religiösen und philosophischen Gesichtspunkt, aus darstellen, alle schwierigen Zeitfragen lösen und schließlich die große russische

Zukunft klar und eindeutig bestimmen wollte – kurz, genau in der Art, wie der moderne Mensch sich das vorstellt. Übrigens war das großartige Unternehmen bisher noch nicht über das vorbereitende Stadium des Nachdenkens hinausgekommen: Tentetnikow kaute an seinem Federhalter, kritzelte allerhand Zeichnungen aufs Papier und schob schließlich alles beiseite. Dann nahm er ein Buch vor und ließ es bis zum Mittagessen nicht mehr aus der Hand, ja, er setzte die Lektüre sogar fort, während er die Suppe, den Braten, die Sauce und die Nachspeise aß, und zuweilen kam es auch vor, daß einige Speisen kalt wurden und man sie unangerührt wieder hinaustragen mußte. Hierauf folgten Kaffee und Tabakspfeife und endlich eine Partie Schach mit sich selbst. Und was Tentetnikow bis zum Abendessen machte, ist tatsächlich nicht leicht zu sagen. Es scheint, daß er überhaupt nichts mehr tat.

So verbrachte der junge dreiunddreißigjährige, in der Welt völlig alleinstehende Mann seine Zeit im Schlafrock und ohne Krawatte. Er hatte keine Lust, Spaziergänge zu machen, keine Lust, unter Leute zu gehen, ja nicht einmal Lust aufzustehen, geschweige denn das Fenster zu öffnen, um frische Luft hereinzulassen; und die Schönheiten des Gutes, an denen sich noch kein Besucher hatte satt sehen können, schienen für ihn, den Besitzer, überhaupt nicht vorhanden zu sein. Daraus kann der Leser den Schluß ziehen, daß Andrej Iwanowitsch Tentetnikow zu der großen Familie jener Leute gehörte, die in Rußland nicht alle werden und die man hier früher Faulenzer, Bärenhäuter und Schlafmützen nannte und für die ich auch heute keine anderen Bezeichnungen wüßte. Werden solche Charaktere schon als solche geboren, oder entwickeln sie sich erst allmählich als Produkt harter und trauriger Lebensumstände, in welche der Mensch hineingestellt wird? Statt auf diese Frage zu antworten, wollen wir lieber die Geschichte seiner Kindheit und seiner Erziehung berichten.

Anfangs schienen alle Anzeichen dafür vorhanden zu sein, daß einmal etwas Vernünftiges aus ihm werden würde. Mit zwölf Jahren kam der kränkliche und träumerische, aber gescheite Knabe in eine Schule, deren Leiter – für die damalige Zeit eine Seltenheit – ein ungewöhnlich befähigter Mensch war. Dieser unvergleichliche, mit einem außerordentlich feinen Taktgefühl begabte Direktor – er hieß Alexander Petrowitsch – war der Abgott der Schüler und ein Muster von einem Pädagogen. Wie gut kannte er die Eigenheiten des russischen Menschen, die kindliche Seele! Wie verstand er es, die Kinder zu leiten! Es gab keinen Schlingel in der Schule, der, wenn er was angestellt hatte, nicht freiwillig zu ihm gekommen wäre und seine Streiche gebeichtet hätte. Und mehr noch: wurde der Sünder streng bestraft, so ließ er keineswegs den Kopf hängen, sondern trug ihn sogar noch höher als vorher. Er fühlte sich ermutigt, und es war, als riefe ihm eine innere Stimme zu: Vorwärts! Erhebe dich schnell wieder, nachdem du gefallen bist! Der Direktor hielt keine langen Reden über gutes Betragen und dergleichen, sondern pflegte bloß zu sagen: »Ich verlange von euch nur, daß ihr vernünftig seid, nichts anderes. Wer den Ehrgeiz hat, verständig zu sein, hat keine Zeit, Unfug zu treiben. Die dummen Streiche müssen von selbst aufhören.« Und sie hörten auch auf, denn jeder, der nicht bestrebt war, vernünftig zu sein, setzte sich der Verachtung der Kameraden aus. Die schon fast erwachsenen Esel und Dummköpfe mußten sich sehr kränkende Spitznamen, sogar von den kleinsten Mitschülern, gefallen lassen und durften es nicht wagen, diese anzurühren. »Das geht zu weit«, meinten viele, »diese Knaben werden allzu gescheit, das wird sie eingebildet machen.« – »Nein, das geht gar nicht zu weit«, sagte der Direktor, »die Unbegabten behalte ich nicht lange in der Schule, es genügt, wenn sie einen Lehrgang durchmachen, für die Befähigten gibt es bei mir noch einen zweiten Kursus.« Und so machte er es auch. Manche Flegeleien unterdrückte er überhaupt nicht und erklärte, sie seien ihm sogar willkommen als Anzeichen der beginnenden Charakterentwicklung, er begrüßte sie wie der Arzt einen Hautausschlag, aus dem man mit Sicherheit auf das schließen könne, was in einem Menschen stecke.

Und wie liebten ihn die Kinder! Mit einer Verehrung hingen sie an ihm, wie man sie bei Kindern selbst ihren Eltern gegenüber selten findet. Nie gab es in diesem unvernünftigen

Lebensalter, wo man sich von Sympathien gedankenlos hinreißen läßt, eine so bewußte unauslöschliche Ergebenheit, wie die Liebe der Jugend zu ihm. Bis an ihr Lebensende erhoben seine ehemaligen Zöglinge am Geburtstag ihres längst verstorbenen, unvergeßlichen Lehrers ihre Gläser zu seinem dankbaren Andenken, schlossen die Augen und vergossen Tränen der Rührung. Beim geringsten Lob aus seinem Munde erbebten die Schüler vor Freude und wünschten nichts sehnlicher, als alle Kameraden zu übertreffen. Die oberste Klasse, in welche nur besonders begabte Schüler aufsteigen durften, hatte gar keine Ähnlichkeit mit der letzten Klasse andrer Schulen. Erst hier mutete Alexander Petrowitsch seinen Schülern alles das zu, was man sonst unvernünftigerweise schon von kleinen Jungen verlangte – nämlich selbst nicht zu spotten und jeden Spott gelassen hinzunehmen, den Dummen zu verzeihen, sich nie zu ärgern, unter keinen Umständen Rache zu nehmen, immer ruhig zu bleiben und seine Selbstbeherrschung zu wahren. Überhaupt wurde hier alles getan, um aus den jungen Leuten ganze Männer zu machen, und Alexander Petrowitsch stellte sie immer wieder auf die Probe. Oh, wie ausgezeichnet verstand er es doch, sie für die Schule des Lebens vorzubereiten und auszurüsten!

In seiner Anstalt waren neben ihm nur wenige Lehrer tätig. In den meisten Fächern unterrichtete er selbst. Er verstand es, ohne Pedanterie und Fachsimpelei, ohne geschwollene Phrasen und weltanschauliche Theorien gewissermaßen die Seele jeder einzelnen Wissenschaft lebendig zu machen, so daß auch der Jüngste sofort begriff, worin der Nutzen aller dieser Kenntnisse für ihn bestand. Aus den Wissenschaften wurden nur die ausgewählt, welche geeignet waren, aus einem Menschen einen brauchbaren Bürger seines Landes heranzubilden. In den meisten Unterrichtsstunden behandelte Alexander Petrowitsch das, was den Jüngling später erwartete, und er verstand es, ihnen die Aufgaben des künftigen Berufslebens so lebhaft vor Augen zu führen, daß die jungen Leute schon auf der Schulbank gewissermaßen im Staatsdienst lebten. Er verschwieg nichts: weder die Enttäuschungen und Schwierigkeiten, die sich ihnen auf ihrem Lebenswege entgegenstellen, noch die Versuchungen und Verführungen, denen sie ausgesetzt sein würden – alles dies setzte er ihnen wahrheitsgemäß auseinander, ohne irgend etwas zu verheimlichen oder zu beschönigen. Nichts war ihm fremd, wie wenn er sich in allen Berufen auskennte und selbst alle Ämter bekleidet hätte. Sei es, daß er den Ehrgeiz so stark anzufachen wußte, sei es, daß sogar in den Augen dieses gottbegnadeten Erziehers etwas lag, was den Jünglingen jenes dem Russen so wohlbekannte Wörtchen »Vorwärts!« zuzurufen schien, das eine so wunderbare Wirkung auf seine feinfühlige Natur ausübt – jedenfalls fahndeten die jungen Leute geradezu nach Schwierigkeiten, begierig, nur dort zu wirken, wo die Hindernisse am größten waren und wo es vor allem darauf ankam, eine besondere Seelenstärke an den Tag zu legen. Es waren nur wenige, denen es gelang, an diesem Elitekursus teilzunehmen, aber dafür gingen sie als starke, sozusagen im Pulverdampf bewährte Persönlichkeiten aus ihm hervor. Im Staatsdienst verstanden sie es, sich auch an den exponierten Stellen zu halten, während andre, die viel klüger waren als sie, nicht standhielten, sondern wegen irgendwelcher unbedeutenden Unannehmlichkeiten die Flinte ins Korn warfen oder schwach und bestechlich wurden und in die Hände von Erpressern gerieten. Sie aber blieben unerschütterlich. Sie kannten das Leben und die Menschen, und es gelang ihnen sogar, auf die schlechten Elemente einen starken Einfluß auszuüben.

Das Herz des ehrgeizigen Knaben hatte allein schon bei dem Gedanken, daß auch er schließlich als einer der besten in diese Sonderklasse gelangen würde, schneller geschlagen, denn was konnte für unsren Tentetnikow erstrebenswerter sein als dieser Erzieher! Aber das Schicksal wollte es, daß gerade in dem Augenblick, als sich sein sehnlichster Wunsch erfüllte, der vortreffliche Lehrer ganz unerwartet starb. Ach, was war das für ein Schlag, für ein unersetzlicher Verlust! Jetzt wurde alles anders in der Schule. An die Stelle von Alexander Petrowitsch trat ein gewisser Fjodor Iwanowitsch, der zwar ein braver und strebsamer Mensch war, aber eine ganz andre Auffassung von den Dingen hatte. In der freien und ausgelassenen Ungebundenheit der Schüler sah er nichts als Zügellosigkeit und begann sogleich mit der Einführung einer strengen äußeren Neuordnung. Er verlangte, daß die Schüler tiefes Schweigen beobachteten und unter allen Umständen nur paarweise miteinander gingen, ja, er hielt es für nötig, die Entfernung zwischen den einzelnen Paaren mit dem Zentimetermaß auszumessen und den Knaben um des ordentlichen Anblickes willen ihre Plätze am Eßtisch je nach ihrer Körperlänge anzuweisen. Dies alles erregte Murren und Unzufriedenheit, besonders als der neue Direktor, seinem Vorgänger gleichsam zum Trotz, sofort am ersten Tage erklärte, daß ihm Begabung und Fortschritte in den Wissenschaften nichts bedeuteten und daß es nur auf gutes Betragen ankomme. Wenn einer mangelhaft lerne, sich jedoch gut führe, so ziehe er ihn einem Begabten unbedingt vor. Aber merkwürdig: gerade das gute Betragen konnte Fjodor Iwanowitsch auf keine Weise erreichen. Heimlich wurden dumme Streiche verübt. Am Tage ging's wie am Schnürchen und alle Schüler trotteten paarweise hintereinander her, in der Nacht jedoch wurden Saufgelage veranstaltet.

Auch mit den Wissenschaften klappte es jetzt nicht mehr. Die bisherigen Lehrer wurden durch neue ersetzt, die durch andre Grundsätze, Gesichtspunkte und Begriffe eine heillose Verwirrung in den Köpfen der Knaben anrichteten. Sie wiesen zwar in ihren Vorträgen sowohl auf die logischen Zusammenhänge wie auf die neuesten Entdeckungen hin und es mangelte ihnen auch nicht an persönlichem Feuer der Begeisterung – aber sie verstanden es trotzdem nicht, die Wissenschaft lebendig zu machen. Die Worte blieben tot in ihrem Munde. Kurz, alles ging drunter und drüber. Jede Achtung vor der Schulobrigkeit und Autorität ging verloren: die Schüler begannen über ihre Lehrer und Erzieher zu lachen und zu spotten. Den Direktor nannten sie einfach »Fjodka« und die »Semmel« oder gaben ihm noch andre Spitznamen. Laster begannen sich auszubreiten, die alles andre eher als kindlich waren, ja es rissen Dinge ein, so wenig harmlos, daß man sich gezwungen sah, viele Knaben ganz auszuschließen. Und nach zwei Jahren war die Anstalt überhaupt nicht mehr wiederzuerkennen.

Andrej Iwanowitsch war von sanfter Gemütsart. Er konnte weder den nächtlichen Orgien seiner Kameraden, die in einem Hause unmittelbar vor den Fenstern der Direktorswohnung veranstaltet wurden, Geschmack abgewinnen, noch fand er Gefallen an den gotteslästerlichen Reden, die sie nur deshalb im Munde führten, weil einer ihrer Lehrer zufällig ein Geistlicher war, der nur wenig Verstand hatte. Nein, seine Seele ahnte selbst im Traum ihren göttlichen Ursprung. Man konnte ihn nicht verführen, aber er war unnütz geworden. Sein Ehrgeiz war schon erwacht, doch fehlte das Feld, auf dem er ihn hätte betätigen können. So wäre es besser gewesen, wenn er überhaupt nicht geweckt worden wäre. Er war Zeuge, wie sich die Professoren auf ihren Kathedern ereiferten, und mußte dabei immer wieder an seinen früheren Lehrer denken, der es verstanden hatte, ohne daß er jemals in Hitze geraten wäre, sich klar und verständlich auszudrücken. Was wurden jetzt nicht alles für Gegenstände und Fächer behandelt! Medizin, Philosophie, sogar Jurisprudenz, allgemeine Geschichte, und diese in einer Breite, daß der Professor im Lauf von drei Jahren noch nicht einmal mit der Einführung und der Entwicklung des Gemeinwesens irgendwelcher deutscher Städte fertig wurde – und Gott weiß, was er sonst noch hörte! Dies alles bildete in seinem Kopf ein völlig formloses Durcheinander von Kenntnissen. Sein natürlicher Verstand sagte ihm zwar, daß diese Unterrichtsmethode falsch sein müsse, aber wie sie eigentlich hätte sein sollen, war ihm selber nicht klar. Immer wieder schweiften seine Gedanken zu Alexander Petrowitsch zurück und ihm war so schwer ums Herz, daß er in seinem Schmerz nicht aus noch ein wußte.

Aber das Glück der Jugend besteht nur darin, daß sie eine Zukunft vor sich hat. Je näher sein Abgang von der Schule heranrückte, um so höher schlug ihm das Herz. Er sagte sich: Das alles ist ja noch nicht das Leben, sondern nur die Vorbereitung dazu. Erst mit dem Eintritt in den Staatsdienst beginnt es und mit ihm die Zeit der Taten. Und ohne seinen wunderschönen Winkel, der alle Gäste und Besucher in helles Entzücken versetzte, auch nur eines flüchtigen Blickes zu würdigen, ohne den Gräbern seiner Eltern einen Besuch abzustatten, eilte er direkt nach Petersburg, wo bekanntlich alle ehrgeizigen jungen Leute aus ganz Rußland zusammenströmen, um im Staatsdienst zu glänzen und Karriere zu machen, oder auch nur, um sich die äußeren Formen unsrer farblosen, eiskalten und trügerischen gesellschaftlichen Bildung anzueignen. Aber das Streben Andrej Iwanowitschs erfuhr von vornherein durch seinen Onkel, den Staatsrat Onufrij Iwanowitsch, eine kräftige Abkühlung. Der erklärte nämlich, daß es einzig und allein auf eine gute Handschrift ankäme – alles andre sei überflüssig. Ohne diese könne man es keinesfalls zum hohen Staatsbeamten oder gar zum Minister bringen. Mit großer Mühe und dank der Protektion seines Onkels gelang es ihm schließlich, einen Posten in irgendeinem Departement zu erhalten. Man führte ihn in einen hellen Saal mit Parkett und polierten Schreibtischen, der so prachtvoll aussah, als säßen hier die obersten Würdenträger des Reiches, die über das Schicksal des ganzen Landes zu entscheiden hätten. Er sah eine Menge schön gekleideter Herren, die gesenkten Hauptes geräuschvoll mit den Federn kratzten. Aber als man auch ihn an einem dieser Tische Platz nehmen und ein Aktenstück, wohl absichtlich höchst unbedeutenden Inhalts, abschreiben ließ – es war eine Korrespondenz, die schon ein halbes Jahr lang wegen einer Summe von drei Rubeln zwischen verschiedenen Behörden geführt wurde –, überkam den unerfahrenen Jüngling eine sonderbare Empfindung: die Herren, die um ihn herumsaßen, erinnerten ihn an Schuljungen, zumal manche von ihnen nur so taten, als seien sie in die vor ihnen liegenden Schriftstücke vertieft. In Wirklichkeit lasen sie törichte, aus fremden Sprachen übersetzte Unterhaltungsromane, die sie zwischen ihren Akten versteckt hatten, und zuckten jedesmal zusammen, wenn der Vorgesetzte in der Tür erschien. Dies alles kam dem jungen Tentetnikow sehr merkwürdig vor, und er konnte sich des Gefühls nicht erwehren, daß seine frühere Beschäftigung viel bedeutsamer und die Vorbereitung auf den

Staatsdienst weit schöner gewesen war als der Staatsdienst selbst. Er sehnte sich nach seiner Schulzeit zurück! Plötzlich stand Alexander Petrowitsch so lebendig vor ihm, daß er beinahe in Tränen ausgebrochen wäre. Der Saal mit sämtlichen Beamten und Schreibtischen begann sich zu drehen und er war einer Ohnmacht nahe. Nein, dachte er, als er wieder zu sich gekommen war, ich will mich trotzdem an die Arbeit machen, wie kleinlich und unbedeutend sie mir anfangs auch erscheinen mag! So sprach er sich Mut zu und beschloß, seinen Dienst zu versehen wie alle andern auch.

Aber wo ist das Leben von jeder Freude und jedem Vergnügen entblößt? Selbst Petersburg bietet trotz seiner rauhen und finstren Außenseite mancherlei Genüsse. Das Thermometer zeigt dreißig Grad Kälte. Bei klirrendem Frost jagt der Schneesturm, die entfesselte Wetterhexe des Nordens, heulend durch die Straßen. Sie fegt den Schnee über die Trottoirs, klebt den Leuten die Augen zusammen und bepudert die Pelzkragen und Schnurrbärte und die zottigen Schnauzen der Tiere mit Reif. Aber einladend blinkt durch die wirbelnden Schneeflocken irgendwo hoch oben im vierten Stock ein freundliches Fensterchen. In einem behaglichen Zimmer werden bei dem Summen des Samowars und dem Scheine bescheidener Stearinkerzen herzerwärmende Gespräche geführt oder ein paar wunderschöne Seiten eines der begnadeten Dichter gelesen, mit denen Gott sein Rußland so reichlich beschenkt hat. Und jugendliche Herzen erbeben in einer Begeisterung, die auch unter südlichen Himmeln nicht glühender sein kann.

Tentetnikow gewöhnte sich schnell an den Dienst. Allerdings – der Beruf wurde ihm nicht zum eigentlichen Ziel und Zweck des Lebens, wie er ursprünglich gemeint hatte, sondern kam erst in zweiter Linie. Er veranlaßte ihn nur dazu, seine Zeit gut einzuteilen und jeden kostbaren freien Augenblick, der ihm blieb, voll auszunutzen. Sein Onkel, der Staatsrat, glaubte schon, daß aus dem Neffen etwas Ordentliches werden würde, als dieser ihm einen dicken Strich durch die Rechnung machte. Unter Andrej Iwanowitschs

Freunden, deren er viele hatte, waren zwei junge Leute, die zu den sogenannten »Unzufriedenen« gehörten. Das waren jene sonderbaren ruhelosen Charaktere, die nicht nur nicht imstande sind, eine Ungerechtigkeit gelassen hinzunehmen, sondern nicht einmal das ertragen können, was ihnen als solche erscheint. Von Haus aus gutmütig, aber voreilig und undiszipliniert in ihren Handlungen, fordern sie von anderen zarteste Rücksicht, während sie selber schroff und unduldsam sind. Durch ihre flammenden Reden und ihre zur Schau getragene edle Empörung über die Gesellschaft machten sie einen starken Eindruck auf Tentetnikow. Sie reizten seine empfindlichen Nerven und seinen leicht erregbaren Geist und brachten ihn dazu, auf mancherlei Kleinigkeiten zu achten, die er früher übersehen hatte. Fjodor Fjodorowitsch Lenizyn, der Leiter einer der Abteilungen, die in den prächtigen Sälen untergebracht waren, erregte plötzlich sein Mißfallen. Er entdeckte eine ganze Menge Fehler an ihm. Es schien ihm, daß Lenizyn im Umgang mit Leuten, die höher gestellt waren als er selbst, zuckersüß wurde, während er eine essigsaure Miene machte, wenn er sich an Untergebene wandte; daß er sich, wie alle kleinlichen Menschen, diejenigen merkte und sich an ihnen rächte, die an hohen Feiertagen nicht bei ihm erschienen, um ihm Glück zu wünschen, oder sich nicht in die beim Portier ausliegende Gratulationsliste eingetragen hatten. Infolgedessen empfand er mehr und mehr eine nervöse Abneigung gegen Lenizyn und ein böser Geist trieb ihn an, ihm irgend etwas Böses anzutun. Mit einem geheimen Lustgefühl suchte er nach einer Gelegenheit dazu und fand sie auch. Eines Tages wurde er gegen Fjodor Fjodorowitsch so ausfallend, daß ihm von seinem Vorgesetzten erklärt wurde, er müsse sich bei ihm entschuldigen oder den Dienst quittieren. Er nahm seinen Abschied. Sein Onkel, der Staatsrat, kam ganz außer sich zu ihm und flehte ihn an: »Um Christi willen, Andrej Iwanowitsch, ich bitte dich, was tust du? Wie kannst du nur deine vielversprechende Karriere wieder aufgeben, bloß weil du zufällig einen Vorgesetzten bekommen hast, der dir mißfällt! Was soll denn das? Wenn jeder es so machen würde, bliebe schließlich keiner mehr im Amt. Besinne dich doch, überwinde deinen Stolz und deine Eigenliebe, fahre hin und sprich dich mit ihm aus!«

»Darum handelt es sich ja gar nicht, Onkel«, sagte der Neffe. »Es fällt mir durchaus nicht schwer, ihn um Verzeihung zu bitten. Natürlich bin ich selbst schuld: er ist der Vorgesetzte, und ich hätte nicht so mit ihm reden dürfen. Aber die Sache ist die: mich erwartet noch ein ganz andrer Dienst – ich habe dreihundert Bauern, auf meinem Gut geht alles drunter und drüber, mein Verwalter ist ein Esel. Der Staat hat keinen Schaden davon, wenn an meiner Stelle ein andrer in der Kanzlei sitzt und Akten abschreibt, aber er verliert sehr viel, wenn dreihundert Bauern keine Steuern mehr bezahlen. Vergessen Sie nicht, daß ich auch Gutsbesitzer bin und einen Beruf habe, der ebenfalls ... Überlegen Sie doch, wenn ich mich darum kümmere, die Lage der mir anvertrauten Leute zu heben und zu verbessern, und dem Staat dreihundert tüchtige, nüchterne und arbeitsame Untertanen erhalte, leiste ich ihm dann einen geringeren Dienst als irgendein Abteilungsleiter Lenizyn?«

Der Staatsrat sperrte den Mund vor Verwunderung weit auf. Einen solchen Redefluß hatte er nicht erwartet. Nach einigem Nachdenken fing er von neuem an. »Aber dennoch«, sagte er, »was soll denn das eigentlich? Wer wird sich schon auf dem Lande vergraben, um da zu verbauern? Sind vielleicht deine Leute ein passender Umgang für dich? Hier ist es doch etwas ganz anderes . . . mal begegnet man auf der Straße einem General, mal einem Fürsten, oder man kommt sonst an etwas Sehenswertem vorüber ... und dann überhaupt die Gasbeleuchtung, das industrielle Europa ... Auf dem Lande dagegen – nichts als Bauern und Bäuerinnen! Ja warum denn das alles? Warum sich selbst dazu verurteilen, sein ganzes Leben in ungebildeter Umgebung zu verbringen?«

Aber diese überzeugenden Vorhaltungen des Onkels machten keinen Eindruck auf den Neffen. Das Land erschien ihm als rettende Zuflucht, als Nährboden für Träume und Gedanken, als einziges tatsächlich Nutzen versprechendes Wirkungsfeld. Er hatte sich bereits mit den neuesten Büchern über Landwirtschaft versehen und befand sich schon zwei Wochen nach diesem Gespräch in der Nähe jener Orte, wo er seine Kindheit verbracht hatte, und nicht mehr weit von dem wunderschönen Erdenwinkel, an dem sich kein Gast und Besucher satt sehen konnte. Ein ganz neues Gefühl drängte sich ihm auf. Alte, längst entschwundene Eindrücke erwachten wieder in seiner Seele. Viele herrliche Aussichtspunkte, die er schon ganz vergessen hatte, erregten sein Interesse, als käme er zum erstenmal an ihnen vorüber. Und plötzlich begann sein Herz aus unbekannten Gründen schneller zu schlagen. Als die Straße durch eine enge Schlucht ins Dunkel eines riesigen Urwalds hineinführte und er um sich her zwischen himmelhohen Tannen, Ulmen und Pappeln dreihundertjährige Eichen erblickte, deren Stämme drei Männer schwerlich umspannen konnten, erhielt er auf die Frage, wem dieser Wald gehöre, die Antwort: »Dem Tentetnikow!« Als dann die Landstraße den Wald wieder verließ, an Espenwäldchen, jungen und alten Weiden vorbei sich durch Wiesen hinzog, die von fernen Höhenzügen begrenzt wurden, und als sie an zwei Stellen über einen Fluß führte, diesen bald rechts und bald links hinter sich lassend, wurde seine Frage: »Wem gehören diese Heuschläge und überschwemmten Niederungen?« abermals mit der Auskunft: »Dem Tentetnikow« beantwortet. Die Straße erklomm jetzt einen Berg, um sich dann auf einer Hochfläche an noch ungemähten Getreidefeldern hinzuziehen, während auf der anderen Seite alle Landschaftsbilder, die ihm unterwegs begegnet waren, in der Tiefe jetzt enger zusammengerückt, noch einmal auftauchten. Dann ging es im Schatten breit ausladender Bäume, die verstreut auf dem grünen Rasenteppich standen, weiter dem Dorf entgegen. Als endlich die mit geschnitzten Verzierungen geschmückten Bauernhäuser, die roten Dächer der steinernen Gutsgebäude, die goldblitzenden Kuppeln der Kirche sichtbar wurden und ihm sein stürmisch klopfendes Herz, auch ohne weitere Frage, sagte, wo er sich befand, da machte sich das Übermaß seiner Gefühle in den laut hervorgestoßenen Worten Luft: »Was bin ich doch für ein Esel gewesen! Ein gütiges Geschick hat mich zum Herrn eines irdischen Paradieses ausersehen, und ich wußte nichts Besseres zu tun, als mich zu niederen Schreiberdiensten herzugeben, mich freiwillig zum Sklaven des toten Buchstabens zu erniedrigen! Ich habe eine gute Erziehung genossen, mir eine umfassende Bildung und eine Menge Kenntnisse angeeignet, die erforderlich sind, um unter meinen Untergebenen aufklärend zu wirken, die Verhältnisse im Landkreis zu verbessern und die vielseitigen Obliegenheiten eines Gutsbesitzers zu erfüllen, der Richter und Hüter der Ordnung in einer Person ist! Und statt dessen habe ich diesen verantwortungsvollen Posten einem ungebildeten und beschränkten Verwalter überlassen und es für wichtiger gehalten, mich selber den Angelegenheiten wildfremder Leute zu widmen, die ich niemals gesehen habe und deren Charaktereigenschaften mir völlig unbekannt waren. Wie ist es nur möglich, daß ich die papierene Betreuung von tausend Kilometer entfernten Provinzen, wohin ich nie meinen Fuß gesetzt hatte und in denen ich vom grünen Tisch aus nur Unfug anrichten konnte, der zweckvollen Verwaltung meiner eigenen Güter vorgezogen habe?«

Unterdessen erwartete Tentetnikow ein überraschendes Schauspiel. Die Bauern hatten von der Ankunft ihres Herrn gehört und sich an der Treppe des Gutshauses versammelt. Er sah sich von Hauben, Kopftüchern, Gürteln, bunten Kitteln und den breiten, malerischen Bärten dieses schönen Menschenschlages umringt, und als dann Rufe erklangen: »Unser Ernährer, hast du dich jetzt der Deinen erinnert!« und die alten Leute, die noch seinen Vater und seinen Großvater gekannt hatten, zu weinen begannen, konnte auch er nur mit Mühe die Tränen zurückhalten. Welche Anhänglichkeit! dachte er. Womit habe ich mir diese Liebe verdient? Doch wohl nicht damit, daß ich meine Leute noch nie gesehen, mich niemals um sie gekümmert habe? Da gelobte er sich, von nun an alle Mühsal und Arbeit mit ihnen zu teilen.

So nahm also Tentetnikow die Bewirtschaftung und Verwaltung seines Gutes selbst in die Hand. Das erste, was er tat, war die Herabsetzung der Gehorchszahlungen. Ferner verringerte er die Anzahl der Tage, an denen die Bauern dem Gutsbesitzer Frondienste leisten mußten, und ließ ihnen auf diese Weise mehr Zeit für die eigene Arbeit. Den unfähigen Verwalter entließ er und kümmerte sich selbst um alles und jedes. Er zeigte sich immer öfter bei der Feldarbeit, in der Tenne und in der Getreidedarre, in den Mühlen, am Anlegeplatz beim Verladen der Barken und Flöße, so daß die Faulenzer bereits anfingen, sich mißvergnügt hinter den Ohren zu kratzen. Aber diese Besorgnis dauerte nicht lange an. Die Bauern sind durchtrieben: sie hatten bald heraus, daß der Herr zwar schnell bei der Hand war und daß es ihm nicht an Energie und Entschlußkraft fehlte, überall durchzugreifen, aber sie begriffen auch, daß er keineswegs immer wußte, wie er es eigentlich anpacken sollte. Auch war seine Art, sich auszudrücken, allzu gewählt und gedrechselt. So kam es, daß Herr und Bauer zwar nicht gerade aneinander vorbeiredeten, aber sich doch nicht ganz verstanden und im Umgang miteinander den richtigen Ton nicht zu treffen vermochten.

Tentetnikow entdeckte bald, daß auf seinem Grund und Boden alles viel schlechter gedieh als auf den bäuerlichen Feldern: sein Korn war früher gesät und ging später auf, und doch wurde, wie es schien, nicht lässig gearbeitet. Er stand ja immer selbst dabei und ließ den Bauern für besonderen Eifer sogar Schnaps geben. Dennoch hatte der Roggen bei den Leuten schon längst Ähren angesetzt, der Hafer reifte und die Hirse war dicht aufgeschossen, wenn bei ihm das Korn kaum aufgegangen und von den Ähren noch gar nichts zu sehen war. Kurz, der Herr mußte sich klar darüber sein, daß die Bauern ihn trotz allen Vergünstigungen, die er ihnen zugebilligt hatte, glatt hinters Licht führten. Versuchte er es, den Leuten Nachlässigkeit vorzuwerfen, erhielt er sogleich die Antwort: »Wie sollten wir denn, gnädiger Herr, nicht auf den Vorteil der Herrschaft bedacht sein! Sie wissen doch selbst, daß wir uns beim Pflügen und Säen alle Mühe gemacht haben und daß Sie uns zur Belohnung sogar haben Schnaps geben lassen.« Was sollte man darauf erwidern?

»Ja, aber warum steht das Korn jetzt so miserabel?« fragte der Herr weiter.

»Wer kann das wissen? Die Würmer mögen die Wurzeln angenagt haben. Und dann war der Sommer so schlecht: es hat ja keinen Tropfen Regen gegeben.«

Der Herr aber sah, daß das Getreide der Bauern von den Würmern und der Dürre verschont geblieben war – es hatte offenbar merkwürdig streifenweise geregnet, daß nur der Bauer daraus Nutzen zog, während auf die herrschaftlichen Felder kein Tropfen gefallen war.

Noch viel schlechter als mit den Bauern kam er mit den Weibern aus. Beständig suchten sie sich von der Arbeit zu drücken und beklagten sich über den beschwerlichen Frondienst. Sonderbar: er hatte die Ablieferung von Leinwand, das pflichtmäßige Sammeln von Beeren, Pilzen und Nüssen ganz abgeschafft und auf die Hälfte aller sonstigen Dienstleistungen in der Annahme verzichtet, daß die Bauernweiber ihre freie Zeit für ihren Haushalt verwenden, ihren Männern Kleider nähen und ihre Gemüsegärten vergrößern und sorgfältiger bestellen würden. Aber weit gefehlt! Gerade das Gegenteil trat ein: der Müßiggang breitete sich noch mehr aus, und Klatsch, Zank und Handgreiflichkeiten nahmen beim schönen Geschlecht so zu, daß die ratlosen Männer fortwährend zu Tentetnikow kamen und ihn anflehten: »Gnädiger Herr, bringen Sie meinen Teufel von einem Weibe wieder zur Vernunft! Das ist ja kein Leben mehr – sie ist ein richtiger Satan!«

Wiederholt hatte er seine ganze Energie aufgeboten und den Entschluß gefaßt, es mit Strenge zu versuchen. Aber wie sollte er das machen, wenn so eine Bäuerin in ekelhaft schmutzigen Fetzen – Gott weiß, wo sie die hernahm – zu ihm kam, so tat, als wäre sie schwer krank, und nach rechter Weiberart zu jammern und zu heulen begann? »Mach, daß du fortkommst, geh mir aus den Augen!« rief der arme Andrej Iwanowitsch und mußte gleich darauf sehen, wie diese angebliche Kranke, als sie kaum aus dem Hause hinaus war, sich wegen irgendeiner Rübe mit einer Nachbarin in die Haare geriet und sie so kräftig verprügelte, wie das ein starker, kerngesunder Bauer kaum fertiggebracht hätte.

Tentetnikow hatte sogar daran gedacht, eine Schule für

seine Leute einzurichten, aber es kam nur ein völliger Unsinn dabei heraus, so daß er den Mut ganz verlor. Es war besser, überhaupt nicht mehr daran zu denken! Bei seiner richterlichen Tätigkeit und den Untersuchungen, die er in Streitfällen vornehmen mußte, erwiesen sich die juristischen Kniffe und Finessen, die ihm seine Professoren beigebracht hatten, als ganz und gar unanwendbar. Die Kläger logen genauso wie die Beklagten, und der Teufel mochte wissen, wie man sich da auskennen sollte. Und er kam zur Überzeugung, daß die einfache Menschenkenntnis viel angebrachter war als alle Feinheiten juristischer und philosophischer Lehrbücher und daß ihm selbst irgend etwas fehlen mußte, aber was es war, wußte nur Gott allein. Und so ergab sich auch hier das Übliche, nämlich, daß weder der Bauer den Herrn noch der Herr den Bauern verstand, und jeder machte den andern verantwortlich. Alle diese Erfahrungen kühlten den Eifer des Gutsbesitzers erheblich ab. Während der Überwachung der Feldarbeit und der Heumahd war er nicht mehr recht bei der Sache, achtete nicht auf den Klang der Sensen, übersah das Aufschichten und Abfahren der Heuschober und war zu zerstreut, um sich klar darüber zu sein, daß die Getreideernte schon überall im Gange war. Seine Augen blickten verträumt in die Ferne. Wurde weitab von der Stelle, wo er sich gerade befand, gearbeitet, so starrte er auf irgendwelche Gegenstände in seiner nächsten Nähe, oder er blickte nach einer Krümmung des Flusses hinüber, wo einer mit rotem Schnabel und auf langen, roten Beinen herumstelzte – natürlich ein Vogel und kein Mensch. Interessiert beobachtet er, wie der Vogel ganz in der Nähe des Ufers einen Fisch erwischt und ihn quer im Schnabel hält, tiefsinnig überlegend, ob er ihn verschlingen soll oder nicht, und dabei den Flußlauf entlang nach einem zweiten ebensolchen Vogel hinüberäugt, der, seinerseits noch ohne Beute, den erfolgreicheren Artgenossen aufmerksam im Auge behält. Oder Andrej Iwanowitsch zieht mit geschlossenen Augen und hoch erhobenem Kopf den aus Feldern und Heuschlägen aufsteigenden süßen Duft in vollen Zügen ein und genießt den Wohllaut der vielen Vogelstimmen, die in einem vollen, von keiner Disharmonie gestörten Chor zusammenklingen. Im Korn schlägt die Wachtel, im Grase läßt sich der Wachtelkönig vernehmen, zwitschernd fliegen Hänflinge hin und her, eine Schnepfe steigt quarrend auf, trillernd verlieren sich Lerchen im Himmelsblau, und wie Trompetenstöße klingen die Schreie der Kraniche, die hoch in den Lüften ihre keilförmigen Marschkolonnen zusammenstellen. Die ganze Umgebung hallt wider vom Geschwirr der Töne, das die Luft erfüllt ... O Schöpfer! Wie wunderbar ist doch deine Welt auch in der tiefsten Einsamkeit, im entlegensten Dörfchen, weitab von den abscheulichen großen Straßen und Städten! Aber auch dies wurde ihm mit der Zeit langweilig. Bald hörte er ganz auf, sich auf den Feldern zu zeigen: er hockte beständig im Zimmer und weigerte sich sogar, den Verwalter zu sehen und seine Berichte anzuhören.

Früher besuchte ihn noch gelegentlich ein ehemaliger Husarenleutnant, der ein passionierter Pfeifenraucher war, oder ein radikaler Student, der sein Studium nicht beendet hatte und seine Weisheit aus Zeitungen und Zeitschriften bezog. Aber auch das langweilte ihn. Die Gespräche dieser Leute kamen ihm bald reichlich seicht und oberflächlich vor. Ihre europäisch-freien Umgangsformen, die zudringliche Art, ihm fortwährend auf die Schulter zu klopfen, und ihre plumpen Schmeicheleien erschienen ihm allzu unverhüllt. Er beschloß daher, den Verkehr mit ihnen abzubrechen, und führte dieses Vorhaben sogar in ziemlich schroffer Weise aus. Als nämlich eines Tages ein Meister des leichten Plaudertons, Warwar Nikolajewitsch Wischnepokromow, ein Musterbeispiel jener im Aussterben begriffenen Sorte von Obersten a. D. und Lebemännern, die sich zugleich als Repräsentanten einer neuaufkommenden Denkungsweise zu geben pflegten, zu Besuch kam, um sich über Politik, Philosophie, Literatur, Moral und sogar über die Finanzlage Englands auszusprechen, schickte Andrej Iwanowitsch hinaus, ihm sagen zu lassen, daß er nicht zu Hause sei. Aber er war zugleich unvorsichtig genug, sich am Fenster zu zeigen. Die Blicke des Gastes und des Hausherrn trafen sich. Es versteht sich, daß der eine die Zähne zeigte und »Du Hundesohn!« zischte, während der andre ihm eine ähnliche Verwünschung nachsandte. Damit hatten die gegenseitigen Beziehungen ein Ende und von diesem Augenblick an besuchte ihn niemand mehr.

Tentetnikow war froh darüber und gab sich ganz seinem zukünftigen großen Werk über Rußland hin. In welcher Weise er über diesen Plan nachdachte, weiß der Leser schon. Im Hause entstand jetzt eine merkwürdig unordentliche Ordnung. Man konnte jedoch nicht sagen, daß es nicht auch Augenblicke gegeben hätte, da er gleichsam aus seinen Träumereien erwacht wäre. Wenn die Post Zeitungen und Zeitschriften brachte und er bei der Lektüre auf den vertrauten Namen eines früheren Kameraden stieß, der bereits eine hohe Staatsstellung errungen oder der Wissenschaft, wenn nicht gar der ganzen Menschheit hervorragende Dienste geleistet hatte, schlich sich eine geheime Trauer in sein Herz, die sich in einer stillen, aber bittren Klage über sein tatenloses Dahindämmern Luft machte. Dann erschien ihm sein Dasein verächtlich und abstoßend. Mit ungewöhnlicher Deutlichkeit sah er seine Schulzeit und die lebendige Gestalt Alexander Petrowitschs wieder vor sich und Tränen stürzten aus seinen Augen ...

Was bedeutete diese Tränenflut? Offenbarte in ihr die kranke Seele das schmerzliche Geheimnis ihrer Leiden, die Verzweiflung darüber, daß die Fähigkeiten, die in ihm ruhten, sich nicht hatten entfalten und festigen können? Unerprobt im Kampf mit dem Mißerfolg hatte er jene höhere Stufe nicht zu erreichen vermocht, auf der der Mensch durch die Überwindung von Schwierigkeiten und Widerständen über sich selbst hinauswächst. Ein reicher Schatz edler Gefühle war gleich einem glühenden Metall geschmolzen, ohne die letzte Härtung und Prägung empfangen zu haben. Allzu früh für ihn war der ungewöhnliche Lehrer gestorben, und nun gab es auf der ganzen Welt keinen Menschen mehr, der imstande gewesen wäre, seine durch ständiges Schwanken erschütterten Kräfte zu stützen, seinen erschlafften Willen wiederzubeleben und ihm jenes ermunternde »Vorwärts!« zuzurufen, nach welchem jeder Russe ewig dürstet, welchem Rang, Stand und Beruf er auch immer angehören mag.

Wo ist der Mensch, der wahrhaft berufen wäre, der russischen Seele in ihrer eigenen Sprache dieses allvermögende Wort zuzurufen? Wer ermißt alle seelischen Kräfte, Anlagen und Möglichkeiten und die ganze unauslotbare Tiefe unseres Wesens, um uns mit diesem Zauberspruch einem höheren Leben zuzuführen? Mit welchen Tränen der Liebe und der Dankbarkeit würde der russische Mensch sich ihm erkenntlich zeigen! Aber Jahrhunderte kommen und gehen – wir verharren in schmählicher Faulheit und sinnloser Geschäftigkeit unreifer Jünglinge und Gott will uns den Mann nicht senden, der imstande wäre, das erlösende Wort zu uns zu sprechen!

Und doch hätte eine Begebenheit Tentetnikow beinahe aufgerüttelt und eine Wandlung seines Charakters verursacht: es war so etwas wie eine Liebesgeschichte, aber auch dieses Erlebnis verlief im Sande. In der Nachbarschaft, etwa zehn Kilometer von seinem Gut entfernt, wohnte ein General, der, wie wir bereits wissen, keine allzu hohe Meinung von Andrej Iwanowitsch hatte. Der General lebte, wie Generäle zu leben pflegen, führte ein offenes Haus und sah es gern, wenn seine Nachbarn ihm ihre Aufwartung machten. Er selber machte keine Besuche, sprach mit heiserer Stimme, las Bücher und hatte eine Tochter, ein ungewöhnliches Geschöpf, das lebhaft war wie das Leben selbst.

Sie hieß Ulinka und hatte eine merkwürdige Erziehung genossen. Sie war von einer englischen Gouvernante unterrichtet worden, die kein Wort Russisch verstand. Schon in ihrer Kindheit hatte sie die Mutter verloren. Der Vater, der nie recht Zeit für sie hatte, liebte sie abgöttisch und verwöhnte sie sehr. Sie war eigensinnig wie alle Kinder, die in völliger Freiheit aufwachsen. Wer Zeuge war, wie ein plötzlicher Wutausbruch tiefe Unmutsfalten in ihre wunderschöne Stirn grub und wie leidenschaftlich sie mit ihrem Vater aneinandergeraten konnte, hielt sie für das launischste Geschöpf von der Welt. Aber der Zorn flammte nur dann in ihr auf, wenn sie hörte, daß jemandem Unrecht geschehen war oder daß man irgendwen schlecht behandelt hatte. Nie stritt sie um ihrer selbst willen oder versuchte, sich zu rechtfertigen und war sofort wieder besänftigt, wenn sie den Menschen, dem sie böse war, im Unglück sah. Und sie war immer bereit, jedem, der sie um eine Unterstützung bat, ihren Geldbeutel mit allem, was darin war, zu geben, ohne auch nur einen Augenblick nachzudenken. Es steckte etwas gewissermaßen Unaufhaltsames in ihrem ganzen Wesen. Wenn sie sprach, hatte man den Eindruck, als würde alles an ihr vom Fluge ihrer Gedanken mit fortgerissen – ihre schnell wechselnden Mienen, ihre eigenwilligen Ausdrücke, die Bewegungen ihrer Hände und selbst die Falten ihres Kleides schienen ihren Einfällen nachzueilen, ja es war, als flöge ihre ganze Person mit ihren Worten davon. Sie hatte nichts Verschlossenes, scheute sich nicht, vor jedermann ihre Gedanken frei zu äußern, und keine Macht der Erde konnte sie zum Schweigen veranlassen, wenn sie reden wollte. Ihr anmutiger Gang, ein Gang, wie nur sie allein ihn hatte, war so frei und unerschrocken, daß alle, die ihr begegneten, unwillkürlich beiseite traten und ihr den Weg freigaben. In ihrer Gegenwart wurde jeder unaufrichtige Mensch schweigsam und unsicher. Selbst der Dreisteste und Vorlauteste fand keine Worte und verlor seine Fassung; der Schüchternste dagegen konnte frei von der Leber weg mit ihr plaudern, wie sonst mit niemandem auf der Welt: schon nach den ersten Worten hatte er das beglückende Gefühl, dieses Gesicht schon einmal gesehen zu haben – in den vergessenen Tagen frühester Jugend, an einem fröhlichen Abend im eigenen Elternhause oder bei den lustigen Spielen einer sorglosen Kinderschar. Und noch lange nach dieser Begegnung kam ihm der nüchterne Ernst des Erwachsenen unsäglich langweilig vor.

Geradeso ging es auch Tentetnikow mit ihr. Ein unerklärliches neues Gefühl zog in seine Seele ein und erhellte für kurze Zeit sein trübseliges Dasein.

Der General hatte Andrej Iwanowitsch zunächst recht liebenswürdig und herzlich aufgenommen, aber richtig warm waren sie nicht miteinander geworden. Die Unterhaltung mit ihm endete immer mit einem Wortwechsel, der auf beiden Seiten peinliche Gefühle zurückließ, denn der General vertrug keinen Widerspruch und auch Tentetnikow war empfindlich, sah aber dem Vater um der Tochter willen manches nach. So blieb der Friede zwischen beiden erhalten – bis eines Tages zwei Verwandte des Generals zu Besuch kamen: eine Gräfin Bordyrewa und eine Fürstin Jusjakina, ehemalige Hofdamen, die aber noch gewisse, ungemein wertvolle Verbindungen unterhielten, was den General veranlaßte, sich ein wenig bei ihnen einzuschmeicheln. Tentetnikow glaubte zu bemerken, daß der General seit der Ankunft der beiden Damen zusehends kälter gegen ihn wurde und ihn kaum mehr beachtete. Er behandelte ihn von oben herab wie eine völlig nebensächliche Person, nannte ihn nichtachtend »mein Bester« oder »Verehrtester« und sagte sogar »du« zu ihm. Andrej Iwanowitsch biß die Zähne zusammen, aber schließlich riß ihm die Geduld. Ohne jedoch seine Selbstbeherrschung zu verlieren, sagte er sehr sanft und höflich, während alles in ihm kochte und rote Flecken auf seinem Gesicht hervortraten: »Ich danke Ihnen, General, für das Wohlwollen, das Sie mir entgegenbringen. Mit dem vertraulichen Du tragen Sie mir ein enges Freundschaftsverhältnis an und verpflichten mich, Sie gleichfalls mit du anzureden. Aber der Altersunterschied läßt einen so vertraulichen Verkehrston zwischen uns beiden nicht zu.« Der General wurde verlegen. Als er seine Gedanken wieder gesammelt hatte, erwiderte er, wenn auch mit etwas stockender Stimme, daß er das Du nicht in diesem Sinne gebraucht habe, daß es aber einem alten Herrn doch wohl erlaubt sei, einen jungen Mann gelegentlich mit du anzureden. Seinen Generalsrang erwähnte er mit keiner Silbe.

Es versteht sich von selbst, daß von diesem Augenblick an der Verkehr abgebrochen und die Liebe im Keime erstickt wurde. Das Licht erlosch, das ihm einen Augenblick verheißungsvoll geleuchtet hatte, und die wieder herabsinkende Dämmerung war noch finstrer als vorher. Das Leben nahm von neuem die gleichen Formen an, die der Leser zu Beginn dieses Kapitels kennengelernt hat: Tentetnikow brachte seinen Tag damit zu, sich tatenlos im Bett herumzuwälzen. Das Haus war schmutzig und unordentlich. Der Besen mit dem zusammengefegten Kehricht blieb mitten im Zimmer liegen. Die Unterhosen hatten sich sogar in den Salon verirrt, auf dem zierlichen Sofatischchen lagen die speckigen Hosenträger, gleichsam als Gastgeschenk für den eintretenden Besucher, und Andrej Iwanowitschs ganzes Leben war wieder so apathisch und inhaltslos geworden, daß nicht nur seine Leute jegliche Achtung vor ihm verloren hatten, sondern daß auch die Hühner es nicht einmal der Mühe wert hielten, mit dem Schnabel nach ihm zu hacken. Er konnte stundenlang mit der Feder in der Hand dasitzen und allerlei Kringel, Häuschen, Wägelchen und kleine Troikas selbstvergessen auf ein Blatt Papier kritzeln. Aber manchmal zeichnete die Feder, ohne daß er sich dessen bewußt war, ein Köpfchen mit feinen Gesichtszügen, einem schnellen, forschenden Blick und einer widerspenstigen Haarlocke, und staunend sah plötzlich Andrej Iwanowitsch, daß es das packend ähnliche Porträt jenes Geschöpfes war, das zu malen keinem Künstler jemals gelungen wäre. Und dann wurde ihm noch wehmütiger ums Herz. Fest überzeugt, daß es für ihn kein Glück auf dieser Erde gab, versank er immer tiefer in eine hoffnungslose Melancholie.

In dieser Gemütsverfassung bemerkte Tentetnikow eines Tages, als er sich, wie es seine Gewohnheit geworden war, ans Fenster gesetzt hatte, um hinauszustarren, und zu seiner Überraschung weder Grigorij noch die Perfiljewna sah, eine gewisse Bewegung und Unruhe im Hof. Der kleine Koch und das Spülmädchen liefen zur Eingangspforte, um sie aufzusperren. Sie öffnete sich und drei Pferde wurden sichtbar – ganz wie sie Triumphbögen schmücken: eine Schnauze rechts, eine links und eine in der Mitte. Darüber auf dem Bock ein Kutscher und ein Diener in weitem Rock und mit einem Schal umgürtet. Und hinter den beiden ein Herr in Mantel und Mütze, eingewickelt in ein regenbogenfarbenes Plaid. Als das Gefährt an der Treppe hielt, zeigte sich, daß es nichts andres war als ein leichter Federwagen. Der ungewöhnlich gut aussehende Herr sprang fast mit der Hastigkeit und Gewandtheit eines Militärs aus der Kutsche und eilte die Stufen hinauf.

Andrej Iwanowitsch erschrak: er hielt den Gast für

einen Regierungsbeamten. Hier muß nämlich erwähnt werden, daß Tentetnikow in seiner Jugend in eine unangenehme Geschichte verwickelt gewesen war. Zwei Husarenleutnants, die allerhand philosophische Broschüren gelesen hatten, ferner ein Ästhet, der in Wirklichkeit nur ein verbummelter Student war, und ein verkommener Spieler wollten eine philanthropische Gesellschaft gründen. Die Oberleitung lag in den Händen eines alten Gauners und Freimaurers, der ebenfalls dem Hasardspiel verfallen war, sich aber durch eine ungewöhnliche Beredsamkeit auszeichnete. Die Gesellschaft hatte sich ein großes Ziel gesetzt – sie wollte die ganze Menschheit von den Ufern der Themse bis Kamtschatka restlos glücklich machen. Dazu brauchte man natürlich unwahrscheinliche Mittel und die Beiträge, die den hochherzigen Mitgliedern abgefordert wurden, waren enorm. Wo das Geld blieb, wußte nur der erste Vorsitzende. Andrej Iwanowitsch wurde in diesen Kreis von zwei Freunden eingeführt, die zu der Klasse der »Unzufriedenen« gehörten. Es waren gutmütige Leute, die aber infolge der häufigen Trinksprüche auf die Wissenschaft, die Aufklärung und die Dienste, die man der Menschheit in Zukunft leisten würde, zu regelrechten Säufern geworden waren. Tentetnikow kam bald zur Besinnung und trat aus diesem Kreis wieder aus. Aber die Gesellschaft hatte sich inzwischen bereits auf gewisse Transaktionen eingelassen, die mit ihren eigentlichen Zielen nicht das mindeste zu tun hatten und eines Edelmannes schon gar nicht würdig waren, so daß man schließlich sogar mit der Polizei in Konflikt geriet ... kein Wunder, daß Tentetnikow auch später, als er schon längst ausgetreten war und alle Beziehungen zu diesen Leuten abgebrochen hatte, nicht recht zur Ruhe kommen konnte, da sein Gewissen nicht ganz rein war. Nicht ohne Besorgnis blickte er daher jetzt nach der Tür, die sich soeben öffnete.

Aber seine Ängste schwanden sogleich wieder, als der eingetretene Gast sich mit unnachahmlicher Anmut verbeugte und dabei seinen Kopf respektvoll zur Seite neigte. In knappen, aber bestimmten Worten erklärte er, daß er schon eine ganze Weile in Rußland umherreise, teils aus geschäftlichen

Gründen und teils aus Wißbegierde. Das Land, so fuhr er fort, sei ungemein reich an höchst bemerkenswerten Dingen, ganz abgesehen von der Verschiedenartigkeit der Gewerbe und der Bodenbeschaffenheit. Er sei hingerissen von der malerischen Lage dieses Gutes, würde jedoch trotzdem niemals gewagt haben, ihn, den Besitzer, durch seine unangebrachte Aufwartung zu belästigen, hätte nicht seine Kutsche infolge des Frühjahrshochwassers und des schlechten Zustandes der Straßen Schäden erlitten, welche Ausbesserungen durch hilfreiche Schmiedemeister und andre Handwerker dringend erforderlich machten. Aber auch wenn seiner Kutsche gar nichts zugestoßen wäre, hätte er sich das Vergnügen nur schwer versagen können, persönlich den Gutsherrn seiner Hochachtung zu versichern.

Nachdem der Gast seine Ansprache beendet hatte, machte er mit bestrickender Liebenswürdigkeit einen Kratzfuß, ließ seine eleganten, mit Perlmutterknöpfen geschlossenen Lackschuhe sehen und schnellte dabei trotz seiner Körperfülle mit der Elastizität eines Gummiballes ein wenig zurück.

Andrej Iwanowitsch vermutete, daß sein Gast ein besonders eifriger Gelehrter oder Professor sei, der Rußland bereiste, um Pflanzen zu sammeln oder vielleicht sogar Ausgrabungen zu machen. Er erklärte sich sofort bereit, ihm in jeder Beziehung zu Diensten zu sein, stellte ihm seinen Wagenbauer und seinen Schmied zur Verfügung, sprach die Hoffnung aus, daß er sich wie zu Hause fühlen werde. Dann bat er ihn, in einem großen Lehnsessel à la Voltaire Platz zu nehmen, und schickte sich an, seinem Gast zuzuhören, der ihm gewiß Mitteilungen über die Ergebnisse seiner naturwissenschaftlichen Forschungen machen würde.

Der Besucher äußerte sich jedoch über Dinge, die mehr sein Innenleben betrafen. Er verglich sich mit einem Nachen, der auf hoher See von heimtückischen Stürmen umhergeworfen wird, erwähnte, daß er seinen Beruf wiederholt habe wechseln müssen, viel für die Wahrheit gelitten und Feinde gehabt habe, die sogar sein Leben mehr als einmal in Gefahr gebracht hätten, und erzählte noch manches andre, woraus sich ergab, daß er ein Mann des praktischen Lebens war. Zum

Schluß zog er ein blütenweißes Batisttüchlein aus der Tasche und schneuzte sich so übermenschlich laut, daß Andrej Iwanowitsch zusammenfuhr. Man hatte derartiges in der Tat noch nicht gehört – höchstens, daß man zuweilen in einem Orchester einer Trompete von so überwältigender Lautstärke begegnete, daß, wenn sie ertönte, man wahrhaftig meinen konnte, es habe nicht im Orchester, sondern im eigenen Ohre gekracht. Ein ähnlicher Laut erschütterte jetzt die aufgeschreckten Zimmerfluchten dieses schlummernden Hauses und unmittelbar darauf machte sich der Wohlgeruch von Eau de Cologne bemerkbar, der sich durch ein graziöses Schütteln des Batisttüchleins unsichtbar im Zimmer ausbreitete.

Der Leser wird vielleicht erraten haben, daß der Gast niemand anders als unser verehrter Pawel Iwanowitsch Tschitschikow war, den wir schon so lange aus den Augen verloren haben. Er war unterdessen merklich älter geworden: die Zeit hatte ihm offenbar mancherlei Stürme und Sorgen gebracht. Sogar sein Frack machte einen leicht abgewetzten Eindruck und der Wagen, der Kutscher, der Bediente, die Pferde und das Geschirr sahen etwas abgenutzt aus. Auch seine Finanzen schienen sich nicht gerade in einem beneidenswerten Zustande zu befinden. Aber im Ausdruck seines Gesichts und in seinem feinen Benehmen war keine Veränderung zu bemerken, ja es sah fast so aus, als wären seine Umgangsformen eher noch angenehmer geworden und als schlüge er noch gewandter ein Bein über das andere, wenn er sich in einem Sessel niedergelassen hatte. Es lag noch mehr Weichheit und Geschmeidigkeit in seiner Stimme, mehr Zurückhaltung in seiner Art, sich auszudrücken, und mehr Takt und Sicherheit in seiner ganzen Haltung. Weißer als Schnee blitzten seine Kragen und Vorhemden, und obwohl er auf Reisen war, fand sich kein Stäubchen und kein Federchen an seinem Frack – er hätte auf der Stelle und so, wie er war, an einem Geburtstagsfestessen teilnehmen können. Sein Kinn und seine Backen waren so spiegelglatt rasiert, daß einzig und allein ein Blinder nicht seine helle Freude an ihrer angenehmen Rundung hätte haben können.

Im Hause ging jetzt eine große Veränderung vor. Die

eine Hälfte, die bisher mit geschlossenen und zugenagelten Läden gewissermaßen blind gewesen war, lag plötzlich hell und freundlich da. In den lichtdurchfluteten Zimmern wurde die Einrichtung umgestellt, und alles sah ganz anders und zwar folgendermaßen aus: der Raum, der als Schlafzimmer dienen sollte, wurde mit allen Gegenständen ausgestattet, die für die Nachttoilette erforderlich waren, während das künftige Arbeitszimmer ... doch zunächst muß man wissen, daß hier drei Tische standen: ein Schreibtisch vor dem Sofa, ein Spieltisch unter einem Spiegel zwischen den Fenstern und schließlich ein Ecktischchen zwischen der Schlafzimmertür und einer Tür, die in einen Saal führte, der jetzt als Vorzimmer benutzt wurde, nachdem er bisher als Rumpelkammer für schadhafte Möbel gedient hatte und manchmal ein ganzes Jahr lang überhaupt nicht betreten worden war. Auf dem erwähnten Ecktisch wurde die aus dem Koffer herausgenommene Garderobe untergebracht. Sie bestand aus einer Frackhose, einer ganz neuen und einer grauen Hose, aus zwei Samtwesten, zwei Atlaswesten und einem langen Rock. Alle diese Kleidungsstücke wurden pyramidenförmig aufeinandergelegt und darüber ein seidenes Tischtuch gebreitet. In der gegenüberliegenden Zimmerecke zwischen Tür und Fenster wurden Schuhe und Stiefel in gerader Reihe aufgestellt: ein nicht mehr ganz neues Paar, ein ganz neues Paar, ein Paar Lackschuhe und die Morgenschuhe. Sie wurden ebenfalls mit seidenen Taschentüchern zugedeckt – so als wären sie überhaupt nicht vorhanden. Auf dem Schreibtisch fanden in peinlichster Ordnung folgende Gegenstände ihren Platz: die Schatulle, die Flasche mit Eau de Cologne, ein Kalender und zwei Romane, von beiden aber nur der zweite Band. Die reine Wäsche kam in die Kommode, die schon vor der Umräumung des Zimmers hier gestanden hatte. Die schmutzige Wäsche dagegen, die zur Wäscherin gebracht werden sollte, wurde zu einem Bündel zusammengebunden und ebenso unter das Bett geschoben wie der ausgeleerte Koffer. Der Säbel, der immer auf die Reise mitgenommen wurde, um damit Diebe einzuschüchtern, fand gleichfalls im Schlafzimmer seinen Platz, und zwar an einem Nagel in der Nähe des

Bettes. Alles war blitzsauber und zeugte von einer seltenen Ordnungsliebe, nirgends war ein Papierchen, ein Fädchen oder auch nur ein Stäubchen zu entdecken. Selbst die Luft schien irgendwie veredelt zu sein: sie war erfüllt von der angenehmen Atmosphäre, die einen gesunden, frischen Mann umgibt, der seine Wäsche häufig wechselt, regelmäßig zu baden pflegt und sich an den Sonn- und Feiertagen von Kopf bis Fuß mit einem feuchten Schwamm abreibt. Im Vorsaal dagegen schien sich der Geruch des Dieners Petruschka festsetzen zu wollen, aber Petruschka wurde bald in die Küche ausquartiert, wohin er auch gehörte.

In den ersten Tagen fürchtete Andrej Iwanowitsch, der auf seine Unabhängigkeit den allergrößten Wert legte, daß der Gast ihm lästig werden, unerwünschte Veränderungen in seiner Hausordnung verursachen und eine glücklich zustande gebrachte Tageseinteilung stören könnte. Doch Tentetnikows Bedenken waren unbegründet. Unser Pawel Iwanowitsch legte eine ungewöhnliche Anpassungsfähigkeit an den Tag. Er bestärkte sogar das philosophische Ruhebedürfnis des Hausherrn und prophezeite ihm, daß er bei dieser Lebensweise hundert Jahre alt werden würde. Er lobte die Einsamkeit und fand dabei das glückliche Wort, daß sie die großen Gedanken nähre. Er besichtigte auch die Bibliothek, sprach sich ungemein anerkennend über Bücher im allgemeinen aus und machte die Bemerkung, daß sie den Menschen vor Müßiggang bewahrten. Er sagte nur wenig, aber jedes Wort war gewichtig und bedeutend. Auch sein sonstiges Benehmen gefiel in jeder Beziehung. Er kam und ging immer zu gelegener Zeit, fiel seinem Gastgeber nicht mit Fragen zur Last, wenn dieser gerade nicht zum Reden aufgelegt war. Er spielte gern Schach mit ihm, schwieg aber auch ebensogern. Während der eine seinen Tabakrauch dichtgewölkt aufsteigen ließ, erfand der andere, der Nichtraucher war, eine entsprechende Beschäftigung: er zog zum Beispiel eine Schnupftabaksdose von Tulasilber aus der Tasche, nahm sie zwischen zwei Finger der linken Hand und setzte sie so schnell in Bewegung, daß sie der Erdkugel ähnlich um ihre Achse rotierte, oder er trommelte mit einem Finger auf den Deckel der Dose und pfiff dabei eine Melodie. Mit einem Wort, er vermied es, den Hausherrn zu stören. Ich sehe, sagte Tentetnikow zu sich selbst, zum erstenmal in meinem Leben einen Menschen, mit dem sich leben läßt – eine Kunst, die bei uns selten ist. Wir haben genug Leute, die klug, gebildet und gutmütig sind, aber Menschen von immer gleichbleibendem Temperament, mit denen man sein Leben lang zusammen hausen kann, ohne sich mit ihnen in die Haare zu geraten ... ich bezweifle, daß es bei uns viele von dieser Wesensart gibt. Ich wenigstens kenne nur diesen einen. So dachte Tentetnikow über seinen Gast.

Tschitschikow seinerseits war ebenfalls sehr froh darüber, daß er bei einem so stillen und friedfertigen Herrn einen mindestens zeitweiligen Unterschlupf gefunden hatte. Das bisherige Zigeunerleben war ihm zuwider. Sich einmal wenigstens einen Monat lang auf einem so herrlichen Gut zu erholen und sich am Anblick der Felder und am beginnenden Frühling erfreuen zu dürfen konnte auch für die Hämorrhoiden nur heilsam sein.

Es wäre in der Tat nicht leicht gewesen, einen schöneren Erholungsort zu finden. Der Frühling, durch Fröste lange aufgehalten, entfaltete sich jetzt schnell in seiner ganzen Pracht, und das Leben hatte überall gewonnenes Spiel. Schon blauten die Wälder, auf den frischen, smaragdgrünen Wiesen leuchtete der gelbe Löwenzahn, und die rosaviolette Anemone neigte ihr zartes Köpfchen. Über den Sümpfen zeigten sich Schwärme von Mücken und anderen Insekten, verfolgt von Wasserspinnen, während diesen wiederum die Vögel nachstellten, die sich von allen Seiten her im trockenen Röhricht versammelten. Hier fand sich überhaupt alles Getier zusammen, um sich miteinander bekannt zu machen. Plötzlich bevölkerte sich die Erde, erwachten die Wälder, wurden die Wiesen lebendig und geräuschvoll. Die Dorfjugend führte wieder ihre ländlichen Reigen auf, unbegrenzt war der Raum, sich im Freien zu ergehen. Wie leuchtete doch das Grün! Wie klar und frisch war die Luft! Wie hell erklang das Vogelgezwitscher in den Gärten! Eitel Freude und Jubel wie im Paradiese! Das Dorf hallte wider vom Gesang der jungen Leute wie bei einer Hochzeit.

Tschitschikow streifte viel umher. Zu Spaziergängen und ausgedehnten Wanderungen bot sich reichlich Gelegenheit. Bald schlenderte er gemächlich über die Hochfläche mit dem Rundblick über die in der Tiefe hingebreiteten Täler, wo die Überschwemmung ganze Seen zurückgelassen hatte, in welchen die noch unbelaubten Wäldchen wie dunkle Inseln aussahen. Bald zog es ihn in die Wälder hinein, mitten ins Dickicht und in finstre Schluchten, wo die Kronen der dicht beieinanderstehenden Bäume ganze Kolonien von Vogelnestern trugen, über welchen ein Krähenschwarm krächzend kreiste und den Himmel einer Wolke gleich verdunkelte. Über schon trocken gewordenes Gelände konnte man die Landungsstelle erreichen. Hier wurden wieder Barken mit Erbsen, Gerste und Weizen beladen und abgefertigt, während das Wasser mit ohrenbetäubendem Lärm auf die mächtigen Räder der Mühle herabstürzte, die ihre Tätigkeit bereits aufgenommen hatte. Tschitschikow sah sich auch die ersten Frühjahrsarbeiten an. Er beobachtete, wie sich ein frisch gepflügter Ackerstreifen durch das Grün zog und der Sämann, an das vor seiner Brust hängende Sieb klopfend, das Saatgut gleichmäßig ausstreute, ohne auch nur ein Körnlein zu weit nach der einen oder der anderen Seite zu verschütten.

Tschitschikow war überall. Er plauderte mit dem Verwalter, dem Müller, den Bauern, erkundigte sich nach allem und jedem, erfuhr, wie es mit der Wirtschaft stand, zu welchem Preise das Brot verkauft wurde, welche Getreidearten im Frühjahr und im Herbst in die Mühle kamen, wie jeder einzelne Bauer hieß, mit wem er verwandt war, wo er seine Kuh gekauft hatte, womit er sein Schwein fütterte – kurzum, es entging ihm nichts. Er fragte auch nach der Sterblichkeit der Bauern – es waren übrigens nur wenige gestorben. Als gescheiter Mensch begriff er sofort, daß es mit Andrej Iwanowitschs Wirtschaft keineswegs gut stand: überall Fahrlässigkeit, Trägheit, Unterschlagung, Diebstahl und nicht zum wenigsten Trunksucht! Und er dachte: Was ist dieser Tentetnikow doch für ein Rindvieh! So ein prächtiges Gut und so vernachlässigt. Hier könnte man sicherlich ein Jahreseinkommen von fünfzigtausend Rubel herauswirtschaften!

Wiederholt drängte sich ihm auf solchen Spaziergängen der Wunsch auf, selbst einmal – natürlich erst dann, wenn sein Hauptziel erreicht wäre und er die nötigen Mittel in Händen hätte – friedlicher Eigentümer eines ähnlichen Gutes zu werden. Und selbstverständlich erträumte er sich zugleich auch eine junge, hübsche Frau mit zarten und frischen Farben, aus einer Kaufmannsfamilie oder anderen wohlhabenden Kreisen, die sich sogar auf Musik verstand. Er malte sich auch eine Nachkommenschaft aus, die berufen sein würde, das Geschlecht der Tschitschikows fortzuführen: einen ausgelassenen Knaben und ein Bild von einem kleinen Mädchen oder auch zwei Bürschchen und zwei oder sogar drei niedliche Mädchen, damit ein jeder wußte, daß er gelebt habe und tatsächlich vorhanden gewesen und nicht bloß wie ein Schatten über diese Erde gehuscht sei und sich nicht vor dem Vaterlande zu schämen brauche. Und schließlich kam ihm noch der Gedanke, daß auch eine Rangerhöhung nicht übel wäre: Staatsrat zum Beispiel, immerhin ein würdiger und schätzungswerter Titel! Es ist ja nicht wenig, was einem so auf dem Spaziergang durch den Kopf geht, vieles, was dem Menschen über manchen langweiligen Augenblick hinweghelfen kann, seine Phantasie anregt und entflammt und ihn auch dann befriedigt, wenn er vollkommen sicher ist, daß seine Träume nie in Erfüllung gehen werden!

Auch Pawel Iwanowitschs Leuten gefiel es hier sehr. Sie lebten sich ebenso gut ein wie er selbst. Petruschka schloß bald Freundschaft mit dem Diener Grigorij, obgleich sie beide zuerst fürchterlich prahlten und voreinander ungemein wichtig taten. Petruschka machte Grigorij eitel blauen Dunst vor und spielte sich als weitgereister Mann auf. Grigorij übertrumpfte ihn jedoch sofort mit Petersburg, wo Petruschka noch nicht gewesen war. Dieser wiederum versuchte sich mit den riesigen Entfernungen der Orte, die er kannte, herauszureißen, aber Grigorij nannte ihm eine Stadt, die kein Mensch auf der Karte hätte finden können, und behauptete, daß sie dreißigtausend Kilometer weit weg sei, so daß der völlig verblüffte Bediente Pawel Iwanowitschs den Mund weit aufsperrte und von sämtlichen Hausleuten ausgelacht wurde. Trotzdem endete das Ganze mit der innigsten Freundschaft der beiden. Am Ende des Dorfes betrieb der »glatzköpfige Pimen«, der Onkel aller Bauern, eine Schenke, welche »Akulka« genannt wurde. In dieser Kneipe trafen sie sich zu jeder Tageszeit. Dort besiegelten sie ihre Freundschaft und waren, was man Stammgäste nennt.

Für Selifan gab es andre Verlockungen. Im Dorfe wurden allabendlich Lieder gesungen und Frühlingsreigen aufgeführt. Die schlanken, heißblütigen Mädchen – Mädchen, wie man sie nur selten in den großen Dörfern findet – gefielen ihm so sehr, daß er stundenlang dastehen und sich an ihnen nicht satt sehen konnte. Es war schwer zu entscheiden, welches von den Mädchen das schönste war: sie hatten alle schneeweiße Busen und Hälse, flinke Augen, den Gang eines Pfaus und Zöpfe, die bis zum Gürtel herabhingen. Wenn Selifan sie bei ihren weißen Händen faßte und sich mit ihnen im Tanze drehte oder in langer Reihe mit den andern Burschen gegen sie vorrückte und die Mädchen dann lachend und das Lied »Bojaren, zeigt mir doch den Freier!« singend den Burschen im Tanzschritt entgegenkamen, wenn sich allmählich die Dämmerung herabsenkte und das Echo vom jenseitigen Ufer her den Gesang gedämpft wiederholte, wußte er nicht mehr, wie ihm geschah. Im Traum und im Wachen, in der Morgenfrühe wie in der Abenddämmerung – immer war ihm so, als hielte er die weißen Hände in den seinen und als schwänge er sich mit den Mädchen im Reigen.

Auch Tschitschikows Gäule waren sehr zufrieden. Alle drei, das Deichselpferd, der »Besitzer« und der Schecke, fanden den Aufenthalt bei Tentetnikow durchaus nicht langweilig, den Hafer vortrefflich und fühlten sich überhaupt vorzüglich untergebracht. Jeder Gaul hatte seine Box für sich, über deren Geländer man hinüberblicken und die andren Pferde sehen konnte. Wenn es einem von ihnen – und mochte es auch das in der letzten Box stehende sein – plötzlich einfiel zu wiehern, konnten die andern ihm auf der Stelle in der gleichen Weise antworten.

Mit einem Wort, alle fühlten sich hier wie zu Hause. Was nun die Angelegenheit betraf, um derentwillen Pawel Iwanowitsch im weiten Rußland umherreiste, das heißt also – die toten Seelen, so war er in dieser Beziehung äußerst zurückhaltend geworden und ging sogar dann sehr vorsichtig zu Werke, wenn er es mit ausgemachten Dummköpfen zu tun hatte. Aber Tentetnikow beschäftigte sich immerhin mit Büchern, philosophierte und war bestrebt, sich über die Ursachen aller Erscheinungen, über ihr Warum und Weshalb klarzuwerden. Nein, man mußte versuchen, die Sache von einer anderen Seite her anzupacken, dachte Tschitschikow. Bei seinen häufigen Gesprächen mit den Leuten hatte er unter anderem erfahren, daß der Gutsherr früher viel bei seinem Nachbarn, dem General, zu Besuch gewesen sei, daß der General eine Tochter habe, daß das gnädige Fräulein den gnädigen Herrn und der gnädige Herr das gnädige Fräulein ... daß sie sich aber plötzlich nicht mehr vertragen hätten und auseinandergegangen seien. Auch hatte Pawel Iwanowitsch bemerkt, daß Tentetnikow beständig mit Bleistift und Feder lauter Köpfchen malte, die eins wie das andre aussahen.

Eines Tages nach dem Mittagessen, als Tschitschikow wieder einmal seine Tabaksdose um ihre Achse rotieren ließ, sagte er: »Sie haben alles, Andrej Iwanowitsch, nur eines geht Ihnen noch ab.«

»Was sollte mir denn fehlen?« fragte Tentetnikow und ließ eine Tabakwolke aufsteigen.

»Eine Lebensgefährtin«, erwiderte Tschitschikow.

Andrej Iwanowitsch gab keine Antwort, und damit war das Gespräch zu Ende.

Tschitschikow ließ sich jedoch nicht abschrecken und wählte einen günstigeren Augenblick, nämlich die Zeit nach dem Abendessen. Er plauderte über dieses und jenes und sagte dann ganz unvermittelt: »Wirklich, Andrej Iwanowitsch, Sie sollten heiraten.«

Aber Tentetnikow entgegnete auch jetzt kein Wort, als wäre ihm dieses Thema unangenehm.

Tschitschikow machte sich wiederum nichts aus diesem

Schweigen und fing nach dem Abendessen von neuem an: »Von welcher Seite ich mir auch Ihre Verhältnisse ansehe – immer komme ich zum Schluß, daß Sie heiraten müssen, Sie verfallen sonst in Hypochondrie.«

Sei es, daß seine Worte diesmal überzeugender geklungen hatten oder daß Tentetnikow jetzt besonders zur Offenherzigkeit geneigt war – er seufzte, blies eine Rauchwolke in die Luft und sagte: »Man muß eben zum Glückspilz geboren sein, Pawel Iwanowitsch.« Und dann erzählte er Tschitschikow alles genauso, wie es sich ereignet hatte: die ganze Geschichte seiner Bekanntschaft und seines Zerwürfnisses mit dem General.

Als Tschitschikow sämtliche Einzelheiten erfahren und gehört hatte, daß die ganze Affäre nur durch das Wörtchen »du« entstanden war, wunderte er sich sehr. Verblüfft starrte er Tentetnikow an und wußte nicht recht, ob er ihn für einen vollkommenen Toren oder nur für ein wenig beschränkt halten sollte.

»Ich bitte Sie, Andrej Iwanowitsch«, sagte er schließlich und ergriff seine beiden Hände. »Wo steckt hier eigentlich die Beleidigung? Was ist denn kränkend am Wörtchen ‚du'?«

»An und für sich enthält das Wort ‚du' natürlich keine Herabsetzung«, erwiderte Tentetnikow, »die Beleidigung lag in der Betonung und im Sinn, den er ihm gab. ‚Du!' – das sollte hier heißen: Vergiß nicht, daß du ein Nichts bist! Ich verkehre mit dir bloß deshalb, weil es hier nichts Besseres gibt. Jetzt jedoch, nachdem die Fürstin Jusjakina angekommen ist, tust du gut, dich daran zu erinnern, daß dein Platz an der Tür ist! Das und nichts anderes sollte das Du in diesem Falle bedeuten!« Diese Erklärung gab der sonst so sanftmütige und friedliche Andrej Iwanowitsch mit zornfunkelnden Augen ab. In seiner bebenden Stimme kam die ganze Erbitterung über die ihm angetane Kränkung deutlich zum Ausdruck.

»Na, und wenn schon – was ist schließlich dabei?« sagte Tschitschikow.

»Ich verstehe Sie nicht! Sie meinen also, daß ich nach diesem Verhalten noch weiter bei ihm hätte verkehren sollen?«

»Ja, was ist denn das für ein ‚Verhalten‘? Das kann man doch überhaupt nicht so nennen«, erwiderte Tschitschikow kaltblütig.

»Wieso kein ‚Verhalten‘?« fragte Tentetnikow verwundert.

»Das ist nur eine Gewohnheit der Generäle, die ja zu allen Leuten du sagen. Und schließlich: warum sollte man sich diese Angewohnheit nicht von einem so verdienten und achtbaren Manne gefallen lassen?«

»Das steht auf einem andren Blatt«, entgegnete Tentetnikow. »Wenn es sich um irgendeinen alten Herrn gehandelt hätte, um einen armen Teufel und nicht um einen so eitlen und empfindlichen General, dann hätte ich ihm ohne weiteres gestattet, mich zu duzen, ja ich hätte das Du sogar mit Respekt aufgenommen.«

Er ist doch ein ausgemachter Dummkopf, sagte Tschitschikow zu sich selbst. Einem Bettler hätte er es nicht verwehrt, einem General aber wohl! – »Angenommen«, fuhr er dann laut fort, »der General hätte Sie wirklich kränken wollen – schön, Sie sind ihm die Antwort nicht schuldig geblieben: er hat Sie und Sie haben ihn beleidigt. Aber wie kann man sich nur wegen einer solchen Kleinigkeit ganz überwerfen und damit eine persönliche Angelegenheit, die einem so sehr am Herzen liegt, einfach aufgeben? Das ist doch, entschuldigen Sie ... Wenn man sich einmal ein Ziel gesteckt hat, muß man es doch, komme was da wolle, zu erreichen suchen, auch wenn man angespuckt wird! Die Menschen sind nun einmal so, daß sie einander anspucken. Wo finden Sie jemand auf der Welt, der das nicht tut?«

Tentetnikow war sprachlos über diese Worte. Ein merkwürdiger Mensch, dieser Tschitschikow! dachte er betroffen.

Wahrhaftig, ein wunderlicher Kauz, dieser Tentetnikow! sagte sich unterdessen Tschitschikow und fuhr dann laut fort: »Andrej Iwanowitsch, lassen Sie mich zu Ihnen sprechen wie ein Bruder zum andern. Sie sind noch jung und unerfahren – gestatten Sie mir, diese Angelegenheit in Ordnung zu bringen. Ich werde hinfahren und Seiner Exzellenz erklären, daß das Ganze Ihrerseits auf einem Mißverständnis beruht, entstanden infolge Ihrer Jugend und Ihres Mangels an Welt- und Menschenkenntnis.«

»Ich denke nicht daran, mich vor ihm zu demütigen«, sagte Tentetnikow verletzt. »Ich kann Sie zu diesem Schritt nicht ermächtigen.« – »Ich bin gar nicht fähig, mich zu erniedrigen«, sagte Tschitschikow gleichfalls gekränkt. »Ich kann mich zwar irren und Fehler machen, aber eine schlechte Handlung begehen – niemals! Entschuldigen Sie, Andrej Iwanowitsch, ich habe nur das Beste im Auge gehabt und gewiß nicht verdient, daß meinen Worten ein so beleidigender Sinn beigelegt wird.« Alles dies wurde nicht ohne Würde gesagt.

»Ich bin schuld, verzeihen Sie mir!« erwiderte Tentetnikow gerührt und drückte Tschitschikow beide Hände. »Ich wollte Sie bestimmt nicht kränken. Ich schwöre Ihnen, Ihre gütige Anteilnahme ist mir im höchsten Grade teuer! Aber verlassen wir dieses Thema und kommen wir niemals wieder darauf zurück!«

»In diesem Falle fahre ich eben ohne Auftrag zum General.«

»Warum?« fragte Tentetnikow und blickte Tschitschikow überrascht ins Auge.

»Um ihm meine Aufwartung zu machen.«

Ein merkwürdiger Mensch, dieser Tschitschikow! dachte Tentetnikow. Ein merkwürdiger Mensch, dieser Tentetnikow! dachte Tschitschikow.

»Ich werde schon morgen gegen zehn Uhr zu ihm fahren, Andrej Iwanowitsch. Ich meine, je schneller ich ihm meinen Besuch abstatte, um so besser wird es sein. Da meine Kutsche noch nicht wieder hergerichtet ist, gestatten Sie mir, die Ihre zu benutzen.«

»Aber ich bitte Sie, selbstverständlich! Sie haben nur zu befehlen. Meine Kutsche und alles, was Sie wollen, steht zu Ihrer Verfügung.«

Nach diesem Gespräch verabschiedeten sie sich voneinander und begaben sich zur Ruhe, nicht ohne sich Gedanken darüber zu machen, was sie doch für merkwürdige Menschen seien.

Und es war in der Tat sonderbar: als am folgenden Morgen die Kutsche vorfuhr und Tschitschikow sich im neuen Frack, weißem Halstuch und weißer Weste mit fast militärischer Gewandtheit in den Wagen schwang und davonfuhr, um dem General seinen Höflichkeitsbesuch zu machen, geriet Tentetnikow in eine Aufregung, wie er sie schon lange nicht mehr erlebt hatte. Der träge und schläfrige Fluß seiner Gedanken kam wie mit einem Schlage in Bewegung, und die Gefühle dieses bisher in Nichtstun und Bequemlichkeit versunkenen Träumers waren in hellem Aufruhr. Bald setzte er sich auf das Sofa, bald trat er ans Fenster, bald nahm er ein Buch zur Hand und versuchte nachzudenken. Aber es war ein hoffnungsloses Beginnen: er konnte keinen Gedanken fassen. Oder er bemühte sich, an gar nichts zu denken – ebenfalls vergebliche Anstrengung! Irgendwelche Gedankenbruchstücke wirbelten in seinem Kopfe herum. »Sonderbarer Zustand!« sagte er zu sich selbst und setzte sich ans Fenster, um auf die Straße hinauszublicken, die sich unter den Eichen hinzog und sich schließlich in einer Staubwolke verlor, in welcher die Kutsche verschwunden war. Aber verlassen wir jetzt Tentetnikow und folgen wir Tschitschikow.

2

Die schnellen Gäule Tschitschikows legten die zehn Kilometer weite Strecke in einer knappen halben Stunde zurück. Zunächst ging es durch Eichenwald, dann an Getreidefeldern vorüber, die sich in ihrem ersten, hellen Grün zwischen frischgepflügten Äcker und an der Bergkette entlang hinzogen, wo sich immer wieder neue Fernsichten darboten. Dann bog man in eine breite, zum Gutshof des Generals führende Lindenallee ein, deren Blätter sich gerade zu entfalten begannen. Die Straße ging bald in eine Pappelallee über, welche am Fuß der Bäume durch niedrige, geflochtene Gitter geschützt war. Die Allee führte zu einem schmiedeeisernen Tor, durch welches man den reich verzierten, auf acht korinthischen Säulen ruhenden Giebel des Herrenhauses sehen konnte, das einen neuen Anstrich bekommen hatte. Es roch überall nach Ölfarbe, da hier offenbar keinem Ding gestattet wurde, in Frieden alt zu werden. Die sauber gepflegte Umgebung des Hauses glich einem blitzblanken Parkett.

Als der Wagen vor der Treppe hielt, sprang Tschitschikow eilfertig heraus, ließ sich beim Hausherrn anmelden und wurde ins Arbeitszimmer geführt. Die majestätische Erscheinung des Generals hatte etwas ungemein Imponierendes. Er trug einen wattierten Atlasschlafrock von prachtvoller purpurroter Farbe. Sein Gesicht war männlich, sein Blick offen. Er hatte einen stattlichen Schnauzbart und leicht angegraute Koteletten. Das Haar war am Hinterkopf kurz geschnitten und der fette Nacken, wie man bei uns zu sagen pflegt, dreistöckig, das heißt, er wies drei horizontale Wülste mit einer Querfalte auf – kurz, der Hausherr glich jenen malerischen Generalstypen, an denen das Jahr 1812 so reich gewesen war.

General Betristschew vereinigte in sich, wie übrigens die meisten von uns, ebenso viele Vorzüge wie Fehler. Die einen wie die anderen waren bei ihm, wie das ja bei jedem Russen zu sein pflegt, nicht klar voneinander getrennt; Verstand, Großmut, nahezu unbegrenzte Freigebigkeit, in entscheidenden Augenblicken auch Tapferkeit mischten sich mit Launenhaftigkeit, Ehrgeiz, Eigenliebe und anderen kleinlichen Eigenschaften, ohne die der Russe nun einmal nicht denkbar ist, besonders wenn er ein untätiges Leben führt. Er mochte alle die nicht, die ihn im Dienst überflügelt hatten, und erging sich in bissigen Bemerkungen über sie. Am giftigsten äußerte er sich über einen ehemaligen Kameraden, von dessen Verstandeskräften er weit weniger hielt als von seinen eigenen Fähigkeiten, und doch hatte ihn jener überholt und es bereits zum Generalgouverneur zweier Provinzen gebracht. Zum nicht geringen Ärger des Generals lagen seine Güter ausgerechnet in diesen Provinzen, so daß er gewissermaßen von dem erfolgreicheren Kollegen abhängig war. Aus Rache machte er sich bei jeder Gelegenheit über ihn lustig, bemängelte alle seine Verfügungen und bezeichnete seine Maßnahmen und Verordnungen als Gipfel der Kurzsichtigkeit. Alles am General erschien irgendwie sonderbar, vor allem das, was er unter Aufklärung verstand, für deren Verbreitung er leidenschaftlich eintrat. Es bereitete ihm das größte Vergnügen, das zu wissen, was andere nicht wußten, und daher konnte er Leute nicht vertragen, die etwas wußten, was ihm selbst unbekannt war. Kurz, er liebte es, mit seinen Kenntnissen zu prahlen. Zum Teil im Auslande erzogen, war er dennoch bestrebt, den russischen Grandseigneur zu spielen. Kein Wunder, daß er sich bei dieser Unausgeglichenheit seines Wesens, diesen widerspruchsvollen Charaktereigenschaften fortwährend dienstliche Unannehmlichkeiten zuzog und schließlich den Abschied nehmen mußte, wofür er, statt die Schuld bei sich selber zu suchen, eine ihm angeblich feindlich gesinnte Partei verantwortlich machte. Im Ruhestande bewahrte er seine großartige Haltung. Ob im Gehrock, im Frack oder im Schlafrock – er blieb immer gleich majestätisch. Vom Tonfall seiner Stimme bis zur geringsten Handbewegung war alles an ihm würdevoll und gebieterisch und flößte allen, die im Range unter ihm standen, wenn nicht Furcht, so doch mindestens Ehrfurcht ein.

Tschitschikow empfand sowohl das eine wie das andere. Den Kopf ehrerbietig geneigt und die Hände dienstbeflissen ausgebreitet, als wäre er bereit, ein Tablett mit Teetassen entgegenzunehmen und in die Küche zu tragen, verbeugte er sich mit bewundernswerter Eleganz und sagte: »Ich habe es für meine Pflicht gehalten, Eurer Exzellenz meine Aufwartung zu machen. Die unbegrenzte Hochachtung, die mich den tugendhaften Männern gegenüber erfüllt, die das Vaterland auf dem Felde der Ehre gerettet haben, macht es mir zur Pflicht, mich Eurer Exzellenz persönlich vorzustellen.«

Dem General schien diese Einführung durchaus nicht unangenehm zu sein. Mit einer höchst wohlwollenden Kopfbewegung erwiderte er: »Ich freue mich sehr, Ihre Bekanntschaft zu machen. Nehmen Sie gefälligst Platz. Wo haben Sie gedient?«

»Meine Amtstätigkeit, Exzellenz«, antwortete Tschitschikow, indem er sich nicht etwa in der Mitte, sondern am Rande des Stuhles niederließ und die Armlehnen des Sessels krampfhaft umklammert hielt, »hat im Kameralhof begonnen. Ihren weiteren Verlauf nahm sie in den verschiedensten Dienstzweigen: ich habe am Hofgericht, in einer Baukommission und beim Zollamt Dienst getan. Mein Leben, Exzellenz, läßt sich mit einem Schifflein inmitten stürmischer Wogen vergleichen. Mit Geduld zur Welt gebracht, gesäugt und aufgezogen, bin ich, das kann man wohl sagen, selber zur personifizierten Geduld geworden; denn das zu schildern, was mir meine Feinde angetan haben, die mir sogar nach dem Leben trachteten, gibt es keine Worte, und kein Maler wäre imstande, das alles mit seinem Pinsel wiederzugeben. Jetzt, an meinem Lebensabend, suche ich mir ein bescheidenes Winkelchen, um wenigstens den Rest meiner Tage in Frieden zu verbringen. Vorläufig bin ich bei einem der nächsten Nachbarn Eurer Exzellenz untergekommen ...«

»Bei wem denn, wenn die Frage gestattet ist?«

»Bei Tentetnikow, Exzellenz.«

Der General runzelte die Stirn.

»Er bereut es sehr, Exzellenz, daß er es an der schuldigen Achtung hat fehlen lassen.«

»Achtung ... wovor?«

»Vor den Verdiensten Eurer Exzellenz. Er kann nur das rechte Wort nicht finden ... ‚Könnte ich nur irgendwie ...' sagt er, ‚denn ich weiß die Männer, die das Vaterland gerettet haben, sehr wohl zu schätzen ...' sagt er.«

»Aber ich bitte Sie, was will er denn eigentlich? Ich bin ihm ja gar nicht böse«, entgegnete der bereits wieder besänftigte General. »Ich habe ihn aufrichtig ins Herz geschlossen und bin überzeugt, daß er mit der Zeit ein sehr nützlicher Mensch werden wird.«

»Sehr zutreffend bemerkt, Exzellenz – ein wahrhaft nützlicher Mensch, ein Mensch, der sprachgewandt ist und die Feder zu führen versteht.«

»Aber er schreibt wohl allerhand Unsinn, Verse vermutlich?«

»O nein, Exzellenz, durchaus keinen Unsinn! Es ist etwas Sachliches, Ernsthaftes ... er schreibt ein geschichtliches Werk, Exzellenz.«

»Ein geschichtliches? Worüber denn?«

»Eine Geschichte ...« hier stockte Tschitschikow, und sei es nun, daß er einen General vor sich hatte oder daß er dem Gegenstande mehr Bedeutung beilegen wollte – kurz, er fuhr fort: »eine Geschichte der Generäle, Eure Exzellenz.«

»Wie? Der Generäle? Welcher Generäle?«

»Nun, der Generäle im allgemeinen, Exzellenz, der Gesamtheit der Generäle, das heißt eigentlich, der vaterländischen Generäle ...«

Tschitschikow verlor den Faden und wurde plötzlich so verwirrt, daß er am liebsten ausgespuckt hätte. Mein Gott, dachte er, was schwatze ich da für einen Unsinn!

»Entschuldigen Sie«, sagte der General, »ich verstehe nicht recht ... Ist es die Geschichte einer bestimmten Epoche, oder sollen es vielleicht Biographien werden? Und dann: handelt es sich um die Biographien aller Generäle überhaupt oder nur derjenigen, die am Feldzug des Jahres 1812 teilgenommen haben?«

»Nur um die letzteren, Exzellenz, sehr richtig, nur um die letzteren!«

Und dabei dachte Tschitschikow: Schlag mich tot, ich weiß von nichts!

»Warum kommt er denn nicht zu mir?« fuhr der General fort. »Ich könnte ihm massenhaft interessantes Material geben!«

»Er traut sich nicht, Exzellenz.«

»Welcher Unsinn! Wegen irgendeines törichten Wortes, das zwischen uns gefallen ist ... Ich bin ja gar nicht der, für den er mich hält. Meinetwegen fahre ich selbst zu ihm hin.«

»Das würde er niemals zulassen! Natürlich kommt er zu Ihnen«, erwiderte Tschitschikow, der seine Fassung vollkommen wiedergewonnen hatte und dachte: Welches Glück, daß mir die Generäle rechtzeitig eingefallen sind, und ich habe doch nur darauflosgeschwätzt!

Im Arbeitszimmer hörte man jetzt ein Geräusch. Eine geschnitzte Nußholztür, welche man für die eines Wandschranks hätte halten können, öffnete sich wie von selbst und in ihrem Rahmen erschien, den bronzenen Türgriff noch in der Hand, das lebende Bild eines entzückenden Mädchens.

Wenn in einem verdunkelten Zimmer plötzlich ein von Lampen hell erleuchtetes Transparent sichtbar geworden wäre – es hätte durch sein unerwartetes Aufleuchten keinen so überwältigenden Eindruck machen können wie das reizende Figürchen dieses Mädchens. Offensichtlich war es eingetreten, um irgend etwas zu sagen, aber als es einen Unbekannten erblickte ... Es war, als wäre mit dem Mädchen ein Sonnenstrahl eingedrungen und als hätte das düstre Zimmer des Generals mit einem Male ein freundliches Aussehen bekommen. Tschitschikow war sich im ersten Augenblick nicht klar, was für ein Geschöpf da vor ihm stand. Schwer zu sagen, in welchem Lande das Mädchen geboren war, denn so reine und edle Gesichtszüge hätte man nirgends finden können, außer auf antiken Kameen. Schlank und leicht wie ein Pfeil, schien sie alle an Wuchs zu überragen, und doch war das nur eine Täuschung: sie war gar nicht hochgewachsen. Dieser Eindruck entstand wohl nur durch das ungewöhnliche Ebenmaß ihrer Glieder. Das Kleid stand ihr so gut, als hätten sich die besten Schneiderinnen miteinander beraten, um das Schönste und Passendste für sie auszuwählen. Aber auch das war ein Irrtum: das Kleid hatte sie nicht viel Mühe und Überlegung gekostet, es war wie von selber entstanden. Ein achtlos zugeschnittener einfarbiger Stoff, an zwei, drei Stellen mit der Nadel zusammengeheftet – und schon schmiegte er sich in herrlichen Falten um ihren Körper. Hätte man sie, so, wie sie war, neben andere nach der neuesten Mode gekleidete Damen gestellt, diese hätten wie geschmacklose Zierpuppen ausgesehen, deren grellbunter Flitter vom Trödelmarkt stammt. Und wäre sie mit dem erlesenen Faltenwurf ihres Gewandes in Marmor nachgebildet worden, man würde dieses Bildnis als Meisterwerk eines genialen Künstlers gerühmt haben. Nur eines schien unvollkommen an ihr: sie wirkte fast zu schmächtig und zart.

»Ich empfehle Ihnen meinen verhätschelten Liebling!« sagte der General, indem er sich an Tschitschikow wandte. »Übrigens, ich kenne Ihren Namen und Vatersnamen noch nicht.«

»Muß man denn den Namen und Vatersnamen eines

Menschen wissen, der sich noch keinerlei Verdienste erworben hat?« entgegnete Tschitschikow und neigte bescheiden den Kopf.

»Man muß ihn immerhin kennen ...«

»Ich heiße Pawel Iwanowitsch, Exzellenz«, erklärte Tschitschikow und verbeugte sich mit der Leichtigkeit eines Militärs und wich mit der Elastizität eines Gummiballs einige Schritte zurück.

»Ulinka!« sagte der General zu seiner Tochter: »Pawel Iwanowitsch hat soeben eine höchst interessante Neuigkeit mitgeteilt. Unser Nachbar Tentetnikow ist gar kein so unbedeutender Mensch, wie wir gemeint haben. Er arbeitet an einem wichtigen Werk: an einer Geschichte der Generäle des Jahres 1812.«

»Wer hat denn behauptet, daß er so dumm sei?« erwiderte die Tochter schnell. »Nur Wischnepokromow allein, dem du alles glaubst, obgleich er ein hohler und gemeiner Mensch ist!«

»Warum denn gemein? Freilich, ein Hohlkopf – das mag er wohl sein«, sagte der General.

»Er ist nicht nur beschränkt, sondern auch niederträchtig. Wer seine Brüder so schlecht behandelt und sogar seine eigene Schwester fortjagen konnte, ist ein abscheulicher Mensch!«

»Aber das sind doch bloß Gerüchte ...«

»Solche Dinge erzählt man sich nicht ohne Grund. Ich begreife dich nicht, Papa, du hast ein selten gutes Herz und verkehrst trotzdem mit diesem Menschen, der, wie du selber weißt, schlecht ist und von dem eine Welt dich trennt.«

»Sehen Sie«, sagte der General lächelnd zu Tschitschikow, »so ist sie und so greift sie mich immer an!« Und von neuem zu Ulinka gewendet, fuhr er fort: »Mein liebes Herz, ich kann ihn doch nicht einfach wegjagen!«

»Das verlangt ja auch niemand. Aber warum ihm so viel Aufmerksamkeit schenken, warum ihn gleich lieben?«

Hier hielt es Tschitschikow für angemessen, auch seinerseits ein Wörtchen zu sagen.

»Jedes Geschöpf dürstet nach Liebe«, meinte er. »Was kann man dagegen machen? Selbst das Vieh hat es gern, wenn man es liebkost. Es streckt die Schnauze zum Stallgitter hinaus, als wollte es sagen: Komm, streichle mich!«

Der General fing an zu lachen. »Sehr richtig, drängt sich vor und bittet: Streichle mich doch ... ha, ha, ha! Und nicht bloß die Schnauze, das ganze Geschöpf steckt von Kopf bis Fuß im Dreck und beansprucht trotzdem sozusagen Beachtung und Wohlwollen ... ha, ha, ha!« Und der General schüttelte sich vor Lachen. Seine Schultern, die einstmals schwere Epauletten getragen hatten, bebten so, als trüge er sie heute noch.

Tschitschikow erlaubte sich, wenn auch nur kurz, mitzulachen, wobei er sein Gelächter aus Ehrerbietung vor der Exzellenz auf den Buchstaben e abstimmte: he, he, he, he! Auch er schüttelte sich vor Vergnügen, doch ohne daß seine Schultern bebten, denn er hatte ja keine schweren Epauletten getragen.

»So eine Kanaille«, sagte der General, »bestiehlt und beraubt die Staatskasse und erhebt noch Anspruch auf Beförderung! ‚Wer wird denn so töricht sein', sagt er, ‚ohne Belohnung einen Finger zu rühren ...' ha, ha, ha!«

Eine schmerzliche Empfindung drückte sich in den edlen Gesichtszügen des lieben Mädchens aus. »Ach, Papa«, rief sie aus, »ich verstehe nicht, wie du darüber lachen kannst! Mich stimmen ehrlose Handlungen immer ganz verzweifelt; wenn ich sehen muß, daß solche Betrügereien vor aller Augen geschehen und die Schuldigen nicht mit allgemeiner Verachtung bestraft werden, da weiß ich nicht, wie mir geschieht. Ich werde selbst böse und schlecht: ich grüble und grüble ...« Sie war nahe dran, in Tränen auszubrechen.

»Bitte, ärgere dich bloß nicht über uns«, sagte der General. »Wir sind ja nicht schuld daran, nicht wahr?« fuhr er, zu Tschitschikow gewandt, fort. »Gib mir einen Kuß und geh in dein Zimmer. Ich werde mich jetzt zum Diner umkleiden, denn du«, sagte er und blickte jetzt wiederum Tschitschikow an, »wirst doch, wie ich hoffe, zum Mittagessen dableiben?«

»Wenn mir Eure Exzellenz ...«

»Bitte ganz ohne Umstände ... Zu essen habe ich, Gott sei's gelobt, noch genug. Kohl gibt es hier immer noch.«

Tschitschikow breitete beide Hände aus und neigte den Kopf dankbar und ehrerbietig, und zwar so tief, daß er eine Weile alle Gegenstände im Zimmer aus den Augen verlor und nur noch seine eigenen Schuhspitzen sah. Nachdem er eine Zeitlang in dieser respektvollen Haltung verharrt hatte und den Kopf wieder hob, war Ulinka nicht mehr zu sehen. Sie war unterdessen verschwunden, und an ihrer Stelle stand ein Riese von einem Kammerdiener mit dichtem Schnurrbart und üppig wuchernden Koteletten da, der ein silbernes Waschbecken in den Händen hielt.

»Du gestattest wohl, daß ich mich in deiner Gegenwart umkleide?«

»Sie können sich in meiner Gegenwart nicht nur ankleiden, sondern überhaupt alles tun, was Ihnen beliebt, Exzellenz!«

Der General warf den Schlafrock ab, krempelte die Hemdsärmel an seinen Heldenarmen hoch und begann sich prustend zu waschen, wobei er sich wie eine Ente gebärdete. Wasser und Seifenschaum spritzten nur so im Arbeitszimmer umher.

»Freilich, freilich«, sagte er, während er sich dann den feisten Hals abtrocknete, »das Streicheln, das ist es, was sie allesamt gern haben. Und wenn man sie nicht streichelt, werden sie vielleicht nicht einmal mehr stehlen! Ha, ha!«

Tschitschikow war in glänzender Laune. Plötzlich kam es wie eine Erleuchtung über ihn: Der General ist ein muntrer und wohlmeinender alter Knabe – man sollte es wirklich mit ihm versuchen! dachte er, und als der Kammerdiener mit der Waschschüssel hinausgegangen war, rief er unvermittelt aus: »Exzellenz! Da Exzellenz gegen jedermann so gütig und entgegenkommend sind, habe ich auch eine große Bitte an Exzellenz!«

»Welche Bitte denn?«

Tschitschikow blickte sich vorsichtig nach allen Seiten um. Dann sagte er: »Ich habe einen alten hinfälligen Onkel, der dreihundert Seelen und zweitausend ... Desjatinen besitzt und ich bin der einzige Erbe. Selbst kann er das Gut nicht mehr bewirtschaften, dazu ist er viel zu gebrechlich, aber mir überlassen will er es auch nicht. Er begründet das auf ganz merkwürdige Weise. ‚Ich', sagt er, ‚kenne meinen Neffen zu wenig – möglich, daß er ein Verschwender ist. Möge er mir also beweisen, daß er ein verläßlicher Mensch ist. Er soll sich zuerst selber dreihundert Seelen erwerben, dann gebe ich ihm meine dreihundert dazu.'«

»Was fällt dem Alten denn ein? Er muß ja ein richtiger Schwachkopf sein?« fragte der General.

»Hätte nicht viel zu bedeuten, wenn das alles wäre. Aber versetzen Sie sich nur in meine Lage, Exzellenz. Der alte Mann hat eine Haushälterin und diese hat Kinder. Was liegt näher, als daß er ihnen seinen ganzen Besitz hinterläßt.«

»Der alte Esel hat seinen Verstand verloren, das ist es. Aber ich sehe nicht recht, was ich dabei tun soll?« sagte der General und blickte Tschitschikow verwundert an.

»Da ist mir ein Gedanke gekommen, Exzellenz. Wenn Sie mir auf Grund eines Kaufvertrags alle toten Seelen Ihres Gutes überlassen würden, als wären sie noch am Leben, dann würde ich dem Alten diesen Vertrag in die Hände drücken und könnte die Erbschaft antreten.«

Hier brach der General in ein derart schallendes Gelächter aus, wie wohl noch nie ein Mensch gelacht hat. Er ließ sich in einen Lehnstuhl fallen, warf den Kopf zurück und erstickte fast. Das ganze Haus geriet in Aufregung. Der Kammerdiener stürzte ins Zimmer, die Tochter kam erschrocken herbeigerannt.

»Papa, was ist geschehen?« fragte sie und blickte ihm in die Augen.

Der General war eine ganze Weile außerstande, einen Laut von sich zu geben.

»Nichts, mein Liebling, nicht das geringste«, sagte er schließlich. »Geh in dein Zimmer und sei unbesorgt, wir werden gleich essen. Ha, ha, ha!«

Und nachdem der General ein paarmal tief Atem geholt hatte, begann er von neuem so laut zu lachen, daß es durchs ganze Haus schallte, vom Vorplatz bis ins letzte Hinterstübchen.

Auch Tschitschikow war beunruhigt.

»Nein, dieser Onkel! Wie wird er hinters Licht geführt, ha, ha, ha! Statt lebendiger Menschen lauter tote Bauern zu bekommen! Ha, ha, ha!«

Geht es schon wieder schief? dachte Tschitschikow. Was für ein zügelloser Mensch, er wird noch platzen!

»Ha, ha, ha!« brüllte der General. »Mein Gott, welch ein Narr! Wie einem so etwas nur einfallen kann: Erwirb dir mal erst dreihundert Seelen, dann sollst du auch die meinen haben! Er ist doch wahrhaftig ein Esel!«

»Nicht wahr, Exzellenz, ein kompletter Esel?«

»In der Tat, deine Idee ist nicht übel! Den Alten mit toten Seelen hineinzulegen ... ha, ha, ha! Weiß Gott, ich würde viel darum geben, könnte ich mit dabeisein, wenn du ihm diesen Kaufvertrag hinlegst. Was ist er überhaupt für ein Mensch? Wie sieht er aus? Ist er sehr alt?«

»An die achtzig Jahre ...«

»Ist er noch rüstig? Noch gut beieinander? Muß wohl noch bei Kräften sein, wenn er mit seiner Haushälterin zusammenlebt?«

»Keineswegs, Exzellenz, eine Ruine, von welcher der Kalk bereits herabrieselt.«

»So ein Trottel! Nicht wahr, er ist ein Trottel?«

»Freilich, freilich, Exzellenz.«

»Fährt er noch aus? Macht er Besuche? Hält er sich noch auf den Beinen?«

»Ja, doch, aber es wird ihm recht sauer.«

»Hat er noch Zähne?«

»Alles in allem zwei Zähne.«

»Was für ein Esel! Sei mir nicht böse, mein Lieber. Er ist zwar dein Onkel, aber ein Esel ist er doch.«

»Das zuzugeben fällt mir nicht leicht, doch was will man machen – es läßt sich nicht leugnen ...«

Tschitschikow log: dies Zugeständnis fiel ihm um so weniger schwer, als er überhaupt keinen Onkel hatte.

»Eure Exzellenz sind also einverstanden ...«

»Dir die toten Seelen zu überlassen? Für diese glänzende Idee sollst du sie allesamt haben und Behausung und Grund und Boden dazu. Mit einem Wort, nimm dir den ganzen

Friedhof! Ha, ha, ha! Wie wird dieser Alte blamiert sein, ha, ha!«

Und abermals erdröhnte das ganze Haus vom Gelächter des Generals ...*

. . . .

3

Wenn der Oberst Koschkarjow tatsächlich verrückt ist, so wäre das gar nicht übel, dachte Tschitschikow, als er sich wieder draußen unter freiem Himmel befand, an welchem ein paar Wolken dahinsegelten.

»Hallo, Selifan, hast du dich genau nach dem Weg zum Obersten Koschkarjow erkundigt?«

»Sie haben sich doch selber überzeugt, Pawel Iwanowitsch, daß ich soviel mit dem Wagen zu tun und keinen Augenblick Zeit hatte. Aber Petruschka hat den Kutscher gefragt.«

»Du Dummkopf! Hab ich dir nicht gesagt, daß du dich nicht auf Petruschka verlassen sollst? Er ist ein Idiot und immer betrunken.«

»Kunststück!« rief Petruschka, indem er sich halbwegs umdrehte und zu Tschitschikow hinüberschielte. »Man fährt den Berg hinunter und durch die Wiesen und damit fertig.«

»Und du hast wieder Schnaps im Maul – und damit fertig!« erwiderte Tschitschikow. »Du bist mir gerade der Rechte! Wahrhaftig, von dir kann man sagen, daß du ganz

* Hier findet sich eine größere Lücke im Text. Nach Angaben von Freunden, insbesondere von S. P. Schewyrjow, dem Gogol die später vernichtete Fassung des zweiten Bandes der »Toten Seelen« vorgelesen hat, enthielt dieses Kapitel noch folgendes: Versöhnung des Generals Betristschew mit Tentetnikow, Mittagessen beim General und Gespräch über das Jahr 1812, Verlobung Ulinkas mit Tentetnikow, Ulinkas Gebet unter Tränen am Grabe ihrer Mutter, Gespräch der Verlobten im Garten. Tschitschikow wird vom General beauftragt, zu den Verwandten der Betristschews zu fahren und ihnen die Verlobung der Tochter mitzuteilen. Er besucht zunächst einen dieser Verwandten, nämlich den Obersten Koschkarjow.

Europa durch deine Schönheit in Staunen versetzt hast!« Nach diesen Worten strich sich Tschitschikow über das Kinn und dachte: Was für ein Unterschied besteht doch zwischen einem gebildeten Menschen und einer groben Lakaienvisage!

Unterdessen fuhr der Wagen leicht federnd den nur allmählich abfallenden Hang hinunter und wieder gab es nichts als weite, mit Espenwäldchen bestandene Flächen. Die Kutsche rollte durch Wiesen, kam an Mühlen vorbei, donnerte über Brücken und glitt mit sanftem Schwanken über den weichen, nachgiebigen Boden tiefliegender Wegstrecken hinweg. Keine Unebenheiten und Holprigkeiten der Straße machten sich fühlbar. Die Fahrt war die reine Wonne.

Weidenbüsche, schlanke Erlen und Silberpappeln flogen schnell an den Reisenden vorüber und streiften die beiden Bedienten auf dem Bock, Selifan und Petruschka. Dem letzteren rissen sie wiederholt die Mütze ab. Er sprang vom Wagen, fluchte über die dummen Bäume und die noch dümmeren Leute, die sie gepflanzt hatten, konnte sich aber in der Hoffnung, daß es das letzte Mal sein würde, nicht entschließen, die Mütze anzubinden oder mit der Hand festzuhalten. Den Bäumen, an deren Wurzeln dichtes Gras wucherte und gelbe Wildtulpen und blaue Iris blühten, gesellten sich immer häufiger Birken und Tannen zu. Im Walde, in den man jetzt einbog, wurde es so dunkel, als wollte die Nacht hereinbrechen. Aber plötzlich blitzten von allen Seiten zwischen den Stämmen und Ästen Lichtstrahlen auf, die wie Spiegelreflexe blendeten. Die Bäume traten auseinander, der helle Schein dehnte sich aus und vor ihnen glitzerte ein See, der etwa vier Kilometer breit sein mochte. Am gegenüberliegenden Ufer lagen die grauen Blockhütten eines Dorfes. Vom See her hallten Rufe herüber. Etwa zwanzig nackte Männer, die bis zu den Hüften oder bis zum Halse im Wasser standen, zogen ein Netz ans andre Ufer. Dabei hatte sich etwas Unvorhergesehenes ereignet. Zugleich mit den Fischen war ihnen ein rundlicher Mensch ins Netz gegangen, der ebenso lang wie breit war und lebhaft an ein Fäßchen oder an eine Wassermelone erinnerte. Er befand sich in einer verzweifelten Lage und schrie aus vollem Halse: »Denis, du Tölpel, gib doch Kosma den Strick! Kosma, nimm den Zipfel Denis aus der Hand! Langer Foma, zerr doch nicht so und geh zum kleinen Foma hinüber! Teufel seid ihr alle! Ich sage ja, ihr werdet das Netz noch zerreißen!« Offensichtlich fürchtete die »Wassermelone« nicht für sich selbst – ertrinken konnte er ja auch gar nicht, dazu war er viel zu dick. Er wäre immer wieder hinaufgeschwemmt worden. Selbst wenn er noch zwei Menschen auf den Rücken genommen hätte, wäre er wie eine widerspenstige Schweinsblase an der Oberfläche geblieben, höchstens daß er dabei ein wenig geschnauft und Blasen aus der Nase hätte aufsteigen lassen. Einzig und allein davor hatte er Angst, daß das Netz zerreißen und die Fische entschlüpfen könnten, und daher mußten ihn mehrere Männer samt dem Netz mit Stricken ans Ufer ziehen.

»Das muß wohl der Gutsherr sein, der Oberst Koschkarjow«, sagte Selifan.

»Warum?«

»Nun, weil sein Körper – schauen Sie doch bloß hin – viel weißer ist als die Haut der andern und weil er einen ansehnlichen Leibesumfang hat, wie ihn nur die Herrschaften haben.«

Unterdessen hatte man den im Netz gefangenen Gutsbesitzer bedeutend näher ans Ufer gezogen. Als er Boden unter den Füßen spürte, richtete er sich auf und bemerkte die sich nähernde Kutsche und ihren Insassen.

»Haben Sie schon zu Mittag gegessen?« schrie er Tschitschikow entgegen, indem er zusammen mit den erbeuteten Fischen am Ufer anlangte. Ganz in das Netz verstrickt wie ein Damenhändchen, das im Sommer in einem durchbrochenen Zwirnhandschuh steckt, hielt er die eine Hand wie einen Schirm über die Augen, um sie vor der Sonne zu schützen, und die andere vor eine tiefer liegende Körpergegend, ungefähr so wie die aus dem Bad steigende mediceische Venus.

»Nein!« rief Tschitschikow zurück, nahm die Mütze ab und verbeugte sich mehrmals in der Kutsche.

»Dann danken Sie Ihrem Schöpfer!«

»Wieso?« fragte Tschitschikow neugierig, die Mütze in der Hand haltend.

»Das werden Sie gleich sehen! Paß mal auf, kleiner Foma, laß das Netz los und nimm den Stör aus dem Trog! Kosma, du Tölpel, geh hin und hilf ihm!«

Die beiden Fischer hoben den dicken Kopf eines Ungeheuers aus dem Kübel. »Nicht wahr, ein stattlicher Kerl? Hat sich wohl aus dem Fluß hierher verirrt!« schrie der rundliche Gutsherr. »Fahren Sie nur hinein in den Hof! Kutscher, nimm den untern Weg durch den Gemüsegarten! Großer Foma, du Tölpel, lauf mal hin und öffne das Gatter. Er wird Ihnen den Weg zeigen, ich selber komme gleich nach . . .«

Der langbeinige große Foma rannte, nackt wie er war, vor der Kutsche her durch das ganze Dorf. Vor jeder Hütte hingen Netze, Angelschnüre und Reusen, denn alle Bauern waren Fischer. Dann machte er eine Gartenpforte auf, und der Wagen rollte an Gemüsebeeten entlang und endlich über einen Platz vor der hölzernen Kirche, hinter welcher die Dächer der Gutsgebäude sichtbar waren.

Ein sonderbarer Kauz, dieser Koschkarjow, dachte Tschitschikow.

»Da bin ich schon!« rief eine Stimme. Tschitschikow sah sich um: der Gutsherr hatte ihn bereits eingeholt. Jetzt in einem grasgrünen Nanking-Rock, gelben Hosen und ohne Halstuch, saß er in seiner Droschke, die er, wohlbeleibt wie ein Cupido, ganz ausfüllte. Tschitschikow wollte ihm etwas zurufen, aber schon war der Fettwanst wieder verschwunden und von neuem an jener Stelle aufgetaucht, wo man das Netz ans Land gezogen hatte. Und abermals hörte man ihn rufen: »Großer Foma, kleiner Foma, Kosma, Denis!« Als Tschitschikow am Herrenhaus vorgefahren war, stand der dicke Hausherr zu seinem größten Erstaunen auf der Treppe und empfing ihn mit offenen Armen. Wie er es fertiggebracht hatte, Tschitschikow zuvorzukommen, blieb ein Rätsel. Man küßte sich dreimal, denn der Eigentümer des Gutes war ein Mann, der an den alten Gebräuchen festhielt.

»Ich bringe Ihnen Grüße von Seiner Exzellenz«, sagte Tschitschikow.

»Von welcher Exzellenz?«

»Nun, von Ihrem Verwandten, dem General Alexander Dmitrijewitsch.«

»Wer ist Alexander Dmitrijewitsch?«

»General Betristschew«, erwiderte Tschitschikow verwundert.

»Mir unbekannt«, lautete die ebenso verwunderte Antwort.

Tschitschikow war noch erstaunter: »Wie denn nur ...? Ich habe doch hoffentlich das Vergnügen, mit Oberst Koschkarjow zu sprechen ...?«

»Sie hoffen vergeblich«, unterbrach ihn der Hausherr. »Sie befinden sich nicht bei ihm, sondern bei mir, bei Pjotr Petrowitsch Petuch.«

Tschitschikows Staunen kannte keine Grenzen mehr.

»Wie ist denn das möglich?« sagte er, indem er sich an Selifan und Petruschka wandte, die – der eine auf dem Bock und der andere vor dem Wagenschlag – Mund und Augen weit aufrissen. »Was soll denn das wieder heißen, ihr Esel? Ich habe euch doch gesagt, daß ich zum Obersten Koschkarjow will, und dies hier ist Pjotr Petrowitsch Petuch ...«

»Lassen Sie nur, Ihre Leute haben das großartig gemacht«, sagte Petuch. »Geht in die Küche, dort wird man euch einen Schnaps geben. Versorgt die Pferde und fort mit euch!«

»Ich habe wirklich ein schlechtes Gewissen: so ein unerwarteter Irrtum ...« stotterte Tschitschikow.

»Durchaus kein Irrtum! Warten Sie mal erst ab, ob Ihnen das Mittagessen schmeckt: dann werden Sie wissen, ob es ein Irrtum war oder nicht. Darf ich bitten, näher zu treten«, sagte Petuch, faßte Tschitschikow unter den Arm und führte ihn ins Haus. Als sie hineingingen, kamen ihnen zwei junge Leute in leichten Sommeröckchen entgegen. Schlank wie Weidenruten, waren sie mindestens einen Kopf größer als der Vater.

»Meine Söhne – Gymnasiasten, die ihre Ferien zu Hause verbringen ... Nikolascha, unterhalte den Gast und du, Alexascha, komm mit mir!«

Und damit verschwand der Hausherr.

Tschitschikow knüpfte ein Gespräch mit Nikolascha an, der offenbar ein Leichtfuß zu werden versprach. Er erklärte sogleich, daß es zwecklos sei, ein Gouvernementsgymnasium zu besuchen. Er und der Bruder hätten die Absicht, nach Petersburg überzusiedeln, weil es ja doch nicht lohne, in der Provinz zu leben ...

Weiß schon, dachte Tschitschikow, das endet mit Cafés und Boulevards! »Sagen Sie mal«, fragte er dann, »in welchem Zustande befindet sich das Gut Ihres Vaters?«

»Verpfändet«, antwortete der Alte selbst, der unterdessen wieder im Salon aufgetaucht war.

Schlimm genug, dachte Tschitschikow. Wenn das so weitergeht, ist bald kein Gut mehr übrig. Man wird sich beeilen müssen ... »Bedauerlich«, sagte er dann mit teilnehmender Miene, »Sie hätten sich's noch überlegen sollen.«

»Ganz und gar nicht«, entgegnete Petuch, »man sagt ja, daß es vorteilhaft sei, und alle Nachbarn tun es auch. Warum also hinter den andern zurückbleiben? Lange genug habe ich hier gelebt, nun will ich es einmal mit Moskau versuchen. Auch die Jungen reden mir zu, die lechzen nach der Bildung der Hauptstadt.«

So ein Dummkopf! dachte Tschitschikow. Alles wird er verschleudern und auch seine Söhne zu Verschwendern erziehen. Und was hat er dabei für einen schönen Besitz! Allem Anschein nach lebt er recht gut, und auch den Bauern geht es nicht schlecht. Aber wenn sie erst ihre Aufklärung in den Restaurants und Theatern erhalten werden – dann ist alles zum Teufel! Es wäre besser, der Fettwanst bliebe im Dorf.

»Ich weiß, was Sie denken«, sagte Petuch.

»Na, was denn?« fragte Tschitschikow ziemlich verlegen.

»Sie denken: Dieser Petuch ist ein Narr, er lädt mich zum Essen ein und läßt mich dann warten. Aber keine Angst, Verehrtester, keine Angst! Es kommt schon noch, kommt noch schneller, als sich ein geschorenes Mädchen den Zopf flechten kann!«

»Papa, da kommt ja Platon Michailowitsch angeritten«, sagte Alexascha am Fenster.

»Wahrhaftig, auf seinem Braunen!« rief jetzt auch Nikolascha, sich weit hinausbeugend.

»Wo, wo?« schrie Petuch und trat gleichfalls ans Fenster.
»Wer ist Platon Michailowitsch?« fragte Tschitschikow, zu Alexascha gewendet.

»Platon Michailowitsch Platonow, unser Nachbar, ein prächtiger, ein ganz vortrefflicher Mensch«, erwiderte der Hausherr selbst.

In diesem Augenblick betrat ein schöner, wohlgebauter Mann mit gelocktem, hellblondem Haar das Zimmer. Es war Platonow selber, dem mit klirrendem Messinghalsband ein Ungetüm von einem Hunde namens Jarb auf dem Fuße folgte. »Schon zu Mittag gespeist?« fragte der Hausherr.

»Schon gespeist«, antwortete der Ankömmling.

»Was? Sie kommen wohl nur, um sich über mich lustig zu machen? Was soll ich denn mit Ihnen anfangen, wenn Sie schon gegessen haben?«

Der Gast sagte lächelnd: »Ich kann Sie beruhigen, ich habe so gut wie gar nichts genossen, weil ich keinen Appetit hatte.«

»Ach, wenn Sie bloß gesehen hätten, welches Glück wir heute beim Fischfang gehabt haben! Was für ein prachtvoller Stör uns beehrt hat und was für Karpfen und Karauschen!«

»Wirklich, man muß sich fast ärgern, wenn man Sie so reden hört. Wie kommt es nur, daß Sie immer so guter Dinge sind?«

»Aber ich bitte Sie, warum denn mißvergnügt sein?«

»Warum? Nun, weil es in dieser Welt so trübselig und langweilig ist.«

»Sie essen zu wenig – das ist alles. Versuchen Sie doch, einmal tüchtig zu Mittag zu speisen. Dieser Weltschmerz – das ist auch so eine neumodische Erfindung. Früher hat sich kein Mensch gelangweilt.«

»Prahlen Sie doch nicht so – als wenn Sie sich niemals einer trüben Stimmung hingegeben hätten!«

»Nein, wahrhaftig, niemals! Ich wüßte auch gar nicht, wo ich die Zeit dazu hernehmen sollte. Kaum schlägt man morgens die Augen auf, steht schon der Koch am Bett und man muß das Mittagessen bestellen. Dann trinkt man Tee, hört den Bericht des Verwalters an, begibt sich zum Fischfang, und ehe man sich's versieht, steht das Mittagessen auf dem

Tisch. Nach der Mahlzeit hat man kaum Zeit, sich ein wenig aufs Ohr zu legen – schon will der Koch wieder wissen, was es zum Abendbrot geben soll; und bevor man zu Bett geht, kommt er zum drittenmal und man muß sich das Mittagessen für den morgigen Tag überlegen. Wann hat man da Zeit, Trübsal zu blasen?«

Während dieses Zwiegesprächs betrachtete Tschitschikow den Gast, der ihn durch seine ungewöhnliche Schönheit, durch seinen schlanken Wuchs, seine frische, unverbrauchte Jugendlichkeit und die jungfräuliche Glätte seines durch keinerlei Unebenheiten der Haut beeinträchtigten Gesichtes aufs tiefste beeindruckte. Weder Leidenschaften noch Kümmernisse, ja selbst nicht die geringste Spur einer Gemütsbewegung schienen jemals dieses mädchenhaft-unschuldige Antlitz berührt, geschweige denn eine Falte hineingegraben zu haben. Aber sie hatten es auch niemals belebt. So bewahrte und behielt sein Gesicht etwas Leblos-Abwesendes, obgleich zuweilen ein ironisches Lächeln über seine Züge glitt.

»Auch ich kann, wenn Sie mir diese Bemerkung gestatten wollen, nicht begreifen, wie man mit einem Gesicht wie dem Ihrigen verstimmt und trübselig sein kann. Natürlich, wenn man an Geldmangel litte oder persönliche Feinde hätte – es gibt ja immer Leute, die einem Böses zufügen oder sogar nach dem Leben trachten ...«

»Glauben Sie mir«, unterbrach ihn der Adonis, »daß ich mir zuweilen zur Abwechslung eine richtige Aufregung wünsche. Wenn mich doch jemand wenigstens ärgern wollte, aber selbst das geschieht nie. Das Leben ist eben einfach langweilig!«

»Vermutlich haben Sie nicht genug Land oder zu wenig Bauern.«

»Keineswegs. Mein Bruder und ich besitzen zusammen zehntausend Desjatinen und mehr als tausend Seelen.«

»Sonderbar. Ich verstehe das nicht. Vielleicht gab es bei Ihnen Mißernten oder Seuchen, die Ihnen viele Bauern hinweggerafft haben?«

»Ganz im Gegenteil, es ist alles in bester Ordnung und mein Bruder ist ein vortrefflicher Landwirt.«

»Und dennoch sind Sie mißvergnügt! Ich kann mir das nicht erklären«, bemerkte Tschitschikow und zuckte die Achseln.

»Lassen Sie's gut sein«, sagte der Hausherr, »wir werden ihm den Weltschmerz gleich austreiben! Alexascha, lauf mal schnell in die Küche und sage dem Koch, er soll uns die kleinen Fischpiroggen herüberschicken. Ja, wo sind denn der Nichtstuer Jemeljan und der Dieb Antoschka? Warum tragen sie den Imbiß nicht auf?«

Doch schon öffnete sich die Tür. Der Nichtstuer Jemeljan und der Dieb Antoschka erschienen mit Servietten unterm Arm, deckten den Tisch, stellten ein Tablett mit sechs Karaffen hin, die mit verschiedenfarbigen Schnäpsen gefüllt waren, und umgaben die Flaschen, die wie bunte Edelsteine funkelten, mit einer erlesenen Fassung appetitanregender Vorspeisen. Die Diener liefen eilfertig hin und her und schleppten immer neue Schüsseln herbei, unter deren geschlossenen Deckeln man die Butter munter brutzeln hörte. Der Nichtstuer Jemeljan und der Dieb Antoschka machten ihre Sache vorzüglich – wie sie ja ihre Spitznamen lediglich zur Aufmunterung erhalten hatten. Der Hausherr schimpfte keineswegs gern und war überhaupt ein überaus gutmütiger Mensch, aber der Russe kann nun einmal ohne ein kräftiges Wörtchen nicht auskommen. Er hat es ebenso nötig wie das Verdauungsschnäpschen. So ist er von Natur: mit der reizlosen Kost kann er nichts anfangen!

Dem Imbiß folgte das eigentliche Mittagessen. Hier aber verwandelte sich der sonst so seelengute Hausherr in einen regelrechten Despoten. Kaum bemerkte er, daß einer seiner Tischgenossen nur noch ein Stück auf dem Teller hatte – schon legte er ihm ein zweites auf, indem er sagte: »Alles lebt paarweise in der Welt, nicht nur der Mensch, sondern auch der Vogel.« Hatte ein Gast noch zwei Stücke, sofort erhielt er ein drittes dazu mit dem Begleitwort: »Gott ist dreieinig.« War einer mit drei Stücken fertig geworden, drängte er ihm ein viertes auf und fragte: »Welcher Wagen hat drei Räder?« oder: »Wer baut eine Hütte mit drei Ecken?« Für die Zahl vier hatte er ebenfalls eine entsprechende Redensart, für fünf wiederum etwas Passendes und so fort. Als Tschitschikow ein Dutzend Stücke oder mehr verzehrt hatte, dachte er: Jetzt wird ihm gewiß nichts mehr einfallen. Doch der Hausherr wußte sich zu helfen: er sagte zwar kein weiteres Sprüchlein her, wälzte ihm aber einen ganzen Kalbsrücken – und was für einen! – samt den Nieren auf den Teller.

»Das Kalb hat zwei Jahre lang nichts als Milch bekommen«, sagte der Hausherr, »ich habe es gehegt und gepflegt wie mein eigenes Kind!«

»Ich kann nicht mehr«, stöhnte Tschitschikow.

»Zuerst versuchen Sie mal und dann sagen Sie, ob Sie nicht mehr können.«

»Es geht nicht hinein, ich habe keinen Platz mehr im Magen.«

»Auch in der Kirche war alles voll, da kam der Polizeipräsident – und es fand sich doch noch ein Plätzchen, obgleich das Gedränge so stark war, daß keine Stecknadel mehr zu Boden fallen konnte. Versuchen Sie's nur – dieses Rükkenstück ist auch ein Polizeipräsident.«

Tschitschikow versuchte es und siehe da – das Stück war wirklich eine Art Polizeipräsident, es rutschte doch noch in den übervollen Magen hinein.

Wie soll ein solcher Mensch in Moskau oder Petersburg leben? Bei dieser Freigebigkeit wird er sein ganzes Vermögen in längstens drei Jahren durchgebracht haben, dachte Tschitschikow. Aber er wußte wohl nichts vom wachsenden Luxus in den beiden Hauptstädten: nicht in drei Jahren – in drei Monaten würde er, auch ohne gastfrei zu sein, alles vergeudet haben.

Unterdessen füllte der Hausherr die Gläser unerbittlich nach. Was die Gäste stehenließen, durften Alexascha und Nikolascha austrinken, die auf diese Weise ein Glas nach dem anderen hinuntergossen. Man konnte mit Sicherheit voraussagen, welchem Teilgebiet menschlichen Wissens sie in der Hauptstadt ihr besonderes Interesse zuwenden würden. Die Gäste hatten es nicht leicht: nur noch mit der größten Anstrengung konnten sie sich auf die Terrasse hinausschleppen und sich dort auf die bereitstehenden Lehnstühle verteilen.

Als sich der Hausherr auf dem seinen niedergelassen hatte, auf dem es sich übrigens mindestens vier Männer hätten bequem machen können, war er augenblicklich in Schlaf versunken. Seine wohlbeleibte Körperlichkeit verwandelte sich in einen Blasebalg und ließ aus dem offenstehenden Munde und den Nasenlöchern Töne entweichen, wie sie auch den modernsten Komponisten schwerlich zu Gebote stehen. Es war eine Mischung von dumpfen Trommelwirbeln, hellen Flötenpfiffen und sonderbar abgerissenen Lauten, die noch am ehesten an das Jaulen von Hunden erinnerten.

»Hören Sie nur, wie der dort pfeift ...« sagte Platonow.

Tschitschikow mußte lachen.

»Allerdings«, fuhr Platonow fort, »wenn man ein solches Mittagessen hinter sich hat – wo soll da die Langeweile herkommen? Da kommt nur der Schlaf, nicht wahr?«

»Sehr richtig. Doch entschuldigen Sie, ich verstehe nicht, wie man sich überhaupt langweilen kann. Es gibt so viele Mittel dagegen.«

»Und welche zum Beispiel?«

»Mittel in Hülle und Fülle für einen jungen Mann! Tanzen, musizieren, irgendein Instrument spielen – warum nicht auch heiraten?«

»Ja, wen denn?«

»Als ob es in dieser Gegend keine schönen und reichen Mädchen gäbe!«

»Aber es gibt keine.«

»So muß man sich eben anderswo umsehen, ein wenig herumreisen ...« – und damit war Tschitschikow ein ausgezeichneter Gedanke gekommen. »Herumreisen«, wiederholte er und blickte Platonow in die Augen, »natürlich, da haben Sie gleich ein vortreffliches Mittel.«

»Was meinen Sie denn?«

»Reisen.«

»Und wohin?«

»Wenn Sie Zeit haben, schließen Sie sich einfach mir an«, erwiderte Tschitschikow und überlegte, während er Platonow betrachtete: Das läßt sich hören. Wir teilen die Ausgaben, und die Kosten für die Wagenreparaturen könnte er sogar allein übernehmen.

»Wohin fahren Sie denn?«

»Vorläufig reise ich nicht so sehr in eigenen Angelegenheiten als für einen andern. General Betristschew, ein guter Freund von mir, ja, man kann wohl sagen, mein Wohltäter, hat mich gebeten, seine Verwandten zu besuchen ... Aber Verwandte hin, Verwandte her ... eigentlich reise ich doch zu meinem Vergnügen, denn, man sage, was man will, die Welt mit ihrem ganzen Menschengetriebe kennenzulernen ist wie die Lektüre eines lebenden Buches, wie das Studium einer Wissenschaft für sich ...« Und während Tschitschikow diese Worte sagte, überlegte er weiter: Wahrhaftig, es läßt sich hören, er müßte überhaupt alles bezahlen, wir könnten mit seinen Pferden fahren und die meinen würden auf seinem Gut der Ruhe pflegen und dabei dick und rund werden. – Wirklich, warum sollte ich nicht eine Reise machen? dachte unterdessen Platonow. Zu Hause habe ich ohnehin nichts zu tun, die Wirtschaft ist in den Händen meines Bruders gut aufgehoben und meine Abwesenheit wird nicht die geringste Störung verursachen. Was also sollte mich hindern? Und dann fragte er Tschitschikow: »Würden Sie bereit sein, etwa zwei Tage Gast meines Bruders zu sein? Sonst läßt er mich nicht fort!«

»Mit dem größten Vergnügen, meinetwegen auch drei!«

»Gut also, fahren wir!« rief Platonow lebhafter, als es sonst seine Art war.

»Abgemacht, schlagen Sie ein!« sagte Tschitschikow und ein Händedruck besiegelte die Verabredung.

»Wohin, wohin?« schrie der Hausherr, soeben erwacht und seine Gäste aus gläsernen Augen anstarrend. »Nein, meine Herren, die Räder Ihrer Kutsche habe ich entfernen lassen und Ihren Hengst, Platon Michailowitsch, hat man fünfzehn Kilometer weit fortgejagt. Nein, heute müssen Sie schon bei mir übernachten, morgen essen wir früh zu Mittag und dann mögen Sie meinetwegen fahren, wohin Sie wollen!«

Was sollte man mit diesem Petuch anfangen? Die Gäste mußten ganz einfach bleiben. Sie wurden aber durch einen herrlichen Frühlingsabend entschädigt. Der Hausherr veranstaltete eine Bootsfahrt. Zwölf Fischer mit vierundzwanzig Rudern brachten sie über die spiegelglatte Fläche des Sees und dann den Fluß hinauf, der zwischen flachen Ufern dahinfloß und sich in der unendlichen Ferne verlor. Immer wieder mußten sie unter quer über den Fluß gespannten Seilen hinweg, an denen Fischernetze befestigt waren. Kein Laut unterbrach die tiefe Stille. Nicht der leiseste Windhauch kräuselte die Oberfläche des Wassers. Anmutige Landschaftsbilder wechselten miteinander ab, ein Gehölz nach dem andern zog vorüber und die herrlichsten Baumgruppen entzückten das Auge. In gleichmäßigem Rhythmus legten sich die Männer in die Ruder, und wenn sie von Zeit zu Zeit alle vierundzwanzig erhoben und eine Pause eintreten ließen, glitt das Boot von selber wie ein leichter Vogel über den regungslosen Wasserspiegel dahin. Der Vorsänger, ein junger, breitschultriger Bursche, stimmte mit seiner hellen, klangvollen Stimme, die aus der Kehle einer Nachtigall zu kommen schien, ein Lied an. Fünf andere griffen die Melodie auf, sechs weitere fielen ein und immer mehr anschwellend und an Klarheit und Tiefe zunehmend, drang der Gesang in den weiten Raum, als wollte er mit seinem Wohllaut das ganze grenzenlose Rußland erfüllen. Auch Petuch glaubte zuweilen den Chor unterstützen und mitsingen zu müssen, wenn seine Stimme auch nur wie das Girren eines Täuberichs klang, und selbst Tschitschikow fühlte, daß er ein Russe sei. Nur Platonow dachte: Was ist eigentlich Schönes an diesem melancholischen Lied? Es macht einen nur noch trübseliger, als man schon ist.

Es dämmerte bereits, als sie umkehrten, und der Himmel spiegelte sich nicht mehr im Wasser. Bei der Landung war es schon völlig dunkel. Am Ufer hatte man Holzstöße angezündet und Dreifüße aufgestellt, an denen Kessel angebracht waren. Hier wurde Fischsuppe aus frischgefangenen und noch zappelnden Bärschen gekocht. Alles war bereits daheim, die Herde nach Hause getrieben, der dabei aufgewirbelte Straßenstaub hatte sich wieder gelegt, und die Viehtreiber standen, ihren Topf Milch und eine Einladung zur Fischsuppe erwartend, an den Stalltüren. Das Stimmengewirr der Leute erfüllte die Dunkelheit und fernes Hundegebell hallte aus den Nachbardörfern herüber. Der Mond ging auf, die tief im Schatten liegende Umgebung fing an sich aufzuhellen, und bald war alles vom vollen Glanz des Mondlichts bestrahlt – ein zauberhaftes Bild! Aber es gab niemand, der sich daran erfreute. Statt sich zu dieser Stunde auf kühne Hengste zu schwingen und miteinander in die Nacht und um die Wette zu jagen, saßen Nikolascha und Alexascha da und dachten an die Cafés und Theater in Moskau, von denen ihnen ein aus der Hauptstadt zu Besuch gekommener Kadett vorgeschwärmt hatte. Der Vater überlegte, was er seinen Gästen vorsetzen würde, und Platonow gähnte gelangweilt. Am lebhaftesten war noch Tschitschikow: Tatsächlich, ich muß mir noch einmal so ein Dörfchen kaufen! Und schon sah er ein liebes Frauchen und eine ganze Schar kleiner Tschitschikows vor sich.

Beim Abendessen wurde wieder geschlemmt. Als Tschitschikow das für ihn bestimmte Gastzimmer betrat und sich niederlegte, befühlte er sein Bäuchlein und sagte: »Prall wie eine Trommel! Da geht kein Polizeipräsident mehr hinein.« Der Zufall wollte es, daß das Zimmer des Hausherrn neben dem seinen lag. Die Wand, welche die beiden Räume voneinander trennte, war so dünn, daß Tschitschikow jedes Wort hören konnte, das drüben gesprochen wurde. Der Hausherr besprach gerade mit dem Koch das Frühstück für den folgenden Tag, das aber in Wirklichkeit ein regelrechtes Mittagessen werden sollte. Und was er nicht alles bestellte! Sogar ein Toter hätte da noch Appetit bekommen.

»Du bereitest also eine viereckige Kohlpastete«, sagte er, indem er mit der Zunge schnalzte und kräftig Luft einzog. »In die eine Ecke tust du die Backen und die Rückensehnen vom Stör, in die andere gibst du Buchweizengrütze und Pilze und etwas Zwiebel, süße Fischmilch, Hirn und sonst noch dies und jenes, du weißt schon selber, was ... Und daß sie auf der einen Seite recht braun gebacken ist, hörst du, auf der andern dagegen kann sie etwas weniger dunkel sein. Paß ordentlich auf die Füllung auf! Laß alles so lange im Ofen, bis sie ganz durchgeschmort ist, aber daß sie um Gottes willen nicht auseinanderfällt, sondern auf der Zunge schmilzt, weißt du, wie Schnee zergeht, daß man es selber kaum merkt.« Bei diesen Worten schnalzte und schmatzte Petuch mit den Lippen.

»Hol ihn der Teufel! Er läßt einen nicht einmal schlafen!« fluchte Tschitschikow und zog sich die Decke über den Kopf, um nichts mehr zu hören. Aber das nützte ihm gar nichts – auch durch die Decke hindurch hörte er ihn weitersprechen: »Und dann putzt du mir den Stör schön auf mit Sternchen aus roten Rüben, mit Stinten und kleinen Pfifferlingen und nimmst auch Karöttchen, Mohrrübenscheibchen und Bohnen dazu und noch dies und jenes, du weißt schon selber, was – damit alles nur recht schön garniert ist, verstehst du. Den Schweinemagen füllst du mit Eis, damit er ordentlich aufgeht ...«

Petuch bestellte noch eine ganze Menge weiterer Leckerbissen und wiederholte dabei immer von neuem: »Und brat und back nur alles tüchtig durch und laß es im Ofen gehörig schmoren!« Erst als er auf einen Truthahn zu sprechen kam, schlief Tschitschikow ein.

Am nächsten Tage übernahmen sich die Gäste dermaßen, daß Platonow nicht in den Sattel steigen konnte und sein Hengst mit Petuchs Stallknecht heimgeschickt werden mußte. Beide, Tschitschikow und Platonow, setzten sich in die Kutsche und der Hund des letzteren folgte faul dem Wagen: auch er hatte sich überfressen.

»Das war zuviel des Guten«, sagte Tschitschikow, als sie zum Tore hinausfuhren.

»Und dabei ist der Mensch immer in heiterster Stimmung, das ist mir am meisten zuwider!«

Wenn ich wie du, dachte Tschitschikow, eine jährliche Rente von siebzigtausend Rubel hätte, käme mir die Langeweile schon gar nicht über die Schwelle. Mein Gott, so ein Branntweinpächter Murasow, ein vielfacher Millionär! Zehn Millionen . . . leicht gesagt, aber ist das ein Sümmchen!

»Ist's Ihnen recht, einen kleinen Umweg zu machen?« fragte Platonow. »Ich würde mich gern von meiner Schwester und meinem Schwager verabschieden.«

»Aber bitte sehr, mit dem größten Vergnügen«, erwiderte Tschitschikow.

»Das ist der tüchtigste Landwirt in unsrer Gegend. Er hat heute seine zweihunderttausend Rubel im Jahr, mein Lieber, und zwar von einem Gut, das vor acht Jahren noch nicht einmal zwanzigtausend gebracht hat.«

»Dann ist er natürlich ein sehr verehrungswürdiger Mensch, und es wird höchst interessant sein, ihn kennenzulernen. Aber ... das ist ja ... wie heißt er denn?«

»Kostanschoglo.«

»Sein Vor- und Vatersname, wenn ich bitten darf?«

»Konstantin Fjodorowitsch Kostanschoglo also ... wirklich höchst lehrreich, die Bekanntschaft eines solchen Mannes zu machen.«

Platonow übernahm es, auf Selifan, der sich nur mühsam auf dem Bock hielt, achtzugeben. Petruschka war schon zweimal kopfüber aus dem Wagen gefallen, man mußte ihn mit einer Schnur festbinden.

»So ein Schwein!« war alles, was Tschitschikow dazu sagte.

»Sehen Sie mal, jetzt sind wir auf seinem Grund und Boden«, sagte Platonow, »das sieht hier gleich anders aus.«

In der Tat, da zog sich eine Schonung hin – lauter gleich hohe, junge Bäume, die wie Pfeile dastanden. Dahinter ein zweiter Schlag gleichfalls noch junger Bäume und schließlich alte Baumriesen, einer höher als der andre. Diese Reihenfolge wiederholte sich dreimal.

»Die jungen Fichtenbestände«, sagte Platonow, »sind bei ihm in acht Jahren herangewachsen. Das macht ihm niemand nach – andre können zwanzig Jahre warten und auch dann sind die Stämme noch nicht so hoch.«

»Wie hat er denn das fertiggebracht?«

»Danach müssen Sie ihn selber fragen. Er ist ein ausgezeichneter Fachmann, dem nichts mißlingt. Nicht nur, daß er den Boden kennt, er weiß auch genau, was in welcher Nachbarschaft gut gedeiht und welche Bäume zu welchen Getreidearten am besten passen. Alles muß bei ihm drei oder vier Aufgaben zugleich erfüllen. Der Wald zum Beispiel hat nicht nur Holz zu liefern, sondern auch die für die Äcker erforderliche Feuchtigkeit, er muß Schatten spenden und seine abgestorbenen Blätter zum Düngen hergeben. Auf diese Weise haben die Felder meines Schwagers nicht unter Trockenheit zu leiden, wenn ringsum Dürre herrscht, und wenn die Nachbargüter von Mißernten betroffen sind – bei ihm allein gibt's keine. Schade, daß ich so wenig von diesen Dingen verstehe und Ihnen nichts von seinen Praktiken, die an Hexerei grenzen, erzählen kann. Man nennt ihn allgemein einen Zauberer. Was der nicht alles hat und kann! Und dennoch – es ist fürchterlich langweilig ...«

Das muß wahrhaftig ein erstaunlicher Mensch sein, dachte Tschitschikow. Sehr bedauerlich, daß der junge Mann so uninteressant ist und gar nichts Näheres mitzuteilen weiß.

Endlich kam das Gut in Sicht. Mit seinen vielen Hütten auf drei kirchengekrönten Hügeln gelegen, glich es von weitem einer kleinen Stadt. Überall waren riesige Heu- und Getreideschober zu sehen.

Ja, dachte Tschitschikow, man sieht sofort, daß hier ein großer Herr residiert. Die Bauernhütten waren solide gebaut, die Straßen gut erhalten. Stand irgendwo ein Wagen, war er widerstandsfähig und sah wie neu aus. Begegnete man einem Bauern, so hatte er ein intelligentes Gesicht. Das Vieh war von bester Rasse, und selbst die Schweine der Leibeigenen hatten etwas Aristokratisches. Offensichtlich waren hier jene Bauern zu Hause, von denen es im Liede heißt, daß sie das Silber nur so schaufeln. Es gab auf diesem Gut keine englischen Parks mit geschorenen Rasenflächen und anderen luxuriösen Anlagen. Statt dessen führte nach alter Sitte eine breite Straße mit Scheunen und Arbeiterwohnstätten zu beiden Seiten bis dicht ans Herrenhaus, damit der Gutsherr alles, was um ihn her vorging, immer vor Augen hatte. Auf dem hohen Hausdach erhob sich ein Turm, der einer Laterne glich. Er diente nicht etwa dazu, um von hier aus die schöne Fernsicht zu genießen, oder auch nur zum Schmuck des Gebäudes, sondern lediglich zur Überwachung der Ackerknechte, die auf den am weitesten entfernten Feldern arbeiteten. Tschitschikow und Platonow wurden an der Treppe von diensteifrigen Lakaien empfangen, die nicht die geringste

Ähnlichkeit mit dem Säufer Petruschka hatten, obgleich auch sie keine Fräcke trugen, sondern Jacken aus blauem, hausgewebtem Tuch, wie sie bei den Kosaken üblich sind.

Die Frau des Hauses kam herausgelaufen. Mit ihrer frischen Gesichtsfarbe, wie Milch und Blut, war sie schön wie der junge Tag und glich Platonow wie ein Ei dem andern – allerdings mit dem Unterschied, daß sie nicht so matt und gleichgültig war wie er, sondern heiter und gesprächig.

»Guten Tag, Bruder! Wie freue ich mich über deine Ankunft. Konstantin ist nicht zu Hause, muß aber jeden Augenblick kommen.«

»Wo ist er denn?«

»Im Dorf, Geschäfte mit irgendwelchen Händlern«, erwiderte sie und führte die Gäste ins Haus.

Tschitschikow blickte sich neugierig in der Behausung dieses ungewöhnlichen Menschen um, der zweihunderttausend Rubel im Jahr einnahm; denn er meinte, aus der Einrichtung der Räume auf das Wesen ihres Bewohners schließen zu können, wie man nach der Muschel die Auster und die Schnecke nach dem Gehäuse bestimmt, das sich ihrer Körperform angepaßt hat. Aber es erwies sich als unmöglich, irgendwelche Schlüsse zu ziehen, denn die Zimmer waren fast leer: es gab dort weder Wandgemälde, Bilder, Bronzen und Blumen noch Etageren mit kostbarem Porzellan, ja nicht einmal Bücher. Mit einem Wort, alles deutete darauf hin, daß der Besitzer dieses Hauses sich hauptsächlich auf den Feldern und kaum in seinen vier Wänden aufhielt und daß er seine Pläne nicht etwa wie ein Sybarit im Lehnstuhl am Kaminfeuer faßte, sondern draußen bei der Arbeit, wo sie auch gleich in die Tat umgesetzt wurden. In den Stuben bemerkte Tschitschikow nur Spuren weiblicher Hausarbeit: auf Tischen und Stühlen lagen saubere Bretter von Lindenholz, auf denen allerhand Blütenblätter zum Trocknen ausgebreitet waren.

»Was ist das für ein Schund, den du hier ausgestreut hast, Schwester?« fragte Platonow.

»Wieso Schund«, sagte die Hausfrau. »Es ist das beste Mittel gegen Fieber. Voriges Jahr haben wir alle unsre Bauern damit kuriert. Hier dieses Kraut brauchen wir, um Likör zu brauen, und jenes zum Einmachen. Ihr lacht uns immer aus, aber wenn ihr das Zeug zu essen bekommt, seid ihr des Lobes voll.«

Platonow ging zum Klavier und begann in den Noten zu blättern.

»Mein Gott, der alte Kram«, sagte er. »Schämst du dich nicht, Schwester?«

»Entschuldige, Bruder, zum Musizieren fehlt mir die Zeit. Ich muß meine achtjährige Tochter unterrichten. Soll ich sie etwa einer ausländischen Gouvernante überlassen, nur um selber mehr Zeit zu haben? Nein, entschuldige schon – das fällt mir nicht ein.«

»Bist du aber langweilig geworden, Schwester!« sagte der Bruder und trat ans Fenster. »Da kommt er ja schon«, rief Platonow aus.

Tschitschikow blickte ebenfalls hinaus. Ein etwa vierzigjähriger, sonnenverbrannter Herr mit lebhaftem Gesichtsausdruck näherte sich der Treppe. Auf sein Äußeres gab er offenbar nicht viel: er trug eine Kamelhaarjacke und eine ganz gewöhnliche Mütze. Rechts und links von ihm gingen zwei Männer niederen Standes, ihre Kopfbedeckungen ehrerbietig in den Händen haltend, in lebhafter Unterhaltung. Der eine war ein einfacher Bauer, der andre ein auswärtiger Händler, dem man den abgefeimten Schlingel ansah, in einem blauen sibirischen Rock. Als alle drei vor der Treppe stehenblieben, konnte man im Hause jedes Wort, das sie sprachen, hören.

»... also, ihr tut am besten, euch von der Leibeigenschaft freizukaufen«, sagte der Gutsbesitzer zum Bauern. »Ich will euch meinetwegen das Geld dazu leihen, ihr könnt es dann später abarbeiten.«

»Nein, Konstantin Fjodorowitsch, warum freikaufen? Übernehmen Sie uns lieber ganz. Bei Ihnen werden wir viel lernen. Einen so gescheiten Herrn, wie Sie es sind, gibt es so bald nicht wieder. Man hat seine liebe Not und muß mehr denn je auf der Hut sein. In den Kneipen bekommt man heutzutage so herrliche Schnäpse, daß sie einem den ganzen Magen verbrennen und daß man hinterher am liebsten einen vollen Eimer Wasser austrinken möchte. Ehe man sich's versieht, hat man alles versoffen. Es gibt so viele Versuchungen. Bei Gott, der Satan regiert die Welt! Was wird nicht alles erfunden, um den Bauern zu ruinieren: Tabak und wer weiß was alles! Was kann man da machen, Konstantin Fjodorowitsch? Wir sind Menschen und können schwer widerstehen.«

»Also hört mal zu, wie die Dinge liegen. Auch bei mir wäre das Leben noch lange kein Paradies für euch. Gewiß, jeder von euch würde gleich alles erhalten, was er braucht: eine Kuh und ein Pferd, aber dafür verlange ich auch mehr von meinen Bauern als jeder andre. Meine erste Forderung – ist Arbeit. Gleichviel ob zu meinen Gunsten oder für euch selbst, aber gefaulenzt wird bei mir nicht. Ich arbeite selbst wie ein Büffel und meine Bauern müssen das auch. Die Erfahrung, mein Lieber, hat mich gelehrt: nur wer die Hände in den Schoß legt, hat Flausen im Kopf. Also überlegt euch die Sache und besprecht sie miteinander in der Gemeindeversammlung.«

»Das haben wir schon getan, Konstantin Fjodorowitsch, und unsre alten Leute haben gesagt, daß da nichts weiter zu überlegen sei. Bei Ihnen, haben sie gesagt, seien alle Bauern reich und die Geistlichen barmherzig und nachsichtig. Die unsrigen hat man uns genommen, und jetzt haben wir niemand, der uns begräbt.«

»Trotzdem: geht und verhandelt wegen der Sache nochmals in der Gemeinde.«

»Wie Sie wünschen.«

»Nicht wahr, Konstantin Fjodorowitsch«, fing der Handelsmann im sibirischen Rock an, »Sie werden die Güte haben, im Preise ein wenig herunterzugehen?«

»Ich habe dir schon gesagt, daß ich mich aufs Feilschen nicht einlasse. Ich bin nicht so wie andere Gutsherren, zu denen du immer dann kommst, wenn sie gerade ihre Schulden bei der Darlehenskasse bezahlen müssen. Ich habe euch längst durchschaut: ihr führt Listen, in welchen genau drinsteht, wer wann eine Zahlung zu leisten hat. Die Sache ist sehr einfach. Sitzt einem Schuldner das Messer an der Kehle, gibt er alles zum halben Preise her. Aber ich – was liegt mir an deinem Geld? Möge das Getreide, oder was es sonst sei, drei Jahre bei mir liegen: ich habe keine Schulden bei der Darlehenskasse.«

»Gewiß, das stimmt schon, Konstantin Fjodorowitsch. Es ist ja auch nur, um mit Ihnen in Verbindung zu bleiben, und nicht aus Gewinnsucht. Hier bitte, dreitausend Rubel als Anzahlung ...« Der Händler zog ein Bündel fettiger Banknoten heraus, Kostanschoglo nahm die Geldscheine kaltblütig entgegen und schob sie, ohne sie erst nachzuzählen, in seine Rocktasche.

Hm, dachte Tschitschikow, als wenn es sein Taschentuch wäre!

Gleich darauf erschien Kostanschoglo in der Wohnzimmertür. Tschitschikow fand jetzt noch mehr Gefallen an seinem gebräunten Gesicht, seinem dichten, schwarzen Haar, das stellenweise schon etwas angegraut war, an seinem lebhaften Blick und seinem ganzen Wesen, das auf seine südliche Abstammung hindeutete. Er war auch kein reinblütiger Russe, wußte aber nicht, woher seine Vorfahren stammten, und interessierte sich auch nicht für seine Ahnen, weil er der Meinung war, daß es nicht zu ihm passe und für die Wirtschaft belanglos sei. Er hielt sich für einen Russen und kannte auch keine andere Sprache als die russische.

Platonow stellte Tschitschikow vor und man küßte sich.

»Konstantin«, sagte Platonow, »ich habe beschlossen, ein wenig herumzureisen und einige Gouvernements kennenzulernen. Ich will mich auf diese Weise von meiner Langeweile kurieren. Pawel Iwanowitsch hat mir vorgeschlagen, daß ich mich ihm anschließen soll.«

»Ausgezeichnet«, erwiderte Kostanschoglo. »Welche Gegenden wollen Sie denn besuchen?« fuhr er fort, indem er sich liebenswürdig an Tschitschikow wandte.

»Offen gestanden«, sagte Tschitschikow, den Kopf höflich neigend und die Stuhllehne streichelnd, »ich reise nicht so sehr aus eigenem Antrieb als im Interesse eines anderen. General Betristschew, ein intimer Freund von mir, ja, man kann wohl sagen, mein Wohltäter, hat mich gebeten, seine

Verwandten zu besuchen. Aber andererseits reise ich sozusagen doch auch zum eigenen Vergnügen: ganz abgesehen davon, daß das Reisen ein gutes Mittel gegen Hämorrhoiden ist – die Welt mit ihrem Menschengetriebe kennenzulernen gleicht gewissermaßen der Lektüre eines lebenden Buches, dem Studium einer Wissenschaft für sich ...«

»Gewiß, es kann nichts schaden, sich in anderen Winkeln unsres Vaterlandes umzusehen.«

»Ungemein treffend bemerkt«, sagte Tschitschikow. »Es kann in der Tat nichts schaden. Man sieht da Dinge, die man sonst nicht gesehen hätte, trifft Menschen, denen man sonst nicht begegnet wäre, und macht Bekanntschaften, die ebenso Goldes wert sind wie zum Beispiel die hochwillkommene Gelegenheit, die sich mir gerade eben zu einem Gedankenaustausch bietet ... Ich nehme meine Zuflucht zu Ihnen, sehr verehrter Konstantin Fjodorowitsch, helfen Sie mir, belehren Sie mich, stillen Sie meinen Durst nach der Weisheit! Ich lechze nach Ihren goldenen Worten wie nach himmlischem Manna!«

»Aber ich bitte Sie, worüber soll ich Sie denn belehren?« fragte Kostanschoglo ganz verlegen. »Ich habe doch selbst nur ein paar Groschen Lehrgeld bezahlt.«

»Über die Weisheit, verehrungswürdiger Meister, über die Weisheit! Lehren Sie mich die schwere Kunst, das Steuer der Landwirtschaft zu führen, die hohe Kunst, sichere Gewinne zu erzielen, weihen Sie mich in die Geheimwissenschaft ein, wie man sich ein Vermögen erwirbt, und zwar ein wirklich greifbares, das nicht nur auf dem Papier steht, und wie man auf diese Weise die Pflicht des wahren Bürgers erfüllt und sich die Achtung seiner Mitmenschen verdient.«

»Wissen Sie was«, sagte Kostanschoglo und betrachtete nachdenklich sein Gegenüber, »bleiben Sie noch einen Tag bei uns, ich werde Ihnen meinen Betrieb zeigen und Ihnen alles erklären. Aber eine besondere Weisheit – das muß ich Ihnen gleich sagen – steckt nicht dahinter.«

»Natürlich, bleiben Sie doch!« rief die Frau des Hauses und fügte, zu ihrem Bruder gewandt, hinzu: »Bleibe auch du, es eilt dir ja nicht.«

»Mir ist es recht. Und Ihnen, Pawel Iwanowitsch?«

»Mir auch, ich bleibe mit dem größten Vergnügen ... da ist allerdings ein Umstand ... ein Verwandter des Generals Betristschew, ein gewisser Oberst Koschkarjow ...«

»Der ist ja verrückt!«

»Gewiß, das ist er. Ich würde ihn auch bestimmt nicht besuchen, aber General Betristschew, mein Intimus und sozusagen mein Wohltäter ...«

»Machen Sie es doch folgendermaßen«, unterbrach ihn Kostanschoglo, »Sie fahren jetzt gleich zu ihm hin, er wohnt nur zehn Kilometer von hier und mein Wagen ist ohnehin angespannt. Benutzen Sie ihn, fahren Sie los, Sie können zum Tee schon wieder zurück sein.«

»Ein ausgezeichneter Gedanke!« rief Tschitschikow und griff nach seinem Hut.

Der Wagen fuhr vor und in einer halben Stunde war Tschitschikow bereits am Ziel. Auf dem Gut des Obersten herrschte ein völliges Durcheinander: es wurde gebaut und umgebaut, Kalk, Ziegel und Balken lagen überall herum. Neu errichtet waren einige Häuser, die lebhaft an Gerichtsgebäude erinnerten. Auf einem stand mit goldenen Buchstaben »Depot für landwirtschaftliche Geräte«, auf einem anderen »Hauptrentamt« und auf zwei weiteren »Komitee für Gemeindeangelegenheiten« und »Normalschule für Landleute«. Mit einem Wort, der Teufel mochte wissen, was das alles zu bedeuten hatte!

Den Gutsherrn fand Tschitschikow vor einem Stehpult, die Feder zwischen den Zähnen. Der Oberst, der ihn sehr freundlich empfing, machte einen äußerst gutmütigen und umgänglichen Eindruck. Er begann sogleich zu erzählen, wieviel Mühe es ihn gekostet habe, seinen Besitz in den hervorragenden Zustand zu bringen, in dem er sich jetzt befinde. Doch beklagte er sich bitter darüber, wie schwer es sei, den Bauern die höheren Impulse begreiflich zu machen, die der Mensch aus Aufklärung, Kultur, Kunst und Wissenschaft gewinne, und daß er die Weiber bisher noch nicht dazu habe bringen können, Korsetts zu tragen, während doch in Deutschland, wo sein Regiment im Jahre 1814 stationiert gewesen sei, die Tochter des Müllers sogar Klavier gespielt habe. Dennoch werde er es allen Widerständen der Barbarei zum Trotz unbedingt durchsetzen, daß seine Bauern, während sie hinter dem Pfluge hergingen, Bücher lesen und auf diese Weise Franklins Blitzableiter, Vergils »Georgica« oder die chemische Bodenanalyse kennenlernen würden.

Und was nicht noch alles! dachte Tschitschikow. Ich selbst habe nicht einmal Zeit gefunden, die Gräfin Lavallière durchzulesen.

Der Oberst sprach noch lange darüber, wie man die Menschen glücklich machen könne. Dabei legte er der Bekleidung eine große Bedeutung bei. Er schwor zum Beispiel, daß, wenn es gelänge, auch nur der Hälfte aller russischen Bauern Hosen nach deutschem Muster anzuziehen, die Wissenschaften sogleich aufblühen, der Handel sich heben und überhaupt das goldene Zeitalter in Rußland anbrechen würde.

Tschitschikow blickte ihm unverwandt in die Augen, ließ ihn ruhig reden und dachte schließlich: Mit dem da brauche ich nicht viel Umstände zu machen. Und dann erklärte er ihm, daß die Dinge so und so lägen, daß er eine gewisse Sorte von Seelen benötige und daß dazu die und die Kaufverträge mit allen damit verbundenen Formalitäten erforderlich seien.

Der Oberst war keinesfalls überrascht, sondern entgegnete nur: »Wenn ich Sie richtig verstanden habe, handelt es sich hier um ein Gesuch, nicht wahr?«

»Ganz recht, um ein Gesuch.«

»In diesem Fall haben Sie die Güte, es schriftlich einzureichen, damit es den entsprechenden Instanzenweg nehmen kann. Zuerst geht es an die Kanzlei für Annahme von Berichten und Meldungen. Dort wird es registriert und an mich weitergeleitet. Von mir wird es zur Kenntnis genommen und dem Komitee für Gemeindeangelegenheiten übersandt, wo es nach gegebenenfalls erforderlichen Erhebungen an den Administrator hinübergegeben wird, der wiederum gemeinsam mit dem Sekretariat ...«

»Erbarmen Sie sich«, rief Tschitschikow, »das kann sich ja Gott weiß wie lange hinziehen! So etwas läßt sich doch nicht schriftlich behandeln! Das ist eine viel zu delikate Angelegenheit ... die Seelen sind ja in gewissem Sinne ... tote Seelen.«

»Schön. Sind sie das, so schreiben Sie eben, daß es sich in gewissem Sinne um tote Seelen handelt.«

»Aber wieso denn? Tote Seelen ... das kann man doch nicht einfach so hinschreiben. Wenn sie auch tot sind, so muß es doch den Anschein haben, als wenn sie noch am Leben wären.«

»Schön. Soll es diesen Anschein haben, so schreiben Sie eben, es sei notwendig oder wichtig oder wünschenswert, daß es den Anschein habe, als ob sie noch lebten. Anders als auf schriftlichem Wege läßt sich das nun einmal nicht machen. Vorbild: England oder auch Napoleon selbst. Ich werde Ihnen jemand mitgeben, der Sie überall hinführen wird.«

Der Oberst klingelte. Ein Mann erschien.

»Sekretär, man rufe den Kommissionär.«

Der Kommissionär, ein Mittelding zwischen einem Bauern und einem Beamten, stellte sich ein. »Der da wird Sie begleiten.«

Was war dagegen zu machen? Tschitschikow entschloß sich aus Neugier, dem Kommissionär zu folgen und sich alle diese unumgänglichen Instanzen anzusehen. Die Kanzlei für Annahme von Berichten und Meldungen existierte nur auf dem Aushängeschild, die Tür war zugeschlossen. Ihr Geschäftsführer namens Chrulew war in das erst kürzlich neu gebildete Komitee für Gemeindebauten versetzt worden, sein Stellvertreter, der Kammerdiener Berjosowskij, von der Baukommission irgendwohin abkommandiert. Also begaben sie sich ins Departement für Gemeindeangelegenheiten, das gerade umorganisiert wurde. Hier weckte man einen Betrunkenen, aus dem aber nichts herauszubringen war. »Bei uns herrscht die größte Unordnung«, sagte der Kommissionär zu Tschitschikow, »der Herr wird an der Nase herumgeführt. Alles hängt von der Baukommission ab. Sie holt die Leute von der Arbeit weg und schickt sie nach Belieben irgendwohin.« Er war, wie es schien, unzufrieden mit der Baukommission. Tschitschikow hatte die Lust verloren, die Besichtigung fortzusetzen. Er kehrte um und berichtete dem Obersten, daß alles ein großer Wirrwarr sei, daß man sich gar nicht zurechtfinden könne und daß eine Kanzlei für Annahme von Berichten und Meldungen überhaupt nicht existiere.

Der Oberst kochte vor Zorn und edler Empörung. Als Zeichen seines Dankes drückte er Tschitschikow kräftig die Hand. Dann griff er zu Feder und Papier und schrieb auf der Stelle acht Anfragen nieder, die im schärfsten Ton gehalten waren: Wie konnte die Baukommission sich unterstehen, eigenmächtig über Beamte zu verfügen, die überhaupt nicht zu ihrem Ressort gehören? Mit welchem Recht hat der Hauptadministrator zugelassen, daß der Leiter sich zu einer Untersuchung begeben hat, ohne für einen Stellvertreter zu sorgen? Warum hat das Komitee für Gemeindeangelegenheiten ruhig mit angesehen, daß die Kanzlei zur Annahme von Berichten und Meldungen gar nicht vorhanden ist? Und so fort.

Das gibt einen neuen heillosen Wirrwarr, dachte Tschitschikow und wollte sogleich abfahren.

»Nein«, widersprach Koschkarjow, »ich kann Sie nicht fortlassen. Jetzt steht meine persönliche Ehre auf dem Spiel. Sie sollen sehen, was eine richtig organisierte Wirtschaft zu leisten vermag. Ich werde die Erledigung Ihres Gesuches einem Manne übertragen, der mehr wert ist als alle anderen zusammen; er hat die Universität absolviert. Solche Leibeigene gibt es bei mir! Damit Sie aber unterdessen Ihre kostbare Zeit nutzbringend anwenden können, ersuche ich Sie ergebenst, in meiner Bibliothek Platz zu nehmen«, sagte der Oberst und öffnete eine Seitentür. »Hier gibt es Bücher, Papier, Federn, Bleistifte, mit einem Wort – alles! Verfügen Sie darüber, als wenn Sie der Herr wären. Die Bildung ist für alle da!«

So sprach Oberst Koschkarjow und führte Tschitschikow in die Bibliothek, einen riesigen Saal, der von oben bis unten mit Büchern angefüllt war. Auch ausgestopfte Tiere gab es hier. Alle Wissenszweige waren vertreten: Bücher über Forstwissenschaft und Gartenbau, Rinder- und Schweinezucht und die verschiedensten Fachblätter, die kein Mensch liest und die einem fortwährend zugeschickt werden in der Hoffnung, daß man sie schließlich doch abonnieren wird. Als Tschitschikow festgestellt hatte, daß alle diese Werke durchaus nicht geeignet waren, einem die Zeit auf angenehme Weise zu vertreiben, wandte er sich einem anderen Schrank zu, kam aber aus dem Regen in die Traufe: dieser enthielt nämlich lediglich philosophische Bücher. Das erste, was ihm in die Hände fiel, waren sechs dickleibige Bände, betitelt »Einführung in die Lehre vom Denken, Theorie der Totalität, Identität und Realität in ihrer praktischen Anwendung auf die Erkenntnis der organischen Prinzipien von der Polarität der sozialen Produktivität«. Auf jeder Seite, die Tschitschikow aufschlug, stieß er auf Wörter wie Phänomen, Evolution, Abstraktion, Substanz, Konzentration, Intensität und weiß der Teufel was noch. Das ist nichts für mich, dachte er und öffnete einen weiteren Schrank, welcher kunstgeschichtliche Werke enthielt. Hier zog er einen ungeheuren Folianten mit reichlich obszönen mythologischen Bildern hervor und fing an, sie anzusehen. Solche Abbildungen pflegen besonders Junggesellen in mittleren Jahren zu gefallen, mitunter auch ganz alten Herren, die ihre Phantasie durch Balletts und andere Zweideutigkeiten anzufeuern lieben. Als Tschitschikow das Buch durchgesehen und schon nach einem zweiten, ähnlichen Bande gegriffen hatte, erschien Oberst Koschkarjow mit strahlender Miene und einem Blatt Papier in der Hand.

»Alles geregelt und vortrefflich in Ordnung gebracht! Der Mann, von dem ich Ihnen vorhin sprach, ist tatsächlich ein Genie. Zum Lohn dafür will ich ihn auch vor allen anderen auszeichnen und für ihn ein eigenes Departement einrichten. Schauen Sie bloß, was er für ein heller Kopf ist und wie er alles in wenigen Minuten erledigt hat.«

Gott sei gelobt! dachte Tschitschikow und schickte sich an zuzuhören. Der Oberst begann vorzulesen: »Indem ich mich der mir von Euer Hochwohlgeboren übertragenen Aufgabe unterziehe, habe ich die Ehre, Euer Hochwohlgeboren wie folgt Bericht zu erstatten:

Erstens ist dem Kollegienrat und Ritter Pawel Iwanowitsch Tschitschikow schon in seinem Gesuch insofern ein Mißverständnis unterlaufen, als er die in den Revisionslisten angeführten Seelen als tote Seelen bezeichnet. Doch hat er vermutlich nur Seelen gemeint, die dem Tode lediglich nahe, nicht aber wirklich gestorben sind – die Bezeichnung ‚tote Seelen' müßte ja auf eine nur rein empirisch-wissenschaftliche, also allein aus der Volksschule geschöpfte Bildung schließen lassen, denn die Seele ist unsterblich.« – »So ein Spitzbube«, sagte Koschkarjew und machte eine kleine, selbstgefällige Pause, »damit will er Ihnen wohl eins auswischen, aber, sagen Sie selbst, führt er nicht tatsächlich eine gewandte Feder?« – »Zweitens gibt es bei uns überhaupt keine Seelen, weder solche, die dem Tode nahe sind, noch irgendwelche andere, die nicht schon allesamt, und zwar doppelt und sogar mit einem Aufschlag von hundertfünfzig Rubel pro Kopf verpfändet wären, ausgenommen die Bauern des kleinen Dorfes Gurmailowka, die infolge eines schwebenden Prozesses mit dem Gutsbesitzer Predistschew laut Bekanntmachung in Nummer 42 der ‚Moskauer Nachrichten' unter Zwangsverwaltung stehen.«

»Warum haben Sie mir das nicht gleich gesagt? Wozu haben Sie mich so lange unnütz aufgehalten?« rief Tschitschikow ärgerlich.

»Aber ich bitte Sie, das mußte Ihnen doch erst auf dem ordnungsgemäßen Instanzenweg klargemacht werden. Das alles ist ja kein Spaß. Ahnen kann so etwas jeder Dummkopf, aber man muß es mit vollem Bewußtsein in sich aufnehmen – das ist es, worauf es ankommt.«

Tschitschikow griff heftig nach seiner Mütze und rannte, jede Anstandspflicht außer acht lassend, im Galopp aus dem Hause: er war wütend. Der Kutscher wartete schon mit den Pferden vor der Tür. Er wußte, daß es keinen Zweck hatte auszuspannen, denn wegen des Pferdefutters hätte ein schriftliches Gesuch eingereicht werden müssen und die Genehmigung wäre erst am nächsten Tage erfolgt. Der Oberst eilte jedoch Tschitschikow nach, drückte ihm warm die Hand und dankte ihm dafür, daß er ihm Gelegenheit gegeben habe, den Gang seiner Geschäftsordnung in der Praxis nachzuprüfen. Es sei eben notwendig, den Leuten auf die Finger zu sehen, weil alles die Neigung habe, schläfrig zu werden, und die Verwaltungsmaschine leicht einroste und ihre Federn nachließen. Auch habe Tschitschikows Besuch ihm einen glücklichen Gedanken eingegeben – er werde zu den übrigen noch eine weitere Instanz hinzufügen, welche den Namen Kontrollkommission für die Baukommission erhalten solle. Dann werde es keine Übergriffe und keine Diebstähle mehr geben.

Unzufrieden und verärgert kehrte Tschitschikow zu vorgerückter Stunde, als man schon Licht angezündet hatte, zu Kostanschoglo zurück.

»Warum haben Sie sich so verspätet?« fragte dieser und: »Worüber haben Sie so lange mit ihm gesprochen?« erkundigte sich Platonow, als Tschitschikow endlich eintrat.

»Einen solchen Idioten habe ich in meinem Leben noch nicht gesehen«, entgegnete Tschitschikow.

»Das ist noch milde ausgedrückt«, sagte Kostanschoglo. »Aber der Oberst ist trotzdem eine tröstliche Erscheinung. Solche Gestalten wie er sind nicht ohne Nutzen und Bedeutung, weil sie besonders einprägsame Karikaturen aller Torheiten unsrer Intelligenzler darstellen, die, ohne sich erst einmal im eigenen Vaterlande gründlich umzusehen, alles Fremde gedankenlos übernehmen und nachahmen. Was für Neuerungen werden nicht heute von unseren Gutsbesitzern eingeführt: Kontore, Manufakturen, Schulden, Kommissionen und weiß der Teufel was alles! Ja, so sind sie, diese Neunmalweisen! Kaum hat man sich einigermaßen vom Einmarsch der Franzosen im Jahre 1812 erholt, schon soll wieder alles zugrunde gerichtet werden. Ja, sie treiben es noch schlimmer als die Franzosen – so schlimm, daß selbst irgendein Pjotr Petrowitsch Petuch noch als tüchtiger Gutsbesitzer gelten muß.«

»Aber auch er hat seinen Besitz verpfändet«, sagte Tschitschikow.

»Freilich, das hat er – alles läuft zur Hypothekenbank!« Kostanschoglo redete sich immer mehr in Zorn. »Da hat man jetzt Hut- oder Kerzenfabriken, und selbstverständlich müssen die Werkmeister aus London verschrieben werden. Man wird ja zum richtigen Händler! Der Gutsbesitzer – früher ein hochgeachteter Stand – verwandelt sich mehr und mehr in einen Fabrikanten und Unternehmer. Man schafft sich Spinnereimaschinen an und fabriziert allerhand Flitter für die liederlichen Weiber in der Stadt.«

»Du hast doch selber Fabriken«, bemerkte Platonow.

»Aber wer hat sie eingerichtet? Sie sind sozusagen von selbst entstanden. Es hatte sich soviel Wolle angesammelt, die nicht abgesetzt werden konnte. So fing ich eben an, Tuche daraus weben zu lassen, lauter dicke, einfache Stoffe, die mir gleich an Ort und Stelle abgenommen werden – von meinen eigenen Bauern, die sie für sich und ihre Familien brauchen. Oder die Fischschuppen, welche die Fischer sechs Jahre lang an meinem Ufer weggeworfen haben. Was sollte ich damit anfangen? Ich ließ Leim daraus kochen und habe vierzigtausend Rubel daran verdient. So macht sich das alles bei mir von selbst.«

Ein Teufelskerl! dachte Tschitschikow und hing voller Bewunderung an Kostanschoglos Lippen.

»Darauf habe ich mich nur eingelassen, weil so viele Arbeitslose zu mir gekommen sind, die ohne diese Unternehmungen einfach verhungert wären. Es herrschte ja ringsum Hungersnot, an welcher nur diese Fabrikanten schuld waren, die es unterlassen hatten, ihre Felder zu bestellen. Solche kleinen Betriebe gibt es bei mir eine ganze Menge, jedes Jahr einen anderen, je nach den Überbleibseln und Rückständen, die gerade anfallen. Möge nur jeder Gutsbesitzer sich in seiner Wirtschaft ordentlich umsehen! An jedem Dreck kann man noch etwas verdienen, bevor man ihn fortwirft und ausruft: Weg damit! Aber ich gehöre nicht zu denen, die Schlösser mit Säulen und Giebeln bauen!«

»Das ist erstaunlich«, sagte Tschitschikow, »und am erstaunlichsten scheint mir, daß in der Tat noch aus jedem Dreck Geld gemacht werden kann!«

»Ich bitte Sie, wenn die Leute doch nur die Dinge so einfach nehmen wollten, wie sie in Wirklichkeit sind. Aber immer will jeder gleich ein großer Mechaniker sein und meint, daß sich das einfachste Schächtelchen nur mit dem kompliziertesten Werkzeug öffnen lasse. Und nur um sich das zu beschaffen, muß er ausgerechnet nach England reisen. So ist das bei uns. Ach, diese Dummköpfe! Fahren ins Ausland und kommen noch hundertmal dümmer zurück, als sie vorher waren«, sagte Kostanschoglo und spuckte verächtlich aus.

»Aber Konstantin, du regst dich schon wieder auf«, sagte seine Gattin besorgt, »du weißt doch, daß es dir nicht bekommt.«

»Wie soll ich mich nicht ärgern? Es sind ja doch Dinge, die mir am Herzen liegen, und es tut mir weh, wenn ich sehe, wie der russische Charakter verdorben wird. Eine Donquichotterie breitet sich neuerdings bei uns aus, die wir früher gar nicht gekannt haben. Die Aufklärung verwirrt die Geister und macht die Leute zu Don Quichottes. Schulen werden gegründet, von denen man sich nichts hat träumen lassen. Sie bilden Menschen heran, die weder auf dem Lande noch in der Stadt zu brauchen sind: lauter Säufer, die gleichwohl eine hohe Meinung von ihrer eigenen Würde haben. Don Quichottes der Humanität, die für Millionen lächerliche Krankenhäuser und Gott weiß was für säulengeschmückte Wohltätigkeitsanstalten gründen, sich selbst ruinieren und andere zugrunde richten, und das nennen sie dann Humanität!«

Tschitschikow ließ die Humanität völlig kalt – ihm lag nur daran, noch weitere Einzelheiten darüber zu erfahren, wie man aus Dreck Einkünfte beziehen könne. Aber Kostanschoglo ließ ihn gar nicht zu Worte kommen. Sein galliger Redefluß war überhaupt nicht mehr aufzuhalten: »Da zerbricht man sich den Kopf, wie der Bauer aufgeklärt werden soll ... Man helfe ihm lieber dazu, daß er als tüchtiger Landwirt sein gutes Auskommen hat – dann wird er schon selbst für seine Bildung sorgen. Sie können sich gar kein Bild davon machen, in welchem Maße die Gesellschaft heute verdummt ist und was unsre Federfuchser alles zusammenschmieren! Es braucht nur einer irgendein Buch zu veröffentlichen und schon stürzt sich alle Welt darauf. Stellen Sie sich bloß vor, was jetzt für eine neue Lehre verkündet wird: Der Bauer führt ein viel zu primitives Leben, man muß ihn mit dem Luxus bekannt machen und ihm höhere Bedürfnisse beibringen! Weil diese Menschheitsbeglücker durch ihre luxuriöse Lebensführung Waschlappen und keine Männer geworden sind und sich dabei weiß der Teufel welche Krankheiten zugezogen haben und weil es bald keinen achtzehnjährigen Bengel mehr gibt, der nicht schon alles ausprobiert, seine sämtlichen Zähne verloren und eine Glatze wie eine Schweinsblase hätte – darum wollen sie jetzt auch die Bauern anstecken. Aber Gott sei gelobt, daß wir wenigstens unsern gesunden Bauernstand haben, der noch keine Bekanntschaft mit diesen Launen und Einfällen gemacht hat! Dafür können wir Gott nicht dankbar genug sein. Der Ackerbauer ist in der Tat unsrer größten Hochachtung wert – warum läßt man ihn nicht in Frieden? Gott gebe, daß alle so wären wie er!«

»Sie sind also der Meinung, daß es am einträglichsten ist, sich mit der Landwirtschaft zu beschäftigen?« fragte Tschitschikow.

»Am achtbarsten, nicht am einträglichsten. ‚Im Schweiße deines Angesichts sollst du dein Brot essen', heißt es in der Bibel. Daran ist nicht zu rütteln. Eine jahrhundertealte Erfahrung lehrt, daß der Ackerbau den Menschen moralischer, reiner, edler und besser macht. Ich sage nicht, daß man sich nicht auch mit anderen Dingen befassen soll, aber die Landwirtschaft muß immer die Grundlage bleiben – das ist es, worauf es ankommt. Wirklich notwendige Betriebe, die alles das herstellen, was an Ort und Stelle gebraucht wird, werden immer gewissermaßen von selber entstehen, nicht aber solche Fabriken, die nur Bedürfnissen dienen, deren Befriedigung die Menschen verweichlicht. Nicht die also, welche nur um ihrer eigenen Existenz und ihres großen Absatzes willen verwerfliche Mittel anwenden und das Volk demoralisieren und unglücklich machen. Was mich betrifft, so werde ich nie meine Hand zu solchen Unternehmungen bieten, was man zu ihren Gunsten auch anführen mag. Niemals werde ich meinerseits zur Erzeugung der sogenannten höheren Bedürfnisse durch Einführung von Luxusartikeln wie Tabak, Zucker und dergleichen beitragen, auch wenn ich mir deswegen Millionen entgehen lassen müßte. Wenn schon das Laster in die Welt kommen soll, so jedenfalls nicht durch mein Zutun. Ich will gerechtfertigt dastehen vor Gott ...

zwanzig Jahre lebe ich mitten im Volk und weiß, was alle diese Dinge für Folgen haben.«

»Für mich«, sagte Tschitschikow, »bleibt, wie gesagt, das Erstaunlichste von allem, daß man bei vernünftiger Wirtschaftsführung an Rückständen und Abfällen viel verdienen und sogar aus Dreck noch Geld machen kann!«

»Und unsre Volkswirtschaftler«, fuhr Kostanschoglo sarkastisch fort, ohne auf Tschitschikows Worte zu hören, »sind tüchtige Leute, das muß man schon sagen! Sehen nicht weiter, als ihre Nase reicht, setzen aber ihre Brillen auf und steigen trotzdem aufs Katheder. Mein Gott, was sind das doch für Esel!« Und abermals spuckte er verächtlich aus.

»Mag alles gut und richtig sein, aber bitte ärgere dich nicht«, sagte die Frau des Hauses, »kann man denn über diese Dinge nicht reden, ohne gleich aus der Haut zu fahren?«

»Erst wenn man Ihnen zuhört, verehrungswürdiger Konstantin Fjodorowitsch, erfaßt man den Sinn des Lebens und stößt zum Kern der Dinge vor ... doch gestatten Sie mir, das Allgemeinmenschliche ein wenig zurücktreten zu lassen und Ihre Aufmerksamkeit auf eine mehr private Frage zu lenken. Nehmen wir einmal an, ich wäre ebenfalls Gutsbesitzer geworden und hegte den Wunsch, in kürzester Zeit reich zu werden und sozusagen die wichtigste Bürgerpflicht zu erfüllen – wie hätte ich mich da zu verhalten?«

»Wie Sie sich verhalten sollen, um reich zu werden«, wiederholte Kostanschoglo, »das will ich Ihnen sagen ...«

»Das Abendessen wird kalt«, sagte die Hausfrau, sich vom Sofa erhebend. Sie trat in die Mitte des Salons und wickelte sich fröstelnd in einen Schal.

Fast mit der Gewandtheit eines Militärs sprang Tschitschikow auf, reichte ihr den Arm und führte sie feierlich durch zwei Zimmer in den Speisesaal, wo die abgedeckte Suppenterrine schon auf dem Eßtisch stand und einen verlockenden Duft von Wurzeln und frischen Frühlingskräutern verbreitete. Alle nahmen Platz. Die Diener stellten alle Gerichte in verdeckten Schüsseln auf den Tisch und entfernten sich. Kostanschoglo sah es nicht gern, wenn sie die Unterhaltung der Herrschaft mit anhörten, und mochte es noch weniger, wenn sie ihm während des Essens auf den Mund sahen.

Als Tschitschikow seine Suppe gegessen und ein Gläschen eines vortrefflichen Getränks, das wie Ungarwein schmeckte, ausgetrunken hatte, wandte er sich an den Hausherrn und sagte: »Gestatten Sie, Verehrtester, daß ich nochmals auf den Gegenstand unseres soeben abgebrochenen Gesprächs zurückkomme. Ich möchte Sie fragen, wie man es anfängt, was man am besten tut und wie man sich verhalten soll, wenn ...«*

. . . .

»... selbst wenn er vierzigtausend Rubel für sein Gut fordern sollte, würde ich ihm an Ihrer Stelle das Geld sofort auf den Tisch legen.«

»Hm ...« Tschitschikow wurde nachdenklich. »Warum kaufen Sie es eigentlich nicht selber?« fragte er etwas ärgerlich.

»Man muß sich bescheiden können. Ich habe mit meinen eigenen Gütern genug zu tun und unser Adel schreit ohnehin, daß ich seine Notlage ausnutze und seinen Landbesitz für ein Butterbrot aufkaufe. Das hängt mir allmählich zum Halse heraus.«

»Daß die Leute einen doch immer verleumden müssen!« bemerkte Tschitschikow.

»Wie übel es damit in unsrem Gouvernement bestellt ist, können Sie sich gar nicht vorstellen: mich nennt man überhaupt nicht anders als einen Halsabschneider und Wucherer erster Güte. Sich selbst verzeiht man alles. Da wird zum Beispiel gesagt: Gewiß, mein Vermögen habe ich durchgebracht, aber ich hatte eben höhere Bedürfnisse und habe die Industrie (das heißt in Wirklichkeit die Lumpen und Betrüger) unterstützt. Allerdings, wenn man so ein Schweineleben führt wie Kostanschoglo ...«

* An dieser Stelle findet sich im Original eine Lücke von zwei Seiten. Diese enthielten, wie man annehmen muß, den Tschitschikow von Kostanschoglo gemachten Vorschlag, den benachbarten Besitz des Gutsbesitzers Chlobujew zu erwerben.

»Ich wollte, ich wäre auch so ein Schwein!« rief Tschitschikow aus.

»Natürlich ist alles Unsinn! Was sind das überhaupt für höhere Bedürfnisse? Wen glaubt man damit hinters Licht führen zu können? Wenn sie sich auch hier und da Bücher kaufen – sie lesen sie doch nicht. Das Ende mit Schrecken sind – immer die Spielkarten. Und was ist die eigentliche Veranlassung für alle diese Beschimpfungen, die man über mich ausschüttet? Daß ich keine Diners gebe und den Verschwendern kein Geld leihe! Diners gebe ich deshalb nicht, weil ich keine Zeit habe und nicht daran gewöhnt bin. Wenn einer zu mir kommt und an meinem Tisch mitessen will, was ich selber esse – bitte schön, mit dem größten Vergnügen. Aber daß ich kein Geld leihe, ist purer Schwindel! Ist einer ernstlich in der Klemme und setzt mir genau auseinander, was er mit meinem Geld anfangen will, und wenn ich aus seinen Worten ersehe, daß er erfolgversprechende Absichten hat, weise ich ihn keineswegs zurück und verlange nicht einmal Zinsen von ihm.«

Das muß ich mir merken, dachte Tschitschikow.

»Einem vertrauenerweckenden Menschen also«, fuhr Kostanschoglo fort, »werde ich seine Bitte durchaus nicht abschlagen, aber mein Geld aus dem Fenster hinauswerfen – das tue ich nicht. Da könnte es einem einfallen, bei seiner Geliebten ein Diner zu veranstalten, ein Sündengeld für eine neue luxuriöse Einrichtung seines Hauses auszugeben oder mit irgendeinem liederlichen Weibsbild zu einem Maskenfest zu gehen und ein Jubiläum zu feiern, weil er soundso lange auf der Welt die Hände in den Schoß gelegt hat – und dazu soll ausgerechnet ich ihm das Geld geben? Nein, hol's der Teufel, das fällt mir nicht ein!«

Kostanschoglo spuckte aus und hätte beinahe in Gegenwart seiner Frau einige unanständige Schimpfworte gebraucht. Der drohende Schatten seines galligen Temperaments verdunkelte seine Gesichtszüge und viele Quer- und Längsfalten furchten ihm die Stirn.

»Gestatten Sie, Verehrtester, daß ich abermals Ihre Aufmerksamkeit für den Gegenstand unsres vorhin abgebrochenen

Gesprächs in Anspruch nehme«, sagte Tschitschikow, nachdem er ein Gläschen Himbeerlikör zu sich genommen hatte, der in der Tat ausgezeichnet war. »Angenommen, ich hätte wirklich jenes von Ihnen erwähnte Gut gekauft – in wie langer oder, richtiger, wie kurzer Zeit könnte ich wohl so reich werden, daß ich . . .«

»Wenn Sie durchaus schnell reich werden wollen«, unterbrach ihn Kostanschoglo schroff und mißmutig, »werden Sie überhaupt nicht reich werden. Wenn Sie dagegen diese Absicht haben, ohne nach der Zeit zu fragen, werden Sie Ihr Ziel sehr rasch erreichen.«

»So also steht es damit«, sagte Tschitschikow.

»So und nicht anders«, versetzte Kostanschoglo kurz, als hätte er sich über Tschitschikow geärgert. »Man muß die Arbeit lieben, sonst erreicht man gar nichts. Man muß aber auch für die Landwirtschaft etwas übrig haben, jawohl! Und glauben Sie mir, sie ist alles andre eher als langweilig. Auch das ist so ein neuzeitliches Geschwätz, daß das Landleben eintönig sei – ich für meinen Teil käme vor Langeweile um, wenn ich nur einen einzigen Tag in der Stadt verbringen müßte, wie es diese Herrschaften in ihren lächerlichen Klubs, Restaurants und Theatern tun. Idioten, nichts als Idioten, eine ganze idiotische Generation. Der Landwirt hat keine Zeit, sich zu langweilen. In seinem Leben gibt es keine luftleeren Räume – jede Minute ist ausgefüllt. Ausgefüllt mit einer wahrhaft erhebenden Tätigkeit, die so abwechslungsreich ist, daß sie sich mit keiner anderen vergleichen läßt. Aber wie dem auch sei – immer ist hier der Mensch im Einklang mit der Natur und den Jahreszeiten, ja er wird gewissermaßen zum Mitschöpfer der Schöpfung und alles dessen, was um ihn her entsteht und gedeiht. Beobachten Sie nur den Kreislauf des Arbeitsjahres, wie schon vor Beginn des Frühlings alles auf dem Posten ist und seinen Anbruch erwartet: die Vorbereitung der Feldbestellung, das Aussortieren, Abwiegen und Trocknen des Saatguts und die Festsetzung der bäuerlichen Arbeitsleistung – alles das muß im voraus überlegt und berechnet werden. Und wenn der Eisgang kommt und die Flüsse frei werden, wenn der Boden sich lockert und austrocknet – dann arbeiten in den Gärten und Gemüsebeeten die Schaufeln und auf den Äckern Pflug und Egge, man beginnt zu pflanzen, zu setzen und zu säen. Verstehen Sie überhaupt, was das alles bedeutet? Sie meinen wohl, daß es nur eine Kleinigkeit sei? Aber es ist die künftige Ernte, das Wohlergehen des ganzen Landes, was hier vorbereitet und der Erde anvertraut wird, die Nahrung für Millionen von Menschen! Und dann ist es Sommer geworden, die Wiesen müssen gemäht und abermals gemäht werden, und ehe man sich's versieht, steht man mitten in der Getreideernte. Der Roggen wird geschnitten, ihm folgt der Weizen, die Gerste, der Hafer. Alles arbeitet fieberhaft. Da gilt es, keine Minute zu verlieren, man möchte zwanzig Augen haben, um alles zugleich überwachen zu können. Wenn das Getreide geschnitten und in Garben zusammengebunden ist, folgt das Einfahren und Einlagern in den Tennen, die Felder werden für die Wintersaat gepflügt, die Scheunen, Darren und Viehställe müssen für die kalte Jahreszeit hergerichtet und gleichzeitig die Frauenarbeiten in Angriff genommen werden. Und überschlägt man jetzt alles bereits Geleistete, so erweist sich erst, daß es wahrhaftig keine Kleinigkeit war! Und schließlich der Winter ... In allen Tennen wird gedroschen und das gedroschene Korn aus den Darren in die Vorratshäuser geschafft. Jetzt heißt es überall zugleich sein: in den Mühlen, in den Betrieben, in den Werkstätten. Auch um das Wohl des einzelnen Bauern muß man sich kümmern: was treibt er, womit beschäftigt er sich? Wenn ein Zimmermann seine Axt geschickt zu handhaben weiß, kann ich stundenlang zuschauen – so eine Freude bereitet es mir, ihn am Werke zu sehen. Und wenn ich dann spüre, daß meine Arbeit Zweck und Sinn hat, daß alles ringsum gedeiht und sich mehrt, Frucht und Gewinn bringt – ach, ich kann es gar nicht in Worten ausdrücken, was in mir vorgeht. Nicht etwa um des wachsenden Kapitals willen – Geld hin und Geld her! –, sondern weil ich fühle und weiß, daß dies alles das Werk meiner Hände ist, daß ich selber die Ursache, der Schöpfer von alledem bin und daß ich, wie nur irgendein Magier, Wohlstand, Glück und Überfluß um mich her verbreite und ausschütte. Können Sie sich überhaupt eine wohltuendere Befriedigung vorstellen als eben diese?« fragte Kostanschoglo und blickte auf. Die Falten auf seiner Stirn waren verschwunden. Wie ein König am Tage seiner feierlichen Krönung strahlte sein Gesicht und es sah aus, als ginge ein Leuchten von seinen Zügen aus.

»Nein, wahrhaftig, auf der ganzen Welt werden Sie nichts Größeres und Schöneres finden, denn hier allein ist der Mensch gottähnlich. Gott hat sich selbst die Schöpfung als höchste Genugtuung vorbehalten, aber er fordert auch vom Menschen, daß er in der gleichen Weise wie er selber Wohlergehen schaffe und um sich her verbreite. Und das nennen die Leute dann eine langweilige Beschäftigung!«

Wie dem süßtönenden Gesang eines Paradiesvogels lauschte Tschitschikow den Ausführungen des Gutsherrn. Das Wasser lief ihm im Munde zusammen. Seine Augen nahmen einen öligen Glanz und einen zuckersüßen Ausdruck an. Er konnte nicht genug von alledem hören. »Konstantin, es wird Zeit aufzustehen«, sagte die Frau des Hauses und erhob sich von ihrem Stuhl. Alle folgten ihrem Beispiel.

Tschitschikow, dessen Bewegungen diesmal die gewohnte Eleganz fehlte – seine Gedanken waren mit wichtigeren Dingen beschäftigt –, bot ihr seinen Arm, den er wie einen Pumpenschwengel hin und her schwang, und führte sie ins Wohnzimmer zurück.

»Sagt, was ihr wollt, das alles ist dennoch langweilig«, sagte Platonow, der als letzter folgte.

Unser Gast ist kein Dummkopf, dachte der Hausherr, er ist aufmerksam, besonnen in allem, was er sagt, und kein leerer Schwätzer. Und während Kostanschoglo zu diesem Schluß kam, wurde er noch heitrer. Das Gespräch hatte ihn angeregt und er freute sich, einen Menschen gefunden zu haben, der seine verständigen Ratschläge zu schätzen wußte.

Als man sich dann in einem behaglichen, kerzenerleuchteten Balkonzimmer niedergelassen hatte, wo die Sterne, die hoch über den Baumwipfeln des schlummernden Gartens standen, freundlich durch die Glastür hereinschauten, da fühlte sich Tschitschikow so wohl wie schon lange nicht mehr. Ihm schien, als sei er nach ausgedehnten Irrfahrten endlich heimgekehrt unter das eigene Dach, als hätte er schon alles, wonach sein Herz sich sehnte, erreicht und mit dem Worte »Genug!« seinen Pilgerstab für immer in die Ecke gestellt. In diese beglückende Stimmung hatten ihn die klugen Reden des gastfreien Hausherrn versetzt. Es gibt ja für jeden Menschen Worte, die ihm vertrauter und anheimelnder in den Ohren klingen als alle anderen. Zuweilen kann es geschehen, daß man unerwartet in irgendeinem entlegenen und gottverlassenen Winkel einen Menschen trifft, dessen herzerwärmender Zuspruch einen alle Mühsal des Weges, alle Widerwärtigkeiten des Nachtlagers, die Leere und Sinnlosigkeit des menschlichen Treibens und die ganze Verlogenheit, in welche die Menschen von heute verstrickt sind, vergessen läßt. Mit erstaunlicher Lebendigkeit prägt sich ein so verbrachter Abend für immer unsrem Gedächtnis ein, das auch die unbedeutendste Einzelheit getreulich aufbewahrt: wer zugegen war, wer auf welchem Platze gesessen hat und was er dabei in Händen hielt, die Wände, die Zimmerdecke und jede nichtige Kleinigkeit.

Genauso merkte sich auch Tschitschikow an jenem Abend das bescheiden eingerichtete, aber ansprechende Stübchen, den wohlwollenden Gesichtsausdruck des gescheiten Hausherrn und sogar das Tapetenmuster. Auch die Pfeife mit dem Bernsteinmundstück, die Platonow angeboten wurde, der Tabakrauch, den er Jarb, seinem Hunde, ins große Maul blies, und das mißvergnügte Knurren des Tieres blieben Tschitschikow ebenso erinnerlich wie die lächelnde Mahnung der reizenden Hausfrau: »Laß das doch, quäle ihn nicht!« und die lustig knisternden Kerzen, das Zirpen des Heimchens in der Ofenecke, die Frühlingsnacht mit ihrem besternten Himmel und dem Schmettern der Nachtigallen, das aus der Tiefe dichtbelaubter Büsche herüberklang.

»Wie sind mir doch Ihre Worte aus der Seele gesprochen, verehrungswürdiger Konstantin Fjodorowitsch!« sagte Tschitschikow. »Ich kann wohl sagen, daß ich in ganz Rußland noch keinen Menschen getroffen habe, dessen Verstand sich mit dem Ihrigen messen könnte.«

Kostanschoglo lächelte ungläubig, denn er fühlte wohl selbst, daß Tschitschikows Lob übertrieben war. »Nein«, entgegnete er, »wenn Sie aber einen wirklich klugen Menschen kennenlernen wollen – wir haben hier einen, dem man das mit vollem Recht nachrühmen kann. Ich reiche auch nicht im entferntesten an ihn heran.«

»Wer könnte das sein?« fragte Tschitschikow aufhorchend.

»Unser Branntweinpächter Murasow.«

»Diesen Namen habe ich schon einmal gehört«, rief Tschitschikow aus.

»Das ist ein Mann, der nicht nur ein Gut, sondern einen ganzen Staat verwalten könnte. Hätte ich ein Königreich, ich würde ihn sofort zu meinem Finanzminister machen.«

»Und wie man sich erzählt, ein Mann, der seinesgleichen nicht hat: er soll ja bereits zehn Millionen verdient haben.«

»Zehn Millionen? In Wirklichkeit ist er schon über die vierzig hinaus. Bald wird ihm die Hälfte von Rußland gehören!«

»Was Sie nicht sagen!« rief Tschitschikow und sperrte Mund und Augen auf.

»Ohne Zweifel, aber es ist auch kein Wunder. Wer ein paar Hunderttausend besitzt, wird nur allmählich reich, wer dagegen mehrfacher Millionär ist, hat einen ganz anderen Wirkungskreis: was immer er anfängt, sein Kapital verdoppelt, verdreifacht sich schnell. Sein Spielraum ist so gewaltig, daß es niemand mit ihm aufnehmen kann. Er steht konkurrenzlos da. Er kann die Preise diktieren und sie können nicht sinken, da ihn kein Nebenbuhler zu unterbieten vermag.« – »Mein Gott!« murmelte Tschitschikow und bekreuzigte sich. Er starrte Kostanschoglo an und die Luft ging ihm aus. »Einfach unfaßbar! Der Verstand steht einem ja still vor Schreck! Da beobachtet man einen winzigen Käfer und staunt über die Weisheit der Vorsehung, ich aber finde es noch viel, viel wunderbarer, daß ein einziger Sterblicher über so unermeßliche Summen verfügen kann! Übrigens, gestatten Sie mir eine Frage: Ging's hier auch immer ganz einwandfrei zu?«

»Vollkommen einwandfrei, er hat sich nicht das geringste zuschulden kommen lassen.«

»Das ist unmöglich, das kann ich nicht glauben! Ja, wenn es bloß Tausende wären, aber Millionen ...«

»Im Gegenteil: Tausende verdienen sich schwer ohne Unredlichkeit, bei den Millionen geht's auch auf ehrliche Art. Der Millionär hat die krummen Wege nicht nötig, er geht geradeaus und nimmt, was sich bietet. Ein andrer hebt nicht auf, was vor ihm liegt – ihm fehlen die Kräfte und Mittel dazu. Der Millionär hat die Konkurrenz nicht zu fürchten, der Radius seines Wirkungskreises ist allzu groß. Ich sagte es Ihnen ja schon, was er anpackt, verdoppelt und verdreifacht sich schnell. Was bringen dagegen ein paar lumpige Tausender ein? Zehn – höchstens zwanzig Prozent.«

»Und was mir am unbegreiflichsten scheint – er hat, wie man sagt, mit wenigen Groschen begonnen.«

»Jawohl, so pflegt das zu sein. Es ist die natürliche Ordnung der Dinge«, sagte Kostanschoglo. »Wer schon mit Tausendern geboren und aufgewachsen ist, hat schon viel zuviel Bedürfnisse und Launen, um sein Kapital noch zu mehren. Man muß eben mit dem Anfang beginnen und nicht mit der Mitte, mit der Kopeke und nicht mit dem Rubel, von unten und nicht von oben – dann erst lernt man das Leben und seine Mitmenschen von Grund aus kennen, mit denen man später zu rechnen hat. Erst wenn man über das eine und die anderen Bescheid weiß und mit allen Hunden gehetzt ist, wird man klug und erfahren genug sein, um bei seinen Unternehmungen keine Mißgriffe zu tun und nicht unter die Räder zu kommen. Glauben Sie mir, es ist wahr, was ich sage: mit dem Anfang und nicht mit der Mitte beginnen! Wenn einer nur sagt: ‚Geben Sie mir hunderttausend Rubel, Sie werden sehen, wie schnell ich reich werde', nehme ich ihn nicht ernst. Er setzt seine Hoffnung auf den Glücksfall und geht nicht sicher – man muß eben mit dem Groschen beginnen.«

»In diesem Falle werde ich unbedingt reich werden«, sagte Tschitschikow und dachte dabei unwillkürlich an die toten Seelen, »denn ich fange in der Tat mit nichts an.«

»Konstantin, es wird Zeit, daß Pawel Iwanowitsch Ruhe gegönnt wird«, sagte die Hausfrau, »er möchte gewiß schlafen gehen, du aber findest kein Ende.«

»Ohne Zweifel werden Sie reich werden«, bestätigte Kostanschoglo, ohne die Mahnung seiner Frau zu beachten. »Gold, Ströme von Gold werden Ihnen zufließen. Sie werden nicht wissen, wohin mit Ihren Einkünften.«

Ganz verzaubert saß Tschitschikow da, wie auf vergoldeten Flügeln in die Welt seiner üppig wuchernden Wunschträume entrückt. Es war ihm wirr im Kopf. Seine hemmungslos schweifende Einbildungskraft webte goldene Muster in den Teppich seines künftigen Wohlstands und immer wieder klangen ihm Kostanschoglos Worte im Ohr: Ströme von Gold werden Ihnen zufließen!

»Nicht wahr, Konstantin, Pawel Iwanowitsch muß jetzt zu Bett?«

»Was hast du denn? Geh nur voraus, wenn du müde bist«, sagte der Hausherr und hielt plötzlich inne, weil Platonow so laut zu schnarchen begann, daß das ganze Zimmer dröhnte, und Jarb, der Hund, dem Beispiel seines Herrn noch lauter folgte. Als Kostanschoglo jetzt merkte, daß es wirklich Zeit war, zur Ruhe zu gehen, schüttelte er Platonow, bis er aufwachte, und rief: »Hör auf mit dem Schnarchen!« Dann wünschte er Tschitschikow eine gute Nacht. Alle gingen auseinander und bald lag jeder in seinem Bett.

Nur Tschitschikow konnte nicht einschlafen. Seine Gedanken ließen ihm keine Ruhe. Immer wieder überlegte er, wie er in den Besitz eines wirklichen und nicht nur erträumten Gutes gelangen könnte. Nach dem Gespräch mit Kostanschoglo war ihm auf einmal alles klar. Die Möglichkeit, reich zu werden, schien ihm tatsächlich gegeben. Das schwierige Geschäft der Landwirtschaft kam ihm jetzt so leicht und einfach vor und wie geschaffen für seine Natur. Wenn er nur erst seine Toten verpfändet hätte und wirklicher Besitzer eines wirklichen Gutes geworden wäre! Schon sah er sich selber wirtschaften und verwalten, ganz wie Kostanschoglo es ihn gelehrt hatte – geschickt, umsichtig und ohne Neuerungen einzuführen, bevor er nicht das Altbewährte von Grund aus studiert haben würde. Alles wollte er genau in Augenschein nehmen, jeden einzelnen Bauern persönlich kennenlernen, allen Luxus weit von sich weisen und sich allein seiner Arbeit und seiner Wirtschaft widmen. Bereits im voraus kostete er jene Befriedigung aus, die ihm sicher war, wenn überall strengste Disziplin herrschen und alle Räder der Wirtschaftsmaschine ineinandergreifen und sich, eines das andere antreibend, rastlos bewegen würden. Schon sah er das Leben überall pulsieren: wie in einer munter klappernden Mühle das Getreide in Mehl verwandelt wird, so würde auch bei ihm aus allen Abfällen und jedem Dreck das bare Geld herausgemahlen werden. Sein herrlicher Gastgeber würde ihm immer und überall als leuchtendes Vorbild vor Augen stehen. Er war der erste Mann in ganz Rußland, dem er eine ganz persönliche Verehrung entgegenbrachte. Bisher hatte er ja Menschen nur wegen ihres Ranges und ihrer Titel oder ihrer bedeutenden Einkünfte geachtet, aber eigentlich noch niemals um ihres Verstandes willen. Kostanschoglo war der einzige, den er wegen seiner Klugheit hochschätzte. Tschitschikow begriff, daß er sich diesem gegenüber aller Kniffe und Schwindeleien enthalten müßte, und deshalb beschäftigte ihn jetzt ein ganz anderer Plan: der Ankauf des Chlobujewschen Gutes. Er selber besaß zehntausend Rubel, fünfzehntausend wollte er versuchen von Kostanschoglo zu leihen. Dieser hatte ja selber erklärt, daß er bereit sei, jedem zu helfen, der reich werden wolle. Den Rest glaubte er schon irgendwie auftreiben zu können, sei es durch eine Hypothek oder einfach dadurch, daß er ihn schuldig blieb. Mochte sich der Gläubiger dann mit den Gerichten herumschlagen, sofern es ihm Spaß machte!

So lag er noch lange wach und stellte immer wieder neue Überlegungen an, bis schließlich der Schlaf, der das ganze Haus schon vier Stunden lang, wie man zu sagen pflegt, in seinen Armen hielt, sich auch Tschitschikows erinnerte und ihm die Augen schloß.

4

Am nächsten Tage ging alles so gut, wie Tschitschikow es sich besser nicht wünschen konnte. Kostanschoglo lieh ihm bereitwillig zehntausend Rubel gegen einfache Quittung und ohne daß er eine Bürgschaft und Zinsen verlangte. So gern half er Leuten, die zu Wohlstand gelangen wollten. Aber das war noch nicht alles: er erbot sich sogar, Tschitschikow zu Chlobujew zu begleiten, um mit ihm zusammen das Gut zu besichtigen. Tschitschikow war in bester Stimmung. Nach einem reichlichen Frühstück nahmen alle drei in seiner Kutsche Platz, während Kostanschoglos leerer Wagen hinter ihnen herfuhr. Jarb lief voraus und scheuchte die Vögel am Wege auf. Fünfzehn Kilometer lang zogen sich zu beiden Seiten der Straße Wälder und Felder hin, die allesamt Kostanschoglo gehörten. Kaum aber hörten diese auf, als sich das Bild vollkommen änderte: kümmerliches Getreide und an Stelle der Wälder nichts als Baumstümpfe. Trotz seiner landwirtschaftlichen Reize zeigte das Nachbargut schon von weitem deutliche Spuren der Vernachlässigung. Zuerst kam man an einem neuen steinernen Herrenhause vorüber, das aber unbenutzt dalag, weil es noch nicht vollendet war. Dahinter tauchte ein zweites Gebäude auf, das bewohnt wurde. Die Besucher fanden den Hausherrn ungekämmt und verschlafen, als wäre er gerade aus dem Bett gestiegen. Er mochte etwa vierzig Jahre alt sein. Seine Krawatte saß schief, sein Rock war geflickt, einer seiner Schuhe hatte ein Loch.

Über die Ankunft der Gäste war er erfreut, wie wenn sich Gott weiß was ereignet hätte. Er benahm sich so, als sähe er endlich seine Brüder wieder, von denen er lange getrennt gewesen war.

»Konstantin Fjodorowitsch! Platon Michailowitsch! Welche Freude, daß Sie mir die Ehre Ihres Besuches erweisen! Ich traue ja kaum meinen Augen! Ich glaubte schon, daß mich kein Mensch mehr besuchen will. Jeder flieht mich wie die Pest, weil er meint, ich würde ihn anpumpen wollen. Ach, es ist ein Kreuz, Konstantin Fjodorowitsch! Aber ich bin selber an allem Elend schuld! Was soll ich machen? Ich lebe wie ein

Schwein. Verzeihen Sie, meine Herren, daß ich Sie in diesem Aufzug empfange: meine Schuhe sind, wie Sie sehen, durchlöchert. Was darf ich Ihnen vorsetzen?«

»Aber bitte, ganz ohne Umstände. Wir kommen in Geschäften zu Ihnen. Hier bringen wir Ihnen einen Käufer für Ihr Gut, Pawel Iwanowitsch Tschitschikow«, sagte Kostanschoglo.

»Von Herzen willkommen, lassen Sie mich Ihre Hand drücken.«

Tschitschikow reichte ihm beide.

»Ich würde Ihnen gern mein Gut zeigen, wenn's nur der Mühe wert wäre. Aber gestatten Sie die Frage: Haben Sie schon zu Mittag gegessen?«

»Freilich haben wir gegessen«, erwiderte Kostanschoglo, der sich nicht lange aufhalten wollte. »Nur keine Zeit verlieren, lassen Sie uns gleich mit der Besichtigung anfangen.«

»Schön, dann gehen wir also.« Chlobujew nahm seine Mütze in die Hand. »Kommen Sie nur, um meine Unordnung und meine Liederlichkeit mit eigenen Augen zu sehen.«

Die Gäste setzten ihre Hüte auf und gingen die Dorfstraße hinunter. Zu beiden Seiten der Straße lagen verwahrloste Hütten, deren winzige Fenster mit alten Lumpen verstopft waren.

»Lassen Sie uns meine Unordnung und meine Liederlichkeit anschauen«, wiederholte Chlobujew. »Natürlich haben Sie gut daran getan, daß Sie schon gegessen haben. Sie werden es kaum glauben, Konstantin Fjodorowitsch, ich habe nicht einmal ein Huhn mehr im Hause – so weit ist es mit mir gekommen!«

Er seufzte, und als ob er fühlte, daß er von seiten Kostanschoglos wenig Mitleid zu erwarten hätte, ergriff er Platonows Hand, drückte sie fest an seine Brust und ging mit ihm voraus. Kostanschoglo und Tschitschikow folgten Arm in Arm in einiger Entfernung. »Das Leben ist schwer, unmenschlich schwer, Platon Michailowitsch«, sagte Chlobujew. »Sie können sich gar nicht vorstellen, wie schwer es ist. Kein Geld, kein Brot, keine Schuhe! Für Sie sind das allerdings bloß Worte einer fremden Sprache. Dennoch würde das alles nicht viel bedeuten, wenn ich noch jung und unverheiratet wäre, aber wenn dieses ganze Unheil im Alter hereinbricht und man eine Frau und fünf Kinder hat, verliert man den Mut, verliert man vollkommen den Mut ...«

»Und wenn Sie das Gut verkaufen – wäre Ihnen dann geholfen?« fragte Platonow.

»Ach was, geholfen«, sagte Chlobujew mit einer hoffnungslosen Handbewegung. »Alles wird bei der Tilgung der Schulden draufgehen, mir selbst bleiben keine tausend Rubel.«

»Was werden Sie dann anfangen?«

»Gott weiß, was ich tun soll.«

»Warum unternehmen Sie nichts, um aus diesem Elend herauszukommen?«

»Was sollte ich wohl versuchen?«

»Nehmen Sie doch eine Stelle an.«

»Ich habe ja bloß den Rang eines Gouvernementsekretärs. Was wird man mir da anbieten können? Nur einen ganz untergeordneten Posten mit einem Gehalt von höchstens fünfhundert Rubel. Und was bedeutet das bei einer Frau und fünf Kindern?«

»Bewerben Sie sich um eine Verwalterstelle!«

»Wer wird mir sein Gut anvertrauen, nachdem ich mein eigenes zugrunde gerichtet habe?«

»Aber wenn der Hungertod vor der Tür steht, muß man sich doch rühren. Ich will meinen Bruder fragen, vielleicht kann er Ihnen durch einen Bekannten in der Stadt eine Stelle verschaffen.«

»Ach nein, Platon Michailowitsch«, seufzte Chlobujew und drückte Platonows Hand, »ich tauge zu gar nichts mehr. Meine Jugendsünden rächen sich jetzt – ich bin frühzeitig alt geworden und leide an Kreuzschmerzen und Rheumatismus in den Schultern. Was soll ich da noch? Warum die Staatskasse belasten? Ohnehin gibt's Leute genug, die sich nach einträglichen Posten umsehen. Möge Gott mich davor bewahren, daß die arme Bevölkerung noch mehr besteuert wird, nur damit ich ein gutes Gehalt bekomme!«

Das sind die Früchte des leichtfertigen Lebenswandels, sagte sich Platonow und dachte an seine Apathie.

Während sie dieses Gespräch miteinander führten, war Kostanschoglo, der ihnen mit Tschitschikow folgte, außer sich geraten vor Empörung.

»Sehen Sie nur«, sagte er und wies auf die Hütten hin, »in welches Elend er seine Bauern gebracht hat! Sie haben tatsächlich keinen Wagen und kein Pferd mehr. Wenn die Maul- und Klauenseuche ausbricht, darf man eben nicht mehr an sein eigenes Wohl denken. Da gibt es nichts anderes, als verkaufen, was man hat, und schleunigst den bäuerlichen Viehbestand erneuern, damit der Leibeigene auch nicht einen Tag ohne Arbeitsmöglichkeit bleibt. Jetzt ist das in Jahren nicht wiedergutzumachen, denn unterdessen hat sich der Bauer ans Faulenzen gewöhnt und angefangen zu saufen. Läßt man ihn nur ein einziges Jahr ohne Arbeit, hat man ihn bereits für immer verdorben: er fühlt sich in seinen Lumpen wohl und kann das Herumstreunen nicht mehr lassen. Und schauen Sie bloß den Boden an, wie vernachlässigt das alles ist!« rief er erbittert aus und zeigte auf die Wiesen, die sich hinter den Hütten ausbreiteten. »Dies ganze Gelände ist im Frühjahr überschwemmt. Ich an seiner Stelle würde hier Flachs anbauen, der mindestens fünftausend Rubel im Jahr einbrächte. Auch Rüben könnte man hier säen und damit weitere viertausend verdienen. Und dann das Getreide dort am Hang! Da sind ja nur zufällig ein paar armselige Samenkörner hingefallen. Er hat in diesem Jahr überhaupt keinen Roggen mehr gesät – das weiß ich genau. Sehen Sie drüben die Schlucht? Die müßte man unbedingt aufforsten und bald würde es dort Bäume von einer Höhe geben, daß selbst eine Krähe sie kaum überfliegen könnte. Und diesen Schatz, diesen prachtvollen Boden, läßt er einfach brachliegen! Gut, fehlt die Möglichkeit, die Felder zu pflügen, so greift man eben zum Spaten, gräbt das Land um und bepflanzt es mit Gemüse. Was für ein großartiger Gemüsegarten ließe sich hier anlegen! Aber natürlich – man muß die Schaufel selbst in die Hand nehmen und, wenn es nicht anders geht, auch die Dienstboten, ja die eigene Frau und die Kinder heranholen und arbeiten, bis man vor Erschöpfung umfällt! Und wenn es auch über die Kraft gehen sollte – dann hat man wenigstens sein Äußerstes getan und ist nicht wie ein Schwein krepiert, das sich toll und voll gefressen hat!« Kostanschoglo spuckte aus und sein galliges Temperament überschattete seine Stirn wie eine drohende Wolke.

Als sie weitergingen, am steilen Abhang stehenblieben und in die völlig verkrautete Schlucht hinabsahen, blitzte plötzlich in der Ferne eine Windung des Flusses auf. Ein Ausläufer der Gebirgskette wurde sichtbar und das von Bäumen halb verdeckte Haus des Generals Betristschew, das in der Perspektive viel näher erschien. Dahinter dämmerte bläulich eine dichtbewaldete Bergkuppe, auf welcher Tschitschikow das Gut Tentetnikows vermutete. »Wenn man hier«, sagte er, »einen Wald anpflanzen würde, dann erhielte man ein Landschaftsbild, dessen Schönheit sich sogar mit ...«

»So, so ... Sie schwärmen für schöne Fernsichten«, unterbrach ihn Kostanschoglo schroff und sah ihn mit einem strengen Blick an. »Nehmen Sie sich in acht! Wenn Sie sich zu lebhaft für schöne Aussichten interessieren, werden Sie eines Tages ohne Brot und ganz ohne Aussichten dasitzen. Fragen Sie lieber nach dem Nutzen und nicht nach der Schönheit, die stellt sich schon von selber ein. Am lehrreichsten ist das Beispiel der Städte: die schönsten sind immer noch die, welche gewissermaßen von selbst aus dem Boden gewachsen sind und wo jeder sich sein Haus nach eigenem Geschmack und Bedürfnis gebaut hat. Die Städte dagegen, die nach der Schablone angelegt sind, sehen aus wie Kasernen ... Lassen Sie die Schönheit beiseite und richten Sie sich nur nach der Zweckmäßigkeit.«

»Schade, daß man so lange warten muß. Ich wünschte, ich könnte alles so sehen, wie ich mir's denke ...«

»Sie sind doch kein fünfundzwanzigjähriger Jüngling mehr, aber den ehemaligen Petersburger Beamten erkennt man sofort ... Geduld, Geduld! Arbeiten Sie erst einmal sechs Jahre hintereinander: pflanzen Sie, säen Sie, graben Sie die Erde auf, ohne sich einen Augenblick Ruhe zu gönnen! Gewiß, das ist schwer, sehr schwer. Aber nachher, wenn Sie den Boden um und um gepflügt haben, wird er selber beginnen, Ihnen zu helfen. Das hat dann gleich ein ganz anderes Gesicht, mein Lieber, neben den vielleicht siebzig Händen, die Sie zur Verfügung haben, werden dann noch siebenhundert unsichtbare Hände für Sie arbeiten. Alles verzehnfacht sich! Wahrhaftig, ich brauchte jetzt keinen Finger mehr zu rühren und alles würde von selber gehen. Ja, die Natur liebt die Geduld: das ist ein ewiges Gesetz, gegeben von Gott selber, der gesagt hat: Selig sind die Geduldigen.«

»Wenn man Sie so reden hört, steigert sich die Zuversicht. Man spürt, wie einem die Kräfte wachsen.«

»Ach, schauen Sie bloß, wie der Acker dort gepflügt worden ist!« rief Kostanschoglo in heller Empörung aus und zeigte auf den Abhang. »Nein, wirklich, ich kann es hier nicht mehr aushalten, es bringt mich um, wenn ich diese Schlamperei und Nachlässigkeit noch länger mit ansehen muß. Sie können jetzt auch ohne mich abschließen. Nehmen Sie diesem Dummkopf seinen Schatz so schnell wie möglich ab. Er mißbraucht und entehrt ja nur diese Gabe Gottes!« Bei diesen Worten verdüsterte ein galliger Ausdruck Kostanschoglos Gesichtszüge. Er verabschiedete sich von Tschitschikow und eilte dem Hausherrn nach, um auch von ihm Abschied zu nehmen.

»Aber ich bitte Sie, Konstantin Fjodorowitsch«, sagte Chlobujew peinlich berührt, »eben erst angekommen, wollen Sie schon wieder fort?«

»Es ist mir unmöglich, länger zu bleiben. Ich muß sogleich wieder nach Hause«, erwiderte Kostanschoglo. Er verabschiedete sich, stieg in seine Kutsche und fuhr davon.

Chlobujew schien den Grund dieses plötzlichen Aufbruchs erraten zu haben.

»Konstantin Fjodorowitsch hat es nicht übers Herz bringen können, diese Mißwirtschaft noch länger mit anzusehen. Für einen so vortrefflichen Landwirt ist es auch wirklich kein Vergnügen. Glauben Sie mir, Pawel Iwanowitsch, ich habe in diesem Jahr nicht einmal Roggen gesät. Es hat mir an Saatgut gefehlt, ganz abgesehen davon, daß ich weder einen Pflug noch ein Pferd mehr habe; Ihr Bruder, Platon Michailowitsch, ist, wie man allgemein versichert, ein ausgezeichneter Landwirt. Über Konstantin Fjodorowitsch, der ja in seiner Art der reine Napoleon ist, braucht man kein weiteres Wort zu verlieren. Ich habe schon oft darüber nachgedacht, warum wohl ein einziger Kopf mit so viel Verstand bedacht wird, daß für meinen Schädel auch nicht ein Tröpfchen davon übriggeblieben ist ... Halt, meine Herren!« rief Chlobujew plötzlich aus. »Passen Sie bei dem Steg gut auf, damit Sie nicht ins Wasser fallen!« Und dann fuhr er fort: »Am meisten tun mir die armen Bauern leid. Sie brauchen ein leuchtendes Vorbild, aber kann ich ihnen ein gutes Beispiel geben? Pawel Iwanowitsch, nehmen Sie meine Bauern in Ihre Obhut. Wie sollte ich sie zur Ordnung anhalten, da ich doch selbst so unordentlich bin? Ich hätte sie am liebsten freigelassen, aber was käme dabei heraus? Ich weiß ja, daß man sie zuerst in einen menschenwürdigen Zustand versetzen müßte, damit sie überhaupt zu leben verstehen. Was ihnen not tut, ist ein strenger und gerechter Herr, der ganz mit ihnen lebt und ihnen ein Beispiel unermüdlicher Arbeit gibt ... Der Russe – das sehe ich an mir selbst – bedarf eines Menschen, der ihn ermutigt und antreibt, sonst schläft er ein und versauert.«

»Merkwürdig«, sagte Platonow, »daß der russische Mensch so leicht verbummelt und der einfache Mann sogar ein Säufer und Taugenichts wird, wenn man ihn sich selbst überläßt.«

»Das kommt von der Unbildung«, bemerkte Tschitschikow.

»Gott weiß, warum das so ist. Man hat uns doch in die Schule geschickt, wir sind immerhin gebildet, haben sogar die Universität besucht und taugen dennoch nichts. Was zum Beispiel habe denn ich gelernt? Ordentlich zu leben – jedenfalls nicht, dagegen die höchst überflüssige Kunst, für allerlei luxuriösen Kram immer mehr Geld auszugeben. Kommt das vielleicht daher, daß meine Erziehung schlechter war als die meiner Kameraden? Zweifellos nicht, denn zwei oder drei von ihnen haben aus dieser Erziehung wirklichen Nutzen gezogen, aber vielleicht waren sie klüger und begabter als die anderen, die nur danach strebten, alles das kennenzulernen, was die Gesundheit ruiniert und einem das Geld aus der Tasche lockt. Nein, im Ernst, manchmal will es mir scheinen, daß der Russe ein unrettbar verlorener Mensch ist. Wir wollen alles und können nichts. Wir nehmen uns vor, morgen ein neues und vor allem maßvolles Leben zu beginnen, und schon am Abend des gleichen Tages schlagen wir uns den Bauch so voll, daß wir weder die Augenbrauen noch die Zunge bewegen können und wie die Eulen dasitzen, die einander anglotzen. Wahrhaftig, so sind wir alle!«

»Ja«, sagte Tschitschikow, »dergleichen kommt vor.«

»Wir sind überhaupt nicht dazu geboren, vernünftige Menschen zu sein. Ich glaube nicht, daß es bei uns vernünftige Leute gibt. Wenn ich auch sehe, daß einer ein verständiges und geordnetes Leben führt, Geld verdient und spart – ich kann ihm trotzdem nicht trauen. Im Alter wird auch er dem Teufel verfallen und alles, was er erworben hat, durchbringen. Und das werden alle tun: die Gebildeten wie die Ungebildeten. Nein, es fehlt uns da etwas, aber was es eigentlich ist – wer kann das sagen?«

Auf dem Rückweg blieb der Eindruck der gleiche: überall derselbe Schmutz und dieselbe Unordnung. Alles war verwahrlost und vernachlässigt, wie bei den Bauern so auch beim Herrn. Ein zornentbranntes Frauenzimmer in schmierigem Rock hatte ein kleines Mädchen halbtot geprügelt und beschimpfte jetzt mit den unflätigsten Ausdrücken einen unbeteiligten Dritten, wobei alle Teufel beschworen wurden. Etwas weiter weg standen zwei Bauern und sahen mit stoischer Gelassenheit dem Wutausbruch des betrunkenen Weibes zu. Der eine von ihnen kratzte sich die Hinterpartie, während der andere gähnte. Und dieses Gähnen schien alles ringsum, ja selbst die Häuser und Dächer anzustecken. Auch Platonow konnte ein Gähnen nicht unterdrücken. Wo man hinblickte, war jede Wand, jeder Zaun, jedes Gerät geflickt. Bei einer Hütte hatte man das fehlende Stück des Daches durch eine Haustür ersetzt, und die Fensterrahmen, die herauszufallen drohten, waren mit anderswo herausgebrochenen Stangen gestützt. Kurz, die hier übliche Wirtschaftsmethode war offenbar die gleiche wie in der Krylowschen Fabel von »Trischkas Kaftan«: die Aufschläge und Rockschöße wurden abgeschnitten, um die Löcher in den Ärmeln zu flicken!

»In Ihrer Wirtschaft sieht es nicht gerade beneidenswert aus«, sagte Tschitschikow, als man nach der Besichtigung das Gutshaus betrat. Die Gäste wunderten sich über die sonderbare Mischung von bitterster Armut und modernstem Luxus, die in diesen Zimmern herrschte. Das Tintenfaß war mit einer Figur geschmückt, die anscheinend Shakespeare darstellen sollte, und auf dem Tisch lag ein Instrument aus Elfenbein, mit dem man sich den Rücken kratzte. Die Frau des Hauses war geschmackvoll und nach der neuesten Mode gekleidet und plauderte über das Theater, das man soeben in der Stadt eröffnet hatte. Die Kinder, lebhaft und in munterster Stimmung, waren ebenfalls hübsch und anspruchsvoll angezogen, statt, was passender gewesen wäre, bunte Leinenkleider und einfache Hemdchen zu tragen und wie die Bauernkinder draußen herumzulaufen. Die Hausfrau erhielt Besuch, eine unerträgliche Schwätzerin, mit der sie sich zurückzog, und die Kinder entfernten sich ebenfalls. So blieben die Herren allein.

»Also, was fordern Sie?« fragte Tschitschikow. »Offen gestanden, es wäre mir lieb, Ihren äußersten Preis zu erfahren, denn das Gut ist in einem weit schlechteren Zustand, als ich erwartete.«

»Im allerschlechtesten, Pawel Iwanowitsch«, erwiderte Chlobujew, »denn das, was Sie gesehen haben, ist noch lange nicht alles. Ich verheimliche nichts: von hundert Seelen, die in der Revisionsliste stehen, sind nur noch fünfzig übriggeblieben – so hat bei uns die Cholera gewütet. Und die Überlebenden sind ohne Paß davongelaufen. Sie können sie also ruhig zu den Toten hinzuzählen, denn ließe man sie durch die Gerichte wieder zurückbringen, so würden die Unkosten den Wert des Gutes weit übersteigen. Ich verlange daher nur fünfunddreißigtausend Rubel.«

Selbstverständlich fing Tschitschikow an zu feilschen.

»Ich bitte Sie, fünfunddreißigtausend? Nein, geben Sie sich mit fünfundzwanzig zufrieden.«

Platonows Gewissen regte sich. »Kaufen Sie es doch, Pawel Iwanowitsch«, sagte er. »Für so ein Gut kann man diesen Preis schon zahlen. Wenn Sie diese Summe nicht geben wollen, legen wir, mein Bruder und ich, zusammen und kaufen an Ihrer Stelle.«

Tschitschikow erschrak. »Also gut, ich bin einverstanden«, sagte er schnell. »Nur eines noch – die Hälfte der Kaufsumme werde ich erst nach einem Jahr bezahlen.«

»Nein, Pawel Iwanowitsch, so lange kann ich nicht warten. Die Hälfte muß ich sofort haben, die andere bis spätestens ... Die Hypothekenbank würde mir ja vielleicht ... und wenn ich nur soviel hätte ...« – »Ich weiß wirklich nicht, wie ich das machen soll«, sagte Tschitschikow. »Im Augenblick habe ich nur zehntausend Rubel.« Das war gelogen, denn zusammen mit dem von Kostanschoglo geliehenen Gelde verfügte er über doppelt soviel, aber wer gibt denn eine so große Summe auf einmal gern aus der Hand?

»Ach, bitte, Pawel Iwanowitsch, ich sagte Ihnen ja, daß ich fünfzehntausend unbedingt gleich brauche.«

»Ich will Ihnen mit fünftausend Rubel aushelfen«, unterbrach ihn Platonow.

»Das ist etwas anderes«, sagte Tschitschikow und freute sich über dieses Angebot, das ihm sehr gelegen kam. Er ließ sich seine Schatulle aus der Kutsche holen und entnahm ihr die für Chlobujew bestimmten zehntausend Rubel. Die weiteren fünf stellte er für morgen in Aussicht, aber eben nur – in Aussicht. In Wirklichkeit war er jetzt schon entschlossen, Chlobujew nur dreitausend zu bringen, den Rest jedoch erst in zwei oder drei Tagen oder, wenn möglich, noch später. Tschitschikow wurde es eben besonders schwer, sich von seinem Gelde zu trennen. Wenn sich aber eine Zahlung gar nicht mehr umgehen ließ, so war es ihm immer noch lieber, das Geld einen Tag länger in der Tasche zu behalten, als pünktlich zu sein. Im Grunde verhielt er sich genauso wie wir alle, denn, Hand aufs Herz, wem macht es kein Vergnügen, einen Bittsteller hinzuhalten und unnütz warten zu lassen? Gar so eilig wird er's nicht haben! Mag er sich nur eine Weile im Vorzimmer herumdrücken! Was macht es uns aus, daß ihm vielleicht jede Stunde kostbar ist und seine Geschäfte unter dem Zeitverlust leiden! Heute, mein Lieber, habe ich keine Zeit für Sie, aber morgen ist auch noch ein Tag!

»Wo wollen Sie denn später wohnen?« fragte Platonow. »Haben Sie noch ein anderes Gut?«

»Leider nicht, aber ich besitze ein Häuschen in der Stadt und dorthin werde ich übersiedeln. Mir ist jetzt alles gleich: schon um der Kinder willen wäre das noch einmal nötig gewesen. Sie brauchen einen Religionslehrer und müssen Musik- und Tanzunterricht haben. Auf dem Lande ist ja das alles für kein Geld zu bekommen.«

Kein Stück Brot im Hause, aber die Kinder müssen tanzen lernen! dachte Tschitschikow.

Platonow hatte denselben Gedanken.

»Jetzt fehlt nur noch eines: wir müssen unser Geschäft unbedingt begießen«, sagte Chlobujew. »Hallo, Kirjuschka, bring eine Flasche Champagner!«

Kein Stück Brot im Hause, aber Champagner im Keller! dachte Tschitschikow.

Platonow wußte schon gar nicht mehr, was er davon denken sollte. Den Besitz des Champagners verdankte Chlobujew sozusagen einer Zwangslage. Er hatte in die Stadt geschickt, um etwas Trinkbares holen zu lassen, aber im Laden hatte man es abgelehnt, Kwaß auf Kredit herzugeben. Was sollte man tun – trinken mußte man doch? Der französische Weinreisende, der aus Petersburg gekommen war, kreditierte bereitwilligst. So blieb nichts anderes übrig, als seinen Durst eben mit Champagner zu stillen!

Der Champagner wurde hereingebracht. Jeder trank drei Gläser davon und die Stimmung wurde recht heiter. Chlobujew taute auf: er erwies sich als liebenswürdiger und geistreicher Gesellschafter und brillierte mit witzigen Bemerkungen und Anekdoten, wobei er viel Welt- und Menschenkenntnis an den Tag legte. Wie gut und richtig sah er die Dinge, wie sicher und treffend zeichnete er mit knappen Worten seine Gutsnachbarn, wie klar hatte er alle ihre Fehler und Unzulänglichkeiten erkannt und wie genau wußte er über die Gründe Bescheid, die zu ihrem Ruin geführt hatten! Er verstand es, ihre Neigungen und kleinen Eigenheiten so originell und komisch zu schildern, daß die Gäste, ganz hingerissen von seiner amüsanten Art zu plaudern, bereit waren, ihn für den gescheitesten Menschen von der Welt zu erklären.

»Unbegreiflich, wie Sie bei soviel Geist und Verstand keine Mittel und Wege finden können, sich zu helfen«, sagte Tschitschikow. »Wege gäbe es schon«, erwiderte Chlobujew und packte sogleich eine Menge verschiedener Projekte aus. Aber sie waren alle so verstiegen, so verworren und ließen jede Welt- und Menschenkenntnis so vollkommen vermissen, daß man nur die Achseln zucken und ausrufen konnte: »Mein Gott, was für ein unermeßlicher Abgrund gähnt doch zwischen der Welt- und Menschenkenntnis und dem Vermögen, sie praktisch anzuwenden!« Alle seine Pläne setzten ein Betriebskapital von hundert- bis zweihunderttausend Rubel voraus, die er sich erst irgendwie verschaffen mußte; und sie geliehen zu erhalten hatte er natürlich nicht die geringsten Aussichten. Wenn ihm das aber doch gelänge, dann, glaubte er, würde sich alles wieder ordnen lassen, die Wirtschaft gedeihen, die Schulden könnten bezahlt und die Einkünfte verdreifacht werden. Er schloß seine Rede mit folgenden Worten: »Aber was soll man machen? Es gibt eben keinen solchen Wohltäter, der sich bereitfinden würde, mir zweihunderttausend Rubel oder auch nur hunderttausend zu leihen. Man sieht also, daß es nicht Gottes Wille ist.«

Das fehlte gerade noch, daß Gott einem solchen Dummkopf mit zweihunderttausend Rubel unter die Arme griffe! dachte Tschitschikow.

»Ich habe zwar«, fuhr Chlobujew fort, »eine Tante, die drei Millionen besitzt, eine gottesfürchtige alte Dame, die Kirchen und Klöster unterstützt. Aber für ihre hilfsbedürftigen Verwandten sind ihre Ohren taub. Sich ein Überbleibsel aus alten Zeiten, wie diese fromme Tante, einmal genauer anzuschauen ist übrigens äußerst ergötzlich. Sie hat nicht weniger als vierhundert Kanarienvögel und eine Menge Möpse, Gesellschafterinnen und Dienstboten, wie man das heute überhaupt nicht mehr sieht. Der jüngste ihrer Diener ist schon ein hoher Sechziger, trotzdem sagt sie noch immer ‚Hallo, mein Jüngelchen!' wenn sie ihn ruft. Benimmt sich ein Gast beim Essen nicht so, wie sie es für richtig hält, ordnet sie an, daß er beim Servieren der Speisen übergangen wird, und das geschieht dann auch. So ist sie, die Tante.« Platonow lachte.

»Wie heißt sie und wo lebt sie?« fragte Tschitschikow interessiert.

»Sie heißt Alexandra Iwanowna Chanasarowa und wohnt in unserer Stadt.«

»Warum wenden Sie sich denn nicht an sie?« erkundigte sich Platonow teilnehmend. »Ich glaube, wenn sie sich in die Lage Ihrer Familie versetzen würde, könnte sie Ihre Bitte nicht abschlagen.«

»Doch – sie kann, Platon Michailowitsch. Sie ist hart wie ein Kieselstein! Außerdem gibt es noch eine Masse anderer Leute, die ihr schöntun und nach dem Munde reden. Da ist zum Beispiel einer, der durchaus Gouverneur werden will und behauptet, ebenfalls ein Verwandter von ihr zu sein ... Übrigens, geben Sie mir die Ehre«, wandte sich Chlobujew plötzlich an Platonow, »nächste Woche lade ich sämtliche Honoratioren der Stadt zu einem Diner ein ...«

Platonow riß die Augen auf. Er wußte nämlich noch nicht, daß es in Rußland, in allen Städten und Hauptstädten, solche Lebenskünstler gibt, deren Existenz ein völlig unbegreifliches Rätsel ist. Man meint, sie hätten ihr ganzes Vermögen verschleudert, stecken bis zum Halse in Schulden, haben keinen roten Heller mehr und – geben Diners. Und alle Teilnehmer erklären einstimmig, daß dies das letzte Diner sei, denn der Gastgeber werde morgen schon in den Schuldturm geschleppt. Aber siehe da, es vergehen zehn Jahre und der Schlaukopf hält sich noch immer, er steckt noch tiefer in Schulden und fährt fort, Diners zu geben, und alle Teilnehmer glauben, daß jedes das letzte sei, und sind fest überzeugt, daß man den Hausherrn morgen einsperren werde.

Chlobujews Haus in der Stadt war eine ungewöhnliche Sehenswürdigkeit. Las dort heute ein Pope im Ornat eine Messe, so wurde morgen im gleichen Raum von französischen Schauspielern ein Theaterstück geprobt. Manchmal fand sich im ganzen Haus kein Stückchen Brot, und bald darauf gab man sämtlichen Schauspielern und Künstlern ein rauschendes Fest, wobei die Gäste in der freigebigsten Weise bewirtet wurden. Hin und wieder kamen so schlechte Zeiten, daß sich mancher an Chlobujews Stelle erhängt oder erschossen hätte – ihn jedoch rettete seine Religiosität, die sich, merkwürdig genug, mit seinem liederlichen Lebenswandel aufs beste vertrug. In solchen bitteren Augenblicken las er die Lebensgeschichten von Asketen und Märtyrern, die in sich selbst die Seelengröße entwickelten, alles Unheil demütig hinzunehmen und sich über alle Schicksalsschläge zu erheben. Dann wurde Chlobujew weich und seine Augen füllten sich mit Tränen. Er betete und – seltsam! – immer wieder kam ihm von irgendwoher eine unerwartete Hilfe. Entweder erinnerte sich einer von seinen alten Freunden an ihn und schickte ihm Geld, irgendeine durchreisende Unbekannte, die zufällig von ihm gehört hatte, sandte ihm in einer großmütigen Regung ihres weiblichen Herzens ein reiches Geschenk, oder auch ein Prozeß, von dem er noch nie etwas gehört hatte, wurde zu seinen Gunsten entschieden. In solchen Fällen pries er die grenzenlose Barmherzigkeit der Vorsehung, ließ Dankgottesdienste zelebrieren und – nahm sein leichtfertiges Leben wieder auf.

»Er tut mir leid, er tut mir furchtbar leid«, sagte Platonow zu Tschitschikow, als sie sich von Chlobujew verabschiedet hatten und wegfuhren.

»Ein verlorener Sohn!« meinte Tschitschikow. »Solche Leute verdienen es gar nicht, bedauert zu werden.«

Bald hatten sie Chlobujew vergessen. Der gleichgültige und apathische Platonow vergaß ihn deshalb, weil er sich für ihn im Grunde so wenig interessierte wie für die übrige Welt. Sein träges Herz war zwar beim Anblick menschlichen Elends von Mitleid erfüllt, aber dieses Gefühl hinterließ keinen dauernden Eindruck in seiner Seele. Schon nach wenigen Minuten war alles wieder vergessen. Platonow dachte nicht mehr an Chlobujew, weil er ja nicht einmal über sich selber nachdachte. Und Tschitschikow dachte ebenfalls nicht an Chlobujew, weil seine Gedanken vollkommen von dem soeben abgeschlossenen Kauf in Anspruch genommen waren. Nachdem er jetzt nicht nur in seiner Phantasie, sondern in Wirklichkeit Besitzer eines ebensowenig nur in seiner

Einbildung existierenden Gutes geworden war, wurde er nachdenklich. Seine Pläne und Absichten nahmen einen ernsthaften Charakter und seine Gesichtszüge einen geradezu bedeutenden Ausdruck an. Geduld und Arbeit! Das ist mir nichts Neues, damit bin ich von Kindesbeinen an vertraut. Doch werde ich in meinen Jahren noch soviel Geduld aufbringen wie einst in meiner Jugend? Aber wie dem auch sein mochte und von welcher Seite er sich die Sache auch ansah – immer wieder kam er zu dem Schluß, daß er mit dem Kauf ein gutes Geschäft gemacht hatte. Es eröffneten sich verschiedene Möglichkeiten: er konnte das beste Land parzellieren und verkaufen und den Rest noch verpfänden, er konnte selber wirtschaften, sich nach den Ratschlägen seines nachbarlichen Wohltäters richten und ein tüchtiger Landwirt nach dem Vorbild Kostanschoglos werden, und er konnte schließlich auch so verfahren, daß er das Gut in private Hände weiterverkaufte und nur die davongelaufenen und toten Seelen für sich behielt. Das hätte noch einen anderen Vorteil: man konnte auch ganz aus dieser Gegend verschwinden und das von Kostanschoglo geliehene Geld überhaupt nicht zurückgeben. Eine sonderbare Idee! Aber so war es nicht, daß etwa Tschitschikow selbst auf diesen Gedanken gekommen wäre – er stand vielmehr plötzlich wie von selber vor ihm, aufreizend und spöttisch und als blinzelte er ihm vertraulich zu wie ein leichtfertiges Straßenmädchen. Wer mag wohl der Urheber solcher Ideen sein, die uns so unvermutet überfallen? ...

Tschitschikow empfand eine tiefe Genugtuung bei dem Bewußtsein, jetzt ein Gutsherr, und zwar kein bloß eingebildeter, sondern ein wirklicher Gutsbesitzer geworden zu sein, der Grund und Boden und Bauern, die nicht nur Phantasiegebilde, sondern leibhaftige Leute waren, sein eigen nennen durfte. Und diese Befriedigung veranlaßte ihn, auf seinem Platz vor Vergnügen zu zappeln, sich die Hände zu reiben und sich gewissermaßen selbst zuzunicken. Er hielt eine Hand wie eine Trompete an den Mund und blies irgendeinen Marsch, ja er rief sich selbst allerlei aufmunternde Kosenamen zu, bis er sich schließlich darauf besann, daß er nicht allein sei, ganz unvermittelt verstummte und sich bemühte, den Eindruck dieses ganz unpassenden Freudenausbruchs wieder zu verwischen. Als Platonow, der den einen oder anderen dieser neckischen Ausrufe gehört und auf sich bezogen hatte, Tschitschikow verwundert fragte: »Sagten Sie was?« antwortete er: »Nein, gar nichts«, und war sehr verlegen.

Jetzt erst blickte er um sich und wurde sich darüber klar, daß sie schon eine Weile durch ein besonders schönes Wäldchen fuhren. Eine Reihe anmutiger Birken säumte zu beiden Seiten die Straße. Die lichten Stämme der Bäume blitzten wie ein schneeweißer Staketenzaun und hoben sich, schlank und zierlich wie sie waren, vom zarten Grün der kaum entfalteten Blätter ab. Es war, als ob die Nachtigallen ein Wettsingen im Gebüsch veranstalteten. Gelbe Waldtulpen leuchteten im Grase. Tschitschikow begriff nicht recht, wie sie eigentlich an diese schöne Stelle gelangt waren, nachdem sie sich doch vor kurzem noch auf freiem Felde befunden hatten. Zwischen den Bäumen schimmerte ein weißes steinernes Gotteshaus, und auf der anderen Seite war ein Gitter zu sehen. Auf der Straße kam ihnen ein Herr entgegen, eine Mütze auf dem Kopf und einen Knotenstock in der Hand. Ein englisches Windspiel mit hohen dünnen Beinen lief vor ihm her.

»Da kommt ja mein Bruder, Kutscher, halt an!« rief Platonow und sprang aus dem Wagen. Tschitschikow folgte ihm. Die Hunde hatten schon Zeit gefunden, sie zu beschnuppern. Der flinke, feingliedrige Asor fuhr mit seiner schmalen Zunge Jarb über die Schnauze, Platonow über die Hand und sprang dann an Tschitschikow empor und leckte ihm das Ohr.

Die Brüder umarmten sich.

»Erbarme dich, Platon, was mutest du mir zu?« sagte stehenbleibend der Bruder, der Wasilij hieß.

»Wieso denn?« fragte Platon gleichmütig.

»Aber ich bitte dich, drei Tage läßt du uns ohne jede Nachricht von dir! Petuchs Stallknecht hat dein Pferd zurückgebracht und bloß gesagt: ‚Er ist mit einem Herrn weggefahren.' Hättest du doch nur ein Wörtchen verlauten lassen, wohin, warum und auf wie lange du fortsein wirst. Erlaube mal, mein Lieber, wie kann man sich nur so verhalten? Ich habe mir in diesen Tagen die größten Sorgen gemacht.«

»Es tut mir leid, ich habe nicht daran gedacht«, sagte Platon. »Wir haben einen Abstecher zu Konstantin Fjodorowitsch gemacht, er läßt dich grüßen und die Schwester ebenfalls. Pawel Iwanowitsch, darf ich Sie mit meinem Bruder bekannt machen? Wasilij, dies ist Pawel Iwanowitsch Tschitschikow.«

Die beiden nahmen ihre Mützen ab, gaben sich die Hand und küßten einander.

Was mag das für ein Mensch sein, dieser Tschitschikow? dachte Wasilij. Platon ist nicht gerade heikel bei der Auswahl seiner Freunde. Soweit es die Schicklichkeit zuließ, betrachtete er Tschitschikow aufmerksam und fand, daß er, nach dem Äußeren zu urteilen, einen vertrauenerweckenden Eindruck machte.

Tschitschikow warf seinerseits ebenfalls, soweit es der Anstand zuließ, einen prüfenden Blick auf den Bruder Wasilij und stellte fest, daß er nicht so groß war wie Platon. Er hatte etwas dunkleres Haar und war lange nicht so hübsch wie der jüngere Bruder, aber aus seinen aufgeweckten Gesichtszügen sprach Herzensgüte und viel mehr Leben. Man sah sofort, daß er nicht so lethargisch war wie Platon. Doch dafür interessierte sich Tschitschikow nur wenig.

»Was sagst du dazu, Wasja, ich habe mich entschlossen, gemeinsam mit Pawel Iwanowitsch eine Reise durch das heilige Rußland zu machen. Vielleicht wird mich das von meiner Schwermütigkeit befreien.«

»Wie bist du denn auf diesen Gedanken gekommen?« fragte Wasilij überrascht und hätte um ein Haar noch hinzugefügt: »Und mit einem Menschen willst du reisen, den du zum erstenmal siehst und der möglicherweise ein Taugenichts oder Gott weiß was ist.« Voller Mißtrauen schielte er zu Tschitschikow hinüber, fand jedoch abermals, daß er ungemein ehrenwert aussah.

Die drei Herren bogen jetzt nach rechts ein, durchschritten ein Tor und betraten einen altertümlichen Hof. Das Gutshaus stammte gleichfalls aus alter Zeit und hatte ein vorstehendes, sehr hohes Dach, wie es heutzutage nicht mehr gebaut wird. Zwei mächtige Linden wuchsen mitten im Hof und beschatteten fast die Hälfte des Platzes. Unter den Bäumen standen hölzerne Bänke. Fliederbüsche und Faulbäume in voller Blüte umkränzten den Hof so dicht, daß die Umfassungsmauer unter den Blüten und dem Laub beinahe ganz verschwand. Auch das Herrenhaus war völlig überwuchert, nur die Eingangstür und die freundlich blinkenden Fenster waren in all dem Grün zu sehen. Hinter pfeilgeraden Baumstämmen waren Küche, Keller und Vorratskammern erkennbar. Die Nachtigallen erfüllten den Park mit ihrem schmetternden Gesang. Diese friedliche Umgebung flößte einem unwillkürlich die beglückende Empfindung der Geborgenheit ein, und man fühlte sich in jene sorgenfreien Zeiten zurückversetzt, als die Menschen noch arglos miteinander lebten und alles in der Welt klar und unkompliziert war.

Wasilij forderte Tschitschikow auf, Platz zu nehmen. Man setzte sich auf die Bänke unter den Linden. Ein etwa siebzehnjähriger Bursche in einem hübschen, rot eingekanteten Hemde brachte Karaffen mit verschiedenen Fruchtsäften, die teils moussierten wie Brauselimonade, teils dickflüssig wie Öl waren. Nachdem der Junge das Tablett hingestellt hatte, ergriff er einen Spaten, der an einen Baum gelehnt war, und ging in den Garten. Bei den Brüdern Platonow gab es ebensowenig wie bei Kostanschoglo richtige Dienstboten, sie wurden zugleich auch im Garten beschäftigt. Alle Leute auf dem Gutshof mußten abwechselnd auch den Dienst im Hause versehen. Wasilij war nämlich der Meinung, Hausdiener zu sein sei kein Beruf. Einem etwas reichen oder bringen – das könne jeder, und sich dazu besondere Bedienstete zu halten sei unnötig. Nur solange der russische Mensch das Bauernhemd und den üblichen einfachen Kittel trage, erweise er sich als flink und brauchbar; sobald er aber den deutschen Rock anziehe, werde er plump und flegelhaft, fange er an zu faulenzen, wechsele sein Hemd nicht und bade überhaupt nicht mehr. Er schlafe in seinem neuen Rock, bis sich Flöhe und Wanzen darin ansiedeln und ungehindert vermehren. Darin hatte Wasilij gewiß recht. Auf dem Platonowschen Gut kleidete sich das einfache Volk besonders schön und geschmackvoll: die Mieder der Frauen waren goldgestickt und die Ärmel glichen türkischen Schals.

»Unser Haus ist von jeher wegen seiner Fruchtsäfte berühmt«, sagte Wasilij.

Tschitschikow füllte sein Glas und nahm einen Schluck. Es schmeckte wie Met von Lindenhonig, den er einmal in Polen getrunken hatte. Er schäumte wie Champagner und die Kohlensäure stieg angenehm in die Nase. »Nektar!« sagte er. Dann goß er sich aus einer anderen Karaffe ein und es schmeckte noch besser.

»Das Getränk der Getränke!« sagte Tschitschikow. »Ich kann wohl sagen, daß ich bei Ihrem verehrten Schwager Konstantin Fjodorowitsch den allerbesten Likör und bei Ihnen die hervorragendste Fruchtlimonade getrunken habe, die mir jemals vorgesetzt worden ist.«

»Der Likör stammt ja ebenfalls von hier, denn meine Schwester hat ihn hergestellt. Wohin wollen Sie übrigens reisen und welche Orte beabsichtigen Sie zu besuchen?« fragte Wasilij.

»Ich reise«, erwiderte Tschitschikow, der sich, leicht vorgebeugt, auf der Bank ein wenig hin und her wiegte und sich dabei mit der Hand übers Knie strich, »nicht so sehr im eigenen Interesse als in dem eines anderen. General Betristschew, ein intimer Freund von mir und, ich darf wohl sagen, mein Wohltäter, hat mich gebeten, alle seine Verwandten aufzusuchen. Aber zugleich fahre ich teilweise natürlich auch zum eigenen Vergnügen, denn ganz abgesehen davon, daß das Reisen eine wohltätige Wirkung auf die Hämorrhoiden ausübt, lernt man die Welt und das Getriebe der Menschen kennen. Das ist gewissermaßen wie die Lektüre eines lebendigen Buchs, wie eine Wissenschaft für sich ...«

Bruder Wasilij wurde nachdenklich. Der gute Mann drückt sich zwar etwas geziert aus, aber es steckt auch etwas Wahres in seinen allzu gedrechselten Worten, dachte er. Er schwieg eine Zeitlang und sagte dann zu Platon gewandt: »Ich fange an zu glauben, daß diese Reise dich in der Tat etwas aufrütteln könnte. Du leidest an einer Art geistiger Schlafsucht, die nicht etwa daher kommt, daß du übersättigt bist, sondern weil dir im Gegenteil Anregungen und lebendige Eindrücke fehlen. Bei mir ist es umgekehrt. Es wäre mir sogar lieb, wenn ich weniger stark empfinden und mir nicht alles gleich so zu Herzen nehmen würde, wie es leider immer der Fall ist.«

»Das ist doch dein freier Wille«, entgegnete Platon. »Wenn du keine Veranlassung hast, dir Sorgen zu machen und dich aufzuregen, erfindest du sie ja selbst.«

»Warum sollte ich mir noch künstlich Unannehmlichkeiten schaffen, wenn ich ihnen ohnehin auf Schritt und Tritt begegne?« sagte Wasilij. »Hast du schon gehört, was uns Lenizyn in deiner Abwesenheit für einen Streich gespielt hat? Das Ödland, wo wir immer mit den Bauern Johannisnacht feiern, hat er sich einfach angeeignet! Ausgerechnet dieses Stück Erde, das ich für kein Geld und unter gar keinen Umständen hergeben würde, weil es viel zu sehr mit allen Erinnerungen des Gutes und Dorfes verknüpft ist. Die Tradition halte ich heilig und für sie bin ich bereit, jedes Opfer zu bringen.«

»Das wird er nicht gewußt haben«, sagte Platon. »Er ist ja noch so fremd in dieser Gegend und erst kürzlich aus Petersburg hergekommen. Man muß es ihm sagen und ihm das alles klarmachen.«

»Er ist genau unterrichtet. Ich habe hingeschickt und es ihm sagen lassen. Er hat mit Grobheiten geantwortet.«

»Du hättest selber hinfahren und die Sache persönlich besprechen sollen.«

»Fällt mir nicht ein. Er spielt sich allzusehr auf. Fahre du doch hin, wenn es dir Spaß macht.«

»Ich würde es tun, aber ich mische mich nicht gern ein, auch könnte er mich hineinlegen.«

»Wenn Sie es wünschen, bin ich bereit, für Sie hinzufahren«, sagte Tschitschikow. »Sie müssen mir nur die Sache erklären.«

Wasilij sah ihn überrascht an und dachte: Du scheinst ja leidenschaftlich gern auf der Walze zu sein.

»Sagen Sie mir nur kurz, was für ein Mensch das ist und wie der Fall eigentlich liegt.«

»Es ist mir höchst unangenehm, Sie mit dieser dummen Geschichte zu behelligen. Meines Erachtens ist dieser Lenizyn nichts wert. Er entstammt dem niederen Adel unsres Gouvernements, hat sich in Petersburg im Staatsdienst gesundgemacht, dort die uneheliche Tochter irgendeiner einflußreichen Persönlichkeit geheiratet und bildet sich ein, daß er jetzt hier den Ton angeben kann. Aber wir sind auch nicht auf den Kopf gefallen: die Mode ist für uns durchaus nicht Gesetz und Petersburg nicht die Kirche!«

»Selbstverständlich«, sagte Tschitschikow, »doch wie verhält es sich mit der bewußten Angelegenheit?«

»Sehen Sie, er braucht wirklich Land. Wenn er nicht so selbstherrlich vorgegangen wäre, hätte ich ihm an einer anderen Stelle ein Stück sogar umsonst überlassen. So aber könnte der überhebliche Kerl noch glauben ...«

»Meiner Meinung nach würde es sich empfehlen, mit ihm zu verhandeln. Vielleicht läßt sich der Streitfall ... Mir sind ähnliche Dinge schon oft übertragen worden, und man hat es nicht zu bereuen gehabt. General Betristschew zum Beispiel ...«

»Aber es ist mir sehr peinlich, daß Sie mit diesem Menschen reden sollen ...«*

. . . .

»... besonders, wenn man fest im Auge behält, daß alles geheim bleiben mußte«, sagte Tschitschikow, »denn das, was wirklich Unheil stiftet, ist ja nicht so sehr das Verbrechen selbst als das Ärgernis, das dadurch entsteht.«

»Sehr richtig«, erwiderte Lenizyn und legte den Kopf auf die Seite.

»Wie angenehm, einem Gesinnungsgenossen zu begegnen«, versetzte Tschitschikow. »Auch ich habe da eine Angelegenheit, die gesetzlich und ungesetzlich zugleich ist: oberflächlich betrachtet, scheint sie ungesetzlich zu sein, tatsächlich widerspricht sie aber keineswegs dem Gesetz. Ich brauche nämlich eine Hypothek, kann aber niemand das Risiko zumuten, zwei Rubel für die lebende Seele zu zahlen. Wenn es zum Konkurs kommen sollte, was Gott verhüten möge, ist der Besitzer

* An dieser Stelle fehlen im Original zwei Seiten, die vermutlich davon handelten, wie Tschitschikow sich zu Lenizyn aufmachte und wie er dort empfangen wurde.

der Geschädigte. So habe ich mich denn entschlossen, Nutzen daraus zu ziehen, daß die flüchtigen und toten Seelen noch nicht aus der Revisionsliste gestrichen sind, womit ich gleichzeitig ein christliches Werk tue, indem ich ihrem bedauernswerten Besitzer die Last abnehme, die Steuern für sie bezahlen zu müssen. Wir wollen bloß einen formalen Kaufvertrag abschließen, als wenn es sich um noch lebende Seelen handelte.«

Das ist aber doch eine bedenkliche Sache, dachte Lenizyn und rückte samt seinem Stuhl ein wenig von Tschitschikow ab.

»Die Angelegenheit ist immerhin so heikel ...« begann er.

Tschitschikow ließ ihn nicht weitersprechen. »Ein Ärgernis kann es ja gar nicht geben«, sagte er, »weil es eben geheim bleibt und wir außerdem beide wohlgesinnte und rechtschaffene Leute sind.«

»Immerhin, die Sache ist irgendwie ...«

»Ein Ärgernis ist, wie gesagt, in keinem Fall zu befürchten«, erwiderte Tschitschikow mit treuherziger Offenheit. »Die Sache unterscheidet sich ja durch nichts von der, die wir soeben besprochen haben. Wir sind ja doch beide vernünftige, gereifte Männer in angesehenen Stellungen, die den Mund zu halten verstehen.« Und während er dies sagte, blickte er Lenizyn treu und bieder ins Auge.

Obgleich Lenizyn ein sehr geriebener Bursche war und sich in allen Geschäftspraktiken vortrefflich auskannte – hier geriet er doch aus der Fassung, und zwar um so mehr, als er sich in diesem Fall irgendwie im eigenen Netz gefangen hatte. Er war im Grunde zu Betrügereien gar nicht recht fähig und wollte, selbst im geheimen, nichts Unrechtes tun. Was ist das doch für eine zweifelhafte Affäre! dachte er. Und da soll man noch mit anständigen Menschen Freundschaft schließen! Man kann sich was Schönes einbrocken!

Aber das Schicksal und die Umstände waren Tschitschikow günstig. Geradezu wie um dieser Sache über ihren kritischen Augenblick hinwegzuhelfen, betrat plötzlich die junge Frau des Hauses, die Gattin Lenizyns, das Zimmer. Sie war bleich, klein von Wuchs und sehr schlank, nach Art der Petersburger Damen gekleidet und hatte eine Schwäche für Leute, die comme il faut waren. Ihr folgte eine Amme. Diese trug den Erstgeborenen auf dem Arm, die Frucht der zärtlichen Liebe, welche die erst seit kurzem verheirateten Ehegatten verband. Tschitschikow erhob sich schnell, eilte mit federndem Schritt und leicht geneigtem Kopf auf sie zu und hatte die Petersburger Dame und ihr Söhnchen im Handumdrehen gewonnen. Zunächst fing der Sprößling an zu heulen, aber mit einem ungemein neckischen: »Ei, ei, mein Herzchen!« einem scherzhaften Schnalzen mit den Fingern und mit Hilfe eines blitzenden Karneolpetschafts an seiner Uhrkette brachte er das Bübchen dahin, daß es sich ruhig auf den Arm nehmen ließ. Dann hob er es über seinen Kopf fast bis an die Zimmerdecke empor und entlockte ihm auf diese Weise ein beglücktes Lächeln, das die beiden Eltern entzückte und vollends bezauberte. Aber war es nun die durch dieses unerwartete Vergnügen verursachte Erregung oder sonst irgendwas – der liebe Kleine ließ sich plötzlich etwas sehr wenig Salonfähiges zuschulden kommen.

»Ach, mein Gott!« rief die junge Mutter erschrocken aus, »er hat Ihnen den schönen Frack verdorben!«

Tschitschikow blickte an sich herunter: der Ärmel war tatsächlich völlig durchnäßt. Ach, du kleiner Satan! fluchte er innerlich.

Der Hausherr, die Frau des Hauses, die Amme – alle rannten sie davon, um Eau de Cologne herbeizuholen, und von allen Seiten war man bemüht, den Ärmel damit abzureiben.

»Macht nichts, macht nichts!« versicherte Tschitschikow und gab sich die größte Mühe, nach Möglichkeit ein heiteres Gesicht zu machen. »Kann denn ein Kind in dieser goldigen Zeit frühester Jugend überhaupt etwas verderben?« wiederholte er krampfhaft immer wieder und dachte gleichzeitig: Die Wölfe sollten dich fressen, du Bestie! Hast du mich aber zugerichtet, du verdammte kleine Kanaille!

Dieser scheinbar so unbedeutende Zwischenfall hatte den Hausherrn indessen vollkommen zugunsten Tschitschikows umgestimmt. Wie sollte er auch einem Gast etwas abschlagen, der seinem Liebling soviel unschuldige Zärtlichkeiten erwiesen hatte und dabei großmütig genug gewesen war, seinen eigenen

Frack zu opfern? Um kein schlechtes Beispiel zu geben, beschlossen sie, die bewußte Angelegenheit ganz diskret zu behandeln, denn nicht so sehr die Sache selbst als das öffentliche Ärgernis ist das Schädliche! »Gestatten Sie, daß ich Ihnen zum Dank für Ihr freundliches Entgegenkommen meinerseits einen Freundschaftsdienst leiste. Ich möchte zwischen Ihnen und den Brüdern Platonow vermitteln. Sie brauchen Land, wenn ich nicht irre? . . .«

5*

Jeder ist sich selbst der Nächste oder, wie ein russisches Sprichwort sagt: »Was man braucht, sucht man zu erlangen.« Tschitschikows Reise von einer fremden Brieftasche zur anderen hatte Erfolg, und manches Beutestück wechselte in seine eigene Schatulle hinüber. Kurz, die ganze Expedition war überaus schlau angelegt. Nicht daß er einfach gestohlen hätte, er nutzte nur aus, was sich ausnutzen ließ. Es macht sich ja ein jeder irgend etwas zunutze: dieser die Staatswälder, jener die Staatsgelder, ein dritter plündert einer durchreisenden Schauspielerin zuliebe seine eigenen Kinder aus, wieder einer seine Bauern, um sich kostbares Mobiliar oder eine Kutsche anzuschaffen. Was soll man denn machen, wenn es in der Welt so viele Versuchungen gibt: feine Lokale mit Phantasiepreisen, Maskenbälle, Gelage, Zigeunerkapellen? Es ist ja so schwer, sich zurückzuhalten, wenn die Mode die Teilnahme an solchen Zerstreuungen fordert und alle Welt ihr nachgibt!

Tschitschikow hatte schon längst wieder abreisen wollen, aber die Wege waren zu schlecht. In der Stadt war überdies der zweite Jahrmarkt eröffnet worden, nämlich der für die oberen Zehntausend. Der erste war eigentlich nur ein Pferde- und Viehmarkt, auf dem von den Bauern allerhand Rohprodukte an die Viehhändler und Wiederverkäufer abgesetzt wurden. Jetzt aber wurde alles das angeboten, was

* Im Originalmanuskript trägt dieser Abschnitt keine Kapitelbezeichnung.

auf der Messe von Nischnij Nowgorod für den Bedarf der vornehmen Leute eingekauft worden war.

Hier versammelte sich alles, was es auf den russischen Geldbeutel abgesehen hatte. Franzosen, die Pomade, und Französinnen, die schicke Hütchen feilboten, das ganze Ungeziefer, das sich an unserem mit Blut und Schweiß verdienten Gelde bereichern wollte – die ägyptischen Heuschreckenschwärme, wie sich Kostanschoglo ausdrückte, die nicht nur alles ratzekahl auffraßen, sondern noch Eier zurückließen und in der Erde vergruben.

Allerdings, die Mißernte hielt viele Gutsbesitzer fern. Dafür machten sich um so mehr die Beamten breit, denen die schlechte Ernte nicht weh tat, und leider erst recht ihre Frauen. Nachdem sie sich an jenen Büchern satt gelesen hatten, die in der letzten Zeit erschienen waren und ihre Aufgabe darin sahen, die Bedürfnisse der Leute zu steigern und sie immer anspruchsvoller zu machen, waren sie wie toll hinter allen neuartigen Lebensgenüssen her. Ein Franzose eröffnete ein neues Gartenlokal, etwas in der Provinz noch nie Dagewesenes, wo man angeblich besonders billig soupieren und die Hälfte der Zeche sogar schuldig bleiben konnte. Das genügte, um das Restaurant allabendlich mit Kanzleichefs und einfachen Beamten zu füllen, die es in der Hoffnung auf den künftigen Eingang von Bestechungsgeldern besuchten ... Zugleich entstand das lebhafte Bedürfnis, einander mit schönen Pferden und eleganten Wagen zu überbieten. Leute jeden Standes strömten herbei, um sich zu unterhalten und sich die Zeit zu vertreiben. Trotz dem miserablen Wetter und dem unergründlichen Straßenschmutz flogen die vornehmen Kutschen nur so hin und her. Woher sie eigentlich alle kamen, wußte nur Gott allein, aber sicher ist, daß sie sogar in Petersburg Aufsehen erregt hätten. Die Kaufleute und Handlungsgehilfen nahmen ihre Mützen zuvorkommend ab und luden die Damen zum Eintreten ein. Nur selten sah man lange Bärte und warme Pelzmützen. Alles zeigte westeuropäische Art: die Herren waren spiegelglatt rasiert und ... hatten schlechte Zähne.

»Darf ich bitten einzutreten, meine Dame! Werfen Sie

doch einen Blick in meinen Laden!« äfften die frechen Straßenjungen. Aber die mit den europäischen Gepflogenheiten so innig vertrauten Vermittler der Aufklärung ignorierten sie hochmütig und verwiesen sie nur hie und da im Bewußtsein ihrer Würde zur Ruhe und sagten dann einladend: »Hier sind Zephyrstoffe zu haben – in clair, dunkel und schwarz ...«

»Haben Sie vielleicht etwas Preißelbeerfarbenes mit Glanzlichtern für einen Herrenanzug?« fragte Tschitschikow.

»Das Beste vom Besten!« erwiderte der Händler, indem er mit der einen Hand die Mütze abnahm und mit der andern auf seinen Laden wies. Tschitschikow trat ein. Der Geschäftsinhaber hob die Klappe des Ladentisches auf, schlüpfte flink durch die Lücke und stand jenseits der Theke, dem Kunden zugewandt und mit dem Rücken zu den Stoffballen, die vom Fußboden bis zur Decke übereinandergestapelt waren. Sich mit den Fingerspitzen auf die Tischplatte stützend und sich leicht hin und her wiegend, fragte er: »Was für ein Stoff soll es sein?«

»Etwas, das sich dem Preißelbeerfarbenen nähert, mit einem oliv- oder flaschengrünen Schimmer«, entgegnete Tschitschikow.

»Ich darf wohl sagen, daß Sie einen erstklassigen Stoff erhalten werden. Etwas Schöneres könnten Sie höchstens noch in den zivilisierten Hauptstädten Europas finden. Hallo, junger Mann, reiche mir doch mal den Ballen Nummer 34 herunter. Nein, nicht den, du naseweiser Plebejer! Mußt du denn immer alles besser wissen? Wirf ihn mir zu! Sie werden gleich sehen, was für ein großartiger Stoff das ist!« Und damit rollte der Kaufmann den Ballen auf und hielt ihn Tschitschikow unter die Nase, so daß dieser den seidigen Glanz nicht nur spüren, sondern auch beschnuppern konnte.

»Sehr schön, aber doch nicht das, was ich suche«, sagte Tschitschikow. »Ich bin Zollbeamter gewesen und brauche daher etwas ganz Gutes. Der Stoff soll eine lebhafte Farbe haben, er sollte weniger ins Flaschengrüne als ins Rötliche, ins Preißelbeerfarbene spielen.« – »Ich verstehe, was Ihnen vorschwebt: Sie wünschen den Farbton, der gerade modern wird. Ich habe da noch einen anderen, besonders wertvollen

Stoff, mache Sie aber gleich darauf aufmerksam, daß er sehr viel kostet, dafür ist er auch von hervorragender Qualität.« Jetzt kletterte der Europäer selber hinauf und der Ballen fiel auf den Ladentisch. Er rollte ihn mit einer Geschicklichkeit auf, wie man sie nur in der guten alten Zeit kannte, und vergaß dabei ganz, daß er einer späteren Generation angehörte. Dann trug er den Stoff ans Licht, wobei er sogar vor die Tür ging, und sagte: »Eine bemerkenswert schöne Farbe: Navarino-Pulverdampf mit Feuerschein!«

Tschitschikow war sehr befriedigt. Über den Preis einigte man sich, obgleich der Stoff eigentlich einen festen Preis haben sollte, einen prix fix, wie der Kaufmann beteuert hatte. Nachdem er einen Einschnitt gemacht, den Stoff in beide Hände genommen und auseinandergerissen hatte, wurde der mit unwahrscheinlicher Geschwindigkeit in Papier eingeschlagen, das Paket fest verschnürt, der Bindfaden mit der Schere abgeschnitten, und schon befand sich das Ganze in Tschitschikows Kutsche. Dann nahm der Händler in Erwartung der Zahlung die Mütze ab.

»Zeigen Sie mir doch schwarzes Tuch«, ließ sich jetzt eine Stimme vernehmen.

Teufel, das ist Chlobujew, dachte Tschitschikow und kehrte ihm den Rücken, um nicht von ihm erkannt und angesprochen zu werden, denn er wollte sich auf keinen Fall auf eine Auseinandersetzung über die Erbschaft der Tante Chanasarowa einlassen. Aber es war zu spät: Chlobujew hatte ihn bereits bemerkt.

»Wahrhaftig Pawel Iwanowitsch! Sie wollen mir doch nicht aus dem Wege gehen? Ich konnte Sie nirgends finden und die Dinge liegen doch so, daß ich Sie dringend sprechen muß.«

»Verehrtester, Verehrtester!« sagte Tschitschikow und drückte ihm beide Hände, wobei er dachte: Der Teufel soll dich holen! Dann fuhr er fort: »Glauben Sie mir, Semjon Semjonowitsch, auch ich wollte schon lange mit Ihnen reden, doch immer fehlte es mir an Zeit.« In diesem Augenblick bemerkte Tschitschikow den gerade eintretenden Murasow und rief aus: »Ach, Afanasij Wasiljewitsch, wie geht es Ihnen?«

»Und Ihnen?« fragte Murasow und nahm die Mütze ab. Der Tuchhändler und Chlobujew folgten seinem Beispiel.

»Ich habe Kreuzschmerzen und leide an Schlaflosigkeit. Das kommt wohl daher, daß ich mir zuwenig Bewegung mache.«

Aber statt auf die Gründe von Tschitschikows Beschwerden einzugehen, wandte sich Murasow an Chlobujew und sagte: »Als ich Sie in diesen Laden treten sah, bin ich Ihnen nachgegangen. Ich muß etwas mit Ihnen besprechen. Suchen Sie mich doch bitte zu Hause auf.«

»Warum nicht? Mit Vergnügen«, erwiderte Chlobujew bereitwillig und ging mit Murasow hinaus.

Was mögen die beiden miteinander zu reden haben? dachte Tschitschikow.

»Afanasij Wasiljewitsch ist ein gescheiter und ehrenwerter Mann«, bemerkte der Händler, »er versteht seine Sache, aber es fehlt ihm an Bildung. Ein Kaufmann ist doch nicht nur ein Kaufmann, sondern auch ein Negoziant, was mit dem Budget und diversen Reaktionen zusammenhängt, denn sonst würde ja alles zum Pauperismus führen ...«

Tschitschikow machte nur eine abwehrende Handbewegung.

»Pawel Iwanowitsch, ich suche Sie wie eine Stecknadel«, rief jetzt hinter ihm eine Stimme. Es war Lenizyn. Der Kaufmann entblößte respektvoll sein Haupt.

»Ach, Sie sind es, Fjodor Fjodorowitsch?«

»Um Gottes willen, kommen Sie gleich mit mir nach Hause, ich muß Sie dringend sprechen«, sagte er ganz außer sich.

Tschitschikow zahlte und verließ mit Lenizyn den Laden.

»Ich habe Sie erwartet, Semjon Semjonowitsch«, rief Murasow dem eintretenden Chlobujew entgegen. »Bitte folgen Sie mir in mein Zimmer.« Und damit führte er ihn in sein bescheidenes Stübchen, das der Leser schon kennt. Bei einem Beamten, der ein Jahresgehalt von siebenhundert Rubel empfängt, hätte man schwerlich ein noch anspruchloseres Zimmer finden können.

»Sagen Sie, ich darf wohl annehmen, daß Ihre Lage sich jetzt gebessert hat. Nach dem Tode Ihrer Tante haben Sie gewiß etwas geerbt?«

»Was soll ich Ihnen sagen, Afanasij Wasiljewitsch? Ich weiß wirklich nicht, ob von einer Besserung die Rede sein kann. Alles in allem habe ich nur fünfzig Seelen und dreißigtausend Rubel erhalten, mit denen ich einen Teil meiner Schulden bezahlen mußte und nun – stehe ich wieder mit leeren Händen da. Aber die Hauptsache – mit dieser Erbschaftsangelegenheit stimmt etwas nicht: sie ist alles andere eher als sauber. Da hat es allerhand Betrügereien gegeben, Afanasij Wasiljewitsch. Ich werde Ihnen gleich alles erzählen, und Sie werden sich wundern. Dieser Tschitschikow . . .«

»Gestatten Sie, Semjon Semjonowitsch, bevor wir von diesem Tschitschikow sprechen, lassen Sie uns zuerst einmal von Ihnen selber reden. Sagen Sie mir, wieviel Geld würde wohl Ihrer Rechnung nach erforderlich sein, um alle Ihre Gläubiger zu befriedigen? Wieviel würden Sie brauchen, um Ihre Verhältnisse zu ordnen?«

»Meine Verhältnisse sind schwierig genug«, erwiderte Chlobujew. »Um ganz aus der Verlegenheit herauszukommen, alle Schulden zu begleichen und ein bescheidenes Auskommen zu haben, müßte ich hunderttausend Rubel haben oder auch mehr – mit einem Wort, meine Lage ist hoffnungslos.«

»Aber wenn Sie diese Summe dennoch bekämen, wie würden Sie Ihr Leben dann einrichten?«

»Ich würde eine kleine Wohnung mieten und mich der Erziehung meiner Kinder widmen. An mich selbst darf ich jetzt überhaupt nicht mehr denken: mit meiner Karriere ist es zu Ende, denn der Staatsdienst kommt für mich nicht in Betracht: ich tauge zu gar nichts mehr.«

»Sie würden also fortfahren, ein müßiges Leben zu führen, und Müßiggang bringt allerlei Versuchungen, auf die ein tätiger Mensch überhaupt nicht kommt.«

»Ich kann doch nicht anders, ich tauge zu nichts, bin stumpf und rheumatisch geworden.«

»Aber ich bitte Sie, wer kann denn ohne Arbeit, ohne Amt, ohne Anstellung leben? Sehen Sie sich nur um in der Welt! Jede Kreatur Gottes erfüllt eine Aufgabe, ist zu irgend etwas berufen, sogar der Stein, wenn er auch nur als Baumaterial dient, und der Mensch allein, das vernünftigste und klügste Geschöpf dieser Erde, sollte sein Leben nutzlos verbringen – das ist doch undenkbar?«

»Ganz so unnütz bin ich doch auch nicht. Ich kann mich um die Erziehung der Kinder kümmern.«

»Nein, Semjon Semjonowitsch, nein! Das ist das Schwierigste von allem. Wie soll denn einer Kinder erziehen, der es nicht einmal fertiggebracht hat, sich selbst zu erziehen? Das kann man doch nur durch das eigene Beispiel. Und wozu könnte Ihr Leben dienen, als daraus zu lernen, wie man die Hände in den Schoß legt oder sich die Zeit mit Kartenspielen vertreibt? Nein, Semjon Semjonowitsch, überlassen Sie mir Ihre Kinder, Sie werden sie nur verderben. Denken Sie doch ernstlich nach: der Müßiggang war es, der Sie ins Unglück gebracht hat. – Sie müssen ihn fliehen. Einen Halt und irgendwelche Pflichten muß der Mensch im Leben haben. Selbst der Tagelöhner hat seinen Beruf. Sein tägliches Brot ist kärglich genug, aber er muß es sich mit seiner Hände Arbeit verdienen und hat ein Interesse an seiner Beschäftigung.«

»Gott ist mein Zeuge, Afanasij Wasiljewitsch, ich hab es versucht, habe mir redliche Mühe gegeben! Was ist da zu machen? Jetzt bin ich alt und zu nichts mehr fähig. Sagen Sie mir: Was soll ich noch anfangen? Ich kann doch nicht mehr in den Staatsdienst eintreten? Soll ich mich mit meinen fünfundvierzig Jahren noch neben einen jungen Anfänger an den Kanzleitisch setzen? Auch verstehe ich mich nicht darauf, mich schmieren zu lassen – ich würde mir selber und anderen nur schaden. Außerdem haben sie dort ihre Cliquen. Nein, Afanasij Wasiljewitsch, ich habe hin und her überlegt, habe Versuche gemacht, mich in allen Berufen umgesehen – nirgends passe ich hin, am ehesten noch ins Armenhaus ...«

»Das Armenhaus kommt nur für die in Frage, die sich ihr Leben lang ehrlich geplagt und gearbeitet haben, jenen aber, die, als sie noch jung und gesund waren, nur ihrem Vergnügen gelebt haben, wird man zur Antwort geben, was in der Fabel die Ameise zur Grille sagt: Geh und hüpfe weiter! Übrigens«, fuhr Murasow fort, »wird auch im Armenhaus gearbeitet und nicht Whist gespielt, Semjon Semjonowitsch – Sie betrügen mich und sich selbst.«

Chlobujew konnte dem ernsten Blick, mit dem Murasow ihn ansah, nicht standhalten und schwieg. Er fing an Murasow leid zu tun.

»Passen Sie auf, Semjon Semjonowitsch: Sie beten doch, Sie besuchen die Kirche, Sie versäumen, wie mir bekannt ist, keine Messe und keine Abendandacht. Ich weiß, Sie stehen ungern früh auf und gehen trotzdem um vier Uhr morgens in die Kirche, wenn noch alles im Schlafe liegt.«

»Das ist etwas ganz anderes, Afanasij Wasiljewitsch. Hier weiß ich, daß ich das nicht um der Menschen willen, sondern für Den tue, der uns allen das Leben gegeben hat. Ich glaube, daß Er barmherzig ist, daß Er, wie unwürdig und schlecht ich auch immer sein mag, verzeihen kann und mich in Gnaden aufnehmen wird, während mir die Menschen nur Fußtritte versetzen und meine besten Freunde mich im Stich lassen und hinterher noch sagen, sie hätten es in der besten Absicht getan.«

Ein Gefühl der Bitterkeit drückte sich in Chlobujews Gesichtszügen aus. Die Augen des alten Murasow füllten sich mit Tränen ...

»Dann dienen Sie doch Dem«, sagte er, »der so duldsam und sanftmütig ist. Ihm ist ehrliche Arbeit ebenso wohlgefällig wie das Gebet. Übernehmen Sie irgendeine Pflicht, gleichviel welche, und erfüllen Sie sie so, als arbeiteten Sie für Ihn und nicht für die Menschen. Und wenn Sie auch Wasser in ein Sieb schöpfen müßten – denken Sie immer, daß Sie es um Seinetwillen tun. Schon damit wäre viel gewonnen, denn es bliebe Ihnen keine Zeit, Böses zu tun, im Kartenspiel Geld zu verschwenden, mit anderen Schmarotzern zu tafeln und sich überhaupt weltlichen Vergnügungen hinzugeben. Ach, Semjon Semjonowitsch, kennen Sie Iwan Potapytsch?«

»Ich kenne ihn und verehre ihn sehr.«

»Er war einmal ein tüchtiger Kaufmann und besaß eine halbe Million. Aber als er sah, daß er bei seinen Geschäften immer Glück hatte, begann er sich gehenzulassen. Er gab seinem Sohn einen französischen Lehrer und verheiratete seine Tochter an einen General. In seinem Laden und an der Börse ließ er sich überhaupt nicht mehr blicken, und traf er einen Freund auf der Straße, schleppte er ihn sogleich ins Lokal, um Tee mit ihm zu trinken. Tagelang konnte er so Tee trinken und eines Tages war der Bankrott da. Dazu kam noch das Unglück mit seinem Sohn. Jetzt, sehen Sie, ist er Handlungsgehilfe bei mir. Er hat wieder von vorn angefangen und seine Lage hat sich gebessert. Schon könnte er sich leicht abermals fünfhunderttausend Rubel verdienen. Aber jetzt sagt er: ‚Handlungsgehilfe bin ich und als solcher will ich auch sterben. Jetzt', sagt er, ‚bin ich frisch und gesund, während ich damals einen dicken Bauch hatte und die Wassersucht sich schon ankündigte. Nein', sagt er, ‚ich bleibe, was ich bin!' Und Tee nimmt er überhaupt nicht mehr in den Mund, Kohlsuppe und Grütze und weiter nichts! Er betet, wie keiner von uns, und hilft den Armen wie niemand sonst. Andere würden das vielleicht auch gern tun, aber sie haben ihr ganzes Geld durchgebracht.«

Der arme Chlobujew war nachdenklich geworden.

Der Alte ergriff seine beiden Hände. »Semjon Semjonowitsch! Wenn Sie wüßten, wie leid Sie mir tun. Ich habe viel über Sie nachgedacht und nun hören Sie: Sie wissen, daß im Kloster ein Einsiedler lebt, der mit keinem Menschen umgeht. Er hat Gaben des Verstandes, daß es gar nicht zu sagen ist. Er sagt kaum ein Wort, wenn er aber einmal einen Rat gibt ... kurz und gut, ich habe ihm davon gesprochen, daß ich einen Bekannten habe, der an irgend etwas krankt ... Den Namen habe ich ihm verschwiegen. Er hörte mir schweigend zu und dann unterbrach er mich plötzlich mit folgenden Worten: ‚Erst Gottes Sache und dann das eigene Interesse. Da baut man Kirchen und es fehlt an Geld; man muß für den Kirchenbau sammeln!' Und damit schlug er die Tür zu. Ich überlegte, was das wohl zu bedeuten habe. Er wollte offenbar keinen Rat geben. So ging ich denn zu unserem Archimandriten. Kaum war ich bei ihm eingetreten, als er mich auch schon fragte, ob ich nicht jemand wüßte, dem man die Sammlung für den Kirchenbau anvertrauen könne, es müßte aber ein Angehöriger des Adels oder einer aus dem

Kaufmannsstand sein, der gebildeter als die große Masse wäre und der sich dieser Aufgabe widmen würde, als hinge sein Seelenheil davon ab. Ich begriff sofort: Mein Gott! Das ist ja das Amt, für das der Einsiedler meinen Semjon Semjonowitsch ausersehen hat. Das Umherziehen wird die richtige Medizin für seine Beschwerden sein. Wenn er mit dem Sammelbuch vom Gutsbesitzer zum Bauern und vom Bauern zum Kleinbürger geht, wird er mit eigenen Augen sehen, wie die Leute leben und was ihnen mangelt. Er wird ein Gouvernement nach dem anderen durchwandern und Land und Leute genauer kennenlernen als alle Stadtbewohner ... und solche Menschen fehlen uns heute sehr. Der Generalgouverneur hat mir oft gesagt, daß er viel darum geben würde, wenn er einen Beamten hätte, der die Verhältnisse nicht nur aus den Akten, sondern aus der Praxis kennt, denn aus den Akten gewinne man nur ein völlig unklares Bild.«

»Sie haben mich ganz verwirrt und ratlos gemacht, Afanasij Wasiljewitsch«, erwiderte Chlobujew, indem er Murasow kleinmütig anblickte. »Ich kann gar nicht glauben, daß Sie das alles in vollem Ernst zu mir sagen: für diese Aufgabe müßte man einen unermüdlich tätigen Menschen finden. Und wie könnte ich denn meine Frau und meine Kinder, die nichts zu essen haben, allein zurücklassen?«

»Um Ihre Familie machen Sie sich keine Sorgen. Ich werde sie in meine Obhut nehmen und Ihre Kinder sollen einen Erzieher erhalten. Es ist doch besser und verdienstvoller, milde Gaben für ein gottgefälliges Werk zu sammeln, als mit einem Sack auf dem Rücken umherzuziehen und für sich selber zu betteln. Ich werde Ihnen ein einfaches Wägelchen geben, damit Sie nicht um Ihre Gesundheit zu bangen brauchen. Auch Geld auf den Weg sollen Sie bekommen, um unterwegs an die Bedürftigsten Almosen zu verteilen. Auf diese Weise werden Sie imstande sein, manches gute Werk zu tun. Sie werden gewiß nicht irren! Wem Sie etwas geben, der wird Ihrer Gabe auch würdig sein. Zu Ihnen werden die Leute Vertrauen haben, mit Ihnen werden sie viel offener sprechen als mit irgendeinem Beamten, den sie fürchten ... denn Sie sammeln ja für die Kirche.«

»Ich sehe, daß es ein schöner Gedanke ist, und ich wünschte, daß ich auch nur einen Teil dieser Aufgabe erfüllen könnte, aber ich fürchte, daß meine Kräfte nicht ausreichen werden.«

»Was übersteigt denn nicht unsre Kräfte?« entgegnete Murasow. »Ohne Hilfe von oben können wir nichts tun, aber das Gebet stärkt und kräftigt uns. Der Mensch bekreuzigt sich und sagt: Herr, erbarme Dich! rudert und erreicht das rettende Ufer. Da braucht man nicht lange zu grübeln. So etwas muß man einfach als Gottes Weisung hinnehmen. Der Wagen steht schon für Sie bereit. Laufen Sie jetzt nur schnell zum Archimandriten. Holen Sie sich von ihm das Sammelbuch und seinen Segen, und dann machen Sie sich getrost auf den Weg.«

»Ich gehorche Ihnen und dem göttlichen Gebot.« – Herr, segne mich! sagte Chlobujew im stillen und fühlte sich plötzlich wunderbar erfrischt und verjüngt. Es war, als hätte sein Geist sich durch die Aussicht, aus seiner verzweifelten Lage herauszukommen, belebt. Ein Hoffnungsschimmer zeigte sich in der Ferne ...

Doch verlassen wir jetzt Chlobujew und wenden wir uns wieder Tschitschikow zu.*

. . . .

Unterdessen gingen bei den Gerichten Beschwerden über Beschwerden, Klagen über Klagen ein. Es tauchten plötzlich Verwandte auf, von denen man bisher noch nie etwas gehört hatte. Wie die Geier auf das Aas, so stürzte sich alles auf das unermeßliche Vermögen, das die alte Chanasarowa hinterlassen hatte: ungezählte Denunziationen, die Tschitschikow beschuldigten, sowohl das letzte wie auch das frühere Testament der Alten gefälscht und darüber hinaus gestohlen und unterschlagen zu haben. Ja, man sprach den Verdacht aus, daß er tote Seelen gekauft und während seiner Dienstzeit zollpflichtige Waren über die Grenze geschmuggelt habe. Alles wurde aufgewühlt und seine ganze Vergangenheit ans Licht gezogen. Gott weiß, wie man diese alten Geschichten

* Hier schließt die Überarbeitung des Originalmanuskripts durch den Autor. Das Folgende steht nicht in unmittelbarem Zusammenhang mit dem überarbeiteten Text.

herausgeschnüffelt und sogar Dinge in Erfahrung gebracht hatte, von denen Tschitschikow glaubte, daß sie nur ihm selbst und seinen vier Wänden bekannt seien.

Vorläufig war dies alles noch Amtsgeheimnis und Tschitschikow selber noch nicht zu Ohren gekommen, wenn auch ein vertrauliches Schreiben seines Rechtsbeistandes, das er bald erhielt, durchblicken ließ, daß die Suppe eingebrockt war. Der Brief war ganz kurz und hatte folgenden Inhalt: »Ich beeile mich, Sie davon in Kenntnis zu setzen, daß in Ihrer Sache mancherlei Unannehmlichkeiten bevorstehen, aber lassen Sie sich dadurch nicht aus der Ruhe bringen. Die Hauptsache ist – keine Aufregung. Wir werden schon alles wieder in Ordnung bringen.« Dieses Briefchen beruhigte den Empfänger vollkommen. Wahrhaftig, ein Genie! sagte er zu sich selbst. Und wie um ihn noch weiter in seinem Glücksgefühl völliger Geborgenheit zu bestärken, brachte ihm in diesem Augenblick der Schneider den neuen Frack.

Tschitschikow konnte der Versuchung nicht widerstehen, sich in Navarino-Pulverdampf mit Feuerschein zu sehen. Er zog die Hosen an, die ihm so gut standen, daß man ihn hätte malen können. Der Stoff schmiegte sich wunderbar prall an seine Lenden und Waden und ließ alle ihre plastischen Einzelheiten deutlich hervortreten. Als er hinten die Schnalle anzog, glich freilich der Bauch einer Trommel. Er beklopfte ihn mit dem Holz seiner Bürste und sagte: »So ein Tolpatsch, aber wirkt doch recht malerisch!« Es erwies sich, daß der Rock noch viel besser genäht war als die Beinkleider: ohne die geringste Falte zu werfen, spannte er sich schön geschwungen über die Hüften und brachte die Körperformen voll zur Geltung. Zu der Bemerkung Tschitschikows, daß er unter der rechten Achselhöhle ein wenig zu eng sei und drücke, lächelte der Schneider: um so besser sitze der Frack in der Taille. »Was die Arbeit anbetrifft, können Sie vollkommen beruhigt sein«, betonte er wiederholt mit unverhohlenem Stolz. »Einen so vollkommen sitzenden Frack bekommen Sie höchstens noch in Petersburg.« Der Schneider stammte selber aus Petersburg, wenn auch auf seinem Firmenschild geschrieben stand: »Ausländer aus London und

Paris«. Er verstand keinen Spaß und wollte mit diesen beiden Städten seinen Konkurrenten von vornherein den Rang ablaufen. Mochten sie sich mit irgendeinem »Karlsruhe« oder »Kopenhagen« auf ihren Schildern begnügen!

Tschitschikow rechnete in der großzügigsten Weise mit seinem Schneider ab und betrachtete sich, allein gelassen, mit äußerster Sorgfalt im Spiegel, sozusagen con amore und mit dem sachverständigen Blick eines Ästheten und Künstlers. Dabei zeigte sich, daß der Gesamteindruck noch günstiger war als vorher: seine Wangen und das Kinn wirkten bezaubernder denn je, sie hoben sich noch vorteilhafter vom weißen Hemdkragen ab und dieser erschien gegen die blaue Atlaskrawatte noch weißer, das der Mode entsprechend in Falten gelegte Vorhemd verlieh der Krawatte einen besonders schönen Farbton, das Vorhemd selbst wiederum erhielt durch die hochelegante Samtweste einen prachtvollen Hintergrund und der wie Seide glänzende Navarino-Pulverdampf mit Feuerschein gab dem Ganzen seine besonders eindrucksvolle Note! Tschitschikow drehte sich rechts herum – er sah ausgezeichnet aus. Er drehte sich links herum – es war ohne Zweifel noch wirkungsvoller! Er hatte den Schick eines Kammerherrn oder eines Mannes, der mühelos Französisch spricht und sogar, wenn er in Wut gerät, nicht etwa in russische Flüche verfällt, sondern zartfühlend genug ist, sich höchstens volkstümlicher französischer Dialektwörter zu bedienen. Den Kopf ein wenig zur Seite geneigt, bemühte er sich, eine Pose anzunehmen, als redete er eine feingebildete Dame in mittleren Jahren an – ein Bild zum Malen! Vor Entzücken machte er einen Luftsprung. Die Kommode erzitterte und ein Fläschchen Eau de Cologne fiel zu Boden und zerbrach, aber das störte ihn nicht im mindesten. Er nannte die Flasche, wie sich's gehört, ein dummes Ding und dachte: Wer soll nun der erste sein, dem ich mich in diesem Aufzug präsentiere? Am besten, ich gehe zu ...

In diesem Augenblick hörte man im Vorzimmer ein Geräusch, das wie Sporenklirren klang, und ein Gendarm in voller Ausrüstung und bis an die Zähne bewaffnet trat ein und verkündete: »Sie haben sofort beim Generalgouverneur zu erscheinen!« Tschitschikow war starr vor Entsetzen. Vor ihm stand ein Schreckgespenst mit einem mächtigen Schnauzbart, einem Roßschweif auf dem Kopf, einem Riemen rechts und einem Riemen links über die Schulter und einem gewaltigen Säbel an der Seite. Tschitschikow glaubte zu sehen, daß an der anderen Seite ein Gewehr und Gott weiß was noch alles hing – eine ganze Armee in Person! Er wollte irgendwelche Einwände vorbringen, aber das Ungetüm ließ ihn gar nicht zu Wort kommen und erklärte grob: »Sie haben mir augenblicklich zu folgen!« Durch die offene Tür bemerkte Tschitschikow noch ein zweites Schreckgespenst und ein Blick aus dem Fenster belehrte ihn darüber, daß ihn unten bereits ein Wagen erwartete. Was war zu machen? Im Navarino-Pulverdampf mit Feuerschein, wie er war, mußte er, am ganzen Leibe zitternd, in die Karosse steigen und, von den beiden Gendarmen in die Mitte genommen, zum Generalgouverneur fahren.

Im Vorzimmer ließ man ihm keinen Augenblick Zeit, zur Besinnung zu kommen. »Gehen Sie gleich hinein, der Fürst erwartet Sie!« sagte der diensthabende Beamte. Wie in einem Nebel glitt das Vorzimmer voll von Kurieren, die offizielle Schreiben in Empfang nahmen, an ihm vorüber. Dann durchquerte er einen Saal und dachte dabei: So also wird man plötzlich ergriffen und vom Fleck weg ohne Gerichtsverhandlung nach Sibirien abtransportiert ... Sein Herz schlug zum Zerspringen, weit heftiger noch als beim eifersüchtigsten Liebhaber. Endlich öffnete sich die verhängnisvolle Tür: er befand sich in einem Arbeitszimmer mit Aktenschränken, in welchem Bücher und Portefeuilles verstreut waren, und vor ihm stand der zornentbrannte Fürst wie die Nemesis selbst.

Er wird mich zerreißen wie der Wolf das Lamm! dachte Tschitschikow.

»Ich habe Sie geschont, habe Ihnen erlaubt, in der Stadt zu bleiben, obgleich Sie eigentlich ins Gefängnis gehören, aber Sie haben sich von neuem durch die niederträchtigste Gaunerei befleckt, die jemals begangen worden ist!« Die Lippen des Fürsten bebten vor Zorn.

»Was ist das für eine niederträchtige Gaunerei, Durchlaucht?« fragte Tschitschikow am ganzen Leibe zitternd.

»Die Frau«, erwiderte der Fürst näher tretend und ihn mit seinem Blick durchbohrend, »die Frau, die Sie dazu verleitet haben, das Testament zu unterschreiben, ist verhaftet worden und wird mit Ihnen konfrontiert werden.«

Tschitschikow wurde es dunkel vor den Augen.

»Durchlaucht, ich will Ihnen die ganze Wahrheit gestehen. Ich bin schuldig, ja, ich bin schuldig, aber nicht in der Weise, wie Sie glauben; meine Feinde haben mich verleumdet.«

»Niemand kann Sie verleumden, weil in Ihnen hundertmal mehr Verworfenheit steckt, als der gemeinste Lügner sich ausdenken kann. Ich bin überzeugt, daß Sie in Ihrem ganzen Leben auch nicht eine einzige redliche Handlung begangen haben. Jeder Groschen in Ihrer Tasche ist durch Betrügereien erworben, die mit der Knute und mit Verschickung nach Sibirien bestraft werden. Nein, Ihr Maß ist jetzt voll! Augenblicklich wirst du ins Gefängnis abgeführt, um dort mit den schändlichsten Verbrechern dein Schicksal zu erwarten. Und das ist sogar noch milde, denn du bist noch weit verabscheuungswerter als sie alle: sie tragen Schafspelze und einfache Bauernröcke, du aber ...« und er warf einen verächtlichen Blick auf den Navarino-Pulverdampf-Frack, griff nach der Klingelschnur und schellte. »Durchlaucht«, schrie Tschitschikow auf, »erbarmen Sie sich! Sie sind Familienvater. Wenn Sie mich schon verderben wollen, so schonen Sie doch meine alte Mutter!«

»Du lügst!« donnerte der Fürst. »Wie du mich dazumal um deiner Kinder und deiner Familie willen um Gnade angefleht hast, die du niemals besaßest, so jetzt um deiner Mutter willen.«

»Durchlaucht, Sie haben recht, haben tausendmal recht! Ich bin ein Schuft, ein elender Schurke«, erwiderte Tschitschikow. »Ich habe tatsächlich die Unwahrheit gesprochen, denn ich hatte weder Kinder noch Familie, aber Gott ist mein Zeuge, daß ich heiraten wollte, um meine Pflicht als Mensch und Bürger zu erfüllen und mir die Achtung der Mitbürger und der Obrigkeit zu erwerben ... Aber, Durchlaucht, welche unglückliche Verkettung der Umstände! Mit blutiger Mühe mußte ich mir meinen Unterhalt verdienen. Auf Schritt und Tritt gab es nichts als Verlockungen und Versuchungen, als Feinde, Widersacher und Verräter. Mein ganzes Leben glich einem Wirbelsturm oder einem Schifflein auf hoher See, das Wind und Wellen schutzlos preisgegeben ist. Auch ich, Durchlaucht, bin – nur ein Mensch!«

Tränenströme flossen plötzlich aus Tschitschikows Augen. So wie er war, im Navarino-Pulverdampf-Frack mit Feuerschein, in der Samtweste mit Atlaskrawatte, in seinen wundervoll gearbeiteten Beinkleidern und seinem prächtig frisierten Haar, dem der süße Duft eines erstklassigen Eau de Cologne entströmte, warf er sich dem Fürsten zu Füßen und schlug mit der Stirn gegen den Fußboden.

»Weg mit dir! Man rufe einen Soldaten, der ihn fortbringt!« rief der Fürst dem eintretenden Beamten entgegen.

»Durchlaucht!« schrie Tschitschikow mit gellender Stimme und umfaßte mit beiden Händen einen Schuh des Generalgouverneurs, den ein kalter Schauder durchrieselte.

»Entferne dich, sage ich dir!« rief der Fürst und versuchte sich aus Tschitschikows Umklammerung zu lösen.

»Durchlaucht, ich weiche nicht vom Fleck, ehe ich nicht Ihre Vergebung erlangt habe«, jammerte Tschitschikow, den Fuß des Fürsten festhaltend und mitsamt seinem Navarino-Pulverdampf auf dem Fußboden dem Generalgouverneur nachrutschend, als dieser ein paar Schritte zurückwich.

»Ich sage Ihnen doch, daß Sie mich auf der Stelle loslassen sollen«, wiederholte der Fürst mit jenem Gefühl des Ekels, das man beim Anblick eines widerlichen Insekts empfindet, das zu zertreten einem widerstrebt. Er machte einen so heftigen Versuch, Tschitschikow abzuschütteln, daß dieser einen Schlag mit der Schuhspitze gegen die Nase, die Lippen und sein wohlgerundetes Kinn erhielt, was ihn aber trotzdem nicht davon abbrachte, den Fuß mit noch vermehrter Zähigkeit festzuhalten. Zwei robuste Gendarmen hatten alle Mühe, ihn mit Gewalt fortzuschleppen. Sie packten ihn an den Armen und führten ihn durch die ganze Zimmerflucht. Er war sehr bleich und erschöpft bis zur fast vollkommenen

Gefühllosigkeit eines Menschen, der den uns so widernatürlich erscheinenden Tod unausweichlich vor Augen sieht.

Am Fuße der Treppe, unmittelbar vor der Haustür, stieß man auf Murasow, der Tschitschikow wie ein letzter Hoffnungsschimmer erschien. Mit geradezu übernatürlicher Kraft riß er sich von den beiden Gendarmen los und sank vor dem völlig überraschten alten Mann in die Knie.

»Pawel Iwanowitsch, was ist mit Ihnen?«

»Retten Sie mich! Man schleppt mich ins Gefängnis, führt mich zum Tode ...«

Die Gendarmen ergriffen ihn abermals und brachten ihn hinaus, ohne ihn ausreden zu lassen.

Eine dumpfe, feuchte Zelle, die nach Soldatenstiefeln und Fußlappen stank, ein Tisch aus rohem Holz, zwei wackelige Stühle, ein vergittertes Fenster und ein altersschwacher Ofen, der rauchte, ohne zu wärmen – das war die Stätte, wo man unsren Helden eingesperrt hatte, der schon im Begriff war, die Süße des Lebens zu kosten und in seinem neuen Navarino-Frack mit Feuerschein die Aufmerksamkeit seiner Mitbürger auf sich zu lenken. Man hatte ihm nicht einmal gestattet, die notwendigsten Dinge, vor allem seine Schatulle, mit sich zu nehmen, in welcher sich sein Geld befand, das jetzt möglicherweise ... Seine Papiere, die Kaufverträge, durch die er in den Besitz der toten Seelen gelangt war – alles fiel jetzt in die Hände der Beamten. Er warf sich auf den Fußboden und der giftige Wurm hoffnungsloser Verzweiflung nistete sich in seinem wehrlosen Herzen ein, in welchem er sein Zerstörungswerk immer schneller verrichtete. Noch ein Tag solcher Trübsal und mit Tschitschikow wäre es aus gewesen. Aber auch in seinem Leben waltete eine rettende Hand. Schon eine Stunde nach seiner Einlieferung tat sich das Gefängnis auf und der alte Murasow stand in der Tür.

Hätte man einem vor Ermattung zusammengebrochenen, mit dem Staube der Landstraße bedeckten und fast verschmachteten Wanderer einen Trunk frischen Quellwassers in seine trockene Kehle gegossen – diese hilfreiche Tat würde ihn lange nicht so erquickt und belebt haben wie das unvermutete Erscheinen Murasows den armen Tschitschikow.

»Mein Retter aus der Not!« rief er aus und griff vom Fußboden aus, auf den er sich in seinem herzzerreißenden Gram hingeworfen hatte, nach der Hand des Greises, die er mit Küssen bedeckte und an seine Brust drückte. »Gott wird Ihnen vergelten, was Sie an einem Unglücklichen tun!«

Tschitschikow brach in Tränen aus.

Der Alte sah ihn mitleidig an und sagte nur: »Ach, Pawel Iwanowitsch, Pawel Iwanowitsch, wie konnten Sie so etwas tun?«

»Was soll ich machen! Er hat mich zugrunde gerichtet, der dreimal Verfluchte! Ich konnte nicht Maß halten, verstand nicht, rechtzeitig aufzuhören. Der verdammte Satan hat mich verführt, alle Vernunft außer acht zu lassen und die Grenzen des gesunden Menschenverstandes zu überschreiten. Ja, ich war unüberlegt, ich habe sie überschritten! Aber wie durfte man mich so schändlich behandeln? Einen Edelmann ohne Untersuchung und ohne Gerichtsverfahren festnehmen und einsperren? Einen Edelmann, Afanasij Wasiljewitsch! Und man hat mir nicht einmal Zeit gelassen, nach Hause zu gehen und meine Sachen zu ordnen, auf die jetzt niemand achtgibt. Die Schatulle, Afanasij Wasiljewitsch! Sie enthält ja mein ganzes Vermögen, das ich in langen, entbehrungsreichen Jahren im Schweiße meines Angesichts erworben habe. Oh, meine Schatulle, Afanasij Wasiljewitsch! Sie werden alles stehlen, alles fortschleppen! Mein Gott, mein Gott!«

Und außerstande, seine Verzweiflung zu unterdrücken, die ihn von neuem zu überwältigen drohte, schluchzte er so laut und unbeherrscht auf, daß seine Stimme die Kerkermauern durchdrang, griff sich gequält an die Atlaskrawatte und zerriß, ganz von Sinnen vor Schmerz und Erbitterung, seinen herrlichen Navarino-Frack mit Pulverdampf und Feuerschein der Länge nach von oben bis unten.

»Ach, Pawel Iwanowitsch, wie konnten Sie sich durch irdisches Gut so verblenden lassen, daß Sie darüber Ihre furchtbare Lage vergaßen?«

»Oh, mein Wohltäter, retten Sie mich, retten Sie mich!« schrie der arme Tschitschikow in seiner Not und fiel vor Murasow auf die Knie.

»Der Fürst ist Ihnen wohlgesinnt. Für Sie wird er alles tun.«

»Nein, Pawel Iwanowitsch, das kann ich nicht. Auch wenn ich es wollte – ich könnte es nicht. Ihr Schicksal hängt nicht von menschlichem Ermessen ab. Sie sind einem höheren, unerbittlichen Gesetz verfallen.«

»Der Böse, der Satan hat mich verführt, die Geißel des Menschengeschlechts!«

Er schlug mit dem Kopf gegen die Mauer und mit der Hand so stark auf den Tisch, daß sie blutete, aber er schien keinen körperlichen Schmerz zu empfinden.

»Beruhigen Sie sich, Pawel Iwanowitsch. Seien Sie lieber darauf bedacht, sich mit Gott zu versöhnen als mit den Menschen, denken Sie an Ihre arme Seele!«

»Welch ein Los, Afanasij Wasiljewitsch! Wurde je einem Menschen ein solches Schicksal zuteil? Mit welcher Engelsgeduld, mit welcher Mühe – man kann wohl sagen: mit blutiger Mühe – habe ich mir jede Kopeke erworben, in harter Arbeit und nicht, wie es viele machen, auf Kosten anderer oder durch Beraubung des Fiskus. Warum habe ich einen Groschen auf den anderen gelegt? Um für den Rest meiner Tage genug zu haben und meiner Frau und meinen Kindern etwas zu hinterlassen, denn ich wollte ja eine Familie gründen zum Wohle des Staates, und um dem Vaterlande zu dienen. Das war mein einziges Ziel. Gewiß, ich bin krumme Wege gegangen, ich bestreite es nicht ... Doch wich ich nur dann vom graden Weg ab, wenn ich sah, daß es anders nicht ging und daß der krumme Weg auch der kürzere war. Aber ich habe die Hände nicht in den Schoß gelegt, ich habe gearbeitet, habe mich ehrlich geplagt. Wenn ich jemandem etwas nahm, so nur den Reichen und nicht auch den armen Schluckern, wie alle diese Halsabschneider bei den Gerichten, die den Staat um Tausende betrügen und den letzten Pfennig auch denen noch abzwicken, die ohnehin nichts besitzen! ... Sagen Sie selbst, Afanasij Wasiljewitsch, ist das nicht ein schreckliches Schicksal – jedesmal wenn ich gerade im Begriffe war, die Früchte meines Fleißes zu ernten, sozusagen mit Händen zu greifen, brach plötzlich ein Sturm los, trieb mein Schiff gegen eine unsichtbare Klippe und schlug es in Stücke. Einmal besaß ich schon dreihunderttausend Rubel und ein dreistöckiges Haus, zweimal hatte ich mir ein Landgut gekauft ... Ach, Afanasij Wasiljewitsch, womit habe ich diese Schicksalsschläge verdient? Glich mein Leben nicht ohnehin einem Schifflein auf stürmischer See? Wo bleibt hier die Gerechtigkeit des Himmels? Wo der wohlverdiente Lohn für meine Geduld und meine beispiellose Beharrlichkeit? Dreimal habe ich, nachdem ich alles verloren hatte, wieder von vorne angefangen, während doch mancher andere sich aus Verzweiflung dem Trunke ergeben und sein Leben in der Kneipe beschlossen hätte. Was mußte ich mir nicht alles gefallen lassen und ohne Widerspruch hinnehmen! Wahrhaftig, für jeden Groschen mußte ich alle meine Willenskraft aufbieten! Gott allein weiß, mit welcher eisernen Energie und welcher Unermüdlichkeit ich gearbeitet habe.« Er schluchzte laut. Überwältigt von einem neuen Schmerzausbruch, sank er auf einen Stuhl, riß dabei einen zerfetzt herabhängenden Zipfel seines Fracks ganz ab und schleuderte ihn von sich. Mit beiden Händen fuhr er sich in das sonst so sorgfältig frisierte Haar und wühlte unbarmherzig darin herum. Ja es schien, als suchte er seinen Schmerz dadurch zu ersticken, daß er ihn selbst ins Unerträgliche steigerte.

Murasow, der noch nie so etwas Ähnliches gesehen hatte, saß ihm lange wortlos gegenüber, tief beeindruckt von diesem ungewöhnlichen Schauspiel. Unterdessen führte sich dieser Unglückliche, der sich noch vor kurzem mit der Verbindlichkeit und Sicherheit eines Weltmannes oder den gewandten Umgangsformen eines Militärs in der Gesellschaft bewegt hatte, wie ein Besessener auf. In einem unmöglichen Aufzuge, in zerfetztem Frack, mit aufgerissenen Hosen und einer blutbefleckten Hand schleuderte er Flüche und Verwünschungen gegen die feindlichen Mächte, die den Menschen verfolgen.

»Ach, Pawel Iwanowitsch, Pawel Iwanowitsch! Was hätte aus Ihnen für ein Mensch werden können, wenn Sie sich mit der gleichen Energie und Beharrlichkeit einer ehrenhaften Tätigkeit gewidmet und sich edle Ziele gesteckt hätten. Mein

Gott, wieviel gute Werke wären auf diese Weise zustande gekommen. Wenn doch nur ein einziger von denen, die das Gute wollen, sich für diese Zwecke so ins Zeug gelegt hätte, wie Sie es getan haben, um Ihre Groschen zusammenzuscharren, wenn dieser eine es nur halbwegs fertiggebracht hätte, auf seine Bequemlichkeit und sein persönliches Wohlergehen so zu verzichten, um Gutes zu tun, wie Sie sich um des Geldes willen nicht geschont haben – mein Gott, wie schön könnte es auf unsrer Erde sein! ... Pawel Iwanowitsch! Nicht das ist das Schlimmste, daß Sie anderen gegenüber schuldig geworden sind, sondern daß Sie an sich selbst, an den reichen Gaben und Fähigkeiten sich vergangen haben, welche die Natur Ihnen verliehen hat. Sie waren dazu bestimmt, ein großer Mann zu werden, Sie haben Ihre Kräfte mißbraucht, um Reichtümer aufzuhäufen, und sich selbst damit ruiniert.«

Es gibt Geheimnisse der menschlichen Seele: wie weit der Verirrte auch vom rechten Wege abgekommen sein mag und wie zäh und hartnäckig der unbußfertige Verbrecher auch auf seinem lasterhaften Lebenswandel besteht – hält man ihm den Spiegel vor und führt man ihm seine von ihm selbst geschändete Menschenwürde vor Augen, so wird er unwillkürlich schwankend und unsicher werden und schließlich zusammenbrechen.

»Anfanasij Wasiljewitsch«, sagte der bedauernswerte Tschitschikow und nahm Murasows beide Hände in die seinen: »Oh, wenn es mir gelänge, Freiheit und Vermögen zurückzugewinnen! Ich schwöre es Ihnen, ich würde von Stund an ein neues Leben beginnen. Retten Sie mich, mein Wohltäter, retten Sie mich!«

»Was kann ich bloß tun? Ich müßte ja gegen das Gesetz ankämpfen. Nehmen wir an, ich versuchte es wirklich – aber der Fürst ist ein rechtlich denkender Mensch, er wird unter keinen Umständen nachgeben.«

»Mein Wohltäter, Sie können alles erreichen. Das Gesetz schreckt mich am wenigsten, da finden sich schon Mittel und Wege. Was mich vor allem erbittert – man hat mich zu Unrecht ins Gefängnis gesteckt. Ich werde hier wie ein Hund verrecken und mein ganzes Vermögen, meine Papiere, meine Schatulle ... helfen Sie mir!«

Er umfaßte die Füße des Greises und benetzte sie mit Tränen.

»Ach, Pawel Iwanowitsch, Pawel Iwanowitsch!« sagte der alte Murasow und schüttelte bekümmert den Kopf. »Wie blind hat Sie doch Ihr Vermögen gemacht! Sie sehen nur das irdische Gut und überhören die Stimme des Gewissens und der Seele!«

»Ich werde auch an meine Seele denken, aber retten Sie mich!«

»Pawel Iwanowitsch«, sagte der Alte und hielt einen Augenblick inne. »Retten kann ich Sie nicht – das sehen Sie ja selber ein. Doch werde ich tun, was ich kann, um Ihnen Ihr Los zu erleichtern und Sie zu befreien. Ich weiß zwar nicht, ob es mir gelingt, aber ich werde mir Mühe geben. Für den Fall, daß ich wider Erwarten Erfolg habe, bitte ich um einen Lohn für meine Vermittlung: Pawel Iwanowitsch, ich flehe Sie an, lassen Sie ab von Ihrer Habsucht! Bei meiner Ehre, wenn ich auch mein ganzes Vermögen verlöre – und ich besitze weit mehr als Sie –, ich würde keine Träne vergießen. Was liegt denn am Besitz, den man mir konfiszieren kann; worauf es allein ankommt, ist das, was mir niemand zu nehmen, niemand zu rauben vermag! Sie haben lange auf Erden gelebt. Sie selbst vergleichen Ihr Leben mit einem Schifflein auf stürmischer See. Sie haben genug für den Rest Ihrer Tage. Lassen Sie sich in einem friedlichen Kirchdorf in der Nähe einfacher, wohlmeinender Menschen nieder, und wenn Sie schon durchaus Nachkommen hinterlassen wollen, so heiraten Sie ein unbemitteltes, anspruchsloses Mädchen, das an einen bescheidenen Haushalt gewöhnt ist. Vergessen Sie diese lärmende Welt mit allen ihren verlockenden Genüssen und möge die Welt auch Sie vergessen: in ihr findet niemand seinen Seelenfrieden. Die Erfahrung hat Sie ja gelehrt: sie ist voller Feinde, Verführer und Verräter.«

»Unbedingt! Unbedingt! Ich hatte ja längst die Absicht, ein geregeltes Leben zu führen und mich der Landwirtschaft zu widmen, ich wollte meine Bedürfnisse einschränken. Aber der Dämon der Verführung hat mich vom rechten Wege abgedrängt, o dieser Satan, dieser Teufel, dieses Otterngezücht!«

Ungeahnte und unerklärliche Empfindungen drängten sich Tschitschikow auf, als wollte etwas längst Verschüttetes von neuem in ihm lebendig werden, was schon in frühester Kindheit durch eine strenge, seelenlose Erziehung, eine harte, traurige Jugend, ein ödes Vaterhaus, ein einsames entbehrungsreiches Leben in Armut und ohne Familienglück und durch die Armseligkeit seiner ersten Eindrücke im Keim erstickt worden war – etwas, was das kalte, hochmütige Auge des Schicksals, das ihn gleichsam durch ein trübes, schneeverwehtes Fenster anblickte, verdrängt hatte, schien ihn nun plötzlich befreien und zum Leben erwecken zu wollen. Ein Stöhnen entrang sich seiner Brust. Er bedeckte sein Gesicht mit beiden Händen und sagte schwermütig: »Sie haben recht, Sie haben tausendmal recht!«

»Weil Sie krumme Wege gegangen sind, haben auch Ihre Menschenkenntnis und Ihre Erfahrung Ihnen keinen Nutzen gebracht. Aber was wäre aus Ihnen geworden, wenn Sie das alles, was das Leben Sie gelehrt hat, in den Dienst einer gerechten Sache gestellt hätten! Ach, Pawel Iwanowitsch, warum haben Sie sich selber zugrunde gerichtet? Erwachen Sie, solange es noch Zeit ist, noch ist es nicht zu spät ...«

»Nein, zu spät, zu spät!« stöhnte Tschitschikow mit einer Stimme, die Murasow durch Mark und Bein ging. »Ich fühle es, ich weiß es, daß ich schon allzu weit vom rechten Wege abgeirrt bin, um noch einmal zurückzufinden. Überlegen Sie doch, wie ich erzogen bin: mein Vater hat mir beständig Moralpredigten gehalten, hat mich geschlagen, mich fromme Sprüche abschreiben lassen und dann ist er hingegangen und hat den Nachbarn ihr Holz gestohlen und mich gezwungen, ihm dabei behilflich zu sein! Ich habe es miterleben müssen, daß er einen ungerechtfertigten Prozeß führte und eine Waise verführte, die sein Mündel war. Das Beispiel wirkt stärker und nachhaltiger als alle Lebensregeln. Ich sehe, ich fühle es, Afanasij Wasiljewitsch, daß ich ein verwerfliches Leben führe, und doch empfinde ich keine Abneigung gegen die

Sünde: ich bin abgestumpft, fühle keine Liebe zum Guten, mir geht jene schöne Neigung zu gottgefälligen Werken ab, die zur lieben Gewohnheit, ja zur zweiten Natur zu werden vermag ... Nein, ich bin nun einmal nicht imstande, mich mit derselben Leidenschaft dem Guten hinzugeben, mit der ich hinter dem Gelderwerb her bin. Ich sage die volle Wahrheit – was ist da zu machen?«

Der Alte stieß einen tiefen Seufzer aus.

»Pawel Iwanowitsch! Sie haben einen starken Willen, soviel Beharrlichkeit und Geduld. Die Arznei schmeckt bitter, aber der Kranke nimmt sie dennoch, weil er weiß, daß er ohne sie nicht gesund werden kann. Sie lieben das Gute nicht – zwingen Sie sich trotzdem, es zu tun, auch wenn Sie nichts dafür übrig haben. Es wird Ihnen im Himmel noch höher angerechnet werden als dem, der das Gute gerne tut. Zwingen Sie sich nur ein paarmal dazu und Sie werden sehen, die Liebe kommt ganz von selbst. Glauben Sie mir, alles läßt sich erringen. Uns ist gesagt: Das Reich Gottes muß errungen werden. Man muß sich mit aller Kraft zu ihm durchkämpfen, muß es gewaltsam erobern, um es zu besitzen ... Ach, Pawel Iwanowitsch, Sie haben diese Kraft, die anderen fehlt, diese eiserne Ausdauer – wie sollten Sie unterliegen? Ich glaube, Sie wären ein Held, ein wahrer Held, da alle Menschen so verweichlicht und willensschwach sind.«

Es war deutlich zu sehen, daß diese Worte nicht ohne Eindruck auf Tschitschikow blieben und eine Sehnsucht, sich zu bewähren, auf dem Grunde seiner Seele entzündeten. Wenn auch noch kein Entschluß, so war es doch etwas Starkes, Tatkräftiges, das einem Entschluß schon nahekam, was in seinen Augen aufleuchtete ...

»Afanasij Wasiljewitsch«, sagte er mit fester Stimme, »wenn Sie erreichen, daß ich aus dem Gefängnis entlassen werde und man mir die Möglichkeit gibt, dieser Stadt, wenn auch nur mit geringem Vermögen, den Rücken zu kehren, dann verspreche ich Ihnen, ein neues Leben zu beginnen: ich kaufe mir ein kleines Gut, beschäftige mich mit der Landwirtschaft und werde sparen – nicht für mich, sondern um anderen zu helfen und nach Kräften Gutes zu tun. Ich will mich selbst und alle städtischen Ausschweifungen und Prassereien vergessen und ein einfaches, nüchternes Leben führen.«

»Möge Gott Sie in diesem Vorsatz stärken!« sagte der Alte hocherfreut. »Ich werde alles, was in meinen Kräften steht, tun, um Ihre Entlassung zu erwirken. Ob es gelingt oder nicht, liegt in Gottes Hand. Auf alle Fälle wird Ihr Los gemildert werden. Lassen Sie sich umarmen, Pawel Iwanowitsch! Wahrhaftig, Sie haben mir eine große Freude bereitet. Gott sei mit Ihnen, ich gehe sogleich zum Fürsten.«

Tschitschikow blieb tief erschüttert allein. Er war ganz weich geworden. Sogar das Platin, das härteste aller Metalle, das dem Feuer am längsten Widerstand leistet, schmilzt, wenn man die Flamme in der Esse immer mehr anfacht, die Blasebälge in ununterbrochener Tätigkeit hält und die Hitze ins Unerträgliche steigert – so zäh es auch ist, es wird weißer und weißer und schließlich zur Flüssigkeit. So wandelt sich auch der eigensinnigste Mann im Schmelzofen des Unglücks, und sein verhärteter Wille wird nachgiebig.

Ein schlechter Christ, der nichts fühlt und begreift, will ich trotzdem alle Anstrengungen machen, um in Zukunft kein Ärgernis mehr zu erregen und anderen zu helfen. Ich werde mich auf dem Lande redlich plagen, im Schweiße meines Angesichts arbeiten und versuchen, auf meine Umgebung einen guten Einfluß auszuüben. Ich habe landwirtschaftliche Fähigkeiten, bin tüchtig und sparsam, gewandt und gescheit und lasse mich nicht leicht entmutigen. Man muß nur den guten Willen haben ...

So dachte Tschitschikow und fing an, sich mit halberwachten seelischen Kräften in seine veränderte Lage hineinzufinden. Es war, als sagte ihm ein dunkler Instinkt, daß jedem Menschen eine Aufgabe in dieser Welt zugeteilt sei, die sich überall und in jedem Erdenwinkel erfüllen lasse, möge er dort, wo immer er hingestellt sei, auch noch so sehr durch schwierige Verhältnisse gehemmt und behindert sein. Und ein tätiges Leben, fern von allem Lärm der Städte und jenen Versuchungen und Vergnügungen, die der müßige, arbeitsscheue Mensch erfunden hat, stand ihm plötzlich so deutlich vor Augen, daß er seine peinliche Lage schon fast vergessen hatte und bereit war, der Vorsehung für diesen schweren Schicksalsschlag zu danken, wenn man ihn nur entließ und ihm einen Teil seines Vermögens zurückerstattete ...

Da tat sich das Türchen seiner unsauberen Zelle auf und vor ihm stand eine ziemlich berüchtigte Persönlichkeit, ein gewisser Samoswitow, ein Beamter, Epikuräer, mit breiten Schultern, schlanken Beinen, ein guter Kamerad und Zechbruder und ein Windhund, wie ihn seine Freunde nannten. In Kriegszeiten hätte dieser Mensch Wunder der Tapferkeit vollbracht: ein verwegener Ritt quer durch unwegsames, gefährliches Gelände, um dem Feind ein Geschütz vor seiner Nase wegzustehlen – das zum Beispiel wäre ein gefundenes Fressen für ihn gewesen. Aber in Ermangelung eines militärischen Betätigungsfeldes, auf dem er vielleicht ein anständiger Kerl hätte werden können, verwandte er seine überschüssigen Kräfte auf allerhand gewagte Streiche und zweifelhafte Unternehmungen. Er hatte höchst sonderbare Begriffe und Ansichten: er war ein verläßlicher Kamerad, gab niemand preis und hielt sein einmal gegebenes Wort, aber in seinen Vorgesetzten sah er eine Art von feindlicher Batterie, die man niederkämpfen mußte, indem man sich jeden schwachen Punkt, jede Bresche und jede Unachtsamkeit zunutze machte.

»Wir kennen Ihre Lage genau, wir sind über alles im Bilde!« sagte Samoswitow, nachdem sich die Tür hinter ihm fest geschlossen hatte. »Macht nichts, macht alles nichts! Seien Sie unbesorgt, kommt alles wieder in Ordnung! Wir setzen uns für Sie ein, stehen Ihnen ganz zur Verfügung. Dreißigtausend für uns alle zusammen und keinen Pfennig darüber.«

»Wie wäre das möglich?« rief Tschitschikow. »Werde ich wirklich gerechtfertigt dastehen?«

»Vollkommen! Sie werden sogar für Ihre Verluste entschädigt.«

»Und für Ihre Bemühungen?«

»Dreißigtausend alles in allem, für die Unserigen, die Beamten des Generalgouverneurs und für den Sekretär.«

»Aber erlauben Sie, wie kann ich denn das? ... Meine

Sachen, meine Schatulle – das alles ist doch versiegelt und beschlagnahmt ...«

»In einer Stunde haben Sie alles wieder. Schlagen Sie ein!«

Tschitschikow gab Samoswitow die Hand. Sein Herz schlug zum Zerspringen. Er konnte an diese Möglichkeit noch gar nicht glauben. »Einstweilen auf Wiedersehen! Unser gemeinsamer Freund läßt Ihnen sagen, die Hauptsache ist Ruhe und Selbstbeherrschung.«

Hm, dachte Tschitschikow. Ich verstehe – der Rechtsbeistand!

Samoswitow verschwand. Allein geblieben, zweifelte Tschitschikow immer noch, bis eine Stunde nach diesem Gespräch die Schatulle tatsächlich gebracht wurde: die Papiere, das Geld – alles war in bester Ordnung. Samoswitow hatte sich wieder eingefunden und jetzt die Rolle des Gefängnisinspektors gespielt: die Posten hatte er angeschrien, weil sie angeblich nicht wachsam genug waren, und dem Aufseher befohlen, zur Verstärkung der Wache noch weitere Gendarmen anzufordern. Dann hatte er nicht nur die Schatulle, sondern auch eine Reihe von Schriftstücken an sich genommen, die für Tschitschikow kompromittierend waren, alles zusammengeschnürt und unter dem Vorwande, daß das Paket Bettwäsche und ähnliches enthalte, einem Wachtposten mit dem Auftrag übergeben, es auf der Stelle Tschitschikow zuzustellen. Dieser fand neben seinen Papieren auch wirklich warme Sachen vor, mit denen er sich zudecken konnte. Er war unbeschreiblich froh über die schnelle Herbeischaffung seines Eigentums und faßte wieder Mut. Neue Hoffnungen schwellten sein Herz und schon malte er sich wieder allerlei verführerische Zerstreuungen aus: Theaterbesuche an den Abenden und eine Tänzerin, der er den Hof machte. Die ländliche Stille verblaßte und das lärmende Gewimmel der Stadt trat immer klarer und verlockender in den Vordergrund ... So ist das Leben!

Unterdessen entspann sich in den Gerichten ein Riesenprozeß, der immer größere Dimensionen annahm. Die Federn der Schreiber kratzten über das Papier, es wurde viel Tabak geschnupft und die kniffeligen Naturen unter den

Beamten plagten sich ab, wobei sie viel Freude an den geradezu künstlerisch geschnörkelten Buchstaben der Akten hatten. Der Rechtsanwalt dirigierte das Ganze wie ein unsichtbarer Magier und verwirrte alle, bevor sie überhaupt Zeit hatten, sich in der Materie zurechtzufinden. Der Wirrwarr wurde immer größer. Samoswitow übertraf sich selbst durch eine unerhörte Dreistigkeit und Verwegenheit. Als er herausgebracht hatte, wo die verhaftete Frau in Gewahrsam gehalten wurde, ging er ohne weiteres hin und spielte dort mit einer Sicherheit und Selbstverständlichkeit den Vorgesetzten, daß der Posten vor ihm strammstand und ins Gewehr trat. »Stehst du schon lange hier?« – »Vom frühen Morgen an, Euer Wohlgeboren.« – »Wann wirst du abgelöst?« – »In drei Stunden, Euer Wohlgeboren.« – »Ich brauche dich und werde dem Offizier sagen, daß er an deiner Stelle einen anderen Gendarmen schicken soll.« – »Zu Befehl, Euer Wohlgeboren.«

Hierauf fuhr Samoswitow, ohne eine Minute zu verlieren, nach Hause, maskierte sich als Gendarm und machte sich durch einen angeklebten Schnauzbart so unkenntlich, daß ihn selbst der Teufel nicht wiedererkannt hätte. Dann begab er sich in das Haus, in welchem Tschitschikow gewohnt hatte, packte das erste beste Frauenzimmer, das ihm gerade in den Weg lief, übergab es zwei jungen Beamten, die zu seinen Spießgesellen gehörten, und marschierte, wie sich's gehört, mit Schnauzbart und umgehängtem Gewehr zum Posten vor dem Gefängnis: »Pack dich zum Teufel, der Kommandeur hat mich geschickt, ich soll dich ablösen!« und stand nun selber Wache. Das war es, was er hatte erreichen wollen. Zugleich war das erste Frauenzimmer mit dem zweiten, das natürlich von nichts eine Ahnung hatte, vertauscht und das richtige so geschickt versteckt worden, daß es niemals wieder gefunden wurde.

Während Samoswitow auf diesem sozusagen militärischen Frontabschnitt kämpfte, vollbrachte der Rechtsbeistand wahre Heldentaten auf dem zivilen Gebiet. Er ließ den Gouverneur wissen, daß der Staatsanwalt im Begriff sei, ihn höheren Ortes anzuschwärzen, dem Chef der Gendarmerie brachte er auf Umwegen zur Kenntnis, daß ein Beamter der Geheimpolizei ihn denunzieren werde, dem Beamten der Geheimpolizei wurde bedeutet, daß ein noch geheimerer Beamter der Geheimpolizei in der Stadt eingetroffen sei, der wiederum gegen ihn Anzeige erstatten werde – kurz, er brachte alle so weit, daß sie sich an ihn, den Rechtsanwalt, wenden mußten, um sich raten und helfen zu lassen. Es entstand ein unabsehbares Chaos: eine Denunziation folgte der andern und es wurden Dinge aufgedeckt, die die Welt noch nicht gesehen hatte, ja Dinge, die niemals geschehen waren. Man untersuchte alles und jedes: ob dieser ein unehelicher Sohn sei, ob jener sich eine Geliebte halte, wessen Frau hinter wem her sei und dergleichen mehr. Öffentliche Ärgernisse, Skandale und Klatschgeschichten wurden mit dem Fall Tschitschikow und mit den toten Seelen so verquickt und durcheinandergebracht, daß sich kein Mensch mehr auskannte, welche Affäre denn nun eigentlich die Hauptaffäre war, denn alle schienen gleichwertig.

Als die Akten schließlich dem Generalgouverneur vorgelegt wurden, wußte sich der arme Fürst überhaupt keinen Rat mehr. Ein sehr gescheiter und gewandter Beamter, der den Auftrag erhalten hatte, einen Auszug aus den Akten zu machen, wurde beinahe verrückt, weil es auch ihm völlig unmöglich war, den roten Faden der ganzen Angelegenheit aufzuspüren. Zudem hatte der Fürst gerade in dieser Zeit eine Menge anderer Sorgen, eine schlimmer als die andere. In einem Teil des Generalgouvernements herrschte Hungersnot, und die Beamten, die dorthin geschickt worden waren, um unter den Betroffenen Brot und Getreide zu verteilen, hatten sich Verfehlungen zuschulden kommen lassen. In einem anderen Gebiet rührten sich die Sektierer, unter denen das Gerücht umging, daß der Antichrist erschienen sei, der nicht einmal den Abgeschiedenen ihren Frieden lasse und herumgehe und tote Seelen aufkaufe. Sie taten Buße, sündigten ruhig weiter und hatten unter dem Vorwand, den Antichrist fangen zu wollen, einigen Nichtantichristen den Garaus gemacht. Wieder in einer anderen Gegend war ein Bauernaufstand gegen die Gutsbesitzer und die Chefs der Landpolizei ausgebrochen: irgendwelche Vagabunden hatten das Gerücht verbreitet, daß es jetzt an der Zeit sei, daß die Bauern

Gutsbesitzer würden und Fräcke trügen und umgekehrt die Gutsbesitzer Kittel anlegen und Bauern werden sollten; und ein ganzer Amtsbezirk hatte, ohne sich zu überlegen, daß es unter diesen Umständen viel zuviel Gutsbesitzer und Gendarmeriechefs geben würde, sich kurzerhand geweigert, Steuern zu zahlen. Man war also darauf angewiesen, Gewaltmaßnahmen zu ergreifen. Der arme Fürst war in der größten Aufregung. Da meldete man ihm, daß Murasow ihn zu sprechen wünsche.

»Man lasse ihn eintreten«, sagte der Fürst und der Alte erschien.

»Da haben wir Ihren Tschitschikow! Sie sind für ihn eingetreten und haben ihn verteidigt. Jetzt ist er bei einer Sache erwischt worden, auf die sich selbst der hartgesottenste Betrüger nicht eingelassen hätte!«

»Gestatten Sie mir zu bemerken, Durchlaucht, daß ich von diesen Dingen nichts verstehe.«

»Testamentsfälschung, und was für eine ... Darauf steht öffentliche Auspeitschung!«

»Durchlaucht, ich sage das jetzt nicht, um Tschitschikow in Schutz zu nehmen, aber es ist noch nicht das geringste bewiesen: die Untersuchung hat ja noch gar nicht stattgefunden.«

»Der Beweis ist erbracht: die Frau, die zur Fälschung mißbraucht wurde, ist verhaftet. Ich werde sie gleich in Ihrer Gegenwart verhören.« Der Fürst klingelte und gab den Befehl, sie vorzuführen.

Murasow schwieg.

»Eine nichtswürdige Sache, die dadurch noch schändlicher wird, daß die höchsten Beamten der Stadt in sie verwickelt sind. Sogar der Gouverneur, der doch wahrhaftig nicht im Lager der Diebe und Taugenichtse zu finden sein sollte!« rief der Fürst in ehrlicher Empörung.

»Der Gouverneur gehört doch mit zu den Erben. Er hatte das volle Recht, Ansprüche geltend zu machen, und daß sich auch andere an die Sache heranmachen, ist gewiß menschlich.«

»Aber wozu denn alle diese Unredlichkeiten?« erwiderte der Fürst entrüstet. »Tatsächlich, ich habe nicht einen einzigen anständigen Beamten, alle sind sie Gauner und Lumpen!«

»Durchlaucht, wer von uns ist so, wie er sein sollte? Alle Beamten unserer Stadt sind – Menschen und haben auch gute Eigenschaften, manche von ihnen sind tüchtig in ihrem Fach. Wer kann von sich sagen, er sei frei von Sünde?«

»Hören Sie, Afanasij Wasiljewitsch, Sie sind hier der einzige rechtschaffene Mensch, den ich kenne, was veranlaßt Sie dazu, diese Betrüger in Schutz zu nehmen?«

»Durchlaucht«, erwiderte Murasow, »wie diese Leute auch sein mögen, die Sie Betrüger und Lumpen nennen, Menschen sind sie alle. Wie soll man denn seine Mitmenschen nicht verteidigen, wenn man doch weiß, daß sie die Hälfte ihrer Missetaten aus Roheit und Unwissenheit begehen? Wir sind auf Schritt und Tritt ungerecht und bringen immerfort andere ins Unglück, oft sogar ohne es selber zu wollen. Auch Eure Durchlaucht haben eine große Ungerechtigkeit begangen.«

»Wie?« rief der Fürst überrascht, ganz betroffen von der Wendung, die das Gespräch jetzt genommen hatte.

Murasow hielt inne und schwieg einen Augenblick, als überlegte er sich seine Worte. Dann sagte er schließlich: »Jawohl, in der Sache Derpennikow.«

»Afanasij Wasiljewitsch, es handelt sich um ein Verbrechen gegen die Grundgesetze des Reiches, das dem Landesverrat gleichkommt.«

»Ich will nicht sagen, daß er unschuldig war, aber ist es gerecht, einen unerfahrenen Jüngling, der sich hat verführen und mißbrauchen lassen, so streng zu bestrafen, als wenn er einer der Anstifter gewesen wäre?«

»Um Gottes willen ...« sagte der Fürst, dem man seine Erregung deutlich ansah, »wissen Sie etwas darüber? Ich habe ja noch kürzlich nach Petersburg geschrieben, man möge sein Schicksal mildern.«

»Nein, Durchlaucht, ich weiß nichts, was Sie nicht ebenfalls wüßten, obgleich es, um ganz genau zu sein, einen Umstand gibt, der zu seinen Gunsten spräche; aber er gibt ihn nicht preis, weil er dadurch einem anderen schaden müßte. Ich frage mich bloß, ob Sie nicht damals voreilig gehandelt haben? Verzeihen Sie mir, Durchlaucht, ich urteile nach bestem Wissen und Gewissen. Sie haben mich wiederholt beschworen, offen und aufrichtig zu Ihnen zu sprechen. Zu jener Zeit, als ich noch Direktor war, hatte ich viele Arbeiter, gute und schlechte, unter mir. Ich hätte damals auch das Vorleben der Leute mit in Betracht ziehen müssen, denn wenn man nämlich nicht alles nüchtern abwägt und seine Untergebenen gleich anherrscht, schüchtert man sie nur ein und erreicht gar nichts. Wenn man sie aber mit wirklicher Anteilnahme ausfragt, wie ein Bruder den andern, so werden sie freiwillig alles sagen und nicht einmal darum bitten, daß man Milde walten läßt. Und es wird auch kein Rest von Bitterkeit übrigbleiben, weil sie ja selber sehen, daß nicht ich sie bestrafe, sondern das Gesetz.«

Der Fürst wurde nachdenklich. In diesem Augenblick trat ein junger Beamter ein und blieb ehrerbietig mit seinem Portefeuille unter dem Arm stehen. Umsicht und Eifer drückten sich in seinem jugendfrischen Gesicht aus. Man merkte ihm an, daß er nicht umsonst Beamter für besondere Aufträge war. Er gehörte zu den ganz wenigen, die wirklich mit Liebe bei der Sache waren. Weder hatte er einen brennenden Ehrgeiz, noch war es ihm darum zu tun, viel Geld zu verdienen oder anderen den Rang abzulaufen; er arbeitete lediglich deshalb, weil er seine Lebensaufgabe darin sah, dort tätig zu sein, wo er nun einmal hingestellt war. Wenn es darauf ankam, einen schwierigen Fall in allen seinen Phasen genau zu verfolgen, um den roten Faden zu finden und alles aufzuklären, dann war gerade er der richtige Mann dazu. Und er sah sich für alle seine Bemühungen und schlaflosen Nächte reich entschädigt, wenn die Sache sich wirklich klärte, ihre verborgensten Wurzeln freigelegt wurden und er fühlte, daß er klar und allgemeinverständlich in knappen Worten darüber Bericht erstatten konnte. Man kann wohl sagen, daß kein Schüler, dem der Sinn eines dunklen Satzes oder Gedankens eines großen Schriftstellers endlich aufgeht, sich so freut, wie er sich freute, wenn es ihm gelungen war, eine verwickelte Angelegenheit ganz zu entwirren. Dafür aber ...*

. . . .

* Hier findet sich im Originalmanuskript eine beträchtliche Lücke.

»... mit Brot im Hungergebiet. Ich kenne diese Gegenden weit besser als die Beamten und werde mich persönlich davon überzeugen, ob etwas mangelt. Wenn Sie gestatten, Durchlaucht, werde ich auch mit den Sektierern verhandeln. Sie haben mehr Vertrauen zu unsereinem, zu einfachen Leuten, vielleicht gelingt es mir, mit Gottes Hilfe die Sache friedlich beizulegen. Die Beamten werden da nichts erreichen, es wird nur eine endlose Schreiberei geben, und zwar um so mehr, als sie ohnehin vor lauter Papier nicht sehen, worauf es eigentlich ankommt. Übrigens werde ich für meine Vermittlung kein Geld von Ihnen verlangen – man müßte sich ja schämen, in dieser Zeit, wo die Menschen verhungern, an seinen eigenen Vorteil zu denken. Ich verfüge über Getreidevorräte, auch habe ich bereits nach Sibirien geschrieben – bis zum nächsten Sommer erhalte ich noch weitere Lieferungen.«

»Gott allein kann Ihnen den großen Dienst vergelten, den Sie mir damit leisten, Afanasij Wasiljewitsch. Ich füge nichts mehr hinzu, denn Sie werden es ja selber fühlen, daß hier jedes weitere Wort meinen Dank nur abschwächen könnte. Aber erlauben Sie mir, hinsichtlich jener Bitte nur noch das eine zu bemerken. Sagen Sie doch selbst: Habe ich denn das Recht, diese Sache auf sich beruhen zu lassen, und wäre es meinerseits anständig gehandelt, wenn ich diesen Gaunern verzeihen würde?«

»Bei Gott, Durchlaucht, so sollte man sie nicht bezeichnen, denn es gibt unter ihnen viele brave Leute. Die Lage der Menschen ist schwierig, Durchlaucht, oft sehr schwierig. Es kommt ja nicht selten vor, daß einer in jeder Beziehung schuldig zu sein scheint, und sieht man näher zu, erweist sich das Gegenteil.«

»Aber was werden die Beteiligten selber sagen, wenn ich die Sache unter den Tisch fallen lasse? Nicht wenige von ihnen werden den Kopf noch höher tragen und triumphieren, sie hätten uns eingeschüchtert. Sie sind die ersten, die uns verachten werden ...«

»Durchlaucht, gestatten Sie mir, Ihnen meine Meinung zu sagen: Lassen Sie sie allesamt rufen und geben Sie die Erklärung ab, daß Sie alles wissen, schildern Sie Ihre Lage genauso, wie Sie das eben mir gegenüber getan haben, und fragen Sie die Leute um Rat, wie sich jeder von ihnen an Ihrer Stelle verhalten würde.«

»Meinen Sie denn wirklich, daß diese Beamten zu anderen Regungen als dem Wunsch, im Trüben zu fischen und sich zu bereichern, überhaupt fähig sind? Glauben Sie mir, sie werden mich nur auslachen.«

»Das setze ich nicht voraus, Durchlaucht. Jeder Mensch, auch der schlechteste, hat Sinn für Gerechtigkeit. Nein, Durchlaucht, Sie haben keinen Grund, Ihre Gefühle zu verbergen. Die Beamten verlästern Sie als einen überheblichen, hochmütigen Menschen, der nichts hören will und selbstgerecht ist – mögen sie nun selber sehen, wie es mit Ihnen in Wirklichkeit bestellt ist. Was kann Ihnen denn passieren? Ihre Sache ist gut und recht. Sprechen Sie so zu ihnen, als legten Sie Ihr Bekenntnis nicht vor Ihren Beamten, sondern vor Gott selber ab.«

»Afanasij Wasiljewitsch, ich werde darüber nachdenken, aber zunächst danke ich Ihnen herzlich für Ihren Rat.«

»Und wie bleibt es mit Tschitschikow, Durchlaucht? Werden Sie den Befehl geben, ihn in Freiheit zu setzen?«

»Sagen Sie diesem Tschitschikow, er solle machen, daß er so schnell wie möglich verschwindet, und je weiter er sich von hier entfernt, um so besser ist es. Aber verzeihen kann ich ihm niemals!«

Murasow verbeugte sich und begab sich direkt zu Tschitschikow. Er fand ihn in bester Stimmung, im Begriff, ein recht ansehnliches Mittagessen in aller Ruhe zu verzehren, das ihm in Schüsseln aus gutem Porzellan aus einer ebenso guten Küche in seine Zelle gebracht worden war. Schon aus seinen ersten Worten konnte der Greis entnehmen, daß Tschitschikow bereits Gelegenheit gehabt hatte, sich mit einigen der kniffeligen Beamten zu besprechen. Er begriff auch, daß der gerissene Rechtsbeistand hier seine Hand im Spiele hatte.

»Hören Sie mal, Pawel Iwanowitsch«, sagte Murasow, »ich bringe Ihnen die Freiheit unter der Bedingung, daß Sie die Stadt sofort verlassen. Packen Sie Ihre Sachen und gehen Sie mit Gott, ohne auch nur eine Minute zu verlieren, denn jede

Verzögerung der Abreise könnte Ihre Sache wieder verschlimmern. Ich weiß, daß Ihnen hier einer Verhaltungsmaßregeln gibt, und kann Ihnen unter vier Augen nur sagen, daß dieser Mensch unrettbar verloren ist, weil noch eine weitere Affäre, bei der er die führende Rolle spielt, ans Tageslicht kommt. Er hat ein Interesse daran, auch andere mit sich ins Unglück zu reißen. Ich habe Sie in einer seelischen Verfassung verlassen, die weit besser war als die, in der Sie sich jetzt befinden. Ich rate Ihnen daher ernstlich, lassen Sie sich von mir warnen. Es kommt nicht auf irdische Güter an, um die sich die Leute streiten und gegenseitig umbringen; als wenn es möglich wäre, sich in diesem Leben bequem einzurichten, ohne an das Jenseits zu denken. Glauben Sie mir, Pawel Iwanowitsch, solange die Menschen nicht darauf bedacht sind, ihren geistigen Besitz zu ordnen, wird auch der irdische nicht in Ordnung kommen. Es werden Zeiten des Hungers und der Armut nicht nur für das ganze Volk, sondern auch für jeden einzelnen kommen ... das ist sicher. Was Sie auch sagen, der Körper hängt von der Seele ab. Wie kann man verlangen, daß alles gut geht? Denken Sie nicht an die toten Seelen, sondern an Ihre eigene lebendige Seele und machen Sie sich mit Gottes Hilfe auf den Weg zu einem neuen und besseren Leben! Auch ich werde morgen verreisen. Verlieren Sie keine Zeit! Es kann Ihnen schlecht gehen, wenn ich nicht zur Stelle bin!«

Damit ging der Alte hinaus. Tschitschikow überlegte. Der Sinn des Daseins schien ihm von neuem bedeutsam. »Murasow hat recht«, sagte er, »es wird Zeit, einen anderen Weg einzuschlagen.« Mit diesen zu sich selbst gesprochenen Worten verließ er das Gefängnis. Der Wachtposten trug ihm die Schatulle nach ... Selifan und Petruschka waren außer sich vor Freude über die Entlassung ihres Herrn. »Nun, meine Lieblinge«, sagte Tschitschikow leutselig, »wir müssen packen und fahren.«

»Fahren wir, Pawel Iwanowitsch«, rief Selifan. »Es ist viel Schnee gefallen, die Straße wird gut sein. Wahrhaftig, es ist Zeit, die Stadt zu verlassen. Sie langweilt mich so, daß ich sie überhaupt nicht mehr sehen mag.«

»Geh zum Wagenbauer und sage ihm, er soll die Kutsche mit Schlittenkufen versehen«, sagte Tschitschikow und begab sich in die Stadt. Zu Abschiedsbesuchen konnte er sich allerdings nicht entschließen – nach allem, was geschehen war, erschien es ihm doch ein wenig peinlich, und zwar um so mehr, als man sich in der Stadt allerhand unerfreuliche Dinge über ihn erzählte. Er vermied es, Bekannten zu begegnen, und stahl sich nur vorsichtig zu jenem Kaufmann, bei dem er den Navarino-Pulverdampf-Stoff mit Feuerschein gefunden hatte, kaufte sich abermals vier Meter für einen Frack nebst Hosen und ging zum gleichen Schneider. Dieser erklärte sich bereit, für den doppelten Preis seinen Eifer ebenfalls zu verdoppeln, und zwang die Schar seiner Gehilfen, die ganze Nacht bei Kerzenlicht mit Nadeln und Bügeleisen unter Zuhilfenahme ihrer Zähne zu arbeiten. Der neue Anzug wurde auch wirklich am nächsten Morgen, wenn auch etwas spät, fertig. Die Pferde waren bereits angeschirrt, doch Tschitschikow wollte den Frack trotzdem noch anprobieren, der genauso saß wie der frühere. Aber o weh! Tschitschikow bemerkte auf seinem Haupte einige silbrig schimmernde Fäden und murmelte schmerzlich: »Warum mußte ich mich meiner Verzweiflung so hingeben, ich hätte es vor allem unterlassen sollen, mir die Haare zu raufen!«

Nachdem er den Schneider bezahlt hatte, fuhr er endlich aus der Stadt hinaus.

Tschitschikow befand sich in einer sonderbaren Stimmung: er war nicht mehr der frühere Tschitschikow, sondern nur noch eine Ruine seiner selbst. Man konnte ihn mit den Trümmern eines Gebäudes vergleichen, das abgetragen worden war, um ein anderes zu errichten. Aber mit dem Neubau war noch nicht begonnen worden, weil der Architekt die Entwürfe noch nicht geliefert hatte und die Arbeiter nicht wußten, was sie tun sollten. Eine Stunde vor Tschitschikow war Murasow zusammen mit Potapow in einem Planwagen davongefahren, und eine Stunde später erging der Befehl des Fürsten an alle Beamten, bei ihm zu erscheinen. Er sei im Begriff, eine Reise nach Petersburg anzutreten, und wünsche sie vorher noch alle ohne Ausnahme zu sehen!

Im großen Hause des Generalgouverneurs versammelte sich die gesamte Beamtenschaft der Stadt vom Gouverneur bis zum letzten Titularrat. Die Kanzleichefs, die Räte, die Assessoren, die Kislojedows, Krasnonosows, Samoswitows – solche, die keine Bestechungsgelder annahmen, und solche, die sich schmieren ließen, solche, die vor ihren Vorgesetzten krochen, ein wenig krochen und gar nicht krochen. Alle sahen nicht ohne Erregung und Unruhe dem Erscheinen des Generalgouverneurs entgegen. Endlich betrat der Fürst den Saal. Er sah weder verstimmt noch heiter aus: sein Blick war ebenso fest wie sein Schritt. Die ganze Versammlung verbeugte sich, manche verneigten sich bis zum Fußboden. Der Fürst seinerseits grüßte mit einer leichten Neigung des Kopfes und begann:

»Bevor ich nach Petersburg fahre, habe ich es für angemessen und wünschenswert gehalten, Sie alle hier zu versammeln und Ihnen teilweise sogar die Gründe für meine Reise zu erklären. Es ist hier eine im höchsten Grade anstößige Sache im Gange. Ich nehme an, daß viele der Anwesenden wissen, welche Angelegenheit ich im Auge habe. Sie hat zur Aufdekkung anderer nicht weniger schmählicher Skandalaffären geführt, in welche sogar Männer verwickelt sind, die ich bisher für vertrauenswürdig und anständig gehalten habe. Bekannt ist mir auch die geheime Absicht, alle diese Dinge zu verwirren und es auf diese Weise unmöglich zu machen, auf dem formalen Rechtswege zum Ziel zu gelangen. Ich weiß auch, wer die Seele des Ganzen ist, obgleich er es sehr geschickt verstanden hat, im Hintergrunde zu bleiben und die Spuren seiner Mitwirkung zu verwischen. Ich bin nun entschlossen, die Sache nicht auf dem üblichen Wege zu verfolgen, sondern sie wie in Kriegszeiten einem schnell arbeitenden Kriegsgericht zu übergeben, und hoffe, daß der Kaiser mich dazu ermächtigen wird, wenn ich Seiner Majestät darüber Bericht erstatte. In diesem Falle, wo keine Möglichkeit besteht, den bürgerlichen Rechtsweg zu beschreiten, wo ganze Aktenschränke plötzlich in Flammen aufgehen und man bemüht ist, durch eine Flut von falschen Aussagen und Denunziationen eine an und für sich schon dunkle Angelegenheit noch mehr zu verdunkeln, halte ich ein kriegsgerichtliches Verfahren für das einzige Mittel und wünsche Ihre Meinung darüber kennenzulernen.«

Der Fürst machte eine Pause, als erwartete er eine Antwort. Alle Anwesenden standen mit gesenkten Blicken da. Viele waren sehr bleich geworden.

»Es ist mir auch ein zweites Vergehen bekannt, obgleich die Schuldigen fest überzeugt sind, daß nichts davon ruchbar geworden sein kann. Auch dieser Fall wird nicht das gewöhnliche Gericht beschäftigen, weil ich selber der Kläger sein und einwandfreie Beweisstücke beibringen werde.«

Einer der Beamten fuhr heftig zusammen und einige der Ängstlichsten gerieten ebenfalls in große Bestürzung.

»Es versteht sich von selbst«, fuhr der Fürst ruhig fort, »daß die Hauptanstifter ihrer Titel und Ränge verlustig gehen und ihr Eigentum verlieren, die anderen werden ebenfalls ihrer Posten enthoben. Selbstverständlich wird es auch viele Unschuldige treffen. Aber das läßt sich nicht ändern – die Sache ist allzu schändlich und das Recht muß unter allen Umständen gewahrt werden. Obgleich ich weiß, daß dies alles kein abschreckendes Beispiel sein wird – an die Stelle der Gemaßregelten treten andere, die um kein Haar besser sind und sich über kurz oder lang ebenfalls als Betrüger und Lumpen entpuppen werden –, obgleich ich das alles nur zu genau weiß, muß ich dennoch so hart verfahren, weil das Recht unter allen Umständen gewahrt werden muß! Ich sehe voraus, daß man mich der erbarmungslosen Grausamkeit beschuldigen wird, ich muß aber gerade die, die mir das vorwerfen werden, zu gefühllosen Werkzeugen der Strafjustiz machen, die über die Häupter derjenigen kommen wird, welche ...«

Ein Zittern überfiel unwillkürlich die Versammelten.

Der Fürst war sehr ruhig. Weder Zorn noch Empörung drückte sich in seinen Gesichtszügen aus.

»Derselbe«, sagte er, »in dessen Händen das Schicksal vieler liegt und bei dem man mit flehentlichen Beschwörungen nichts zu erreichen vermochte, dieser selbe wendet sich jetzt mit einer Bitte an Sie. Ich werde mich für Sie alle verwenden, wenn

Sie meine Bitte erfüllen. Ich weiß, daß keine Drohung, keine Erschütterung, keine Strafe imstande ist, die Lüge auszurotten – sie hat sich schon allzu tief eingefressen. Die schmähliche Gewohnheit, sich bestechen zu lassen, ist selbst solchen Leuten zum Bedürfnis geworden, die von Natur keineswegs schlecht sind. Ich bin mir auch dessen bewußt, daß es vielen schon fast unmöglich ist, gegen den Strom zu schwimmen. Aber ich bin verpflichtet, in einem so entscheidenden, ja heiligen Augenblick, in welchem es gilt, das Vaterland zu retten, und wo jeder Bürger jedes Opfer zu bringen bereit sein muß, Sie alle aufzurufen oder wenigstens diejenigen unter Ihnen, die noch ein russisches Herz in der Brust tragen und mit dem Begriff ‚Edelmut' einen Sinn verbinden. Hat es noch Zweck, darüber Worte zu verlieren, wer von uns mehr oder weniger schuld ist? Möglicherweise bin ich es sogar selbst, der sich am meisten schuldig gemacht hat. Ich habe Sie vielleicht von Anfang an zu rauh angefaßt, bin allzu mißtrauisch gewesen und habe viele zurückgestoßen, die ehrlich bestrebt gewesen sind, mir zu helfen ... Wenn diese wirklich nur das Beste für ihr Vaterland wollten und es über alles liebten, dann hätten sie sich durch mein hochmütiges Wesen nicht gekränkt fühlen und ihren Stolz und ihre verletzte Gegenliebe unterdrücken sollen. Auf die Dauer wäre ja ihre Opferwilligkeit und ihr Streben nach dem Guten nicht unbemerkt geblieben und ihre klugen und nützlichen Ratschläge hätten schließlich Gehör gefunden. Es ist ja doch so, daß der Untergebene sich eher dem Vorgesetzten als der Vorgesetzte sich dem Untergebenen anpassen soll. Jedenfalls ist das zweckmäßiger, denn der Untergebene hat nur einen Vorgesetzten, während der Vorgesetzte Hunderten von Untergebenen übergeordnet ist. Aber lassen wir die Frage beiseite, wer die größte Schuld auf sich geladen hat. Es handelt sich jetzt darum, daß wir alle zusammen unser Vaterland retten müssen, das nicht etwa durch eine Invasion von zwanzig fremden Volksstämmen, sondern durch uns selber gefährdet wird, und daß sich neben der rechtmäßigen Regierung eine andere gebildet hat, die sehr viel mächtiger und stärker als jene ist. Es haben sich gewisse Gepflogenheiten eingebürgert, alles hat seinen Preis, und diese Preise sind bereits allgemein bekannt. Und kein Regent, und wäre er auch weiser als alle sonstigen Regenten und Gesetzgeber, ist stark und mächtig genug, um das Böse aus der Welt zu schaffen, selbst wenn er die schlechten Beamten in ihren Befugnissen beschränkte, indem er sie wieder anderen unterstellte, die jene zu überwachen hätten. Alles wird und muß vergeblich sein, wenn nicht jeder von uns fühlt, daß er sich, wie einst in den Zeiten der Volksaufstände, bewaffnen muß, um gegen die Lüge zu kämpfen. Als Russe, der durch Bande des gleichen Blutes mit Ihnen allen eng verbunden ist, wende ich mich an Sie und insbesondere an alle die, die eine edle Gesinnung haben. Ich fordere Sie auf, sich der Verantwortung Ihrem irdischen Beruf gegenüber tiefer bewußt zu werden, weil diese uns nur dunkel und unklar vorschwebt und weil wir kaum ...«

ANHANG

ANMERKUNGEN

7 *Tulasilber* – Die Stadt Tula war im 19. Jh. für feine Silberarbeiten bekannt.

8 *Spagat* – Bindfaden, Leine.

21 *Kameralhof* – Finanz- und Verwaltungsbehörde.

34 *»Sohn des Vaterlandes«* – bekannte konservative Zeitschrift.

39 *Revisionsliste* – Namensliste der leibeigenen Bauern im Besitz eines Gutsbesitzers, die dieser bei der Revision zur Festlegung seiner Steuern abgeben mußte.

57 *Kutusow* – M. I. Kutusow (1745–1813), russischer Feldmarschall, Held des »Vaterländischen Kriegs«, der Napoleon durch den Sieg bei Smolensk endgültig in den verlustreichen Rückzug zwang.
Kaiser Paul Petrowitsch – (1754–1801), Sohn Katharinas II., regierte von 1796 bis zu seiner Ermordung 1801.

72 *in Frankreich demnächst bevorstehende Revolution* – gemeint sind die unruhigen Zeiten in Frankreich unter Louis Philippe seit der Julirevolution (1830) bis 1840 mit ihren republikanischen Aufständen, Umsturzversuchen, Attentaten etc.
eine moderne Richtung des Katholizismus – in der 1. Hälfte des 19. Jh. verstärkte sich auch in Rußland der Einfluß der katholischen Kirche (katholische Romantik), v. a. bei Hofe. Die Konversion zum Katholizismus war regelrecht Mode, hauptsächlich unter Aristokraten (z. B. Fürstin S. Wolkonskaja, eine Bekannte Gogols, oder Graf A. Ch. Benkendorf, der Chef der Geheimpolizei). In Rom bemühte sich die Wolkonskaja mit Beistand von Jesuiten, auch Gogol für den Katholizismus zu gewinnen.

82 *Opodeldok* – eine Art Kampferbalsam zum Einreiben bei rheumatischen Schmerzen.

93 *»Marlborough s'en va-t-en guerre«* – bekanntes französisches Spottlied auf den Herzog von M. (im Lied zu Malbrough verballhornt), englischer Feldherr im Spanischen Erbfolge-

krieg, das in den Napoleonischen Kriegen viel gesungen wurde, angeblich auch von Napoleon selbst.

108 *Suworow* – A. W. Suworow (1730–1800), russischer Feldherr, erwarb sich v. a. in den Kriegen Katharinas II. Ruhm und Volkstümlichkeit.

118 *Maurokordato* – Alexander Maurokordato (1791–1865), Andreas Vokos Miauli (1763–1835), Konstantin Kanari (1790 bis 1877) – berühmte Anführer im griechischen Freiheitskrieg gegen die Türken (1821–28).

Fürst Bagration – Pjotr Iwánowitsch Bagratión (1765–1812), einer der Helden des vaterländischen Krieges gegen Napoleon, fiel in der Schlacht bei Borodinó.

Bobélina – Heldin im griechischen Freiheitskrieg. Als Witwe eines reichen Kaufmanns, den die Türken ermordet hatten, setzte sie ihr gesamtes Vermögen im Kampf gegen die Türken ein, an dem sie persönlich teilnahm. In Rußland wurde sie sehr populär, ihr Volksbilderbogenporträt hing bei Reich und Arm, ihr Name stand für »große, starke Frau«.

128 *Kolokotronis, Theodor* (1770–1843) – Haupt der bäuerlichen Partisanenbewegung gegen die Türken.

163 *Tombak* – Kupfer-Zinn-Legierung.

174 *Zarewo-Kokschaisk* – heute Joschkar-Ola, Hauptstadt der Mari ASSR (Wolga-Wjatka-Wirtschaftsraum).

Wesjegonsk – Bezirksstadt im (ehem.) Gouvernement Twer.

Babchenspiel – Knöchelspiel.

175 *Burlak* – Treidler.

177 *Themispriester* – nach der griechischen Mythologie waltet die Titanin Themis, Tochter des Uranos und der Gaia, als Göttin der Gerechtigkeit und Gesetzlichkeit unter Göttern und Menschen.

181 *Vergil dem Dante* – in Dantes »Göttlicher Komödie« geleitet der römische Dichter Vergil den Dante durch die Hölle und das Fegefeuer.

Spiegeltisch – im Sitzungssaal mußte nach einem Ukas Peters I. auf dem Tisch vor jeder Amtsperson eine dreikantige Spiegelpyramide stehen, die mit dem Zarenadler gekrönt war und auf deren Spiegelflächen die Prozeßordnung stand.

197 *Lancastersche Methode* – nach Joseph Lancaster (1778–1838), der 1798 in einem Londoner Armenviertel eine unentgeltliche Grundschule einrichtete, wo der Lehrer nur die besten Schüler unterrichtete, die den Stoff dann an die anderen weitergaben.

Nach diesem Beispiel wurden im ganzen Land Grundschulen eingerichtet.
Strukowskijs Ljudmilla – hier irrtümlich für Wassílij Andréjewitsch Schukówskij (1783–1852), den russischen Vorromantiker, Freund und Gönner Gogols, der 1808 mit seiner Nachdichtung von G. A. Bürgers »Lenore«, der damals außerordentlich populären »Ljudmílla«, eine neue Balladentradition in Rußland einleitete.

198 *Youngs »Nächte«* – Edward Young (1683–1765) mit seinem berühmten Gedicht »The Complaint, or Night Thoughts on Life, Death and Immortality« (1742);
Eckartshausen, Karl von (1752–1803) – Autor von Erbauungsliteratur.
Karamsín, Nikoláj Michájlowitsch (1766–1826) – als Schriftsteller Begründer des russischen Sentimentalismus, als Historiker verfaßte er eine zwölfbändige »Geschichte des russischen Staates«, mit der er entscheidend zur Ausbildung eines nationalen Geschichtsbewußtseins beigetragen hat.
die »Moskauer Zeitung« – bestand 1756–1917.

211 *Swonskijs, Linskijs, Lidins, Tremins* – Romanhelden aus Werken von A. A. Bestúschew-Marlínskij (1797–1837), einem in den dreißiger Jahren sehr populären Autor, Vertreter v. a. der Kaukasusromantik.

233 *Rinaldo Rinaldini* – italienischer Räuber, Titelheld eines Romans von Christian August Vulpius (1762–1827), der Anfang des 19. Jahrhunderts auch in Rußland sehr populär war.

246 *Solwytschegódsk* – Stadt im Gouvernement Wologdá; Ustsysólsk – Stadt im Gouvernement Archángelsk.

255 *Feldzug von 1812* – gemeint der »Vaterländische Krieg« oder Befreiungskrieg gegen Napoleon.
bei Krasnoje oder bei Leipzig – Krasnoje bei Smolensk war Schauplatz einer Schlacht (August 1812) gegen Napoleon, ebenso Leipzig (»Völkerschlacht bei Leipzig« im Oktober 1813).

256 *Newskijprospekt, Gorochowája, Litéjnaja* – breite Straßen im Zentrum von St. Petersburg.
eine Turmspitze – die vergoldete Turmnadel und das darauf als Wetterfahne befestigte Segelschiff auf der Admiralität gilt als Wahrzeichen der Stadt.
die reine Semiramis – Petersburg wird die »Semiramis des Nordens« genannt nach der legendären Königin von Assyrien

und ihren »hängenden Gärten«, einem der sieben Weltwunder.

zehn blauen Scheinen – ein blauer Schein = fünf Papierrubel. Das unter Katharina II. eingeführte Papiergeld war in der ersten Hälfte des 19. Jhs. im Wert gegenüber dem Silber gesunken, so daß praktisch zwei Währungen existierten. Einem Silberrubel entsprachen damals vier Papierrubel.

259 *die Reihenläden des Miljútinschen Kaufhofs* – ein Delikateßgeschäft mit Imbißstube im alten Petersburg.

264 *daß Napoleon der Antichrist sei* – Die Altgläubigen hatten bereits Peter I. (wegen seiner Politik, Rußland nach dem ›ungläubigen‹ Westen hin zu öffnen) mit dem Antichrist identifiziert, in der zweiten Hälfte des 18. Jahrhunderts verstärkten sich Weissagungen vom nahenden Weltende, die dann in den napoleonischen Kriegen neue Nahrung erhielten, zumal sich aus dem Namen Napoleons, zu Napoleontij verballhornt, angeblich die apokalyptische Zahl 666 (vgl. Offenbarung Johannis 13,18) errechnen ließ.

von der Neigung zum Mystizismus – eine geistige Mode im zweiten Jahrzehnt des 19. Jhs., von der man auch bei Hofe erfaßt war; hier spielten u. a. die Schriften des deutschen Mystikers und Geistersehers Jung-Stilling eine bedeutende Rolle.

270 *Herzogin von Lavallière* – Roman der damals sehr populären französischen Autorin Stephanie Comtesse de Genlis (1746 bis 1830).

291 *Krylów, Iwán Andréjewitsch* (1769–1844) – Fabeldichter, der »russische Lafontaine«.

297 *Empfehlungsschreiben des Fürsten Chowánskij* – der Name Chowanskij ist von »chowat« (heimlich auf die Seite schaffen, wegstehlen) gebildet.

339 *Gehorchszahlungen* – die Frohne (barschtschina).

396 *Franklins Blitzableiter* – Benjamin Franklin (1706–90), amerikanischer Staatsmann und Schriftsteller, der sich auch durch seine physikalischen Arbeiten einen Namen machte, u. a. durch den Blitzableiter.

467 *Sektierer* – hier die Altgläubigen gemeint, vgl. Anm. zu S. 264, d. h. diejenigen orthodoxen Christen, die die Kirchenreformen Mitte des 17. Jhs. ablehnten und deshalb von Staat und Kirche als Häretiker verfolgt wurden.

LITERATURHINWEISE

in Auswahl für den interessierten deutschen Leser. Für weitere Spezialliteratur, v. a. auch russische, sei auf die u. g. Bibliographie verwiesen, außerdem bieten die meisten der angeführten Arbeiten eine Auswahlbibliographie im Anhang.

Bibliographie

Frantz, Philip E.: Gogol. A Bibliography, Ann Arbor 1989.

Originalausgaben

Pochoždenija Čičikova ili Mertvye duši. Poéma N. Gogolja. Moskva 1842. – 2. izd. Moskau 1846.

Sočinenija Nikolaja Vasil'eviča Gogolja, najdennye posle ego smerti. Pochoždenija Čičikova ili Mertvye duši. Poéma N. V. Gogolja. Tom vtoroj (5 glav). Moskva 1855.

Heute grundlegend die historisch-kritische Ausgabe: N. V. Gogol: Polnoe sobranie sočinenij. Izd. ANSSSR, Leningrad 1940–52 (14 Bände). Darin 6 (Band 1) und 7 (Band 2), beide 1951.

Übersetzungen

Die todten Seelen. Ein satyrisch-komisches Zeitgemälde. Deutsch von Ph. Löbenstein. Leipzig 1846.

Paul Tschitschikows Irrfahrten oder Die toten Seelen. Satirisch-komisches Gemälde. Deutsche Bearb. H. S. Rehm. Leipzig 1913 (Verein der Humorfreunde, Bd. 1).

Die toten Seelen. Roman. Übers. O. Buek (2 Tle.). Leipzig 1914 ff.

Die Abenteuer Tschitschikows oder Die toten Seelen. Übers. A. Eliasberg. Potsdam 1921.

Tote Seelen oder Tschitschikows Abenteuer. Ein Poem. Übers. von S. v. Radecki. Berlin 1938.

Die toten Seelen. Übers. von F. Ottow. München 1949.

Tote Seelen. Übers. W. Kasack. Gesammelte Werke in 5 Bänden, Stuttgart 1981 ff., Band 2, 1988.

Dramatisierung

Bulgakov, Michail: Mertvye duši. Komedija po poéme Gogolja »Mertvye duši«. 12 kartin s prologom. Moskau 1936.

Zu Leben und Werk

Braun, Maximilian: N. W. Gogol – Eine literarische Biographie. München 1973.
Bryusov, Valery: Burnt to Ashes. (1909) In: Maguire, Robert A. L. Gogol from the Twentieth Century. Eleven Essays. Princeton 1974.
Gogol, Nikolai: Die Beichte des Autors. In: Ders.: Aufsätze und Briefe. Weimar/Berlin 1977. Bzw. Gesammelte Werke, Bd. 4, Stuttgart 1981.
Keil, Rolf-Dietrich: Nikolai W. Gogol. Mit Selbstzeugnissen und Bilddokumenten dargestellt. Reinbek bei Hamburg 1985.
Mereschkowskij, Dimitrij: Gogol – sein Werk, sein Leben und seine Religion. München und Leipzig 1914.
Nabokov, Vladimir: Nikolaj Gogol. (1944) Reinbek 1990.
Setschkareff, Vsevolod: N. V. Gogol – Leben und Schaffen. Berlin 1953.
Troyat, Henry: Gogol. Paris 1971.
Tynjanov, Jurij: Dostoevskij und Gogol' (Zur Theorie der Parodie). In: Texte der Russischen Formalisten. Band I, München 1969. S. 301–371.
Zenkovskij, V. V.: Gogol als Denker. In: Zeitschrift f. slav. Philologie IX (1932) S. 104–130.

Zum Roman

Bachtin, Michail M.: Rabelais und Gogol. Die Wortkunst und die Lachkultur des Volkes. (1940/1070) S. 338–348 in: ders., Die Ästhetik des Wortes. Hrsg. v. R. Grübel. Frankfurt 1979.
Gerhardt, Dietrich: Gogol und Dostoevskij in ihrem künstlerischen Verhältnis. Leipzig 1941.
Gerigk, Horst-Jürgen: Die toten Seelen. In: Der russische Roman. Düsseldorf 1979. S. 86–110.
Gogol, Nikolai: Vier an verschiedene Personen gerichtete Briefe, die

»Toten Seelen« betreffend. In: Ders.: Aufsätze und Briefe. Weimar/Berlin 1977. Bzw. Gesammelte Werke, Band 4, Stuttgart 1981.

Lotman, Jurij: Gogol's »Tale of Captain Kopejkin«: Reconstruction of the Plan and Ideo-Compositional Function. In: Ju. M. Lotman, B. A. Uspenskij: The Semiotics of Russian Culture. Ed. by Ann Shukman. Ann Arbor 1984.

Mereschkowski, Dmitrij: Gogol und der Teufel. (1904). München 1963.

Terz, Abram (d. i. Sinjavskij, Andrej): Im Schatten Gogols. Berlin 1979.

ZEITTAFEL

1809 Am 20. März wurde Nikolái Wassíljewitsch Gógol in Bolschíje Sorotschínzy (Gouvernement Poltáwa) als Sohn von Márja Iwánowna und Wassílij Afanássjewitsch Gógol-Janówskij geboren.

1818 wurde G. auf die Schule in Poltáwa geschickt,

1821 aufs Gymnasium in Néschin.

1825 Im März starb sein Vater.

1828 Schulabschluß. Im Dezember ging G. nach Petersburg.

1829 In Petersburg bemühte er sich erfolglos um eine Stelle im Staatsdienst. Er veröffentlichte anonym ein Gedicht (ITALIEN) in der Zeitschrift *Syn Otétschestwa* (Sohn des Vaterlands). Die Idylle HANZ KÜCHELGARTEN, die G. unter dem Pseudonym W. Alow drucken ließ, erhielt schlechte Kritiken, weshalb er sie wieder einzog und verbrannte. Im August–September unternahm er eine Reise nach Lübeck, Travemünde und Hamburg. Danach (November bis März) erhielt er eine Stelle im Innenministerium.

1830 veröffentlichte G. anonym die Erzählung BISSAWRJÚK, ODER DER ABEND VOR DER JOHANNISNACHT. KLEINRUSSISCHE ERZÄHLUNG, ERZÄHLT VOM KÜSTER DER KIRCHE VON POKRÓWSK in den *Otétschestwennye Zapíski* (Vaterländische Annalen), die später in Teil I von ABENDE AUF DEM VORWERK BEI DIKÁNKA aufgenommen wurde. Im April wurde G. Schreiber im Innenministerium, im Juni erfolgte die Ernennung zum Kollegienregistrator. Im selben Jahr veröffentlichte er anonym einige Kapitel aus einem historischen Roman DER HETMAN in einem Almanach. Im Winter lernte er den Dichter W. A. Schukówskij und den Pädagogen

P. A. Pletnjów in Petersburg kennen, mit denen ihn eine lebenslange Freundschaft verband.

1831 veröffentlichte G. unter Pseudonym ein Kapitel aus einem ukrainischen Roman (Der schreckliche Eber) in *Literatúrnaja Gaséta* (Literaturzeitung), außerdem »Einige Gedanken über den Geographieunterricht für Kinder«. G. wurde Geschichtslehrer an einem Mädchenpensionat, man ernannte ihn zum Titularrat; daneben erteilte er Privatstunden. Im Mai lernte er endlich A. S. Puschkin kennen. Im September erschien Abende auf dem Vorwerk bei Dikánka (Teil I), eine Sammlung ukrainischer Erzählungen.

1832 Im März erschien Abende auf dem Vorwerk bei Dikánka (Teil II). Im Sommer ging G. nach Moskau, wo er Bekanntschaft mit dem Historiker M. Pogódin und der Familie Aksákow – v. a. mit dem Vater Sergéj Timoféjewitsch, einem bedeutenden Schriftsteller, und den Söhnen Konstantin und Iwan, den bekannten Slawophilen – schloß, später auch mit dem Philosophen und Slawophilen I. Kiréjewskij. Im Winter kehrte er nach Petersburg zurück.

1833 In einer Benefizvorstellung wurde in Petersburg u. a. die Erzählung Die Nacht vor Weihnachten (Abende auf dem Vorwerk bei Dikánka, I) aufgeführt. G. beschäftigte sich mit ukrainischer Geschichte, ukrainischen Liedern. Er las Puschkin Die Geschichte, wie sich Iwán Iwánowitsch mit Iwán Nikíforowitsch verzankte vor. G. bewarb sich erfolglos um eine Professur für allgemeine Geschichte in Kiew.

1834 Im April erschien Die Geschichte, wie sich Iwan Iwanowitsch mit Iwan Nikíforowitsch verzankte. G. bemühte sich um eine Professur in Petersburg und wurde zum Adjunktprofessor am Lehrstuhl für Allgemeine Geschichte ernannt. Im September hielt er seine erste Vorlesung (»Über das Mittelalter«).

1835 Im Januar erschien Arabesken, ein Sammelband mit Erzählungen (Das Porträt, Newskij Prospekt,

AUFZEICHNUNGEN EINES WAHNSINNIGEN) und Aufsätzen zu Geschichte, Geographie, Kunst und Literatur; außerdem erschien MÍRGOROD, ein weiterer Zyklus ukrainischer Geschichten. Die Zeitschrift *Moskówskij Nabljudátel* (Moskauer Beobachter) lehnte G.s Erzählung DIE NASE ab. G. mußte seine Lehrtätigkeit an der Mädchenschule aufgeben. Er begann mit der Arbeit an DIE TOTEN SEELEN und erbat sich bei Puschkin ein Sujet für eine Komödie (DER REVISOR). Im Dezember wurde er auch von der Universität entlassen.

1836 In Puschkins Zeitschrift *Sowreménnik* (Der Zeitgenosse) erschienen die Erzählungen DIE KALESCHE, DER MORGEN EINES VIELBESCHÄFTIGTEN MANNES, außerdem Rezensionen. In Petersburg hatte die Komödie DER REVISOR Premiere, später wurde sie auch in Moskau aufgeführt. Danach verließ Gogol fluchtartig Rußland und reiste über Deutschland (Hamburg/Düsseldorf/Aachen/Köln/Frankfurt/Baden-Baden) und die Schweiz (Genf) nach Paris. DIE NASE wurde im dritten Band des *Sowreménnik* veröffentlicht. In Paris lernte G. u.a. den polnischen Dichter Adam Mickiéwicz kennen; er nahm Italienisch-Unterricht.

1837 G. blieb bis März in Paris, wo er an DIE TOTEN SEELEN arbeitete. Die Nachricht von Puschkins Tod erschütterte ihn zutiefst. Er reiste nach Rom, wo er u.a. den Maler A. A. Iwánow kennenlernte. Pogódin antwortete er auf dessen Aufforderung, nach Rußland zurückzukommen: »Wozu? doch nicht, um das ewige Schicksal der Dichter in unserer Heimat zu wiederholen?« Dann bemühte er sich über die Vermittlung Schukówskijs, vom Zaren eine Art Pension zu bekommen, »um die von mir begonnene große Arbeit fortzusetzen, die zu schreiben mir Puschkin das Versprechen abgenommen hat«, ohne Erfolg. Im Sommer reiste er nach Baden-Baden, wo er Freunden die beiden ersten Kapitel von DIE TOTEN SEELEN vorlas. Seit Oktober war er wieder in Rom, wo er an DIE TOTEN SEELEN weiterarbeitete.

1838 blieb er bis Juni in Rom, dann reiste er nach Neapel, fühlte sich krank. Er bat Pogódin um Geld. Im August fuhr er nach Paris, Ende September wieder zurück nach Rom. Er überarbeitete seine Komödie DER REVISOR. Im Dezember zogen er und Schukówskij eine Woche lang mit dem Zeichenblock durch »sein« Rom.

1839 Rom. Im April/Mai pflegte G. den tuberkulosekranken jungen Grafen I. M. Wjelgórskij, der am 21. Mai in seinen Armen starb. Im Juni reiste G. über Marseille und Wien nach Hanau, wo er den Dichter P. Jasýkow kennenlernte, machte dann eine Kur in Marienbad (Juli bis August), traf sich mit Pogódin in Wien und reiste mit ihm nach Rußland. In Moskau sah er sich eine Aufführung von DER REVISOR an. Ende Oktober fuhr er mit den Aksákows nach Petersburg. Bei seinem Schulfreund N. Prokopówitsch las er die ersten vier Kapitel aus DIE TOTEN SEELEN vor. Traf sich mit dem Literaturkritiker W. G. Belínskij. Reiste mit den Aksákows nach Moskau zurück, wo er die drei ersten Kapitel aus DIE TOTEN SEELEN vorlas.

1840 G. blieb bis Mitte Mai in Moskau. Dort las er bei I. Kiréjewskij und den Aksákows weitere Kapitel aus DIE TOTEN SEELEN vor. Er lernte den Dichter M. Ju. Lérmontow kennen, der an G.s Namenstag aus seinem Poem MZYRI rezitierte. Im Mai reiste G. nach Italien ab und versprach, in einem Jahr zurückzukehren und den ersten Band von DIE TOTEN SEELEN zum Druck mitzubringen. Die Reise ging über Warschau und Krakau nach Wien, wo G. intensiv an einem historischen Drama arbeitete, aber auch sehr krank wurde, an einer Art »Nervenfieber« litt. Im September reiste er dann über Venedig nach Rom, um die Endredaktion des ersten Bandes von DIE TOTEN SEELEN vorzunehmen. Außerdem überarbeitete er auch seine Erzählungen DAS PORTRÄT, TARAS BULBA und sein Theaterstück DER REVISOR.

1841 Bis August blieb G. in Rom, wo er einem Bekannten die ersten sechs Kapitel von DIE TOTEN SEELEN diktierte. Dann fuhr er nach Deutschland (Düsseldorf/Frankfurt/Hanau), um Schukówskij zu treffen. Von dort ging es im September über Petersburg nach Moskau, wo er bei den Aksákows die letzten fünf Kapitel von DIE TOTEN SEELEN vorlas. Er reichte das Manuskript im Dezember bei der Zensur ein, holte es aber wegen der drohenden Ablehnung wieder zurück und gab es Belínskij für die Zensur nach Petersburg mit.

1842 G. war beunruhigt über die schleppende Behandlung seiner Angelegenheit bei der Petersburger Zensur. Er las bei Aksákows seine Erzählung ROM vor. Bot dem *Sowremennik* die Erzählung DAS PORTRÄT in der neuen Fassung an. Im März endlich kam die Genehmigung der Zensur für DIE ABENTEUER TSCHITSCHIKOWS ODER DIE TOTEN SEELEN, (wie der Zensor umformuliert hatte) Band 1, ohne »Die Geschichte vom Hauptmann Kopéjkin« (Kap. 10), die G. daraufhin überarbeitete. Mitte Mai erschien das Buch mit dem überarbeiteten 10. Kapitel. G. reiste über Petersburg, Berlin nach Bad Gastein zu Jasýkow. Inzwischen bereitete N. Prokopówitsch eine vierbändige Werkausgabe vor. Bereits im Juni erschienen die ersten Besprechungen. Im Moskauer Bolschoi-Theater wurden im September KOMISCHE SZENEN AUS DEM NEUEN POEM DIE TOTEN SEELEN aufgeführt. Im Oktober kam G. mit Jasýkow für den Winter nach Rom, von wo er bald die dramatischen Szenen HEIMFAHRT AUS DEM THEATER NACH DER AUFFÜHRUNG EINER NEUEN KOMÖDIE an N. Prokopówitsch schickte. Er arbeitete inzwischen am 2. Band der TOTEN SEELEN. Eine weitere Liebhaberaufführung von 2 Szenen aus DIE TOTEN SEELEN fand im Alexanderlyzeum statt, weshalb G. über Freunde in Moskau versuchte, derartige Aufführungen seiner Werke ohne sein Wissen verbieten zu lassen. Im Dezember fand die Premiere von DIE HEIRAT in Petersburg statt.

1843 Bis Ende April blieb G. in Rom. Im Januar kam die Zensurerlaubnis für Bd. 3 und 4 der Werkausgabe, wo erstmals DER MANTEL, DIE HEIRAT und HEIMFAHRT AUS DEM THEATER… publiziert wurden. Im Februar wurden DIE HEIRAT und DIE SPIELER erstmals im Moskauer Bolschoi-Theater aufgeführt. Im April wurde DIE SPIELER in Petersburg gegeben. Im Mai verließ G. Rom und reiste nach Gastein zu Jasýkow, von dort nach München/Frankfurt/Stuttgart/Ems/Düsseldorf/Baden-Baden, wo er bis Ende August blieb. Dann fuhr er zu Mickiéwicz nach Karlsruhe, von dort im September nach Düsseldorf zu Schukówskij. Mit der Werkausgabe war er sehr unzufrieden. Dann bat er Schewyrjów, eine zweite Auflage von DIE TOTEN SEELEN vorzubereiten. Den Winter verbrachte G. in Nizza bei der Familie Wjelgórskij, wo er am 2. Band von DIE TOTEN SEELEN arbeitete.

1844 blieb G. bis März in Nizza. Im Februar bat er Schewyrjów, die 2. Auflage von DIE TOTEN SEELEN zu stornieren, außerdem in seinem Namen den Moskauer Freunden DIE NACHFOLGE CHRISTI von Thomas a Kempis zu schenken. Im März reiste er nach Darmstadt/Frankfurt zu Schukówskij, wo er mit kurzen Unterbrechungen bis Ende Juli blieb. In seinen Briefen klagte er, daß die Arbeit an DIE TOTEN SEELEN nur mühsam voranginge. Ende Juli fuhr G. nach Ostende. Von Ende September bis Januar 1845 lebte er wieder in Frankfurt bei Schukówskij und arbeitete weiter am 2. Band von DIE TOTEN SEELEN. In einem Brief an Schewyrjów und Pletnjów in Moskau bat G., aus dem Erlös seiner Werke einen Fonds zur Unterstützung notleidender begabter Studenten der Moskauer u. Petersburger Universität zu gründen.

1845 In einem Brief an Jasýkow klagte er über seine Gesundheit, über »Nervenzerrüttung«. Zur Zerstreuung fuhr er nach Paris. Im März kehrte G. wieder nach Frankfurt zu Schukówskij zurück (bis Mai). Durch Fürsprache einer Bekannten beim Zaren wurde ihm angesichts seines kränklichen Zustands (er litt an schweren nervösen und Arbeits-Störungen) auf drei Jahre eine Pension von jährlich tausend Silberrubeln ausgesetzt. Im April unternahm G. einen Versuch, im Streit zwischen Westlern und Slawophilen zu vermitteln. Mai und Juni verweilte er zur Kur in Bad Homburg. Ende Juni/ Anfang Juli verbrannte er den 2. Band von Die toten Seelen. Dann fuhr er von Arzt zu Arzt über Halle und Berlin nach Dresden zu Carus, der Gogol nach Karlsbad zur Kur schickte. Da sich sein Befinden verschlechterte, fuhr er über Prag nach Gräfenberg zu einer Wasserkur, im Oktober wieder zu einem Arzt in Berlin, der »Nervenzerrüttung... v. a. im Magenbereich« diagnostizierte und zur Rückkehr nach Rom riet.

1846 G. blieb bis Anfang Mai in Rom. Er fühlte sich immer noch krank, arbeitete aber wieder am 2. Band von Die toten Seelen. Im Januar erschien in Leipzig Die todten Seelen. Ein satyrisch-komisches Zeitgemälde in der Übersetzung von Ph. Löbenstein. Im Mai reiste G. über Genua/Nizza/Paris/Frankfurt nach Gräfenberg zur Kur, die diesmal keine Erleichterung brachte. Im Juli beauftragte er Schewyrjów, eine zweite Ausgabe von Die toten Seelen, Band I, und Pletnjów, Ausgewählte Stellen aus einem Briefwechsel mit Freunden zu drucken. August und September verbrachte er zu einer Heilkur in Ostende, arbeitete aber auch an den Ausgewählten Stellen sowie einem Vorwort zur zweiten Ausgabe von Die toten Seelen, Band I. Im Oktober beendete er in Frankfurt bei Schukówskij die Ausgewählten Stellen, außerdem schrieb er Die Auflösung des Revisor. Mitte November war G. wieder in Rom, von wo er seiner Mutter einen Auszug aus seinem Testament schickte und dann für den Winter nach Neapel weiterfuhr. In Moskau protestierte S. Aksákow bei Pletnjów gegen die Veröffentlichung von Ausgewählte Stellen und den Revisor-Nachträgen. In diesem Jahr erschien in Leipzig die deutsche Übersetzung von Die Geschichte, wie sich Iwán Iwánowitsch mit Iwán

Nikíforowitsch verzankte in: *Nordisches Novellenbuch* I. Band II enthielt Taras Bulba, Aufzeichnungen eines Wahnsinnigen, Die Kalesche, Gutsbesitzer aus alter Zeit, der Vij nach der französischen Übersetzung von Louis Viardot.

1847 Tod des Freundes N. M. Jazýkow. In Petersburg erschienen die Ausgewählten Stellen aus einem Briefwechsel mit Freunden (»... mein erstes Buch, das was taugt«), die sogleich im 2. Band des *Sowreménnik* von Belínskij verrissen wurden. Zur selben Zeit schrieb G. erstmals an den Priester M. A. Konstantinowski. Mitte Mai reiste G. aus Neapel ab über Genua/Marseille/Paris nach Frankfurt, wo er einen Monat bei Schukówskij blieb. Er schrieb eine Ergänzung zur Auflösung des Revisor und arbeitete an seiner sog. Autorbeichte. Im Juli bekam er Belínskijs berühmten Anklagebrief vom 15.6.1847. Mitte Juli reiste G. mit Schukówskij nach Bad Ems, dann weiter zum Baden nach Ostende, wo er bis Ende September blieb. Dann fuhr er über Marseille und Nizza wieder nach Italien, um den Winter in Neapel zu verbringen.

1848 Wegen politischer Unruhen brach G. vorzeitig von Neapel zu einer Pilgerreise auf und reiste nach Malta, von dort mit dem russischen Generalkonsul in Syrien und Palästina, einem Schulfreund, nach Jerusalem, wo er Mitte Februar ankam. Mitte März reisten sie nach Beirut und im April über Smyrna nach Konstantinopel weiter, von dort fuhr G. nach Odessa, wo er in die Cholera-Quarantäne geriet. Anfang Mai endlich konnte er nach Wassiljewka weiterreisen, wo er bis August blieb. Im September kam G. über Petersburg wieder nach Moskau und arbeitete an Die toten Seelen, Band 2.

1849 Mit dem Frühjahrshochwasser verschlechterte sich Gogols Zustand, er bekam Depressionen, fühlte sich »erstarrt«. In Wassiljewka herrschte Hungersnot, G. schickte Geld. Im Mai erkrankte er. Im Sommer beschäftigte er sich mit Materialsuche für Die toten

Seelen, Band II und unternahm verschiedene kürzere Fahrten in die weitere Umgebung Moskaus. Im Juli las er erstmals bei Bekannten im Gouvernement Kaluga einige Kapitel aus dem zweiten Band der Toten Seelen vor. Zurück in Moskau las er auch auf Schewyrjóws Datscha sowie bei den Aksákows aus dem zweiten Band vor. Im Winter verfiel G. wieder in schlechte Stimmung, kam mit der Arbeit nicht voran.

1850 Im Frühjahr las G. Kapitel 1, 2 und 3 aus dem zweiten Band verschiedenen Moskauer Freunden vor, die sehr angetan waren. Erneute Krankheit. Danach schrieb er auf Bitten Schukówskijs eine ausführliche Beschreibung seiner Eindrücke von Palästina. Über die Vermittlung von Moskauer Bekannten machte G. im Frühjahr A. M. Wjelgórskaja einen Heiratsantrag, den sie aber ablehnte. Im Juni reiste er in den Süden, besuchte unterwegs Freunde und Bekannte und kam im Juli nach Wassiljewka, wo er den Sommer verbrachte. Er las Mutter und Schwestern aus dem zweiten Band der Toten Seelen vor. Ende Oktober reiste G. nach Odessa, um dort den Winter zu verbringen. Im Dezember schrieb er Schukówskij, daß er sich mit der Arbeit dem Ende nähere.

1851 Ende März reiste er aus Odessa ab. Unterwegs traf er sich mit seiner Familie, um gemeinsam nach Wassiljewka zu fahren. Im Juni war er wieder in Moskau. Im Juli/August besuchte er Schewyrjów in dessen Datscha und las sieben neue Kapitel aus dem zweiten Band von Die toten Seelen vor. Auf die Nachricht von der Erkrankung der Mutter reiste er aus Moskau ab, um sie zu besuchen; doch unterwegs im Kloster Óptina pústyn fühlte er sich so krank, daß er beschloß, nach Moskau zurückzukehren. Im Oktober lernte er I. S. Turgénjew kennen. Im Dezember erschien in Leipzig die deutsche Übersetzung von Der Mantel, Gutsbesitzer aus alter Zeit, Die schreckliche Rache und Die Mainacht.

1852 Im Januar beendete er den zweiten Band von Die

TOTEN SEELEN. Ende Januar starb Frau E. M. Chomjakówa, eine Schwester N. M. Jazýkows, was G. so erschütterte, daß er sich auf den Tod vorzubereiten begann. Er führte die so folgenreichen Gespräche mit Pater Matwej Konstantinowskij, der ihn aufforderte, sich von der Schriftstellerei, v. a. aber von Puschkin, »dem Sünder und Heiden«, loszusagen. Im Februar begann G. ein besonders strenges vorösterliches Fasten, schrieb seinen letzten Brief an die Mutter und bat einen Freund, die Manuskripte seiner Werke dem Metropoliten Filaret zur Entscheidung darüber zu geben, was gedruckt und was vernichtet werden solle. Der Freund, der G. von seinen Todesgedanken abbringen wollte, weigerte sich – da verbrannte G. in der Nacht vom 11. auf den 12. Februar das vermutlich druckfertige Manuskript des zweiten Bandes von DIE TOTEN SEELEN. Am nächsten Tag gestand er dem Freund, er habe versehentlich nicht das verbrannt, was er vernichten wollte. Von da an lehnte G. jegliche Nahrung, jede medizinische Hilfe ab, verfiel in Apathie, dann in Bewußtlosigkeit und starb am 21. Februar. Am 25. Februar wurde er auf dem Friedhof des Danilow-Klosters begraben.

NACHWORT

Hundertfünfzig Jahre sind vergangen, seit N. W. Gogol den ersten Band der »Toten Seelen« veröffentlicht hat, ein Werk, das zu einem der bekanntesten und beliebtesten der russischen Literatur, ja zu einem ihrer Höhepunkte werden sollte. Und das, obwohl das Buch ein Torso geblieben ist, den Gogol nie mehr hat vollenden können: der erste Band, in dem die Abenteuer Tschitschikows auf seiner Reise durch die russische Provinz erzählt werden, endet abrupt mit der Flucht des Helden aus der Stadt N., die in den fantastischsten Gerüchten über seine wahre Natur brodelt.

So einigt man sich heute in der hohen Einschätzung der »Toten Seelen« ist, so zwiespältig war seinerzeit die Reaktion des literarischen Publikums. Auf alle Fälle war sie stürmisch: alles las und diskutierte das neue Buch Gogols, die einen hingerissen vor Begeisterung, die anderen voller Empörung, die in solchen Entgleisungen wie der gipfelte, Gogol sei ein Feind Rußlands, den man am besten in Ketten nach Sibirien verfrachten solle. Schon vor dem Druck war das von der Petersburger Zensur genehmigte Manuskript von Hand zu Hand gegangen, das Buch dann wurde reißend gekauft. Es war ein literarisches Ereignis, das die Gemüter erregte und ein beträchtliches Rauschen im Blätterwald der literarischen Kritik verursachte.

Gogol selbst entzog sich allen Turbulenzen, er reiste nach Rom, nicht ohne allerdings seine Freunde zu bitten, ihm möglichst detailliert über alle Reaktionen auf sein Buch, auch die negativen, zu berichten. Nicht zum ersten Mal hat sich Gogol so aus der Affaire gezogen. Immer wieder finden sich diese abrupten Kehrtwendungen in seinem merkwürdig unsteten und unbehausten Leben, bei dem einerseits die Bindungsscheu auffällt, andererseits die Selbstverständlichkeit, mit der er über die Zuwendungen, die Gastfreundschaft der vielen ihm freundschaftlich verbundenen Menschen verfügte.

1829 war der gerade zwanzigjährige Ukrainer Nikolaj Wassiljewitsch Gogol aus dem Gouvernement Poltawa nach Petersburg gegangen, um sich im Staatsdienst zu versuchen, vor allem aber sicherlich, um in der Hauptstadt Anschluß an literarische Kreise zu bekommen. Das alles war nicht so einfach zu bewerkstelligen, er fand zunächst weder eine Stelle, noch war sein erster Gehversuch in der Literatur von Erfolg gekrönt: die Idylle »Hanz Küchelgarten«, die er unter einem Pseudonym drucken ließ, fiel bei der Kritik durch. Zutiefst enttäuscht veranstaltete Gogol daraufhin das erste seiner so fatalen Autodafés, verbrannte die unverkauften Exemplare und – reiste ziemlich unvermittelt nach Lübeck und Hamburg, eine Reise, von der er später sagte, Zweck und Ziel seien ihm selbst unklar gewesen. Nach nur drei Tagen im fremden Land habe er aus Furcht, sonst nicht mehr heimkommen zu können, alle Hebel in Bewegung gesetzt und sei mit demselben Schiff wieder zurückgefahren. Es sollte noch über ein Jahr dauern, bis sich seine Situation in Petersburg etwas stabilisierte und er auch literarisch Fuß fassen konnte, erste ukrainische Erzählungen veröffentlichte und eine Schreiberstelle im Innenministerium bekam. Wichtig vor allem wurden für ihn die freundschaftlichen Beziehungen, die er zu dem bekannten Dichter W. Schukowskij und dem Pädagogen P. Pletnjow knüpfen konnte, treue Freunde, die ein Leben lang zu ihm hielten. Beide hatten als Erzieher bei Hofe Zutritt zu den höchsten Kreisen – Pletnjow vermittelte Gogol Privatstunden in vornehmen Petersburger Familien und verhalf ihm außerdem zu einer Stelle als Geschichtslehrer am »Patriotischen Institut«, einem Mädchenpensionat unter der Schirmherrschaft der Kaiserin. Es war auch Pletnjow, durch den Gogol dann endlich den seit frühester Jugend verehrten Puschkin kennenlernte. Diese Bekanntschaft hat er als eine der bedeutsamsten in seinem Leben angesehen, Puschkins Rat, sein Urteil waren ihm höchste Autorität.

Endlich kam der Durchbruch, der literarische Erfolg:

1831/32 erschienen, gleichzeitig mit den »Erzählungen Belkins« von Puschkin, Gogols ukrainische Novellen, die einem Imker in den Mund gelegten »Abende auf dem Vorwerk bei Dikanka«, Teil I und bald auch Teil II. Es sind acht teils heitere, teils ernste Geschichten, in denen der Einbruch überirdischer Kräfte, des Teufels, in die bäuerliche Wirklichkeit mit ihren naiven Aberglauben und Legenden geschildert wird. Puschkin schrieb in einer Rezension: »... an manchen Stellen, welche Poesie! Welches Gefühl! All das ist so ungewöhnlich in unserer jetzigen Literatur, daß ich noch gar nicht wieder zu mir gekommen bin.« Später hat man dieses Doppelereignis der Veröffentlichung von Puschkins und Gogols Erzählzyklen die Geburtsstunde der modernen russischen Prosa genannt.

Bei einem längeren Aufenthalt in Moskau im Sommer 1832 lernte Gogol den Historiker M. Pogodin, die Familie Aksakow – der Vater Sergej Timofejewitsch war ein bedeutender Schriftsteller – den Philosophen Iwan Kirejewskij und seinen Bruder Pjotr, den Ethnographen, später auch den Literarhistoriker Schewyrjow kennen – alles Namen, die in den großen geistigen Auseinandersetzungen der vierziger Jahre über die Rolle Rußlands in der Geschichte an erster Stelle genannt werden. Gogol beschäftigte sich damals besonders intensiv mit ukrainischer Geschichte und mit ukrainischer Volksliedüberlieferung. Hier sah er eine große Aufgabe für sich: er wollte eine Geschichte seiner Heimat, wenn nicht gar eine umfassende Universalgeschichte schreiben. Doch seine Bewerbung um eine Professur an der Universität Kiew wurde abgelehnt. Mehr Erfolg war ihm durch die Unterstützung seiner Freunde in Petersburg beschieden, wo er 1834 zum Adjunktprofessor für Allgemeine Geschichte ernannt wurde. Doch so begeistert er diese Aufgabe anpackte – er träumte bereits von einer »Geschichte des Mittelalters in acht oder, wenn Gott will, neun Bänden« –, so rasch erlahmte er. Der junge Turgenjew, der damals in Petersburg studierte und Gogols Vorlesungen besuchte, berichtet, daß Gogol zwei von drei Vorlesungen ausfallen ließ, und daß unter den Studenten der Eindruck herrschte, Gogol habe keinen blassen Dunst von Geschichtswissenschaft. »Beim Abschlußexamen seines Faches saß er da mit einem Kopftuch, angeblich wegen Zahnschmerzen, mit einem desolaten Gesichtsausdruck und machte den Mund nicht auf... Ich sehe noch wie heute seine magere, langnäsige Figur vor mir mit den wie zwei Ohren hochstehenden Zipfeln des schwarzen Tuches.« Im Dezember 1835 wurde er von der Universität entlassen, nachdem er im Sommer davor schon seine Stelle am Patriotischen Institut verloren hatte.

Anders erging es ihm mit seiner fiktionalen Prosa: im Frühjahr 1834 erschien »Die Geschichte, wie sich Iwan Iwanowitsch mit Iwan Nikiforowitsch verzankte« (später in den Zyklus »Mirgorod« aufgenommen), mit der er seinen Ruhm als komischer Autor begründete, auch wenn ihm einige Kritiken Sinn- und Geschmacklosigkeit vorwarfen. Er hatte die Erzählung zunächst Puschkin vorgelesen, und dieses Verfahren sollte man eigentlich als eine Art integralen Bestandteil seiner schriftstellerischen Arbeit sehen, die sich mehr und mehr in einem Wechsel von Schreiben und Vorlesen (und Gogols Vorlesekunst wird immer wieder gepriesen) vollzog. Ein Freund berichtet, er habe mehrfach gehört, wie Gogol, als er an den »Toten Seelen« schrieb, laut redete, als unterhielte er sich mit jemandem, manchmal in unnatürlichstem Tonfall. Gogols Texte verlangen danach, gesprochen zu werden, und es ist kein Zufall, daß man gerade mit seinem Namen die Tradition des »skaz« – der Stilisierung von mündlicher Erzählrede – verbindet. Doch nicht nur der Skaz und die damit verbundenen lexikalischen und grammatischen Kühnheiten und Normverletzungen (die Gogol von der zeitgenössischen Kritik genüßlich vorgehalten wurden!), auch die vielerlei musikalischen Verfahren, seine Sprache zu komponieren, sie rhythmisch und euphonisch zu organisieren – d. h. sie für den Hörer und nicht nur den Leser zu gestalten – verknüpfen sich mit seinem Namen und bilden ein wesentliches Element seines Erfolges und Einflusses.

Mit »Mirgorod«, einem weiteren Zyklus ukrainischer Erzählungen in zwei Teilen, schloß Gogol 1835 die »kleinrussische« Thematik ab. Nicht mehr Märchenhaftes wird hier erzählt – das Element des übersinnlichen Bösen spielt nur noch in »Der Wij« eine Rolle – der Teufel ist inzwischen unsichtbar geworden, er wirkt jetzt in den banalen alltäglichen Leidenschaften der Menschen weiter. Hier kristallisiert sich mehr und mehr das eigentliche Thema Gogols heraus: die Durchschnittlichkeit und Banalität des Bösen, in das sich der Mensch mit seinen armseligen Leidenschaften verstrickt, so daß von ihm selbst, von seiner Seele, nichts mehr übrigbleibt. Gogol schreibt später, daß allein Puschkin ihn damals wirklich verstanden habe, als er sagte, »noch nie habe ein Schriftsteller diese Fähigkeit gehabt, die Banalität und Plattheit des Lebens in so satten Farben zu schildern wie ich, die Hohlheit und Nichtigkeit des banalen Menschen mit solcher Kraft zu zeichnen, daß seine ganze Armseligkeit, die den meisten Menschen entgeht, jedem deutlich ins Auge springt«. Bereits vor »Mirgorod« hatte Gogol seine »Arabesken« veröffentlicht – wiederum zwei Bände, in denen jeweils sieben Aufsätze zu den verschiedensten Themen aus Geschichte, Geographie, Kunst und Literatur mit zwei in Petersburg spielenden Erzählungen zusammengeordnet sind. Die Erzählungen handeln vom tragischen Untergang von Menschen durch ihre Leidenschaften, die sie den dämonischen Kräften des Bösen ausliefern. Es sind die Erzählungen Gogols, in denen das hoffmanneske Element vielleicht am stärksten hervortritt. Vor allem aber rückt hier die Hauptstadt Petersburg in den Blick, die als eine Welt der Illusionen, des Scheins geschildert wird.

Damals erschien in einer Moskauer Literaturzeitschrift eine lange Abhandlung über »Die russische Erzählung und die Erzählungen von Herrn Gogol« von W. G. Belinskij – dem Literaturkritiker, dessen Wirken von nun an aufs engste mit dem Schaffen Gogols verbunden sein und dessen Perspektive die Gogolrezeption bis heute beeinflussen sollte. Schon in diesem ersten Aufsatz feierte er Gogol als »das Haupt unserer Literatur, unserer Dichter«, dessen Erzählungen durch ihre »vollkommene Lebenswahrheit, Schlichtheit der Erfindung, Volkstümlichkeit und die Originalität einer geistreichen Komik« überzeugten.

Bisher hatte Gogol lauter Erzählungen geschrieben, aber

sein Wunsch, ein größeres Werk zu schaffen, läßt sich schon an dem Bestreben ablesen, immer wieder mehrere Texte – sogar auch nichtfiktionale, wie in »Arabesken« – zu größeren Einheiten zusammenzufassen. Doch hatte er offenbar Schwierigkeiten, Stoffe für umfangreichere Werke zu finden. Viel später, in der erst postum veröffentlichten sogenannten »Beichte«, berichtet Gogol von seinen Gesprächen mit Puschkin über seine literarischen Pläne. Danach soll ihm der ältere Dichter Vorhaltungen gemacht haben, daß er mit seiner Fähigkeit, den Menschen im Nu zu erfassen und mit wenigen Strichen lebensecht darzustellen, immer noch kein gewichtigeres Werk in Angriff genommen habe. Puschkin habe ihn auf Cervantes verwiesen, von dem es zwar bedeutende Erzählungen gäbe, der aber niemals diesen Rang unter Schriftstellern hätte, wäre da nicht der Don Quixote. Im Zusammenhang dieses Gesprächs muß es gewesen sein, daß Puschkin Gogol das Sujet der Toten Seelen gegeben hat, aus dem er selbst wohl einmal so etwas wie ein Poem hatte machen wollen und das er keinem anderen überlassen haben würde, wie Gogol behauptet.

Diese künstlerische Verbindung der beiden Dichter ist schon sehr erstaunlich, kann man sich doch kaum einen größeren Gegensatz vorstellen als den zwischen Puschkins äußerst komprimierter Prosa, bei der jedes Wort gleichsam erst auf die Goldwaage gelegt wurde, ob es eine Funktion hat fürs Ganze oder nicht – und Gogol, bei dem die Fabel oft durch die Überfülle von Details, von flüchtig auftauchenden Personen, die mit der Handlung nichts zu tun haben, ganz in den Hintergrund gedrängt wird.

Gogol erwähnt die »Toten Seelen« zum ersten Mal in einem Brief an Puschkin vom 7. Oktober 1835: »... ich habe die ›Toten Seelen‹ zu schreiben begonnen. Das Sujet hat sich ausgeweitet zu einem langen Roman, er wird glaube ich sehr komisch. Ich habe ihn jetzt erst einmal beim dritten Kapitel angehalten. Ich suche noch einen guten Intriganten, mit dem man zurechtkommen kann. Ich will in diesem Roman wenigstens von einer Seite her das ganze Rußland zeigen ...«. Gleich anschließend im selben Brief erbittet sich Gogol noch ein weiteres Sujet (»Tun Sie mir den Gefallen, geben Sie mir irgendein Sujet, ob komisch oder nicht, nur: eine echt russische Anekdote. Es juckt mich in den Fingern, in der Zwischenzeit eine Komödie zu schreiben«). Auch das Sujet des »Revisor« also will Gogol, wie er wiederholt versichert hat, von Puschkin erhalten haben. Und er schrieb die Komödie in kürzester Zeit – Anfang 1836 passierte sie bereits dank der kräftigen Unterstützung der Petersburger Freunde die Zensur und wurde in Petersburg in Gegenwart des Zaren uraufgeführt. Und da der Kaiser herzlich lachte, konnte auch das Publikum seiner Begeisterung vollen Lauf lassen.

Gogol hat also seine beiden Hauptwerke zur selben Zeit begonnen. Deshalb hat man ihre Helden Chlestakow und Tschitschikow auch immer wieder miteinander verglichen, in ihnen »zwei moderne russische Gestalten, zwei Verkörperungen des ewig Bösen, des Teufels« gesehen (Puschkin soll in diesem Zusammenhang von »Bildern zweier Dämonen« gesprochen haben). Die Bedeutung von Gogols Gesprächen mit Puschkin, seiner Verehrung für ihn, kann für sein künstlerisches Selbstbewußtsein gar nicht hoch genug eingeschätzt werden. Dabei spielt es keine Rolle, ob diese Gefühle von Puschkin geteilt wurden. Es ist auch nicht bekannt, wie die ursprüngliche Idee von den »Toten Seelen« aussah, die Puschkin Gogol überlassen hat, und wozu sie dann in dem Gespräch der beiden Dichter weiterentwickelt wurde. Jedenfalls spielte dabei offenbar bereits die Anekdote von einem Mann, der mit toten Revisionsseelen einen Kredit erschwindeln wollte, eine Rolle. Dazu muß man wissen, daß zu jener Zeit Gutsbesitzer für die Festlegung der Steuern mit sogenannten Revisionslisten Auskunft über ihren Besitz an Leibeigenen – Seelen, wie man damals sagte – geben mußten. Da diese Listen bis zur nächsten Revision verbindlich waren, mußten in diesem Zeitraum die Steuern auch für inzwischen verstorbene Leibeigene entrichtet werden. Leibeigene konnte man wie anderen Besitz verkaufen und auch verpfänden. Es wird nun aus jener Zeit von mindestens einem authentischen Fall eines versuchten Kreditbetruges mit Hilfe von verstorbenen, aber auf den Revisionslisten noch geführten Seelen berichtet, über den man sich in Petersburg amüsierte.

Wichtig bei dem Gespräch mit Puschkin war vermutlich auch die Erwähnung des Don Quixote im Zusammenhang mit dem geplanten Roman, und das hatte wohl nicht nur mit der Frage des dichterischen Nachruhms zu tun, wie Gogol schreibt, sondern möglicherweise mehr mit der Struktur des Romans: den einzelnen Episoden, die durch die Reise des Helden miteinander verbunden wurden. So heißt es auch in derselben »Beichte« Gogols: »Puschkin fand das Sujet der Toten Seelen deshalb so gut für mich, weil es mir die volle Freiheit gäbe, mit meinem Helden zusammen ganz Rußland zu bereisen und eine Vielzahl der verschiedensten Charaktere vorzuführen.«

Gogol hat damals offenbar voller Begeisterung für den Stoff drauflosgeschrieben, ohne noch einen sehr detaillierten Plan für sein opus magnum zu haben. Und bald konnte er Puschkin die ersten Kapitel (in der ursprünglichen Version) der »Toten Seelen« vorlesen. Doch Puschkin, »der immer lachte, wenn ich vorlas (und er lachte überhaupt gern), wurde immer düsterer und düsterer und schließlich ganz finster. Als ich zu Ende gelesen hatte, rief er deprimiert: ›Mein Gott, wie traurig ist unser Rußland!‹ Das machte mich betroffen. Puschkin, der Rußland so gut kannte, sollte nicht bemerkt haben, daß all das eine Karikatur war und meine eigene Erfindung? Da erst begriff ich, was es bedeutet, wenn etwas aus der Seele genommen ist, überhaupt eine seelische Wahrheit, und wie fürchterlich sich dem Menschen die Finsternis und der erschreckende Mangel an Licht darstellen kann. Seitdem dachte ich nur noch darüber nach, wie ich die bedrückende Wirkung, wie sie von den Toten Seelen ausging, mildern könnte.« Gogol hat dann tatsächlich, wie wir aus Entwürfen zum ersten Band wissen, die größten Ungeheuerlichkeiten gestrichen.

Der Erfolg der »Revisoraufführung« löste bei Gogol eine ganz unerwartete Reaktion aus: er fühlte sich mißverstanden, seine Mission verfehlt. Dazu kamen Unstimmigkeiten mit Puschkin über Gogols Beiträge zum »Sowremennik« – jedenfalls verließ Gogol Petersburg fluchtartig und reiste, ohne sich von Puschkin oder seinen Freunden verabschiedet zu haben, über Deutschland und die Schweiz nach Paris, wobei das eigentliche Ziel Italien, Rom war. Damit begannen die Jahre der Unrast, des ständigen Herumreisens, der Wechsel von inspiriertem Schaffen und schwersten Arbeitsstörungen, von schwankender Gesundheit. Gogol hat seine langen Aufenthalte im Ausland später damit zu erklären versucht, daß er nur von außen Rußland wirklich sehen könne, daß er den Abstand brauche, um »über das ganze Rußland« schreiben zu können, was sein Anliegen war. Es ist deshalb ganz unsinnig, wenn man versucht, die »Toten Seelen« aufgrund ihrer Lexik, einzelner Bräuche, Speisen und Namen auf eine bestimmte nordgroßrussische Region – etwa die Gouvernements Twer und Jaroslawl – festzulegen, wie das in den Kommentaren immer wieder versucht wurde. Sowenig Gogols Personen Porträts sein sollten – »... die Helden meiner letzten Werke, insbesondere der ›Toten Seelen‹, [waren] weit entfernt davon, Porträts von wirklichen Menschen zu sein ...« –, so wenig bezogen sich die Reisen Tschitschikows auf eine bestimmte russische Landschaft.

Gogol brauchte das Reisen, die ständigen Ortswechsel offenbar auch, um seine immer quälender werdenden Arbeitshemmungen, seine schöpferischen Krisen zu überwinden. Mehrfach hat er betont, wie wichtig das Reisen für ihn war: »... Reisen ist auf wunderbare Weise heilsam für mich ...« oder »Reisen, Reisen! Ich hoffe stark auf das Reisen!«. So erzählte er einmal im Freundeskreis – es muß wohl 1838 gewesen sein: »Im Juli war ich unterwegs, zwischen Genzano und Albano, da gibt es auf halbem Wege eine ärmliche Schenke, das Billard steht im Gastzimmer, so daß man ewig das Klicken der Kugeln und die Gespräche in den verschiedensten Sprachen hört. Jeder, der vorbeikommt, kehrt hier ein, vor allem bei Hitze, so auch ich. Damals schrieb ich am ersten Band der ›Toten Seelen‹, das Heft hatte ich immer bei mir. Ich weiß nicht, weshalb es mich gerade in dem Moment, als ich die Schenke betrat, überkam zu schreiben. Ich ließ mir einen kleinen Tisch geben, setzte mich in eine Ecke, zog mein Portefeuille hervor und versank mitten im Getöse der rollenden Kugeln, dem unwahrscheinlichen Lärm, dem Gelaufe der Bedienung, in all dem Qualm, der stickigen Luft in wunderbare Träume und schrieb ein ganzes Kapitel, ohne mich vom Fleck zu rühren. Und diese Zeilen gehören zu meinen inspiriertesten. Selten habe ich mit solcher Begeisterung geschrieben.« Auch in den »Toten Seelen« gibt es einen lyrischen Exkurs über die Reise: »... wie oft habe ich schon, einem Ertrinkenden gleich, nach ihr gegriffen und jedesmal noch hat sie mich großmütig errettet (...) wieviel wahrhaft schöpferische Ideen, wieviel wunderbare, dichterische Träume wurden da nicht geboren ...«

Der tragische Duelltod Puschkins war ein schwerer Schlag für Gogol. »Eine schlimmere Nachricht konnte aus Rußland gar nicht kommen«, schrieb er an Pletnjow. Und an Pogodin: »Für alles, was bei mir gut ist, bin ich ihm verpflichtet. Auch mein jetziges Werk ist seine Schöpfung. Er ließ mich schwören, daß ich es schreiben werde ...« Und Gogol reiste weiter, erst nach Italien, dann im Sommer wieder nach Baden-Baden, und so ging es im Wechsel von Rom und Neapel im Winter und Frankreich, Deutschland und Holland im Sommer. Auf diesen Reisen nahm der Plan für die »Toten Seelen« allmählich immer umfassendere Formen an, wurde den lustigen Abenteuern Tschitschikows ein tieferer, metaphysischer Sinn unterlegt. Immer wieder tauchten in Gogols Briefen Bemerkungen auf, daß sein Werk gewaltige Ausmaße annehmen und ihn noch lange Zeit beschäftigen werde, daß es sein erstes bedeutendes Werk würde. Doch offenbar hatte er Schwierigkeiten mit dem Schreiben, wich ihm aus, litt immer wieder an unerklärlichen, mit Nervenzerrüttung umschriebenen Krankheitsphasen, verfolgte aber auch andere Pläne – so entstanden damals das Fragment »Rom« und erste Entwürfe für die Novelle »Der Mantel« – bis er schließlich im Frühjahr 1841 einem Freunde die erste vollständige Fassung der »Toten Seelen« diktieren konnte. Im Herbst kehrte er nach Moskau zurück, um das Manuskript für den Druck, d. h. zunächst für die Zensur fertigzustellen. Doch hier ergaben sich erneut Schwierigkeiten.

Man muß sich klarmachen, daß der Titel, der uns heute so selbstverständlich geworden ist, seinerzeit ausgesprochen irritierend wirkte (Gogol nutzt ja auch die Doppeldeutigkeit des Wortes »Seele«): Tote Seelen, das klang für den damaligen Leser nach Blasphemie, zumindest aber stellte man sich darunter, so ein Zeitgenosse, eine Gruselgeschichte wie etwa Gogols »Wij« vor, und selbst »aufgeklärte« Literaten wie Alexander Herzen empfanden den Titel als ausgesprochen »unheimlich«. Daher schrieb denn auch M. Pogodin, der wohlmeinend-kritische Freund, ganz nüchtern und warnend an Gogol: »Tote Seelen gibt es nicht im Russischen. Es gibt Revisionsseelen, gibt zugeschriebene, abgegangene oder hinzugewonnene Seelen.« Der Ausdruck »Tote Seelen« für verstorbene Leibeigene war unbekannt und weder in offiziellen Dokumenten noch in Wörterbüchern oder sonst in der Literatur zu finden.

Die Warnung war berechtigt, denn Gogol bekam zunächst einmal Schwierigkeiten mit der Zensur. Es war eben kein luftleerer ästhetischer Raum, in den das Buch hineingestellt wurde, sondern sowohl unter literarischem als auch allgemein-politischem Blickwinkel eine bestimmte historische Situation, in der es entstanden war, und in die hinein es dann auch wirkte. Auch wenn es ein Mißverständnis wäre, hier einen Kausalnexus herstellen zu wollen – die »Toten Seelen« sind ein Kunstwerk und kein politisches Pamphlet – so bilden diese historischen Zusammenhänge doch gleichsam die Landschaft, vor der es sich um so plastischer abhebt.

Es war die Zeit der sogenannten Nikolaitischen Reaktion 1825–1855 – die Regierung von Zar Nikolaus I. mit dem nicht gerade schmeichelhaften Beinamen »Gendarm Europas«, die allgemein als eine Periode der Stagnation in Rußland angesehen wird. Der allzu unentschlossene Versuch der sogenannten Dekabristen 1825, entsprechend der Entwicklung in Westeuropa für eine konstitutionelle Erneuerung des Staatswesens und die Abschaffung der Leibeigenschaft einzutreten, war mit grausamer Strenge niedergeschlagen worden. Der neue Zar suchte die alte Staatsform zu erhalten, indem er vor allem das geistige Leben unter verschärfte Kontrolle nahm,

d. h. Geheimpolizei (die sog. Dritte Abteilung) und Zensurbehörde zu tragenden Säulen seiner Regierung machte. Einer Regierung, deren Idealvorstellung vom Staat in der Dreiheit von Orthodoxie, Autokratie und Volkstum formuliert wurde. Doch wo starker Druck herrscht, entsteht Widerstand, und so gärte es auch in Rußland unter der Oberfläche weiter. Und da ein geistiges Leben in der Öffentlichkeit nicht möglich war, hatte es sich in die privaten Zirkel zurückgezogen, auch hier argwöhnisch beäugt durch die Dritte Abteilung. Zu einem zentralen Diskussionsthema, besonders nach dem Erlebnis des »Großen Vaterländischen Krieges« gegen Napoleon, wurde das Problem der russischen Identität, wie man es heute bezeichnen würde: Rußlands Ort in der Geschichte, sein Verhältnis zu Europa. Über diese Frage, ob Rußland mit Europa zusammengehen, die europäische Entwicklung nachholen solle, ob es Europa ablösen oder gar erretten solle, oder schließlich, ob es seinen eigenen Weg finden solle, erhitzten sich die Gemüter. Wichtige Stichworte in diesem Zusammenhang waren der Gegensatz von patriarchalischer Gesellschaftsordnung und den egalitären Prinzipien der französischen Revolution, von Fortschrittsglaube und Rückbesinnung auf überlieferte Werte, von Orthodoxie und westlichem katholisch-protestantischem Christentum mit seinem aufklärerischen Rationalismus. Die ideologischen Lager waren keineswegs klar voneinander geschieden, es gab immer wieder Frontenwechsel. Der Obrigkeit suspekt waren sie jedoch alle. Bei dieser Auseinandersetzung von »Slawophilen und Westlern«, wie man sie bezeichnete, gehörten gerade Gogols Moskauer Freunde zu den wichtigsten Repräsentanten der Slawophilen. Sein leidenschaftlicher Propagator Belinskij hingegen war radikaler Westler. Gogol selbst bezog nie eindeutig Stellung, er bemühte sich vielmehr um eine Vermittlerrolle. Aber auch in den »Toten Seelen« findet sich ein feines Netz von verdeckten und offenen Anspielungen auf diese Auseinandersetzung – oft in parodistischer Form, vor allem aber in den lyrischen Exkursen. So nahmen denn auch beide Seiten Gogols Buch in der Polemik für sich in Anspruch. Für die gereizte Atmosphäre und das Mißtrauen der Regierung gegen ihre Untertanen ist die Reaktion der Moskauer Zensur auf Gogols Manuskript, wie sie Gogol – wohl nicht ganz ohne Pointierung – seinem Freunde Pletnjow beschreibt, eine gute Illustration:

»Zerrüttet an Körper und Geist schreibe ich Ihnen (...) doch nicht von meiner Krankheit, sondern von der Zensur. Der Schlag traf mich keineswegs unerwartet: sie verbieten das ganze Manuskript. Ich gab es zuerst dem Zensor Snegirjow (er ist ein bißchen vernünftiger als die anderen), damit er, falls er irgend etwas fände, was Zweifel in ihm weckte, mir das gleich sagen könnte, dann hätte ich das Manuskript nach Petersburg geschickt. Aber nach zwei Tagen erklärte er mir begeistert, er fände das Manuskript vollkommen in Ordnung, sowohl was das Ziel als auch was die Wirkung auf den Leser beträfe, und außer geringfügigen Änderungen – zweidrei Namen (womit ich sofort einverstanden war und sie vornahm) – sei da nichts, was selbst die strengste Zensur zu Auflagen veranlassen könnte. Dasselbe erklärte er auch anderen. Doch plötzlich muß ihn jemand umgestimmt haben; ich erfuhr, daß er mein Manuskript nun doch dem Zensurkomitee vorlegen wollte. Das Komitee befaßte sich damit, als sei es bereits vorgewarnt und ganz in der Stimmung, eine Komödie aufzuführen: die Anschuldigungen waren nämlich ausnahmslos eine Komödie in der höchsten Potenz. Kaum hatte Golochwastow, der dabei präsidierte, den Titel ›Tote Seelen‹ gehört, als er auch schon mit Stentorstimme schrie: ›Nein, das werde ich niemals dulden: die Seele ist unsterblich, tote Seelen kann es nicht geben, der Autor zieht wohl gegen die Unsterblichkeit zu Felde.‹ Nur mühsam konnte man dem weisen Mann beibringen, daß es sich um Revisionsseelen handelt. Als er das endlich begriffen hatte und mit ihm die anderen Zensoren, brach ein noch heftigeres Unwetter los. ›Nein‹, schrie er und mit ihm das halbe Zensurkomitee. Das könne man erst recht nicht dulden, selbst wenn im Manuskript nur das eine Wort ›Revisionsseele‹ stünde, dulde man das nicht, denn es richte sich gegen die Leibeigenschaft. Schließlich bemühte sich sogar Snegirjow, der merkte, wie weit die Sache bereits gegangen war, die Zensoren zu überzeugen, daß er das Manuskript gelesen habe und daß es nicht den geringsten Hinweis auf die Leibeigenschaft gäbe, nicht einmal die üblichen Ohrfeigen, die so oft in Erzählungen an Leibeigene ausgeteilt werden, daß hier von etwas ganz anderem die Rede sei, daß nämlich die Hauptsache auf den komischen Zweifeln der Verkäufer und der Pfiffigkeit des Käufers sowie dem allgemeinen Durcheinander beruhe, das dieser seltsame Handel ausgelöst habe, und daß das Buch eine Reihe von Charakteren, das interne Leben Rußlands und einiger seiner Bewohner, eine Sammlung von vollkommen harmlosen Bildern vorführe. Aber es half nichts. ›Das Unternehmen Tschitschikows ist doch kriminell!‹ schrien sie. ›Aber der Autor rechtfertigt es ja gar nicht‹, bemerkte mein Zensor. ›Nein, das nicht! Aber er stellt es dar, da kommen doch gleich wieder welche, um sich ein Beispiel zu nehmen und tote Seelen zu kaufen!‹ Solch ein Unsinn wurde geredet! Und zwar von den ›Asiaten‹, d. h. den alten Zensoren, die sich hochgedienert haben und immer zu Hause geblieben sind. Doch nun zum Unsinn der ›Europäer‹, der Zensoren, die vom Ausland zurückgekehrt sind, der jungen Leute. ›Was Sie nicht sagen, aber der Preis, den Tschitschikow zahlt (so Krylow, einer dieser Zensoren), der Preis von zweieinhalb Rubeln, die er für die Seele zahlt, empört einen zutiefst. Das menschliche Gefühl sträubt sich dagegen, obgleich der Preis ja nur für den Namen auf dem Papier gilt, trotzdem ist es eine Seele, eine menschliche Seele, sie hat gelebt, existiert. Das würde man doch weder in Frankreich noch in England oder sonst irgendwo zulassen. Nach so einer Geschichte wird kein einziger Ausländer mehr zu uns kommen.‹ Das waren im wesentlichen die Punkte, weshalb das Manuskript verboten wurde. Ganz zu schweigen von anderen Spitzfindigkeiten, etwa wo es heißt, daß ein Gutsbesitzer sich ruiniert habe, als er sich sein Haus in Moskau modisch einrichtete, da meinte ein Zensor (Katschenowskij): ›Aber auch der Zar baut in Moskau einen Palast!‹, woran die anderen dann eine denkwürdige Unterhaltung knüpften. (...) Da haben Sie die Geschichte! Sie klingt fast unglaublich, für mich dazu noch verdächtig. So viel Dummheit traut man den Menschen doch gar nicht zu!«

Gogol holte also das Manuskript von der Zensur zurück und gab es dem Kritiker Belinskij mit nach Petersburg für die dortige Zensur, wo ihm mehr Erfolg beschieden war: der dortige Zensor Nikitenko, ein Landsmann Gogols, änderte nur äußerst geschickt den Titel in: »Die Abenteuer Tschitschikows oder Tote Seelen. Ein Poem.« Außerdem aber strich er »Die Geschichte vom Hauptmann Kopejkin« im zehnten Kapitel. Gogol war verzweifelt, er schrieb dem Zensor, die Geschichte sei eine der besten Passagen in seinem Buch, er könne die so entstandene Lücke unmöglich schließen, er bräuchte dieses Stück. So habe er es noch einmal umgeschrieben, habe alles, sogar die Minister, selbst das Wort »Exzellenz« herausgeschmissen, habe den Charakter Kopejkins deutlicher gemacht, so daß jetzt klar sei, daß er selbst schuld sei an seinem Verhalten und nicht der Mangel an Mitleid der anderen. An dieser Reaktion Gogols ist interessant, wie wichtig ihm gerade diese Episode war, die scheinbar ohne inneren Zusammenhang zum übrigen Text steht, eine Geschichte in der Geschichte ist. Möglich, daß sie zu den ursprünglichsten Bestandteilen des Textes gehört, daß der romantische Räuber Kopejkin als eine Art Gegenstück zu dem modernen betrügerischen »Unternehmer« Tschitschikow gedacht war.

In dieser für die Zensur überarbeiteten Version, die auch der vorliegenden deutschen Fassung zugrunde liegt, konnte schließlich im Mai 1842 »Die Abenteuer Tschitschikows oder Tote Seelen. Ein Poem«, wie das Buch jetzt hieß, mit einem von Gogol eigenhändig gezeichneten Titelblatt erscheinen. Dieses Buch sollte der erste Teil eines auf »kolossale Ausmaße« geplanten Werks sein. Aus Andeutungen im Text läßt sich entnehmen, daß Gogol noch an zwei weitere Teile dachte – im letzten Kapitel z. B. heißt es, daß der Autor »ja noch eine nicht geringe Wegstrecke Arm in Arm mit ihm (d. i. Tschitschikow) zurücklegen« muß, »zwei umfangreiche Teile dieser Erzählung liegen ja noch vor ihm...«. Das mag auch einem Verständnis der eigentümlichen Gattungsbezeichnung Poem näherbringen, die schon in Gogols Briefen aus der Anfangszeit seiner Arbeit an den »Toten Seelen« auftaucht: Gogol hatte offenbar einen umfassenden romantischen Plan, nicht einen Abenteuerroman mit wohlfeilen Fortsetzungen wollte er schreiben, sondern, wie man auch aus späteren Äußerungen von ihm weiß, in weiteren Teilen seine Helden zur moralischen Umkehr bewegen, um sie schließlich geläutert in ein utopisches Ideal-Rußland zu versetzen. In einem Brief an Schukowskij vergleicht er denn auch den soeben erschienenen ersten Teil gegenüber den geplanten folgenden Teilen mit der »von einem Provinzarchitekten hastig hingebauten Vortreppe zu einem Palast, der in kolossalen Dimensionen geplant ist«. Es wird in diesem Zusammenhang immer auf Dantes Göttliche Komödie verwiesen, die Gogol dabei als Vorbild vorgeschwebt haben soll. Dann hat man es also beim ersten (und einzig fertiggestellten) Teil mit einer (heiteren) Wanderung durch die Hölle, das Land des Todes zu tun, dem im zweiten das Fegefeuer folgen sollte und schließlich in einem dritten Teil das Paradies.

Die Aufregung war groß, als das Buch erschien, es »erschütterte ganz Rußland«, wie A. Herzen schrieb, vehemente Ablehnung und begeisterte Zustimmung gingen quer durch alle ideologischen Lager. Die einen waren empört, sahen in den »Toten Seelen« eine Verleumdung Rußlands, schimpften, daß das Poem nur Dummköpfe und Taugenichtse vorführe, keinen Inhalt habe, daß der Autor übermäßigen Gebrauch von nicht salonfähigem Vokabular mache und im übrigen häufig gegen die Grammatik verstoße. Andere wiederum, wie K. Aksakow, der eine ganze Broschüre zu den »Toten Seelen« veröffentlichte, priesen das Werk als eine »russische Ilias«, eine Apotheose des russischen Volks, und stützten sich dabei vor allem auf die lyrischen Exkurse des Textes. Gegnern wie Befürwortern des Werks waren Ähnlichkeiten mit Dickens aufgefallen, aber Dickens könne man »wenigstens manchmal seine schmutzigen Mißgeburten« verzeihen, denn er belebe doch immerhin (im Unterschied zu Gogol) »die dunklen Seiten durch helle«. Bei den Westlern sah man in den »Toten Seelen« vor allem den Angriff auf die gesellschaftlichen Verhältnisse, die Leibeigenschaft: »... Eine solche Anklage war notwendig für das moderne Rußland. Es ist die Geschichte einer Krankheit, von Meisterhand geschrieben« (Herzen). Bei W. G. Belinskij, von dem es eine ganze Serie von Artikeln und kürzeren Notizen zu den »Toten Seelen« gibt, kann man deutlich die in der damaligen Zeit notwendige Form von Mimikry gegenüber der Zensur ablesen, unter deren Schutz allein die Literaturkritik ihre politischen Zwecke erfüllen konnte: er pries das Werk als »... ein rein russisches, nationales Werk, aus dem Innersten des Volkslebens gegriffen, ebenso wahr wie patriotisch, das den Schleier vor der Wirklichkeit erbarmungslos weggezogen hat und das leidenschaftliche, feinfühlige und echte Liebe zum fruchtbaren Kern des russischen Lebens atmet«. Interessant an diesem Lob ist, daß es auf demselben Mißverständnis aufbaut wie die negativen Kritiken: die »Toten Seelen« werden als realistische Schilderung der Verhältnisse, als Angriff auf Mißstände, als ein Porträt Rußlands aufgefaßt. So konnte Belinskij auch Gogol zum Haupt der sogenannten »Natürlichen Schule« erklären, der damals neuen Richtung in der russischen Literatur, die sich der »physiologischen« Beschreibung des Lebens, vor allem der niederen Stände und neuen Milieus annahm und die häßliche Landschaft, die häßlichen Seiten der Großstädte, die unteren Schichten der Gesellschaft, die niedrigen menschlichen Funktionen zum Thema der Literatur machte. Gogol hatte zu ihren Vertretern fast keine persönlichen Beziehungen, doch sind nicht nur Belinskij selbst, sondern zumindest mit ihren frühen Werken so bekannte Autoren wie Turgenjew, Dostojewskij, Herzen und Nekrassow, ja auch der junge Tolstoj der Natürlichen Schule zuzurechnen.

Wenn man darin nicht nur den Übergang zu einem Realismus sehen will, sondern eine besondere Spielart der Romantik, die nicht überirdische Welten den irdischen gegenüberstellt, sondern nur noch die irdische in ihrer ganzen Abscheulichkeit darstellt, um die Sehnsucht nach der anderen, höheren Welt zu wecken – dann ist die Zuordnung Gogols zur »Natürlichen Schule« gerechtfertigt. Doch ist es nicht Gesellschaftskritik, die er übt, wie das bis heute noch in der »progressiven« Literaturgeschichtsschreibung behauptet wird: »Die abenteuerliche Fabel vom Aufkauf ›toter Seelen‹ (...) benutzte Gogol zur entlarvenden Darstellung der beiden herrschenden Schichten des zaristischen Rußland: des Leibeigenenadels und der Bürokratie. (...) Sie sind (...) für den weiteren Weg Rußlands nicht notwendig, dienen nicht mehr den Interessen der russischen Nation, ja, sind diesen Interessen diametral entgegengesetzt. Das wird aus der Konfrontierung dieser entarteten Vertreter ihrer Nation mit den großen schöpferischen Kräften des Volkes deutlich sichtbar.«

Es sind ja keineswegs nur die »entarteten Vertreter« »des Leibeigenenadels und der Bürokratie«, die Gogol aufs Korn nimmt. Die zeitgenössische Kritik hatte durchaus recht, wenn sie ihm vorwarf, daß es überhaupt keine positive Figur in dem Text gab. Gogol hätte darauf, wie schon bei dem entsprechenden Vorwurf gegenüber dem »Revisor«, antworten können, daß die einzige positive Gestalt in seinem Roman das Lachen sei. An Schewyrjow schrieb er später, ›es ginge ihm schon seit langem nur darum, daß man nach der Lektüre seiner Werke nach Herzenslust über den Teufel lachen könne‹, über das Böse, das er vor allem in der platten Mittelmäßigkeit angreift und verspottet, in der Banalität der Welt, »von der sich der Mensch derart umflechten und umwickeln läßt, daß von ihm selbst nichts mehr übrigbleibt... Und wenn du zu seiner Seele vordringen willst, gibt es sie nicht mehr. Ein versteinerter Brocken...«, wie es in den Entwürfen zu den »Toten Seelen« einmal heißt. Nicht Gesellschaftskritik im Sinne einer Kampfansage an die Ungleichheit der Menschen also, sondern moralische Kritik war es, was er beabsichtigte, und die übte er an den Menschen, nicht an bestimmten Klassen.

So schickt Gogol seinen Helden Tschitschikow in diesem ungewöhnlichen, in seinen Erzählverfahren teilweise noch dem achtzehnten Jahrhundert (z. B. Laurence Sterne) verhafteten, doch in den Darstellungsformen eher in die Moderne, bis hin zum Surrealismus verweisenden Roman auf die Reise durch die Provinz. Der Autor läßt bei dieser Reise seinen

Leser nicht allein mit der Erzählung, er nimmt ihn gleichsam an der Hand, redet ihn an, führt in allerlei retardierenden Momenten und teils grotesken, teils lyrisch-pathetischen Exkursen über die Menschenwelt, die Dichtung, die Zukunft Rußlands immer wieder Zwiesprache mit ihm. Die eigentliche Fabel tritt dabei weitgehend in den Hintergrund, ein Sachverhalt, auf den schon Pogodin aufmerksam machte, als er kritisierte, die Handlung käme nicht voran, Gogol habe gleichsam einen langen Korridor gebaut, durch den er seinen Leser mit Tschitschikow führe, um ihm die Türen nach rechts und links zu öffnen und die in den Zimmern sitzenden Mißgeburten vorzuführen.

Ist die Provinz, wohin Tschitschikow kommt, das Übliche, wie ständig betont wird, so heißt es auch von Tschitschikow, daß er zum Durchschnitt, »zur sogenannten Mittelklasse gerechnet« werden könne, daß er »kein Adonis war, aber trotzdem nicht übel aussah und weder besonders dick noch übermäßig dünn war«, weder für alt noch für jugendlich gehalten werden konnte. Die Stadt, in die er kommt, zeichnet sich durch nichts Besonderes aus, ist wie der Gasthof, das Gastzimmer, »von der üblichen Art«, hat nicht einmal einen eigenen Namen, genausowenig wie ihre Einwohner, die im ganzen Roman nur unter ihren Funktionsbezeichnungen auftreten. Deshalb können diese Menschen auch kollektiv beschrieben werden; Überlegungen zur Person werden bei den Bewohnern der Stadt N selten angestellt, eher zum Kollektiv, und das ist nicht nach gesellschaftlichen Kriterien definiert, sondern z. B. nach dem Geschlecht oder dem Leibesumfang. Dieses Verfahren wird in dem Gespräch der beiden Damen im 9. Kapitel, wo es doch scheinbar um Individuen geht, ausdrücklich offengelegt: nach langen Überlegungen des Autors, welche Namen er den beiden Damen geben soll, entschließt er sich bei der einen für »die in jeder Beziehung anziehende Dame«, während er die andere einfach »die anziehende Dame« nennt.

Aber dieses Übliche, Mittelmäßige, wird nicht etwa grau in grau erzählt, sondern voller grotesker Übertreibungen, mit gelegentlich überbordender Phantasie für Details, die für den

Handlungszusammenhang keinerlei Funktion zu haben brauchen. Mit dieser Detailfreude hat man sich erklärt, daß die »Toten Seelen« trotz ihres relativ bescheidenen Umfangs den Eindruck »unermeßlicher epischer Fülle« erwecken. Berühmt sind Gogols realisierte Vergleiche, wenn er z. B. das Gesicht des Teehändlers mit dessen kupferrotem Samowar vergleicht und erläutert, man hätte wirklich annehmen können, auf dem Fensterbrett ständen zwei Samoware, »wenn nicht einer der beiden einen pechschwarzen Bart gehabt hätte«. Oder seine Vergleiche »nach unten«, wo die Banalität des Bildes in krassem Widerspruch zu den geweckten hohen Erwartungen steht: wenn etwa im Gesicht einer Person »ein so tiefer Ernst zum Ausdruck kam, wie man ihn sonst wohl noch niemals in einem menschlichen Antlitz gesehen hat, es sei denn bei einem ungewöhnlich klugen Minister, und auch bei einem solchen höchstens in einer Minute schärfsten Nachdenkens«. Oder ausgeführte Vergleiche, wo die Textstelle nicht etwa durch den Vergleich illustriert wird, sondern nur Anlaß ist für eine neue Geschichte auf der übertragenen Ebene, so daß Vergleichsgegenstand und Bild in ihren Funktionen scheinbar vertauscht werden: wenn z. B. gleich zu Beginn der »Toten Seelen« die im Festsaal sich bewegenden Herren in ihren schwarzen Fräcken mit Fliegen im Hochsommer verglichen werden, die um einen Zuckerhut schwirren, dann gewinnt das Bild dieser sommerlichen Szene sogleich seine eigene Realität, eine ganze Genreszene um diesen Zuckerhut wird ausgemalt, und die schwarzen Fräcke scheinen vergessen. Auch mit diesen rhetorischen Mitteln wird gerade die Dürftigkeit, die Lächerlichkeit dieser Lebenswelt gezeigt, in der die Menschen selbst zu »toten Seelen« werden.

In dieser Alltagsbanalität der Provinz erhalten einige Figuren schärferes Profil und folglich auch einen Namen: da ist zunächst der Held, Kollegienrat Pawel Iwanowitsch Tschitschikow, und seine beiden leibeigenen Diener Selifan und Petruschka, daneben die Gutsbesitzer, die Tschitschikow mit seinem Besuch beehrt, um ihnen »tote Seelen« abzukaufen. Sie haben nur Nachnamen, sprechende Namen wie Manilow (von manit' – locken), Korobotschka (= Schächtelchen), Nosdrjow (von nosdri – Nüstern), Sobakjewitsch (von sobaka – Hund) und Pljuschkin (von Plüsch), die als Appellativa für bestimmte seelische Eigenschaften inzwischen in den allgemeinen Sprachgebrauch eingegangen sind. Mit ihnen werden verschiedene Spielarten dieser Dürftigkeit breiter vorgeführt, schon die Namen lassen ja auf bestimmte Eigenschaften ihrer Träger schließen. Hier muß nun auf das andere wichtige Thema Gogols hingewiesen werden, einen Grundgedanken seiner Anthropologie: jeder Mensch hat eine zentrale Leidenschaft, einen Fimmel oder ein Steckenpferd, wie es in der deutschen Version genannt wird. Gogol schiebt gleich bei dem Versuch, Manilow, den ersten Gutsbesitzer, genauer vorzustellen, einen Exkurs über diese menschlichen Steckenpferde ein: »Ein jeder hat ja sein Steckenpferd: bei dem einen sind's seine Windhunde, der andere hält sich für einen großen Musikkenner und bildet sich ein, ein ungewöhnliches Verständnis für die besonders tiefen Stellen musikalischer Werke zu haben. Ein dritter schmeichelt sich, ein gewaltiger Gourmand zu sein ...« Kennzeichnend für diese Fimmel in den »Toten Seelen« ist aber wiederum, daß sie sich an Lächerliches, an Nichtigkeiten hängen. Auch die Gutsbesitzer haben jeweils ihren dominanten »Fimmel«, der nicht nur ihre Person und ihre Verhaltensweise, sondern gleich auch ihre ganze Umgebung mitprägt. Die Familie und wer zum Gutsbetrieb gehört, das Haus, der Garten, aber auch die Speisen – alles dient der Illustration des einen vorherrschenden Zuges. Ja, meist wird den Gutsbesitzern auch noch ein typisches Tier zugeordnet: der Korobotschka das Federvieh, Nosdrjow die Jagdhunde, Sobakjewitsch der Bär, Pljuschkin die Mäuse – nur der süßlich-sentimentale Manilow ist »nicht Fisch nicht Fleisch«. Sie alle sind ihrem »Fimmel« so verfallen, daß sie für Tschitschikow, den Seelenkäufer, ein leichtes Opfer werden – mit Ausnahme von Nosdrjow, dem »guten Intriganten«, den Gogol brauchte, um den Handlungsknoten zu schürzen. Man hat immer darauf hingewiesen, daß die lebendigsten Menschen in dem Poem die toten Seelen sind, die Personen, die sich Tschitschikow beim Lesen der Namenslisten mit den Verstorbenen vorstellt. Und seine leibeigenen Diener? Von Petruschka wird die Leidenschaft fürs Lesen berichtet, doch spielt es nicht die geringste Rolle, was er liest, es geht vielmehr um den »Prozeß des Lesens selbst, nämlich den Umstand, daß sich aus den einzelnen Buchstaben immer wieder irgendein Wort bildete, dessen Bedeutung allerdings mitunter nur der Teufel begreifen konnte«. Außerdem werden noch zwei Charakteristika von Petruschka mitgeteilt, die ihn leitmotivisch im Text begleiten: seine Gewohnheit, in Kleidern zu schlafen und überall »den eigenartigen Mief, seine höchst persönliche Atmosphäre, zu verbreiten, die ein wenig an abgestandene Zimmerluft erinnerte«. Selifan, der Kutscher, ist meist betrunken »wie ein Kutscher«, er redet eigentlich nur mit seinen Pferden, sieht alles in der Perspektive der Pferde. Aber einmal kratzt er sich hinterm Ohr, als deutlichere Gefühlsregung, was Gogol zu einem Exkurs über das Hinterm-Ohr-Kratzen veranlaßt, »denn gar manches und gar vieles hat es zu bedeuten, wenn das russische Volk sich hinterm Ohr kratzt ...«. Die Stadt N schließlich, »mit ihrem wilden Durcheinander von Klatschereien und Zwischenträgereien ist das Urbild der Tatenlosigkeit und Hohlheit des menschlichen Lebens«, wie Gogol in seinen Bemerkungen zum ersten Teil der »Toten Seelen« schreibt.

Aber das war ja nur der erste Teil, die »Wanderung durch die Hölle«, kein Selbstzweck, sondern eine Wegstrecke, die ihre Fortsetzung in einem zweiten und dritten Teil finden sollte. Schon während der Arbeit am ersten Teil hatte Gogol damit begonnen. Leider läßt sich nicht rekonstruieren, wie der weitere Handlungsverlauf, wie die »Auferstehung« des geläuterten und gewandelten Tschitschikow gedacht war. »Die Toten Seelen haben Rußland nicht deshalb so erschreckt, haben nicht deshalb einen solchen Lärm dort verursacht, weil sie auf irgendwelche Wunden oder inneren Krankheiten hingewiesen, auch nicht, weil sie erschütternde Bilder vom Triumph des Bösen und der leidenden Unschuld vorgeführt hätten. Keineswegs. Meine Helden sind keine Übeltäter; fügte ich auch nur bei einem von ihnen einen positiven

Zug hinzu, der Leser würde sich mit allen versöhnen«, wie Gogol im Dritten Brief zu den »Toten Seelen« schreibt. Eine solche Verwandlung sollte sich im zweiten Teil des Poems anbahnen: schon die Landschaft verändert sich, statt der dürftigen Eintönigkeit wird blühende Fülle und Vielfalt gezeigt; zwar sind die Personen immer noch alles andere als Idealgestalten, doch geht Gogol in seiner Darstellung neue Wege, verleiht ihnen Plastizität und Leben. Etwa dem in Untätigkeit »versackten« Tentetnikow – eine Art Oblomow avant la lettre, ein überflüssiger Mensch: doch wird mit seiner Biographie Verständnis für ihn geweckt (auch wenn Gogol mit der Beschreibung seiner Studentenzeit eine Karikatur der »Progressiven« und ihres modischen Vokabulars wagt), man kann sich sein Erwachen zu neuem Leben durchaus vorstellen. Oder in der lebenslustigen, »wahrhaft homerischen Episode« (Thomas Mann) mit dem gastlichen Fresser Petuch. Vorbildcharakter sollte wohl der Gutsbesitzer Kostanschoglo haben, der als unermüdlich tätiger Mensch in einem blühenden Landwirtschaftsbetrieb dargestellt wird, Vorbild und Ermahnung für Tschitschikow, sein Lebensziel – die Gründung einer Familie, eines Hausstandes – nicht mehr durch Betrügereien, sondern auf dem Wege der Arbeit zu erreichen. Das sinnerfüllte Wirtschaften, das Positive an Kostanschoglos Lebensauffassung wird unterstrichen durch die Gegenüberstellung mit Oberst Koschkarjow, der zwar auch unermüdlich wirkt auf seinem Gut, der jedoch die Errungenschaften der Zivilisation nur in ihren Formalitäten, in Bürokratie und lächerlichen Konventionen auf seinem Besitz einzuführen sucht und damit nichts als Chaos stiftet...

So hat man Gogol in der antiaufklärerischen Tradition zu sehen – er warnt vor den progressiven Tendenzen einer immer säkularistischer werdenden Welt mit der Übermacht ihrer zivilisatorischen Errungenschaften und stellt dem Ideale entgegen, die vielleicht sogar teilweise an die protestantische Ethik zu erinnern vermögen mit ihrem Arbeitsethos als innerweltlichem Heilsweg.

Gogol reiste nach der Veröffentlichung des ersten Teils wieder nach Italien, und diesmal sollte es sechs Jahre dauern, bis er wieder nach Rußland zurückkehrte und sein Wanderdasein aufgab oder doch zumindest einschränkte. Die Weiterarbeit an den »Toten Seelen« wurde immer schwieriger, die Pausen durch Depressionen und physische Molesten immer häufiger. Meist wohnte Gogol bei Freunden oder Bekannten, reiste mit Freunden, als könne er nur in Gesellschaft existieren. Immer wieder hielt er sich monatelang bei Schukowskij in Frankfurt auf, ihn scheint er damals am ehesten in seine Arbeit eingeweiht zu haben (»zunächst würde ich Schukowskij vorlesen, wenn etwas fertig wäre ...«). Er träumte davon, mit Schukowskij in völliger Einsamkeit und Ruhe zu arbeiten, Schukowskij an seiner Odyssee-Übersetzung und er an den »Toten Seelen«. Auch von Schukowskijs Odyssee erhoffte er sich, wie von seinem eigenen Werk, eine moralische Erneuerung Rußlands. Doch dann, im Sommer 1845, veranstaltete er wiederum ein Autodafé und verbrannte sein damals offenbar schon ziemlich weit gediehenes Manuskript des zweiten Teils der »Toten Seelen«. Das sei einfach nötig gewesen, schrieb er später, denn »erst müsse man sterben, um dann auferstehen zu können«. Es sei ihm nicht leichtgefallen, seine fünfjährige Arbeit zu vernichten. Doch »als die Flamme das letzte Blatt des Manuskriptes fortgetragen hatte, erstand sein Inhalt plötzlich in geläuterter und lichter Form wieder wie der Phönix aus der Asche, und ich sah, wie ungeordnet noch gewesen war, was ich bereits für geordnet und wohlaufgebaut gehalten hatte«.

Bald danach verfiel er auf die unselige Idee, aus echten und fingierten Briefen eine Art Essaysammlung zusammenzustellen: »Ausgewählte Stellen aus einem Briefwechsel mit Freunden«, der 1847 erschien und eine Welle der Empörung auslöste, denn die darin geäußerten Ansichten von Kirche, Staat und Gesellschaft standen quer zu allen damals vertretenen Positionen und riefen selbst bei seinen slawophilen Freunden Bestürzung hervor. Möglich, daß Gogol mit seinen Ermahnungen, sich auf patriarchalische Traditionen zu besinnen und um das individuelle Seelenheil zu kümmern, seine Landsleute vor den Ideen des Vormärz warnen wollte (R. D. Keil). Das legt auch die zeitgenössische Reaktion nahe: der maßlos enttäuschte Belinskij schrieb ihm einen vernichtenden Brief, der zu einem der wichtigsten und folgenreichsten Texte der russischen Geistesgeschichte werden sollte: Der Brief kursierte offenbar in Abschriften in den Hauptstädten; sein Besitz und seine Verbreitung aber galten in jenen Zeiten als Kapitalverbrechen – was der junge Dostojewskij 1849 auf das Makaberste erfahren mußte. Für Gogol bedeutete diese Reaktion auf sein Buch einen schweren Schlag. Er versuchte sich zu rechtfertigen, schrieb eine Art Apologie, worin er seine Haltung, seinen geistigen Werdegang, seine Vorstellungen darlegte. Zunächst wohl als Erklärung für Belinskij gedacht, aber nie abgeschickt, wurde die »Beichte des Autors« erst postum veröffentlicht.

1848 endlich, nach einer Pilgerfahrt ins Heilige Land, kehrte Gogol nach Moskau zurück, wo er wie üblich bei Freunden unterkam. Endlich nahm er die Arbeit am zweiten Band wieder auf. Und im Sommer des folgenden Jahres begann er nach altem Brauch bei den verschiedenen Freunden sein Werk vorzulesen. Sergej Aksakow, der Gogols schöpferische Kräfte bereits für endgültig versiegt hielt, erzählt: »Nicht Freude, sondern die Furcht, daß ich etwas des früheren Gogol Unwürdiges hören würde, machten mich so verlegen, daß ich ganz verwirrt war. Auch Gogol selbst war verlegen ... Doch gleich bei den ersten Seiten erkannte ich, daß seine Kunst nicht untergegangen war und geriet in Begeisterung.« Er schrieb Gogol: »Ihr Talent lebt nicht nur, es ist gereift!« Die Begeisterung war allgemein, wie aus Berichten von Zeitgenossen zu entnehmen ist, und Aksakow gesteht: »... mehrmals konnte ich die Tränen nicht unterdrücken. Solch hohe Kunst, im banalen Menschen einen menschlich so hohen Zug zu zeigen, wird man nirgends mehr finden, außer vielleicht bei Homer.« Nach der Aussage von Bekannten soll Gogol im Winter 1851–1852 den zweiten Band weitgehend fertiggestellt haben. Doch dann, nach einer heftigen Auseinandersetzung mit seinem Beichtvater, der angeblich von Gogol forderte, sich von Puschkin, dem Sünder und Heiden loszusagen, folgte die Katastrophe: Gogol übergab heimlich in der Nacht zum 12. Februar 1852 sein Manuskript den

Flammen. Sein junger Diener soll sich ihm weinend zu Füßen geworfen haben, um das Unglück zu verhindern. Doch Gogol habe sich immer wieder bekreuzigt und nicht davon abbringen lassen, bis alles verbrannt war. Danach verweigerte er jegliche Nahrungsaufnahme, um schließlich, am 21. Februar 1852, zu sterben.

1855 brachte man als Zweiten Teil der »Toten Seelen« heraus, was man noch im Nachlaß gefunden hatte – frühe Fassungen einzelner Kapitel, das letzte Stück möglicherweise noch aus der ersten Schaffensphase – leider läßt sich daraus kein klarer Zusammenhang mehr erschließen, die Fragmente ergeben keine Vorstellung vom Handlungsverlauf, von einer Gesamtkonzeption der »Toten Seelen«.

Barbara Conrad

INHALT

ERSTER TEIL

ZWEITER TEIL

ANHANG